LUKAS THOMMEN

DAS VOLKSTRIBUNAT DER SPÄTEN RÖMISCHEN REPUBLIK

FRANZ STEINER VERLAG WIESBADEN GMBH
STUTTGART 1989

CIP-Titelaufnahme der Deutschen Bibliothek
Thommen, Lukas:
Das Volkstribunat der späten römischen Republik / Lukas Thommen. - Stuttgart : Steiner-Verl. Wiesbaden, 1989
(Historia : Einzelschriften ; 59)
Zugl.: Basel, Univ., Diss.
ISBN 3-515-05187-2
NE: Historia / Einzelschriften

 Druck: Druckerei Peter Proff, Starnberg.
Printed in the Fed. Rep. of Germany

INHALTSVERZEICHNIS

VORWORT

Die vorliegende Arbeit geht auf eine nur geringfügig veränderte Dissertation zurück, die im Sommer 1987 der Philosophisch-Historischen Fakultät der Universität Basel vorgelegen hat und sich ihrerseits aus einer Lizentiatsarbeit vom Herbst 1983 an derselben Fakultät entwickelte. Meinem Lehrer, Herrn Prof.Dr. J. von Ungern-Sternberg, bin ich für die Anregung des Themas sowie für die wohlwollende Betreuung und stetige Beratung zu Dank verpflichtet. Frau Prof.Dr.U.Hackl sei für die Übernahme des Korreferates und gute Ratschläge gedankt.

Dank schulde ich ferner der Kommission für Alte Geschichte und Epigraphik des Deutschen Archäologischen Instituts in München, an der mir in der Zeit vom Herbst 1985 bis zum Frühjahr 1988 optimale Arbeitsmöglichkeiten und wertvolle Anregungen zuteil wurden. Kritische Gespräche konnte ich zudem mit Herrn Prof.Dr. R. Wittmann vom Leopold Wenger-Institut für Papyrusforschung und antike Rechtsgeschichte der Universität München führen.

Zu danken habe ich schliesslich Herrn Prof.Dr.G.Walser und den übrigen Herausgebern der Historia-Einzelschriften für die Aufnahme meiner Arbeit in ihre Reihe.

Basel, im Juni 1988 Lukas Thommen

EINLEITUNG

Stand der Forschung

Eine umfassende Untersuchung über das Volkstribunat der späten Republik, wie sie J. Bleicken vor nunmehr über dreissig Jahren für die mittlere Republik vorgelegt hat,[1] fehlt bis heute. Die ältere Forschung hatte sich mit dem Volkstribunat vor allem im Hinblick auf seine staatsrechtlichen Kompetenzen befasst.[2] Zudem hat auch G. Lobrano unlängst die *tribunicia potestas* aus staatstheoretischer Sicht behandelt.[3] Seine begrifflich ausgerichtete Studie gibt jedoch über die politische Stellung des Volkstribunats kaum Aufschlüsse.[4] Erstmals hat sich die Arbeit von J. Bleicken eingehender mit diesem Aspekt des Tribunats auseinandergesetzt und für die mittlere Republik eindrucksvoll die Abhängigkeit der Institution vom Senat dargestellt.[5] Dieses Charakteristikum wollte Bleicken allerdings nur für die „klassische Republik" gelten lassen.[6] Das Volkstribunat jener Zeit liess sich so gegen das nach ihm „erneut revolutionäre Tribunat in dem letzten Jahrhundert der Republik" abgrenzen.[7]

Diese Auffassung, die schon von Th. Mommsen vertreten wurde,[8] begegnet zum Teil bis in die jüngste Literatur.[9] Andererseits ist die Anwendbarkeit des Revolutionsbegriffs auf die späte Republik seit einiger Zeit zu Recht in Frage gestellt worden.[10] Ferner hat schon

1 J. Bleicken, Das Volkstribunat der klassischen Republik. Studien zu seiner Entwicklung zwischen 287 und 133 v. Chr., Zetemata 13, München 1955 (2. Aufl. 1968).

2 Vgl. Mommsen, StR. 2, 272–330; Herzog 1, 1136ff.; Stella Maranca; Niccolini, tribunato; Siber 225ff.

3 G. Lobrano, Il potere dei tribuni della plebe, Milano 1982. Zur Wirkungsgeschichte des Volkstribunats in der Moderne vgl. schon P. Catalano, Tribunato e resistenza, Torino 1971. Mangelhaft ist trotz seiner Ausführlichkeit der Lexikonartikel von F. Fabbrini, NNDI 19, 1973, 778–882, s. v. „Tribuni plebis".

4 Vgl. Rez. H. Kloft, Gnomon 57, 1985, 621–624.

5 Vgl. dazu schon Mommsen, RG 1, 311ff.; Lengle, Strafr., 14f.; Taylor, Party Politics, 6. 15. Bleicken (Volkstribunat 1955, 3, vgl. 26 und 77f.) wehrt sich dagegen, die Volkstribunen als Magistrate, unter die sie Mommsen gereiht hatte, zu betrachten, da ihnen das *imperium* und das *ius auspicii* fehlte (dazu H. Kloft, Gnomon 57, 1985, 623). Bleickens Sicht ist hier möglicherweise etwas zu strikt, da das Volkstribunat zu den öffentlichen Funktionen zählte, in die Beamtenlaufbahn integriert und an der Verwaltung des römischen Staates beteiligt war (vgl. Meier, RPA, 119 A. 339; zudem unten S.21ff.).

6 Bleicken, Volkstribunat 1955, 1. 150ff.; problematisch ist auch der Ausdruck „klassische Republik", vgl. D. Kienast, Gnomon 29, 1957, 104 und E. Maróti, AAntHung 7, 1959, 455.

7 Bleicken, Volkstribunat 1955, 1, vgl. 150. 152f.

8 Mommsen, RG 2, 97ff.

9 R. Villers, Le dernier siècle de la République Romaine: Réflexions sur la dualité des pouvoirs, in: Droits de l'antiquité et sociologie juridique, Mélanges H. Lévy-Bruhl, Paris 1959, 307–316; Heuss, RG, 145. 150 (vgl. dazu A. 10); G. F. Margadant, El tribunado de la plebe: un gigante sin descendencia, Index 7, 1977, 169–200; Perelli 5. 14.

10 So schon A. Heuss, der sich jedoch noch zu einem modifizierten Revolutionsbegriff bekennt (Der Untergang der römischen Republik und das Problem der Revolution, HZ 182, 1956, 1–28; Das Revolutionsproblem im Spiegel der antiken Geschichte, HZ 216, 1973, 1–72; La rivoluzione romana. Relatività del concetto, Labeo 26, 1980, 74–79); vgl. dagegen Meier, RPA, 115. 149f. 203ff.; Martin

D. Kienast in seiner Rezension zu J. Bleicken auf die Bedingtheit einer kategorischen Unterscheidung des Volkstribunats der mittleren von demjenigen der späten Republik aufmerksam gemacht und darauf hingewiesen, dass das Amt stets sowohl für als auch gegen den Willen des Senats handeln konnte.[11] In diesem Sinne hat auch Bleicken selbst seine These in einem Aufsatz von 1981 erheblich modifiziert und allgemein nochmals die „politische Funktion" des Volkstribunats untersucht.[12]

In jüngerer Zeit hat sich die Forschung vornehmlich unter dem Aspekt der popularen Politik mit dem spätrepublikanischen Volkstribunat auseinandergesetzt. Die populare Seite des Tribunats ist seit der systematischen Darstellung von Ch. Meiers RE-Artikel „Populares"[13] und der Dissertation J. Martins über „Die Popularen in der Geschichte der Späten Republik"[14] grundlegend behandelt. Nach Martin, der seine Erkenntnisse zum Volkstribunat verallgemeinerte,[15] hat sich dieses seit der Gracchenzeit vom Senat emanzipiert:[16] anfänglich durch populäre Gesetzesvorschläge, dann durch Zusammenarbeit mit den Feldherrn und deren Veteranen. Er hat gezeigt, dass das Volkstribunat Träger fast aller popularer Politik war und sich senatsunabhängige Politik fast nur über das Tribunat betreiben liess.[17] Die Gründe dafür sieht er in den besonderen Möglichkeiten dieses Amtes, vor allem in der Gesetzgebung und Interzession sowie in der ideologischen Verbindung mit dem Volk.[18] Gleichzeitig hat Martin dargestellt, dass das Volkstribunat in der spätrepublikanischen Zeit aber „Instrument der herrschenden Schicht der Nobilität" blieb.[19] Es nahm nicht wieder die Funktion ein, die ihm während des Ständekampfes zugekommen war (nämlich die Durchsetzung fundamentaler Rechte für die Plebs), sondern wurde „zu einem politischen Kampfmittel *innerhalb* der herrschenden Schicht" und somit auch „zu einem Werkzeug politischer Minderheiten".[20] Weiter folgerte Martin: „Obwohl die popularen Tribune ihren politischen Intentionen nach niemals Interessenvertreter des Volkes waren,

223f.; J. Molthagen, Rückwirkungen der römischen Expansion. Der Übergang von der Republik zum Prinzipat – eine Revolution?, in: Ansichten einer künftigen Geschichtswissenschaft 2, hrsg. v. I. Geiss/ R. Tamchina, Reihe Hanser 154, München 1974, 34–53, bes. 34–39; U. Hackl, Der Revolutionsbegriff und die ausgehende römische Republik, RSA 9, 1979, 95–103; K. Christ, Crisi della repubblica e „rivoluzione romana", Labeo 26, 1980, 82–90; K. Bringmann, Das Problem einer „Römischen Revolution", GWU 31, 1980, 354–377; B. Zuchold, Die sogenannte römische Revolution und Alfred Heuss, Klio 62, 1980, 583–591; R. Rilinger, Die Interpretation des Niedergangs der römischen Republik durch „Revolution" und „Krise ohne Alternative", AKG 64, 1982, 279–306.

11 D. Kienast, Gnomon 29, 1957, bes. 104f. und 106f.; vgl. auch Lengle, Tribunus, 2463. Entsprechende Nachweise können auch aus Bleickens eigenem Werk abgeleitet werden (vgl. Volkstribunat 1955, 41. 64ff., bes. 68ff. 94ff. 98. 152).

12 J. Bleicken, Das römische Volkstribunat. Versuch einer Analyse seiner politischen Funktion in republikanischer Zeit, Chiron 11, 1981, 87–108, bes. 92; dazu näher unten S. 12f.

13 Ch. Meier, RE Suppl. 10, 1965, 549–615.

14 Diss. Freiburg i. Br. 1965.

15 Martin, bes. 213f.

16 Ebenda.

17 Martin 67. 213; vgl. Taylor, Party Politics, 14; Rübeling 23.

18 Martin 213f.

19 Martin 14 (A. 2).

20 Martin 142.

haben sie doch im Laufe der späten Republik diese Geltung erlangt".[21] Dies liegt unter anderem darin begründet, dass sie viele Gesetze einbrachten, die dem Volk nützten.[22]

Auch Ch. Meier hat die populare Politik als eine von aristokratischer Seite angewandte Methode zur Durchsetzung eigener Interessen interpretiert.[23] Ansätze zu den Thesen Martins und Meiers finden sich schon in R. Syme's „The Roman Revolution"[24] und insbesondere in H. Strasburgers RE-Artikel „Optimates"[25] sowie in L. R. Taylor's „Party Politics in the Age of Caesar",[26] die sich M. Gelzer folgend,[27] von der Vorstellung, dass es sich bei den Popularen und Optimaten um feste Parteien mit entsprechenden Programmen handelt, gelöst hatten. Die Popularen kennzeichnen sich somit in erster Linie durch Handlungen, die von der Senatsmehrheit abgelehnt wurden.[28] Unter den Optimaten sind jene Leute zu verstehen, die vorgaben, die Interessen des Senats gegen die Angriffe der Popularen zu verteidigen.[29] Diese Definitionen sollen auch meiner Arbeit zugrunde gelegt werden.

Gegenüber den Forschungen von Martin und Meier hat H. Schneider versucht, die Bedeutung der Plebs als politischen Faktor hervorzuheben.[30] Er vertritt die Meinung, dass die Plebs durch ihre Abstimmungsbefugnis den popularen Politikern bis zu einem gewissen Grade ihre Forderungen aufzwingen konnte.[31] Die popularen Volkstribunen begannen sich daher nach Schneider seit dem Übergang zur späten Republik für die unteren Schichten einzusetzen.[32] Sie vertraten für ihn andere gesellschaftliche Interessen als der Senat.[33]

Diese Interpretation hat Ch. Meier aufs heftigste kritisiert.[34] Seinem Modell der ‚Krise ohne Alternative' entsprechend, wehrt er sich entschieden gegen die Wertung der Plebs als selbständigen Faktor im aristokratisch dominierten Gefüge der späten Republik.[35] Dies

21 Martin 214.

22 Martin 210. 214. Er nennt „folgende Sachgruppen: Acker- und Getreidegesetze, Agitationen für Schuldenerlass, leges tabellariae, leges de sacerdotiis und leges de provocatione" (210).

23 Meier, Populares, vgl. bes. 557.

24 R. Syme, The Roman Revolution, Oxford 1939, bes. 11. 16. 65.

25 H. Strasburger, RE 18, 1942, 773–798, bes. 794f., vgl. 792 (= Studien zur Alten Geschichte, Bd. 1, Hildesheim/New York 1982, 149ff.).

26 Taylor, Party Politics, bes. 13f.

27 M. Gelzer, Die Nobilität der römischen Republik, 1912 (2. Aufl., Stuttgart 1983).

28 Grundstruktur der popularen Politik ist das „Agieren mit der Volksversammlung gegen den Willen der Senatsmehrheit" (Martin 2); zur popularen Materie vgl. Martin 210ff. und Meier, Populares, 598ff. Zu Ciceros Definition von *popularis* vgl. Sest. 96ff.; nach Cic. Sest. 99f. handelten die Popularen im Interesse der *multitudo* und wollten die bestehende Verfassung umstürzen (dazu H. Strasburger, RE 18, 1942, 782ff.; Schneider, Wirtschaft, 264; Perelli 25–45). K. Rübeling hat für die antiken Quellen eine politische und ein unpolitische Bedeutung von *popularis* festgestellt: „für die Interessen und das Wohl des Volkes eintretend" (81) und „dem Volke angenehm" (21. 81).

29 H. Strasburger, RE 18, 1942, 775.

30 Schneider, Wirtschaft, 261; Protestbewegungen, 19; (zur *plebs urbana* vgl. AS 13/14, 1982/83, 193–221).

31 Ebenda.

32 Schneider, Wirtschaft, 258. 261; Militärdiktatur, 54. Nach Schneider (Sozialer Konflikt, 601) sind die Erweiterung der Volksrechte, die Einschränkung des Senats, die Land- und Getreideversorgung „bis zum Ende der Republik die wichtigsten Forderungen popularer Politiker".

33 Schneider, Wirtschaft, 259, vgl. 262; Militärdiktatur, 80.

34 Ch. Meier, Nochmals zu den Unterschichten in Rom, Journal für Geschichte 1979, H. 4, 44–46.

35 Ebenda, bes. 45; vgl. Meier, Populares, 549ff. 554f. 561f.

resultiert schon aus der inhomogenen sozialen Zusammensetzung der Plebs.[36] Dementsprechend ist auch im Folgenden bei der Verwendung des Begriffs ‚Plebs' bzw. ‚Volk' stets die Unterteilung der Bevölkerung in verschiedene Gruppierungen zu berücksichtigen.

W. Nippel hat sich für die ausgehende Republik mit den Möglichkeiten, die *plebs urbana* politisch zu organisieren, befasst.[37] Trotz der Grenzen, die der Aktivierung der Unterschichten gesetzt waren, stellte die Plebs für ihn seit dem Jahr 70 einen „Faktor von erheblichem Gewicht innerhalb der römischen Politik" dar, was er wie H. Schneider besonders im Zusammenhang mit den Unruhen der 50er Jahre verdeutlichen will.[38] Wenig überzeugend hat neuerdings F. Millar versucht, für die Zeit seit 200 der Volksversammlung unter der Leitung der Tribunen als Entscheidungsmacht, die mit Senat und Magistratur konkurrierte, grössere Bedeutung zuzumessen, als gemeinhin angenommen wird.[39] Die Grundthese Bleickens von der Integration des Volkstribunats in die Senatspolitik wird durch diese Ausführungen aber nicht erschüttert.

Gegen die Interpretation der popularen Politik als ausschliesslich politische Methode hat sich L. Perelli in seinem Buch „Il movimento popolare nell'ultimo secolo della repubblica" gewandt.[40] Er weist auf die Kontinuität einzelner popularer Programmpunkte hin, die sich für ihn aus dem Faktum, dass die wichtigsten Probleme der späten Republik unbewältigt blieben, ergibt.[41] Seiner Meinung nach war es für popular Handelnde unumgänglich, sich dieser Probleme anzunehmen. Der Inhalt der popularen Politik kann unter diesen Gesichtspunkten neu überdacht werden. Abzulehnen ist allerdings Perellis Annahme einer festen popularen Bewegung bzw. Partei.[42]

J. Bleicken hat in seinem Aufsatz von 1981 nochmals allgemein dargelegt, welche Funktionen das Volkstribunat im Verlaufe der Republik für die Senatsherrschaft haben konnte:[43] Es diente für die schnelle Bewältigung „neuartige(r) Situationen", besonders im

36 In der Unterschicht sind in erster Linie die *plebs rustica* (dazu Meier, RPA, 95ff.; Perelli 229ff.) und die *plebs urbana* (dazu Meier, RPA, 107ff.; Perelli 231ff.) zu unterscheiden. Die *plebs urbana* umfasste die ‚*plebs contionalis*', als denjenigen Teil, der hauptsächlich an Abstimmungen teilnahm; diese rekrutierte sich nach Ch. Meier (RPA, 114; Populares, 560f. 597f., bes. 613f.) v.a. aus *tabernarii* (dazu unten S. 183). Einen Faktor für sich stellten seit Marius die Veteranen dar (Meier, RPA, 104f.; Perelli 237ff.), die besonders in den 50er Jahren bei Abstimmungen zu einem wichtigen Element wurden (Martin 110, vgl. 106).

37 W. Nippel, Die plebs urbana und die Rolle der Gewalt in der späten römischen Republik, in: Vom Elend der Handarbeit, hrsg. v. H. Mommsen/W. Schulze, Geschichte und Gesellschaft 24, Stuttgart 1981, 70–92; Die Banden des Clodius. Gewalt und Ritual in der späten römischen Republik, Journal für Geschichte 1981, H. 5, 9–13. Ferner jetzt: Aufruhr und „Polizei" in der römischen Republik, Stuttgart 1988, bes. 180ff.

38 Nippel, plebs urbana, 78, vgl. 91, wo er von „Empörung grosser Teile der Unterschichten" spricht; Schneider, Protestbewegungen, 19; Militärdiktatur, 198ff.; für die Jahre 103–100 vgl. AS 13/14, 1982/83, 193–221.

39 F. Millar, The Political Character of the Classical Roman Republic, 200–151 B. C., JRS 74, 1984, 1–19; Politics, Persuasion and the People before the Social War (150–90 B. C.), JRS 76, 1986, 1–11; ein entsprechender Abschnitt über die ausgehende Republik steht noch bevor. Dazu jetzt auch A. Lintott, Democracy in the Middle Republic, ZRG 104, 1987, 34–52.

40 Torino 1982 (5–11 zur Forschungslage).

41 Perelli, bes. 159f.

42 Vgl. Rez. J. von Ungern-Sternberg, Gnomon 58, 1986, 154–159.

43 Vgl. A. 12.

Zusammenhang mit der Aussen- und Kriegspolitik.[44] Das Volkstribunat bewährte sich so als hilfreich in den Anforderungen, die die Weltherrschaft mit sich brachte. Es war nach Bleicken eines der Mittel gegen „die zutage tretenden Mängel der Regierung“. [45] Das Volkstribunat ermöglichte der Nobilität auch die Überwachung der Standesgenossen, besonders derjenigen, die nicht nach der Meinung der Mehrheit handelten.[46] Die Senatoren hatten damit im Tribunat eine Kontrolle der Exekutive.[47] Bleicken hält zudem fest, dass der Senat eine umstrittene Sache durch einen Volksbeschluss zum Gesetz erheben lassen konnte.[48] Das Tribunat habe insgesamt „erheblich zur Jurifizierung des öffentlichen Lebens beigetragen“.[49] Gleichwohl betont Bleicken jetzt – wie schon Mommsen – , dass das Volkstribunat seinen eigentlichen Charakter in der Negation hatte.[50] Das Tribunat symbolisierte den Anteil des Volkes an dem Staatswesen.[51] Der Widerspruch gegen die Nobilität wurde durch das Amt geradezu institutionalisiert und wirkte dadurch stabilisierend.[52] Andererseits konnten aber auch „die aus der Nobilität ausbrechenden und sie auflösenden Potentaten der späten Republik“ die Möglichkeiten des Volkstribunats für ihre Zwecke missbrauchen und gegen die Interessen des bestehenden Systems einsetzen.[53]

Zuletzt hat auch U. Hackl auf die senatstreue Seite des Volkstribunats aufmerksam gemacht.[54] Ihre Hauptthese betont jedoch, dass der Senat in der Zeit von den spanischen Kriegen bis zu Sulla die „gewohnheitsmässige Herrschaft“ über das Tribunat verloren hat.[55] Auf die Vorläufer der Gracchen hat schon L. R. Taylor hingewiesen.[56] H. Schneider setzt die Verselbständigung des Volkstribunats ebenfalls in der Mitte des 2. Jh.'s an, sieht sie aber bereits mit dem Jahr 133 vollzogen.[57] Die senatstreuen tribunizischen Aktionen in der Zeit der späten Republik hält er bis auf diejenigen des M. Livius Drusus d. J. für „politisch bedeutungslos“.[58] Nach 70 haben dann die Volkstribunen nach Schneider ihre Selbständigkeit zunehmend eingebüsst und vertraten „wesentlich fremde Interessen“.[59]

Eine entscheidende Vorbedingung für die Geschichte der späten Republik und damit auch des Volkstribunats dieser Epoche wird in der Forschung übereinstimmend in der Krisenzeit der spanischen Kriege gesehen.[60] Kennzeichnend war die Notlage im Agrarwesen sowie die zunehmende Arbeitslosigkeit in der Hauptstadt.[61] Diese Situation spaltete

44 Bleicken, Volkstribunat 1981, 97.
45 Ebenda.
46 Bleicken, Volkstribunat 1981, 96; vgl. Volkstribunat 1955, 91 (131ff.); s. dazu Kunkel, Kl. Schr., 586.
47 Bleicken, Volkstribunat 1981, 96.
48 Bleicken, Volkstribunat 1981, 105f.
49 Bleicken, Volkstribunat 1981, 106.
50 Mommsen, StR. 2, 285, vgl. 290ff.; Bleicken, Volkstribunat 1981, 94. 98ff.
51 Bleicken, Volkstribunat 1981, 101.
52 Bleicken, Volkstribunat 1981, 100f.
53 Bleicken, Volkstribunat, 1981, 108.
54 U. Hackl, Die Bedeutung der popularen Methode von den Gracchen bis Sulla im Spiegel der Gesetzgebung des jüngeren Livius Drusus, Volkstribun 91 v. Chr., Gymnasium 94, 1987, 109–127.
55 Hackl, Senat, 13; Gymnasium 94, 1987, 127.
56 L. R. Taylor, Forerunners of the Gracchi, JRS 52, 1962, 19–27.
57 Schneider, Wirtschaft, 257; Militärdiktatur, 51ff.; Sozialer Konflikt, 599.
58 Schneider, Militärdiktatur, 80.
59 Schneider, Wirtschaft, 262; vgl. Martin 214; zudem jetzt auch Vanderbroeck 35f.
60 Vgl. Meier, RPA, 95f.; Molthagen (vgl. A. 10) bes. 43f.
61 Vgl. dazu Christ 117ff.; Molthagen (vgl. A. 10) 41ff.; Stockton 6ff.

den Senat spätestens zur Zeit der Gracchen in gegensätzliche Interessengruppen auf. Die reformwillige Minderheit unter Ti. Gracchus konnte mit der Unterstützung der Plebs ihre Forderungen gegen den Willen der Mehrheit im Senat durchsetzen. Der Senat hatte über der Versorgungskrise seine Legitimation bis zu einem gewissen Grade eingebüsst.[62] Das Volk hielt sich in diesem Moment nicht mehr an seine hergebrachten Klientelbindungen und wandte sich mehrheitlich den Anträgen der „Reformer" zu.[63] Ti. Gracchus konnte dadurch mit seinem Tribunat „eine neben dem Senat stehende, zweite politische Entscheidungsinstanz" begründen, wie J. Bleicken formuliert hat.[64] Sein Agieren mit der Volksversammlung gegen die Senatsmehrheit hatte eindrucksvoll die Möglichkeiten des Volkstribunats vor Augen gestellt und ein folgenreiches Exempel statuiert. Trotzdem blieb der Senat aber auch in der späten Republik das zentrale Regierungsorgan, in dem sich die Mitglieder in kritischen Situationen jeweils gegen die Ansprüche einzelner Aristokraten einigten.[65] Dies berechtigt, auch in der späten Republik den Senat als Einheit zu betrachten, auch wenn jeweils nur ein Teil der Senatoren, die sich insbesondere gegen populare Anliegen zur Wehr setzten, hinter seinen Entscheidungen stand.

Zielsetzung

Die Forschungen zur popularen Seite des spätrepublikanischen Volkstribunats können nur als Teilergebnisse zur Geschichte dieser Institution gelten und bedürfen der Ergänzung. In welchem Umfang das Exempel des Ti. Gracchus wirkte, kann erst ein Überblick über die gesamten tribunizischen Aktivitäten zeigen. Die verbreitete Vorstellung vom „erneut revolutionäre(n)"[1] Volkstribunat der späten Republik hat dazu beigetragen, die senatstreue Seite des Amtes zu vernachlässigen, so dass die tribunizischen Aktionen im Dienste der Senatsmehrheit bis heute nicht näher untersucht sind. Ziel meiner Arbeit ist daher, die tribunizischen Handlungen der Jahre 133 bis 43 systematisch zu erfassen und damit eine breitere Interpretation des Charakters und politischen Stellenwerts des Volkstribunats zu ermöglichen.

Gegenüber den Ergebnissen J. Martins ist die Frage zu stellen, inwieweit das Amt nicht nur Instrument „politischer Minderheiten",[2] sondern auch der Senatsmehrheit war und ob die Emanzipation vom Senat nach den Gracchen als generelles Merkmal gelten darf.[3] J. Bleicken hat bei seinen neuerlichen Ausführungen über den Nutzen des Volks-

62 Meier, RPA, 95f. 127f.; zu den Gracchen: Martin 130ff., bes. 140ff. 167ff.; zu Clodius: Nippel, Clodius, 13.

63 Martin 139f., vgl. 134; Bernstein 98ff.; Benner 20ff.

64 Bleicken, Volkstribunat 1981, 100.

65 v. Ungern-Sternberg, Notstandsrecht, 74ff. 132f.; C. Nicolet, Rome et la conquête du monde méditerranéen, Bd. 1, Paris 1977, 380ff.

1 Bleicken, Volkstribunat 1955, 1; vgl. Heuss, RG, 145; zudem S. 9 A. 9 und E. Betti, La rivoluzione dei tribuni in Roma dal 133 all' 88, SSAC 6, 1914, 301–368 und 7, 1914, 1–34 = Labeo 9, 1963, 57–88 und 211–235; dazu: Costituzione romana e crisi della Repubblica, Atti del convegno su Emilio Betti, hrsg. v. G. Crifò, Perugia 1986, bes. 157ff. (M. Navarra) und 86ff. 245f. (E. Badian).

2 Martin 142.

3 Martin 213f., vgl. Schneider, S. 13 A. 57.

tribunats für die Senatsherrschaft auf eine zeitliche Differenzierung innerhalb der republikanischen Zeit weitgehend verzichtet.[4] Da sie jedoch vorwiegend seine Erkenntnisse zur mittleren Republik weiterführen, bleibt genauer zu untersuchen, inwieweit sie wirklich auf die spätrepublikanische Zeit zutreffen und worin Unterschiede zu sehen sind. Zu überprüfen ist auch H. Schneiders Auffassung, dass die senatstreuen tribunizischen Aktivitäten in der spätrepublikanischen Epoche zur ‚Bedeutungslosigkeit' hinabsanken und das Volkstribunat nach dem Jahr 70 zunehmend an ‚Selbständigkeit' einbüsste.[5] In welchen Bahnen bewegte sich der allgemein angenommene Missbrauch des Volkstribunats für Einzelinteressen? In bezug auf die populare tribunizische Politik soll zudem gefragt werden, ob diese tatsächlich andere soziale Interessen vertrat als der Senat[6] und ob bei gewissen politischen Anliegen eine Kontinuität angestrebt wurde.[7]

Die Gliederung meiner Arbeit folgt – in Anlehnung an das Werk von J. Bleicken – den Hauptkompetenzen des Volkstribunats: *ius agendi cum plebe, ius agendi cum senatu* und *ius intercedendi*. Im Gegensatz zu Bleicken sind die gerichtlichen Verfolgungen nicht in einem eigenem Hauptkapitel behandelt, sondern auf Grund des ursprünglich vorherrschenden Prozesses vor der Volksversammlung unter dem *ius agendi cum plebe* aufgeführt, während den Anträgen und Äusserungen der Tribunen im Senat, denen in der ausgehenden Republik gesteigerte Bedeutung zukam, ein separater Abschnitt gewidmet ist. Vorangestellt werden einige grundsätzliche Überlegungen zu den Verpflichtungen der Volkstribunen auf das aristokratische System, die als Vorbedingungen für das tribunizische Handeln zu betrachten sind. Dazu dient ein Versuch, die soziale Herkunft, das Ausmass der popularen Politik und die späteren Laufbahnen der Volkstribunen zu erfassen. Gleichzeitig sollen auch Beschränkungen des Tribunenamtes sowie die Tendenz, die Tribunen in den Senat zu integrieren, berücksichtigt werden. Es ist allgemein nach den Aufgabenbereichen der Volkstribunen zu fragen.

Das Kapitel zum *ius agendi cum plebe* widmet sich hauptsächlich der tribunizischen Gesetzgebung sowie den tribunizischen Strafverfolgungen. Zu untersuchen ist insbesondere, welchen Stellenwert die tribunizischen Gesetze im Rahmen der Gesetzgebung der späten Republik einnahmen und welchen Beitrag sie zur Lösung einzelner Probleme leisten konnten. Zusammenfassend wird sich die Frage nach den Initiatoren und Nutzniessern der tribunizischen Rogationen stellen. Im Zusammenhang mit der Betrachtung der tribunizischen Strafprozesse ist allgemein nach der Rolle der Volkstribunen als Ankläger zu fragen. Abschliessend soll auf die Artikulationsformen der tribunizischen Politik eingegangen werden. Darzustellen ist, auf welche Weise der Kontakt zu der Bevölkerung hergestellt wurde und wie die Tribunen ihr *ius agendi cum plebe* verteidigten.

Das nächste Kapitel widmet sich dem *ius agendi cum senatu* und behandelt die tribunizischen Anträge und Äusserungen im Senat. Das Interesse richtet sich hier auf den Charakter und Stellenwert der tribunizischen Politik im Senat sowie auf das Zusammenspiel zwischen Senat und Volkstribunat.

4 Bleicken, Volkstribunat 1981, 87ff.
5 Schneider, Wirtschaft, 262; Militärdiktatur, 80.
6 Schneider, Wirtschaft, 259. 262; Militärdiktatur, 80.
7 Perelli 159f.

Das letzte Kapitel behandelt das *ius intercessionis*. Dabei ist anhand der Interzessionen im Senat zuerst die Politik der Tribunen im Senat weiterzuverfolgen. Besondere Aufmerksamkeit soll im Folgenden den Vetos gegen tribunizische Rogationen geschenkt werden. Allgemein zu fragen ist nach der Wirksamkeit der tribunizischen Interzessionen. Zu betrachten ist ferner das *ius auxilii*, als die ursprünglichste Aufgabe der Volkstribunen. Abschliessend sollen die religiösen Obstruktionen der Tribunen, die auf dem *ius obnuntiandi* beruhten, untersucht werden. Zu fragen ist, ob sie als Ersatz für die Interzession dienen konnten.

Problematisch ist es, dem Volkstribunat der späten Republik eine einheitliche Charakterisierung zu geben. Die Ereignisse jener Zeit legen es vielmehr nahe, zeitliche Differenzierungen vorzunehmen. Auch wenn dies durch die Gliederung der Arbeit nach den einzelnen Kompetenzen erschwert wird,[8] soll versucht werden, ausschlaggebende Zäsuren, die einen Wandel im Charakter des Tribunats andeuten, festzuhalten. Als Ausgangspunkt dienen dabei die Beschränkungen der *tribunicia potestas* durch Sulla sowie die Aushöhlung des Amtes unter Caesar, der Teile der tribunizischen Rechte bzw. die *sacrosanctitas* von der Person des Tribunen loslöste und auf den Herrscher übertragbar machte.

Nachdem Sulla schon als Konsul im Jahr 88 erste Massnahmen gegen die Volkstribunen getroffen hatte,[9] schritt er als Diktator im Jahr 81 erneut gegen verschiedene Kompetenzen des Tribunats ein.[10] In seiner ganzen Geschichte ist dies der einzige Fall, in dem dem Volkstribunat Einschränkungen auferlegt wurden. Die Zurückstufung des Volkstribunats war Teil der sullanischen Konzeption zur Festigung des Senatsregimes. Wie kam es dazu, dass ein führender Staatsmann es plötzlich als notwendig erachtete, die Kompetenzen der Volkstribunen einzuengen? Es gilt daher, den durch die Beschränkungen Sullas indizierten Wandel in der politischen Stellung des Volkstribunats näher zu charakterisieren. Dabei stellt sich die Frage, welche Anlässe es gab, dass zumindest ein Teil der tribunizischen Aktionen als Untergrabung der Senatsautorität aufgefasst werden konnte.

8 Dazu E. Maróti, Rez. J. Bleicken, Das Volkstribunat der klassischen Republik (München 1955), AAntHung 7, 1959, 455–457.

9 Nach App. BC. 1, 59, 266 verfügte Sulla zusammen mit seinem Kollegen im Konsulat, Q. Pompeius Rufus, dass nur Gesetzesvorlagen vor das Volk gebracht werden durften, die zuvor vom Senat gebilligt worden waren. Ein zweite Verfügung lautete: τὰς χειροτονίας μὴ κατὰ φυλάς, ἀλλὰ κατὰ λόχους, ὡς Τύλλιος βασιλεὺς ἔταξε, γίνεσθαι, was vermuten lässt, dass die Tribunen Gesetze nur noch vor den Centuriatcomitien rogieren durften (Ed. Meyer, Hermes 33, 1898, 652–654; Niccolini, tribunato, 146; De Martino 3, 57; U. Hackl, Chiron 2, 1972, 143; Fabbrini 806). Daneben sollen noch viele andere Bestimmungen über die Gewalt der Tribunen erlassen worden sein: πολλά τε ἄλλα τῆς τῶν δημάρχων ἀρχῆς (267), über die wir jedoch nichts Näheres erfahren. Sie dürften ähnliche Verbote enthalten haben, wie die vom J. 81 zusätzlich bekannten Einschränkungen, womit sie sich möglicherweise gegen die Volksgerichtsbarkeit, bestimmte Möglichkeiten der Interzession und die spätere Laufbahn der Volkstribunen gewandt haben könnten (vgl. A. 10). Jedenfalls waren die Gesetze nur bis zum nächsten Jahr in Kraft, da Cinna die sullanischen Verordnungen wieder aufhob (App. BC. 1,73,339).

10 Nach Liv. per. 89 hob Sulla das Gesetzgebungsrecht der Volkstribunen gänzlich auf. Möglicherweise wurde aber nur die Bestimmung über die Vorberatung im Senat erneuert (dazu unten S. 131f.; Herzog 1,511f.; Lengle, Sulla, 10ff., bes. 13). Es muss ungewiss bleiben, ob die Tribunen das Recht behielten, Gesetze vor den Tribus zu rogieren. Aufgehoben wurde die Volksgerichtsbarkeit (Cic. Verr. 1,38) und die Möglichkeit, nach dem Tribunat weitere Ämter zu bekleiden (App. BC. 1,100,467). Unklar ist das Ausmass der Beschränkung der Interzession (vgl. S. 228f.).

Welchen Nutzen konnte der Senat aus den tribunizischen Aktionen der vorsullanischen Zeit ziehen und inwieweit konnte er auf den Einsatz von Volkstribunen verzichten?

Sulla beschränkte jedoch nur einen Teil der Kompetenzen des Volkstribunats, während er andere unberührt liess. Die Beschränkungen einzelner Rechte sollen in meiner Arbeit jeweils an den historischen Beispielen, in denen die betreffende Kompetenz angewandt worden war, gemessen werden. Weiter stellt sich die Frage, wie sich die Massnahmen Sullas auf den Charakter des Volkstribunats der 70er Jahre auswirkten. Im Jahr 70 wurden die Restriktionen wieder aufgehoben, nachdem bereits im Jahr 75 das Verbot, nach dem Tribunat weitere Ämter zu bekleiden, rückgängig gemacht worden war.[11] Waren die Beschränkungen des Tribunats politisch untragbar und wenn ja, wieso? Welche Kreise forderten die volle *tribunicia potestas* und welche Vorteile versprachen sie sich davon?

Caesar musste im Gegensatz zu Sulla das Tribunat in seinen Kompetenzen nicht mehr beschneiden. Er hatte neue Wege gefunden, die Macht der Volkstribunen abzuschwächen und das Tribunat zu einer untergeordneten Institution zu degradieren, die vornehmlich ideologischen Wert hatte. Zu fragen ist daher, wie es in der ausgehenden Republik zur Verselbständigung und Übertragbarkeit der *tribunicia potestas* kam.

Die Betrachtung des Volkstribunats in der späten Republik muss von einer uneinheitlichen Quellenlage ausgehen. Eine ausführliche Darstellung der wichtigsten innenpolitischen Ereignisse existiert nicht. Insbesondere fehlen die entsprechenden Abschnitte des Livius, dem wir für frühere Epochen Aufschlüsse über die Verfahrensweisen in Senat und Volksversammlung verdanken. Immerhin stehen uns aber für die ausgehende Republik mit den Schriften Ciceros wertvolle zeitgenössische Zeugnisse zur Verfügung. Dies bringt wiederum mit sich, dass wir bis in die 60er Jahre des 1. Jh.'s über das Vorgehen der Volkstribunen ungleich schlechter unterrichtet sind und insbesondere über das Zusammenspiel zwischen Volkstribunat und Senat nur wenige Informationen haben.

Insgesamt stellen die Quellen zur späten Republik das Tribunat mit Vorliebe als aufrührerisches Organ im Dienste der popularen Politik dar.[12] Die Begriffe ‚popular' und ‚tribunizisch' können geradezu parallel gebraucht werden.[13] Zudem werden die Volkstribunen mit den *homines seditiosi* gleichgesetzt.[14] Andererseits begannen die Popularen spätestens seit der Einschränkung des Volkstribunats durch Sulla, das Tribunat propagandistisch mit der *libertas populi* zu verbinden.[15] Sallust überliefert die von den Popularen vertretene Auffassung von einem Gegensatz zwischen dem Volk, das von einzelnen

11 Dies war durch ein Gesetz des Konsuls C. Aurelius Cotta erfolgt (Rotondi 365; GCG 245; Broughton 2, 96; dazu unten S. 26f.).

12 Cic. leg. 3, 19: *(potestas) in seditione et ad seditionem nata*; dazu Bleicken, Volkstribunat 1981, 91; zur sullanischen Zeit: Martin 17.

13 Vgl. Cic. dom. 77.

14 G. Osthoff, Tumultus – seditio. Untersuchungen zum römischen Staatsrecht und zur politischen Terminologie der Römer, Diss. Köln 1952, 121. 124; J. Hellegouarc'h, Le vocabulaire latin des relations et des partis politiques sous la République, 2. Aufl., Paris 1973, 531.

15 Von Cicero in der zweiten Rede gegen die *lex Servilia agraria* polemisch übernommen: *praesidem libertatis custodemque* (leg. agr. 2,15); vgl. Val. Max. 6,3,2f.; Sall. hist. 3,48,12; Liv. 3,37,5, vgl. 3,53,4; Diod. 12,25,2; dazu Martin 16 A. 1.

Tribunen aufgehetzt wurde,[16] und der Nobilität, wie es ihn historisch nie gegeben hatte.[17] Zudem hielt er diesen Gegensatz für die Ursache allen Übels.[18] Direkte Hinweise auf positive Funktionen des Volkstribunats im Dienste der Res publica und des Senats sind daher in den Quellen nicht zu finden.

Cicero war allerdings vom Wert des Volkstribunats als ausgleichender Kraft zum Senat bzw. Konsulat sowie als unentbehrlichem Bestandteil der Verfassung und des *mos maiorum* überzeugt.[19] In seiner Schrift De legibus aus den Jahren 54 bis 51 bestand er daher trotz der Wirren jener Zeit auf einem uneingeschränkten Volkstribunat, während seine Dialogpartner Quintus und Atticus nach wie vor an den sullanischen Restriktionen festhalten wollten.[20] Cicero sah den Vorteil des Volkstribunats darin, dass es als *temperamentum* gegen möglichen Aufruhr im Volk wirkte sowie zur Interzession gegen allfällige populare Vorlagen verwendet werden konnte.[21] Auch von Cicero erfahren wir ansonsten aber kaum etwas über positive Funktionen des Tribunats.[22]

Auf eine eingehende Analyse des Bildes vom Volkstribunat bei den antiken Autoren[23] sowie der Propaganda im Zusammenhang mit dem Tribunat muss in dieser Arbeit verzichtet werden. Auch die Frage des politischen Einflusses der Plebs übersteigt den

16 Vgl. Sall. Iug. 30, 3.

17 Vgl. Meier, Populares, 553f. 593f.; Martin 215f., vgl. 173ff.; Perelli 45ff. (zu Sallust), vgl. 61ff.

18 Sall. hist. 1, 77, 14.

19 Vgl. Cic. rep. 2,57–59; leg. 3,15f., vgl. 23ff.; K. M. Girardet, Ciceros Urteil über die Entstehung des Tribunates als Institution der römischen Verfassung (rep. 2,57–59), in: Bonner Festgabe J. Straub, Beih. BJb 39, 1977, 179–200; vgl. auch A. Heuss, Ciceros Theorie vom römischen Staat, NAWG 8, 1975, 30ff.; ferner mein Aufsatz: Das Bild vom Volkstribunat in Ciceros Schrift über die Gesetze, Chiron 18, 1988, 347–365.

20 Cic. leg. 3, 19–26. Zur Datierung P.L. Schmidt, Die Abfassungszeit von Ciceros Schrift über die Gesetze, Colonna di Studi Ciceroniani IV, Rom 1969, 282ff.

21 Cic. leg. 3,24.

22 Die Briefe Ciceros zeigen immerhin, dass er das Volkstribunat für konkret politisch verwertbar hielt, sowohl um gewisse Anliegen durchzusetzen als auch um Unerwünschtes zu verhindern (fam. 16,27,2: im Einsatz gegen die Konsuln; Comm. pet. 18: bei Wahlbewerbungen; vgl. allgemein Phil. 1, 25). Cicero persönlich zog insbesondere in der Frage seiner Rückrufung aus dem Exil Volkstribunen bei (dazu s. unten S. 125f.). Daneben erhoffe er von den Volkstribunen, dass sie sich gegen eine Verlängerung seiner Statthalterschaft einsetzten (Cic. Att. 5,2,1,vgl. 5,18,3; fam. 2,7,4, vgl. 5,6,1). Für etliche Tribunen fand er Lob wegen ihrer optimatischen Gesinnung (dazu unten S. 135 A.32). Cicero erkannte allgemein, dass das Volkstribunat der von ihm vertretenen Politik und damit der Herrschaft der *boni* dienen konnte (vgl. Perelli 35f.; QS 5, 1979, 298). Konkret erwähnte er jedoch kaum Beispiele solchen Nutzens. Eine Ausnahme bildete Cic. in Corn. I p. 61 St., wo er die Reformgesetze: *lex Cassia* des J. 137, *lex Cassia* des J. 104 sowie den Anklang, den die *lex Roscia* des J. 67 bei der Plebs gefunden hatte, hervorhob (zur *lex Roscia* s. unten S. 70).

23 Eine systematische Untersuchung zu diesem Thema liegt noch nicht vor. Verschiedene Forscher haben sich in jüngster Zeit mit Teilaspekten des Problems auseinandergesetzt: S. Mazzarino, Index 3, 1972, 175–191 (= Helikon 11/12, 1971/72, 99–119); G. Lobrano, Index 3, 1972, 235–262 und SDHI 41, 1975, 245–277; K. M. Girardet (vgl. A. 19); G. Grosso, Index 7, 1977, 157–161; Labeo 20, 1974, 7–11; L. Perelli, QS 5, 1979, 285–303; J.-L. Ferrary, JRS 74, 1984, 94–98; J.-C. Richard, in: Sodalitas, Scritti in onore di A. Guarino, Bd. 1, Napoli 1984, 75–84; D. Fechner, Untersuchungen zu Cassius Dios Sicht der Römischen Republik, Hildesheim/Zürich/New York 1986, 206–210; ferner L. Thommen (vgl. A. 19).

Rahmen der gestellten Aufgabe. Zu ihr kann nur insofern beigetragen werden, als Ergebnisse zur politischen Prägung des Volkstribunats und dessen Nutzen für das Volk gewonnen werden. Aufgabe ist vielmehr, anhand der überlieferten tribunizischen Handlungen sowohl die negativen als auch die positiven Funktionen des Volkstribunats zur Zeit der späten Republik in möglichst grosser Breite darzustellen.

I. SOZIALE UND POLITISCHE BEDINGUNGEN DES TRIBUNIZISCHEN HANDELNS

1. Vorbemerkung

Bevor wir uns den einzelnen Aktivitäten der Volkstribunen zuwenden, möchte ich auf einige soziale und politische Bedingungen ihres Handelns eingehen. Die Überlegungen sollen dazu dienen, Aufschlüsse über den Integrationsgrad der Tribunen in die aristokratische Politik zu erhalten. Gab es Bedingungen, die die Volkstribunen auf das Senatsregime verpflichteten und einen prinzipiellen Gegensatz zur Herrschaft der Nobilität verhinderten?

Im ersten Abschnitt sollen Betrachtungen über die soziale Herkunft, die politische Prägung (Anteil der Popularen) und die späteren Laufbahnen der Volkstribunen angestellt werden. Zu fragen ist, inwieweit die familiäre Abstammung der Tribunen auf Verpflichtungen gegenüber der Politik des Senats und einer politischen Karriere hinweisen. Welchen Anteil und welche Position nahmen die politischen Neulinge (*homines novi*), die keinen senatorischen Vorfahren hatten, im Volkstribunat ein? War das Volkstribunat geeignet, weitere Ämter zu erlangen, und welchen Stellenwert hatte es in der Magistratenlaufbahn? Im weiteren muss versucht werden, eine Vorstellung von der Grössenordnung der gegen die Senatsmehrheit handelnden Tribunen zu gewinnen. Sind sie als Minderheit zu bezeichnen, die auf eine deutliche Mehrheit senatstreuer Tribunen hinweist?

Weitere Aufschlüsse über die Bedingungen und den Stellenwert des tribunizischen Handelns soll je ein Abschnitt über die Kontinuation und Iteration (bzw. die zeitlichen Limiten des Volkstribunats und deren Gültigkeit) sowie über die Senatszugehörigkeit der Volkstribunen geben. Zu fragen ist, ob die Tribunen im Normalfall bereits Senatoren waren und schon aus diesem Grunde nicht von der Politik des Senats getrennt betrachtet werden dürfen.

Ein letzter Abschnitt befasst sich mit den Aufgabenbereichen der Volkstribunen. Hier stellt sich das Problem, welche Handlungen von den Tribunen erwartet wurden und welchen Stellenwert diese in der Res publica einnahmen. Gab es Aufgaben, die die Tribunen als Funktionäre der Gesamtgemeinde einsetzten und in die Verwaltung der Res publica einbezogen?

Mit diesen Gesichtspunkten ist freilich nur ein Teil der politischen und sozialen Voraussetzungen des tribunizischen Handelns abgedeckt. Ein weiterer wichtiger Punkt ist die Frage nach der politischen Anhängerschaft und den Mobilisierungschancen der Volkstribunen, der jedoch erst im Kapitel über das *ius agendi cum plebe* zur Sprache kommen wird. Hier soll vorerst Fragen nachgegangen werden, die Auskunft über den Integrationsgrad der Tribunen in die Verwaltung und politischen Strukturen der Res publica Auskunft geben.

2. Soziale Herkunft, Anteil der Popularen und spätere Laufbahnen der Volkstribunen

Einer quantitativen Untersuchung über die Herkunft, politische Stellung und Laufbahn der Volkstribunen steht als erstes Hindernis die lückenhafte Überlieferung entgegen. Für die Zeit von 133–43 kennen wir nur gut ein Viertel der Volkstribunen namentlich.[1] Einige davon sind unsicher datiert und von etlichen ist nicht viel mehr als der Name bekannt, so dass wir über ihre Abstammung wie auch ihre politische Haltung und spätere Laufbahn im Dunkeln sind. Schon aus diesem Grunde erweist es sich als problematisch, statistische Berechnungen aufzustellen. Der Nutzen von Zahlenangaben muss in den einzelnen Abschnitten (soziale Herkunft, Anteil der Popularen, spätere Laufbahnen der Volkstribunen) jeweils näher überdacht werden.

Wenden wir uns zuerst dem Problem der sozialen Herkunft der Volkstribunen zu. Da die Ämter der römischen Republik unbezahlt blieben, waren sie de facto nur für begüterte Männer des Ritter- und Senatorenstandes erreichbar.[2] Dies galt auch für das Volkstribunat. Seiner Natur nach von der Plebs zum Schutze vor den patrizischen Magistraten geschaffen, war es jedoch nur Plebejern zugänglich. Somit sind für das Volkstribunat eher Männer weniger bekannter Familien zu erwarten, zumal das Amt wegen seines aufständischen Ansehens von optimatisch Gesinnten und Nobilitätsvertretern zum Teil bewusst gemieden wurde.[3] Diese These gilt es im Folgenden genauer zu überprüfen.

1 Unsere Liste (S. 257ff.) umfasst 242 gesicherte und mutmassliche tr. pl., bei 910 Tribunenstellen zwischen 133 und 43. Die Zahl der Tribunenstellen ist noch um die Zahl der *suffecti*, die für abrogierte Tribunen (vier bekannte Fälle, s. unten S. 92) und getötete Tribunen (acht bekannte Fälle, s. S. 187 A. 89) hinzutraten, zu erweitern, so dass man auf mindestens 922 Tribunate kommt. Als *suffecti* in Betracht zu ziehen sind neben Q.? Mucius, tr. pl. 133: L. Decidius Saxa und C.? Hostilius Saserna im J. 44 (Broughton 2, 324), die allerdings auch Tribunen des J. 43 gewesen sein könnten (Niccolini 357f.).

2 M. Gelzer, Die Nobilität der römischen Republik (1912), 2. Aufl., Stuttgart 1983, 19ff. 28ff. 60; Meyer, Staatsgedanke, 147.

3 So im Falle Ciceros (Dio 36,43,5; dazu S. L. Uttschenko, Cicero, Berlin (Ost) 1978, 91). Die von M. Gelzer (vgl. A. 2) 22ff., bes. 24. 42 aufgestellte Definition von *nobiles* als Inhaber des Konsulats und deren Nachfahren, ist in letzter Zeit von einigen Forschern als zu eng betrachtet worden (vgl. P. A. Brunt, Nobilitas and Novitas, JRS 72, 1982, 1ff.; K. Hopkins/G. Burton, Death and Renewal, Cambridge 1983, 31 A. 2. 44 A. 18; D. R. Shackleton Bailey, Nobiles and novi Reconsidered, AJPh 107, 1986, 255–260). Brunt hat auch Brüder und Seitenverwandte von Konsuln als *nobiles* in Betracht gezogen und ist wieder für Mommsens Definition (StR. 3, 462ff.), die sich auf Abkömmlinge von curulischen Magistraten berief, eingetreten (2). Andererseits hat er gezeigt, dass es problematisch ist, von dem gleichen Gentilnamen auf die gleiche Gens und damit auf den gleichen konsularischen Vorfahren zu schliessen, so dass mehr *homines novi* (im Sinne von Senatoren ohne einen Konsul unter den Ahnen) im Konsulat anzunehmen sind, als es in der Regel geschieht (2ff. 15f.: Jeder fünfte oder sechste Konsul war *homo novus*). Auch die Untersuchung von Hopkins und Burton will zeigen, dass mit einer beachtlichen Anzahl Konsuln ohne direkte konsularische Vorfahren (in den letzten drei Generationen) gerechnet werden muss (22% in den Jahren 79–50) und nur wenige Familien sich dauernd an der Spitze halten konnten (32. 56f.; Gruen (LG, 522) teilt 88 1/2% der Konsuln in den Jahren 78–49 konsularischen Familien zu, während Hopkins/Burton (58, Table 2, 4) auf 74% kommen). Die Autoren halten daher das Konsulat für einen grösseren Kreis zugänglich, als bisher in der Forschung vermutet (bes. 32. 37ff. 43f. 53f. 112f.; vgl. Brunt, a.a.O., 15f. und C. Nicolet, Annales 32, 1977, 733f.). Diese Ergebnisse ändern jedoch nichts an der Tatsache, dass die grosse Mehrheit der Konsuln konsularischer Abstammung war und das Konsulat von der Nobilität beherrscht wurde. Dies wird sich unten auch bei der Betrachtung des Anteils und der sozialen Herkunft der Tribunizier im Konsulat zeigen.

Der Begriff *homines novi*, definiert als erste Vertreter einer Familie im Konsulat bzw. als erste Vertreter einer Familie im Senat, ist in letzter Zeit mehrfach in Frage gestellt worden.[4] Eine eindeutige Definition des Begriffs ist aus den antiken Quellen nicht zu erschliessen.[5] Entscheidend bleibt in unserem Zusammenhang die Frage, wie gross der Anteil der Tribunen aus nichtsenatorischen, ritterlichen Familien war, um damit die soziale Herkunft der Volkstribunen näher erfassen zu können. Hierfür bietet sich die von T. P. Wiseman erarbeitete Prosopographie an, die alle Senatoren aufführt, für die keine direkten senatorischen Vorfahren überliefert sind.[6] Auch diese Aufstellung unterliegt dem grossen Unsicherheitsfaktor der lückenhaften Überlieferung, in der Nachrichten von realiter vorhandenen senatorischen Vorfahren für uns verloren sein können, so dass jegliche quantitative Berechnung hypothetisch sein muss.[7] Damit bleiben wir bei vielen Volkstribunen, die für uns als Neulinge im Senat erscheinen, da keine direkten Vorfahren im Senat bezeugt sind, über ihre Abstammung im Dunkeln. Trotzdem soll versucht werden, eine ungefähre Vorstellung zu gewinnen, wieviele Tribunen proportional aus unbekannteren Familien stammten und nicht den führenden Nobilitätsfamilien angehörten, besonders wenn wir sie mit den entsprechenden Zahlen anderer Magistraturen vergleichen.

78 der von Wiseman angeführten Senatoren bekleideten in unserem Zeitraum das Volkstribunat,[8] was ein Drittel der bekannten Tribunen ausmacht. In vorsullanischer Zeit ist ihr Anteil deutlich geringer als nach 70. Die Vertreter aus den weniger bedeutenden Familien waren aufs Ganze gesehen nie dominant und stellten nur in zwei Jahren (57 und 44) die Mehrheit.[9] Abzulehnen ist die Ansicht J. Bleickens, dass die Tribunen „zum weitaus grössten Teil aus kleinen Verhältnissen" stammten.[10] Trotzdem stand nach den Ergebnissen von E. S. Gruen das Volkstribunat den weniger Vornehmen etwas weiter offen als die Praetur und die Aedilität,[11] was sich schon aus der grösseren Anzahl der Tribunenstellen ergibt. Die Zunahme der Vertreter niedrigerer Familien erklärt sich unter anderem aus der Dezimierung der Nobilitätsfamilien im Brügerkrieg[12] und der gleichzeitigen Vermehrung der Senatssitze.[13] Zudem favorisierten die mächtigen Einzelnen zunehmend unbekannte Männer für das Tribunat, um sie für ihre Interessen zu gewinnen.[14] In der ausgehenden Republik wandten sich in der Folge unter den Tribunen nur zwei *novi* gegen die Triumvirn

4 M. Dondin-Payre, Homo nouus: Un slogan de Caton à César?, Historia 30, 1981, 42. 46f.; Hopkins/ Burton (vgl. A. 3) 39f.; Brunt (vgl. A. 3) 1ff.; vgl. dagegen M. Pani, Quale ‚novitas'?, QS 16, 1982, 193–203; P. J. J. Vanderbroeck, Homo novus again, Chiron 16, 1986, 239–242.

5 Zuletzt Brunt (vgl. A. 3) 1(ff.) 15; Vanderbroeck 239(ff.).

6 Wiseman 209ff. Zur Zugehörigkeit der Volkstribunen zum Senat vgl. unten S. 33ff.

7 So auch Dondin-Payre (vgl. A. 4) 26f.

8 Nicht mitgezählt sind die undatierten Volkstribunen in Wiseman's Prosopographie.

9 Im J. 44 machte sich der Einfluss Caesars bemerkbar (44 v. Chr.: 8 nichtsenatorische Vertreter; 57 v. Chr.: 6 nichtsenatorische Vertreter). Jedoch auch von den 8 Tribunen, die im J. 57 Ciceros Rückrufung unterstützten, waren 5 *novi* (T. Annius Milo, C. Cestilius, M. Cispius, T. Fadius, C. Messius).

10 Bleicken, Volkstribunat 1955, 95, vgl. 65f. 96f.; Kritik daran übte schon Kunkel, Kl. Schr., 584f. Zur frühen Republik: J.-L. Halpérin, RD 62, 1984, 161–181; vgl. allgemein Pais 247ff. 266ff.; ferner jetzt auch Vanderbroeck 37ff.

11 Gruen, LG, 181. 188; vgl. Nicolet 1, 154.

12 Vgl. dazu auch Bruhns 149ff.

13 Dazu Alföldy, Sozialgeschichte, 76ff.

14 Ebenda und Wiseman 176f.

(L. Ninnius Quadratus im J. 58 und C. Ateius Capito im J. 55).[15] Das Volkstribunat war demnach für politische Neulinge durchaus geeignet.

Um eine Vorstellung von der politischen Prägung des Volkstribunats zu erhalten, ist vorerst nach dem Anteil der popularen Vertreter zu fragen. Ch. Meier hat in der RE eine Liste derjenigen Volkstribunen aufgestellt, die „offensichtlich im spezifischen Wortsinn p. (= *populares*, Anm.) gewesen sind, genau: die zu einer bestimmten Zeit (d.h. zumeist: in einem bestimmten Jahr) einmal *populariter* agiert haben – ob sie nun in den Quellen als p. bezeichnet werden oder nicht".[16] Als *popularis* bezeichnet die Überlieferung nur 12 Tribunen.[17] Populare Methoden wurden oft nur für kurze Zeit und in einzelnen Punkten angewandt,[18] so dass auch bei den *populariter* agierenden Volkstribunen meist keine grundsätzliche Abkehr vom Senat festzustellen ist. Eine statistische Aufstellung über das politische Verhalten der Tribunen lässt sich angesichts der Verhältnisse in der späten Republik nicht durchführen. Es kann nur versucht werden, sich eine ungefähre Vorstellung vom Anteil jener Tribunen zu machen, die zumindest einmal in ihrem Amtsjahr mittels Volksversammlung gegen die Meinung der Senatsmehrheit agiert haben. Zu beachten ist, dass populare Methoden auch von Vertretern der Senatsmehrheit benutzt werden konnten;[19] diese sind jedoch bei den nachfolgenden Überlegungen nicht mit einbezogen, da es hier um den Anteil der gegen den Senatswillen handelnden Tribunen geht.

Meier zählt für die späte Republik 48 populare Volkstribunen auf,[20] was einen Anteil von einem Fünftel der bekannten Tribunen ergäbe. Daraus darf jedoch nicht auf eine regelmässige Präsenz von mindestens zwei popularen Volkstribunen pro Jahr geschlossen werden, auch wenn man mit weiteren *populares* rechnen kann. Zu berücksichtigen ist, dass Volkstribunen, die sich der Senatsmeinung entgegensetzten, grössere Chancen hatten, in die historische Überlieferung einzugehen. Aus diesem Grunde sind kaum weitere *populares* anzunehmen, die sich in bedeutenderem Masse von der Senatsmehrheit abgekehrt haben.[21] Im Ganzen bleibt eine deutliche Mehrheit unter den überlieferten Volkstribunen, für die wir keine gegen den Senat gerichtete Handlung bezeugt haben. In keinem Amtsjahr überstieg der Anteil der *populares* die Zahl drei.[22] Auch wenn jegliche Zahlenangaben hypothetisch

15 Gruen, LG, 187.

16 Meier, Populares, 572.

17 Meier, Populares, 573f. L. Cassius Longinus, tr. pl. 137, ist als einziger Vertreter vor 133 bei den 12 Tribunen nicht mitgezählt.

18 Meier, Populares, 567, vgl. 572; Martin 4. Nach Meier betrieben nur Clodius (und Caesar) über längere Zeit populare Politik.

19 Meier, Populares, 578f.: M. Livius Drusus (122), M. Livius Drusus (91), L. Roscius Otho (67), M. Porcius Cato (62), L. Marius (62), P. Sestius (57), T. Annius Milo (57) und die anderen Tribunen der J. 58/7, die für Ciceros Rückkehr eintraten (L. Ninnius Quadratus, Q. Terentius Culleo, C. Messius).

20 Meier, Populares, 573ff.; zum Vergleich ist die Aufstellung von Rübeling (66ff. und 84f.) beizuziehen. Vanderbroeck (199ff.) reiht für die J. 78 bis 49 52 populare Volkstribunen auf, wobei er sich auf das Kriterium der politischen Gefolgschaft beruft, so dass der Kreis der eigentlichen popular Handelnden überzogen wird. Für die vorsullanische Zeit hinzufügen liessen sich M.' Acilius Glabrio und C.? Rubrius, tr. pl. 122.

21 Falls alle *populares* überliefert wären, so bildeten sie einen Anteil von 6% aller Volkstribunen. Zu beachten sind auch einzelne anonyme Handlungen gegen die Senatsmehrheit, die erst im Laufe der Arbeit untersucht werden können.

22 Drei populare Volkstribunen sind in den J. 104, 99, 63 und 52 bezeugt.

bleiben müssen, dürfen wir damit rechnen, dass der Grossteil der Tribunen jeweils auf Seiten der Senatsmehrheit stand. Dies zeigt sich auch empirisch in den Jahren mit tribunizischem Aufruhr, als die Mehrheit des Tribunenkollegiums sich von den Taten distanzierte und vom Senat gar zu deren Bekämpfung aufgefordert wurde.[23] Zudem hatte schon Cicero festgehalten, dass es insgesamt nur wenige verderbliche Volkstribunen gab.[24]

Für die Zeit bis Sulla (88) begegnen deutlich mehr *populares* als in den Jahren 70 bis 43. Dabei ist zu beachten, dass die populare Politik, wie J. Martin festgestellt hat,[25] ab 56/55 allgemein zurückging und die Reihe der *populares* nach Ch. Meier im Jahr 50 (mit C. Scribonius Curio) schliesst.[26] Die Anzahl der Tribunen unbekannterer Herkunft unter den Popularen nimmt zwischen der vor- und nachsullanischen Zeit deutlich zu, während sich umgekehrt die Popularen unter den Vertretern aus „nichtsenatorischen" Familien verringern. Die These J. Martins, dass die popularen Volkstribunen in vorsullanischer Zeit „zum grössten Teil" aus der Nobilität stammten, während sie nachher oft „niedrigerer Herkunft" waren,[27] lässt sich im Trend bestätigen. Auch die populare Politik der Volkstribunen wurde jedoch nie von *homines novi* beherrscht.

Betrachten wir die späteren Laufbahnen der Volkstribunen: Im behandelten Zeitraum wurde gut ein Drittel der Amtsinhaber später Praetor.[28] In vorsullanischer Zeit waren es etwas weniger als in der Zeit nach dem Jahr 70. Die Chancen auf eine Praetur waren mit der sullanischen Erweiterung des Senats von 300 auf 600 Mitglieder und der damit verbundenen gesteigerten Konkurrenz um die Ämter leicht gesunken, da gleichzeitig nur zwei Praeturen mehr eingerichtet wurden.[29] Somit waren es jetzt acht an der Zahl, bis Caesar sie erneut erhöhte.[30] Die Chance eines Senators auf eine Praetur lag vor Sulla bei ca. 60%, während sie danach unter 50% absank.[31] Die Volkstribunen lagen folglich etwas unter der allgemeinen Wahrscheinlichkeitsquote.[32] Von den über 400 bekannten Praetoren der späten Republik haben wir nur für jeden fünften ein vorheriges Volkstribunat belegt, nach Abzug von etwa einem Drittel Patrizier für etwa 30% der Praetoren. Das Tribunat bot also nur unterdurchschnittliche Aussichten auf eine spätere Praetur.

23 S. unten S. 37. Zum J. 133 vgl. App. BC. 1,14,61.15,65; zum J. 122 Plut. C. G. 12,4.

24 Cic. leg. 3,24: *et praeter eos* (sc. *duo Gracchos) quamvis enumeres multos licet, cum deni creentur, <non>nullos in omni memoria reperies perniciosos tribunos;* s. dazu L. Thommen, Chiron 18, 1988, 358f.

25 Martin 106.

26 Zur Bedeutung von *popularis* unter Caesar vgl. Martin 118ff.

27 Martin 214.

28 Berücksichtigt man hier und im Folgenden die von Hopkins/Burton (47f.) angenommene Sterbeziffer von einem Sechstel, so sind es jeweils etwas mehr. Für die vorsullanische Zeit kann diese Sterbeziffer bei den Tribunen verifiziert werden.

29 Vgl. Wiseman 164.

30 Dazu Bruhns 155.

31 Wiseman (164) rechnet mit einer Ziffer von 2/5 (= 40%), während Hopkins/Burton (47f.) unter Berücksichtigung der Sterbeziffer von 1/6 auf 8/17 (= 47%) kommen.

32 Einige Tribunen mussten zuvor noch die Aedilität bekleiden (Wiseman 159ff.), um die nötige Popularität zu erreichen. Das Volkstribunat war jedoch auch geeignet, um direkt zu höheren Ämtern aufzusteigen (Niccolini, tribunato, 139f.).

Zu beachten ist auch, dass Sulla im Zuge der Entwertung des Volkstribunats im Jahr 81 den Tribunen jede weitere Ämterlaufbahn verboten hatte.[33] Diese Bestimmung machte das Tribunat bis zum Jahr 75, als sie der Konsul C. Aurelius Cotta wieder aufheben liess, besonders für ambitiöse *nobiles* uninteressant.[34] In der Zeit von Cinna bis zum Jahr 70, in dem die sullanischen Restriktionen gänzlich beseitigt wurden,[35] ist dann auch der Anteil der unbekannteren Vertreter unter den Tribunen am grössten, wobei die Überlieferungslage für jene Jahre besonders dürftig ist.[36] Trotzdem wurde ein Drittel der bekannten Tribunen in jenen Jahren später noch Praetor; sie scheiterten aber am Konsulat, sofern man von dem unsicheren Fall des M'. Acilius Glabrio absieht.

Von besonderem Interesse sind die Tribunen der Jahre zwischen 81 und 75, die ja das Verbot für weitere Ämter in Kauf nehmen mussten. In dem entsprechenden Zeitraum kennen wir jedoch nur drei oder möglicherweise vier Tribunen, so dass wir keine statistischen Angaben machen können. Sie stammten ausser im Falle des M. Terpolius (77)[37] nicht aus gänzlich unbekannten Familien. Cn. Sicinius (76) kam aus einer praetorischen Familie, M'. Acilius Glabrio (78) und Q. Opimius (75) gingen aus konsularischen Familien hervor, die jedoch alle seit längerer Zeit nicht mehr in Erscheinung getreten waren.[38] C. Herennius, als möglicher Volkstribun des Jahres 80, stammte aus einer senatorischen Familie.[39] Somit können wir vermuten, dass Vertreter von Familien, die schon seit einiger Zeit keinen Praetor bzw. Konsul mehr gestellt hatten, an einem Volkstribunat interessiert waren, um damit wieder Anschluss an die Ämter zu finden.

Aus diesem Grunde gab es wohl etliche Leute aus der Oberschicht, die ein uneingeschränktes Volkstribunat forderten. Die *lex Aurelia*, als erste gesetzliche Massnahme gegen die Beschränkungen Sullas, stammte von einem Mitglied der führenden Nobilität.[40] Sie wurde auch von dem Tribunen Q. Opimius, der wie erwähnt konsularischer Abstammung war, unterstützt.[41] Dessen Position als Volkstribun reichte aber offenbar nicht aus, um eine entscheidende Rolle zu spielen. Er wurde von einer Gruppe von Optimaten ausgeschaltet.[42] Interesse am Volkstribunat dürften auch die Neulinge, die mit der sulla-

33 App. BC. 1,100,467.

34 Ebenda; ferner R. Syme, Ten Tribunes, JRS 53, 1963, 55; Gruen, LG, 188. Zur *lex Aurelia*: Broughton 2, 96.

35 Rotondi 369; vgl. S. 90.

36 Falls man die *lex Antonia de Termessibus* ins J. 72 setzt, kämen zwar 10 Tribunen mehr dazu, was die Lage aber nicht entscheidend ändern würde (zur *lex Antonia* s. unten S. 109).

37 Gruen, LG, 188. 517.

38 Gruen, LG, 181. 184; V. Vedaldi Iasbez, MEFR 95, 1983, 156ff.

39 Gruen, LG, 197 A. 134; zur Datierung des C. Herennius vgl. unten S. 231.

40 Cic. Verr. 2,2,174. Umstritten ist die Stellung des L. Aurelius Cotta in der Nobilität, die Sallust (hist. 3,48,8) mit *ex factione media* umschreibt. J. Malitz (Hermes 100, 1972, 372f. 381. 385) meint, dass Cotta trotz einiger Gegner unter den Optimaten (vgl. Asc. p. 53 St.) grösseren Einfluss ausgeübt haben muss, auch wenn er nicht zur „Nobilität ‚mitten aus der factio'" gehört hatte. Er bedurfte wohl des Senatsmehrs für seine Gesetze (Gruen, LG, 27); vgl. auch V. Vedaldi Iasbez, MEFR 95, 1983, 152 A. 50.

41 Asc. p. 255 St.

42 Cic. Verr. 2,1,155 berichtete von *paucos ... homines arrogantes*. Nicht betroffen von den Restriktionen gegen das Volkstribunat waren die Patrizier, die daher am Widerstand, der sich in Teilen der Nobilität gegen die Restitution manifestierte, massgeblich beteiligt gewesen sein dürften. – Opimius erfuhr

nischen Erweiterung des Senats in den *ordo senatorius* gelangt waren, bekundet haben. Das Tribunat erwies sich für sie als geeignet, um den Einstieg in die Ämterlaufbahn zu finden. Das Volkstribunat als Ausgangspunkt für höhere Ämter verband sich nach Cicero mit *dignitas*, die ihm von Sulla genommen worden war.[43] Das breite Interesse an dem Amt musste das sullanische Verbot für weitere Magistraturen untragbar machen. Die *lex Aurelia* bedeutete daher eine Normalisierung im Kampf um die Ämter, der wohl durch die Abwertung des Volkstribunats aus den gewohnten Bahnen geraten war. Bei den anderen Magistraturen hatten sich möglicherweise zusätzliche Engpässe gebildet, durch die die gewohnten Aufstiegsmöglichkeiten ausser Kraft gesetzt worden waren. Die Grundzüge der sullanischen Ordnung wurden durch die *lex Aurelia* allerdings nicht angetastet.[44] Die Einschränkungen der tribunizischen Kompetenzen blieben bestehen. Für die Plebs ergaben sich mit diesem Gesetz keine Vorteile.

Durchschnittlich sind in der späten Republik nicht ganz ein Drittel der späteren Praetoren zu den Popularen zu rechnen. Der Anteil der „nichtsenatorischen" Vertreter liegt etwas über einem Drittel. Dies übersteigt den Durchschnitt der *homines novi* unter allen bekannten Praetoren, den Wiseman mit 17% (138–70 v. Chr.) bzw. 25% (69–49 v. Chr.) veranschlagt,[45] da sich unter den Volkstribunen ja keine Patrizier befanden. Schon E. S. Gruen hat festgehalten, dass fast die Hälfte der *homines novi* unter den Volkstribunen der ausgehenden Republik zu höheren Ämtern aufgestiegen sind.[46] Dies bedeutet eine deutliche Steigerung gegenüber der vorsullanischen Zeit, wo es nur ein Fünftel war.

Ein Vergleich mit der mittleren Republik zeigt, dass dort etwa gleichviele Tribunen die Praetur erlangt hatten wie in der späten Republik, nämlich auch ca. ein Drittel.[47] In dieser Hinsicht dürfte sich also keine Veränderung im *cursus honorum* vollzogen haben, sofern man von den Differenzen in der Ausgangslage (einerseits weniger Praetorenstellen, andererseits bis 167 bessere Überlieferung) absieht.

Ein späteres Konsulat ist für etwa ein Sechstel der spätrepublikanischen Volkstribunen bezeugt. Jeder dritte davon stammte aus einer „nichtsenatorischen" Familie. In vorsullanischer Zeit wurde sogar ca. ein Fünftel der bekannten Tribunen später Konsul, was

seitens der Popularen offenbar keine besondere Wertschätzung, denn C. Licinius Macer hat ihn in seinem Bericht über die im Kampf um die Restitution des Volkstribunats bedeutenden Tribunen ausgelassen (J. Malitz, Hermes 100, 1972, 385; V. Vedaldi Iasbez, MEFR 95, 1983, 146).

43 Cic. in Corn. I p. 61 St.

44 Gruen, LG, 27f.; vgl. auch V. Vedaldi Iasbez, MEFR 95, 1983, 149. 153. J. Martin (12) vermutet in der *lex Aurelia* ein Ablenkungsmanöver vom Getreidemangel, der in jenen Jahren herrschte. Ob mit der Aufhebung des Ämterverbotes die Unzufriedenheit des Volkes mit der Lebensmittelversorgung beseitigt werden konnte, ist zweifelhaft. Das Volk hatte sich bis anhin offenbar im Kampf gegen die sullanischen Restriktionen zurückgehalten. Im J. 78 hatte während einer *contio* die Mehrheit die Restitution des Tribunats abgelehnt (Gran. Licin. p. 27 Criniti). Den Mord an dem um die Wiederherstellung der *tribunicia potestas* bemühten Volkstribunen des J. 76, Cn. Sicinius, soll das Volk nach Macer nur mit einem Murren begleitet haben (Sall. hist. 3,48,8).

45 Wiseman 163f., vgl. 155, nach dem die *novi* geringe Aufstiegschancen hatten.

46 Gruen, LG, 188.

47 Kunkel (Kl. Schr., 585) zählt nur 15 spätere Praetoren von 120 Volkstribunen, was nur 12,5% ergäbe. Nach Broughton wurden 39 von ca. 125 Tribunen später Praetoren (= 31%).

genau der Wahrscheinlichkeit des Aufstieges eines Senators zum Konsulat entspricht.[48] Dies dürfte ein Zeichen dafür sein, dass besonders einflussreichere Vertreter in unsere Quellen eingegangen sind.[49] Gerade die Quellen zur vorsullanischen Zeit beschränken sich vorwiegend auf einen Bericht der markantesten Ereignisse. Wer das Konsulat erreichte, hatte sich zumeist schon während des Volkstribunats hervorgetan, so dass seine Taten in die Überlieferung eingegangen sind.[50] Ein Volkstribun, der es nach diesem Amte nicht mehr weiter brachte und während des Tribunats keine aussergewöhnlichen Aktionen unternommen hatte, hatte wenig Chancen tradiert zu werden, es sei denn bei der Aufzählung eines Teils oder des gesamten Tribunenkollegiums anlässlich eines gemeinsam erlassenen Gesetzes, wie wir es in nachsullanischer Zeit kennen.[51] Selbst in der Zeit nach 70, in der allgemein mehr unbedeutendere oder nur namentlich überlieferte Vertreter zu ermitteln sind (50% bekannte Tribunen, gegenüber 18% in vorsullanischer Zeit), beträgt der Anteil der späteren Konsuln noch knapp ein Sechstel und liegt über der Wahrscheinlichkeitsquote, die mit der sullanischen Erweiterung des Senats auf 1:10 gesunken ist.[52]

Fast ein Drittel der späteren Konsuln waren *populares,* wobei die Werte in vorsullanischer Zeit erwartungsgemäss höher liegen als in nachsullanischer Zeit.[53] Während vor Sulla nur gerade vier der 17 späteren Konsuln *homines novi* waren, steigt ihre Zahl danach auf neun von nur gerade 22 späteren Konsuln. Auch im Konsulat konnten sich die unbedeutenderen Vertreter in der ausgehenden Republik einen höheren Anteil verschaffen. Neun der 14 Konsulatsinhaber ohne direkte konsularische Vorfahren hatten in der Zeit zwischen 132 und 43 zuvor das Volkstribunat bekleidet.[54] Insgesamt bildeten die *novi* im Konsulat jedoch eine verschwindend kleine Zahl. Nach 70 erreichten nur noch zwei *novi* das Konsulat (Q. Fufius Calenus, tr. pl. 61, und P. Vatinius, tr. pl. 59). Vor Calenus war seit T. Didius und C. Norbanus, Volkstribunen des Jahres 103, kein *homo novus* mehr ins Konsulat gelangt.

Wenn von den rund 180 Konsuln (ohne *suffecti*) der späten Republik 41 das Volkstribunat bekleidet hatten, so war das also mindestens jeder fünfte, was auch der

48 Vgl. Wiseman 164f.: Die Wahrscheinlichkeit, dass ein Senator das Konsulat erreichte, lag vor Sulla bei 1:5. Berücksichtigt man eine Sterbeziffer von 1/6, so wurde jeder vierte Tribun Konsul, was sich wiederum mit der Wahrscheinlichkeit von 1:4 deckt.

49 Nähme man für jedes Tribunenkollegium jährlich zwei spätere Konsuln an, so hätte jeder Konsul vorher Volkstribun sein müssen!

50 Nähme man an, dass *alle* Volkstribunen, die das Konsulat erreichten, in die Quellen eingegangen sind, so wären dies 4 1/2% aller 910 Tribunen zwischen 133 und 43 (= einer von 22 Tribunen). Keine besondere Tat im Volkstribunat bekannt ist bei L. Licinius Crassus (107), P. Servilius Vatia (98?), C. Scribonius Curio (90), Q. Caecilius (68?), Q. Caecilius Metellus Pius Scipio Nasica (sofern er tr. pl. 59 war; vgl. L. R. Taylor, in: Classical Mediaeval and Renaissance Studies in Honor of B. L. Ullman, Bd. 1, Rom 1964, 79ff.; D. R. Shackleton Bailey, CLA I, 351; Broughton 3, 41f.), L. Roscius Fabatus (55?), C. Furnius (50), P. Ventidius Bassus (45?), Cn. (Cornelius) Lentulus (vor 66).

51 Vgl. die *lex Antonia de Termessibus* unten S. 109, die *lex Mamilia Roscia Peducaea Alliena Fabia* unten S. 55.

52 Vgl. Wiseman 164f. Berücksichtigt man eine Sterbeziffer von 1/6, so ergibt sich die Wahrscheinlichkeit von 1:8,5 und jeder fünfte Tribun wurde Konsul (= 23 Tribunen, bei einer Wahrscheinlichkeit von ca. 16 Tribunen, die damit überschritten ist).

53 Dies trotz dem Tode einiger popularer Tribunen in vorsullanischer Zeit.

54 Vgl. Wiseman 165. 203.

Wahrscheinlichkeitsquote entspricht.[55] Von den Volkstribunen der späten Republik scheinen insgesamt immer etwa gleichviele Amtsträger später das Konsulat erreicht zu haben. Für die mittlere Republik liegt der Anteil der späteren Konsuln kaum höher.[56] Auch hier ist keine eindeutige Veränderung im *cursus honorum* festzustellen. Das Volkstribunat war demnach stets eine geeignete,[57] aber keineswegs notwendige Vorstufe zur Erreichung des Konsulats. Dies setzte aber besonderes Durchsetzungsvermögen voraus, denn im Durchschnitt erreichten die Tribunen weniger oft die Praetur als das Total der Senatoren. Jedoch nur 44 (= 52%) der Tribunizier, die zur Praetur gelangten, wurden später nicht Konsul. Falls ein Tribun die Praetur erreichte, so hatte er demnach gute Chancen auf ein Konsulat.

Schon E. S. Gruen hat gezeigt, dass das Tribunat gerne von konsularischen Familien, die längere Zeit keinen Amtsträger mehr gestellt hatten oder erst seit einer Generation senatorisch waren, als „Sprungbrett" für die Amtskarriere benutzt wurde, auch wenn es nicht eigentlich zum *cursus honorum* gehörte.[58] Dies erklärt sich zu einem Teil aus der relativ hohen Zahl der Volkstribunen, die die Konkurrenz etwas verminderte. Trotzdem deuten verschiedene Zeugnisse darauf hin, dass es auch bei dem Volkstribunat zu Wahlausscheidungen kam und manche Bewerber auf der Strecke blieben.[59] Da die Konkurrenz mit patrizischen Bewerbern entfiel, entstand im Tribunat etwas mehr Raum für Vertreter unbekannterer Familien. Diese waren im Durchschnitt immer etwa mit einem Drittel der zehn Tribunen vertreten und konnten den entsprechenden Anteil auch bei den später zu der Praetur und zu dem Konsulat aufgestiegenen Vertretern bewahren. Auf das Ganze gesehen wich das Volkstribunat jedoch nur wenig von der sozialen Zusammensetzung ab, die auch für die Aedilität und die Praetur galt. Ein deutlicher Unterschied zeigt sich allerdings im Vergleich zum Konsulat, das kaum von *homines novi* erreicht wurde.

Die Vertreter der konsularischen Familien waren nicht unbedingt auf das Tribunat angewiesen, obwohl sie nach dem Ergebnis Gruen's nicht viel weniger vertreten waren als

55 Berücksichtigt man, dass fast 1/3 der Konsulate von Patriziern belegt wurde (vgl. Hopkins/Burton 53), so hatte beinahe 1/3 der plebejischen Konsuln vorher das Volkstribunat inne. (Von den 180 Konsuln der späten Republik waren 47 Patrizier = 26%).

56 Nach Kunkel (Kl. Schr., 585) wurden 21 der 120 mittelrepublikanischen Tribunen später Konsul (= 17,5%); nach Broughton trifft dies jedoch für 24 von ca. 125 Tribunen zu (= 19%).

57 Vgl. Cic. dom. 37.

58 Gruen, LG, bes. 180f. 183. 188.

59 Gegen Malitz 31 A. 10 und Nippel, plebs urbana, 78. Auseinandersetzungen um die Tribunenwahl spiegeln folgende Ereignisse: Im J. 133 bemühten sich die Reichen, das Volkstribunat mit Feinden des Ti. Gracchus zu besetzen (App. BC. 1,14); im J. 101 wurde A. Nonius als Anwärter auf das Tribunat von Veteranen umgebracht, um die Wahl des Saturninus zu fördern (GCG 102; dazu Lintott 210; Schneider, Militärdiktatur, 92); im J. 91 verhinderten die Gegner des M. Livius Drusus, dass C. Aurelius Cotta das Tribunat ausüben konnte, so dass Q. Varius eingesetzt wurde (Cic. de or. 3,11); Q. Sertorius fiel bei der Tribunenwahl des J. 88 auf Betreiben Sullas durch (Plut. Sert. 4,3); M. Porcius Cato liess sich für das Volkstribunat des J. 62 wählen, um Q. Caecilius Metellus, dem Beauftragten des Pompeius, entgegenzutreten (Plut. Cat. min. 20,3; vgl. Cic. Mur. 81); von den Triumvirn war nach einem Zeugnis Ciceros aus dem J. 59 Einfluss auf die Wahl der Tribunen er erwarten (Cic. Att. 2,9,2); im J. 54 wurden bei den Tribunenwahlen Massnahmen gegen Bestechung getroffen (vgl. Cic. Att. 4,15,7; Q. fr. 2,15,4); Cicero erwartete im J. 50, dass die drei Antonius-Brüder in den nächsten drei Jahren nacheinander Volkstribunen sein würden (Cic. fam. 2,18,2), was dann aber – möglicherweise auf Grund des Bürgerkrieges – nicht eintraf.

die Amtsträger unbedeutender Herkunft.[60] Der Anteil der Vertreter konsularischer Familien am Volkstribunat war jedoch geringer als an der curulischen Aedilität und der Praetur.[61] Dies erklärt sich schon aus dem Verbot des Volkstribunats für Patrizier. Immerhin wurde in zwei überlieferten Fällen die Bekleidung des Volkstribunats auch von Patriziern für so aussichtsreich betrachtet, dass sie zur Plebs übertraten (*transitio ad plebem*).[62] Auch Octavian wollte sich die Vorteile des Volkstribunats zunutze machen. Im August/September 44 hatte er Absichten, sich zum Tribunen wählen zu lassen.[63] Als Alleinherrscher fand er später dann andere Wege, sich die *tribunicia potestas* anzueignen.

Gegenüber der mittleren Republik hat das Volkstribunat seine Stellung in der Ämterlaufbahn, in die es längst integriert war, kaum verändert. Auch wenn die Neulinge im Tribunat im Verlaufe der späten Republik ihre Anteile steigern konnten, so blieben sie doch stets deutlich in der Minderheit. Da sie versuchten, nach dem Tribunat noch weitere Ämter einzunehmen, war es ratsam, sich an die vorgegebenen politischen Spielregeln zu halten. Somit zeigt sich, dass das Volkstribunat von seiner personellen Besetzung und seiner Stellung in der Beamtenlaufbahn her im Prinzip auf die aristokratische Senatspolitik ausgerichtet war.

Erst unter Caesar entwickelten sich grundlegend neue Bedingungen für die personelle Zusammensetzung des Volkstribunats. Als der Diktator im Jahr 44 das Ernennungsrecht für die Hälfte der Magistrate (ausser den Konsuln) erhielt, so betraf dies auch die Volkstribunen.[64] Die damit erreichte Kontrolle machte es für Caesar im Gegensatz zu Sulla überflüssig, gegen das Tribunat Einschränkungen vorzunehmen.

3. Kontinuation und Iteration

Wie alle römischen Ämter unterstand auch das Volkstribunat dem Prinzip der Annuität, die eine längerfristige Politik stark einschränkte. Versuche, das Tribunat zu kontinuieren, sind uns nur wenige überliefert, auch wenn sich ansonsten die Kontinuation

60 Gruen, LG, 183. 188f.

61 Gruen, LG, 183.

62 Dies waren P. Clodius Pulcher, tr. pl. 58, und P. Cornelius Dolabella, tr. pl. 47 (Dio 42,29,1; vgl. Broughton 3, 65); unsicher ist der Fall des P. Sulpicius (Rufus?), tr. pl. 88 (vgl. H. Mattingly, Athenaeum 53, 1975, 264f.; Broughton 3, 202). Zu Clodius vgl. F. Fröhlich, RE 4, 1900, 83f.; V. Groh, La transitio ad plebem di P. Clodio, in: Studi in onore di P. Bonfante, Vol. 3, Milano 1930, 387ff.; J. Vernacchio, L'adozione di Clodio (Dom. 34–42), Ciceroniana I, 1, 1959, 197ff.; J. Bleicken, Hermes 85, 1957, 355; vgl. auch B. Kübler, RE 6 A, 1937, 2154ff.: Clodius wurde durch Curiatsbeschluss adrogiert; er hatte zuvor erfolglos versucht, die Volkstribunen für einen Gesetzesentwurf zu gewinnen, der die Zulassung der Patrizier zum Volkstribunat ermöglichen sollte (Dio 37,51,1f.). Zur *transitio ad plebem* ferner: Cic. dom. 37. – Clodius wollte ursprünglich Aedil werden (Cic. Att. 2,1,5), desgleichen C. Scribonius Curio, tr. pl. 50 (F. Münzer, RE 2 A, 1921, 869).

63 Dazu U. Ehrenwirth, Kritisch-chronologische Untersuchungen für die Zeit vom 1. Juni bis zum 9. Oktober 44 v. Chr., Diss. München 1971, 82. Octavian förderte dabei nach Appian (BC. 3,31) die Wahl des (L.) Flaminius (Chilo?); vgl. Broughton 2, 325.

64 Dazu unten S. 104.

in der späten Republik immer mehr einbürgerte.[65] Eine Iteration ohne Kontinuation ist uns bei den Volkstribunen gar nur in einem Falle, nämlich für L. Appuleius Saturninus im Jahr 100, bezeugt. Diesem Sachverhalt ist im Folgenden näher nachzugehen. Es soll versucht werden, aus dem Verhalten der Volkstribunen in bezug auf die Kontinuation und Iteration, soweit möglich, Erkenntnisse für den politischen Stellenwert des Tribunats zu gewinnen. Dabei sind auch die Reaktionen anderer politischer Kräfte auf die Fortführung und Wiederholung des Tribunats zu betrachten.

Als Ti. Gracchus im Jahr 133 das Volk um eine Wiederwahl bat, lag eigentlich eine neuartige, nicht legalisierte Situation vor, wenn auch nicht ohne Präzedenzfall in der weiteren Vergangenheit.[66] Gleichwohl fand er mit seinem Anliegen bei der Stadtbevölkerung eine gewisse Resonanz und es schien der einzige gangbare Weg, dem drohenden Kapitalprozess zu entrinnen.[67] Sein Vorhaben fand jedoch Widerstand in den Kreisen gegnerischer Senatoren wie auch in dem Kollegium der Tribunen.[68]

Im Jahr 131 versuchte C. Papirius Carbo, als mit den Gracchen befreundeter Volkstribun, die Kontinuation des Volkstribunats gesetzlich zu ermöglichen.[69] Von popularer Seite wurde hier versucht, die politischen Möglichkeiten des Tribunats zu verbessern. Der Antrag wurde in der Volksversammlung jedoch abgelehnt. Die traditionelle Ordnung hatte in diesem Falle den Vorrang. Die Vorlage war für das politische Gleichgewicht in der Oberschicht untragbar. Möglicherweise existierten aber auch in der Bevölkerung gewisse Bedenken hinsichtlich der missbräuchlichen Verwendung des Volkstribunats.

Trotzdem gelang es C. Sempronius Gracchus wenige Jahre später (123), die Wiederwahl zu erreichen, obwohl er Plutarch zufolge seine Kandidatur nicht angemeldet hatte.[70] Hier ging es nicht um eine Grundsatzentscheidung, und das *concilium plebis* unterstützte die Politik eines einzelnen Tribunen. Nach Appian soll ein Gesetz, das bei un-

65 H. Kloft, RE Suppl. 15, 1978, 452ff.; Bleicken, Lex publica, 441ff.

66 Vgl. App. BC. 1,14,59; dazu Lengle, Tribunus, 2483; Meyer, Staatsgedanke, 294. L. R. Taylor (Athenaeum 41, 1963, 51–69) interpretierte die letzte Versammlung des Ti. Gracchus als Gesetzescomitien, die ein Gesetz über die Wiederwahl von Volkstribunen verabschieden sollten; vgl. dagegen D. C. Earl (Athenaeum 43, 1965, 95–105), der wieder für Wahlcomitien plädiert. – Im 5. und 4. Jh. traten – falls historisch (vgl. dagegen Meyer, Staatsgedanke, 148) – Wiederholungen des Tribunats mehrfach auf, obwohl dies auch damals nicht legitim war (vgl. Liv. 3,21,2). C. Licinius Stolo soll sogar (wie sein Kollege L. Sextius Sextinus Lateranus) 10 Jahre ohne Unterbruch Volkstribun gewesen sein (Dion. Hal. 14,22).

67 App. BC. 1,14,58; Plut. T. G. 16. Zudem wurde versucht, den Vorsitz der Wahlcomitien zu manipulieren, nachdem die Gegner nach den ersten zwei Tribusstimmen, die zugunsten von Tiberius ausgefallen waren, Einspruch gegen die drohende Wiederwahl erhoben hatten. Darauf wollte Q.? Mucius, ein Klient des Tiberius, wegen des Zögerns des Vorsitzenden die Wahlleitung übernehmen. Die Gegner verlangten jedoch eine ordnungsgemässe, neuerliche Losung des Vorsitzes, worauf Tiberius die Wahl vertagte (App. BC. 1,14,60ff.).

68 App. BC. 1,14f.

69 Broughton 1, 502; vgl. Martin 149f.; zur Datierung s. v. Ungern-Sternberg, Notstandsrecht, 44 A. 1, anders Broughton 3, 154.

70 Plut. C. G. 8,2; dazu U. Hall, Athenaeum 50, 1972, 3–35; Stockton 169ff.; vgl. allgemein U. Hall, Voting Procedure in Roman Assemblies, Historia 13, 1964, 267–306.

genügender Anzahl Amtsbewerber alle Bürger kandidierfähig machte, für C. Gracchus ein zweites Tribunat ermöglicht haben.[71] Dabei handelte es sich kaum um ein neues Gesetz, sondern wohl um eine alte Regel, die von den Gracchen wieder in Erinnerung gerufen worden war und die Appian als *lex* interpretierte.[72] A.H.M. Jones möchte darin eine Verwechslung mit der allerdings schwerlich historischen *lex Trebonia* des Jahres 448 sehen, die vorschrieb, dass aus den Tribunenwahlen unter allen Umständen immer zehn Amtsträger hervorgehen mussten.[73] Ein drittes Tribunat erreichte C. Gracchus nicht mehr, obwohl er die meisten Stimmen hatte,[74] da jetzt offenbar zehn offizielle Kandidaten renuntiiert wurden, bevor das Ergebnis des C. Gracchus bekannt gegeben wurde.[75] Gracchus hatte offenbar darauf verzichtet, Einfluss auf die Wahlleitung zu nehmen, wie dies sein Bruder getan hatte.[76]

Im Jahr 110 strebten die Tribunen P. Licinius Lucullus und L. Annius nach Sallust die Kontinuierung der Magistratur an, was jedoch auf den Widerstand der Kollegen stiess.[77] Da sie daraufhin sämtliche Wahlen dieses Jahres lahmlegten, verlangten sie möglicherweise nicht die Wiederwahl ins Volkstribunat, sondern die Aedilität oder die Praetur. Die Kontinuation des Tribunats erreichte nur noch Saturninus, nachdem ihm als einzigem Tribunen der späten Republik für das Jahr 100 schon eine Iteration gelungen war; sein drittes Amtsjahr sollte er jedoch nicht mehr erleben.[78] Ansonsten sind in der späten Republik keine Kontinuationsversuche mehr bekannt.

Dieser Überblick hat gezeigt, dass die Kontinuation und insbesondere die Iteration des Volkstribunats Ausnahmen blieben. Die Wiederholung des Tribunats erwies sich als schwierig und ermangelte im allgemeinen auch genügender Legitimität, als dass sie sich hätte einbürgern können. Die Tribunen wurden nicht wie die Konsuln zur Abwehr von kriegerischen Bedrohungen gebraucht und hatten daher in dieser Hinsicht nie existentielle Bedeutung, die den Verzicht auf die jährliche Ablösung nahelegte.

Kontinuationsversuche fanden sowohl im Senat als auch im Tribunenkollegium Widerstand. Auch die Comitien waren nicht unbedingt für eine Erweiterung der tribunizischen Möglichkeiten zu gewinnen. Über den Erfolg eines Kontinuationsversuches entschieden jeweils die Machtverhältnisse. Ein weiterer Grund für die geringe Zahl der Kontinuations- und Iterationsversuche mag darin liegen, dass das Volkstribunat als

71 App. BC. 1,21,90.

72 U. Hall, Athenaeum 50, 1972, 10. 24–27; Stockton 171.

73 A. H. M. Jones, De Tribunis Plebis Reficiendis, PCPhS 186, 1960, 35–39, bes. 36; zur *lex Trebonia* vgl. Rotondi 206f.; Jones meint, dass daher in bestimmten Situationen auch auf Tribunizier zurückgegriffen werden konnte (36). Die Wiederwahl des C. Gracchus wäre also möglich geworden, wenn nur neun Kandidaten die nötige Stimmenzahl (*quota*) erhielten (36 f.). Zu beachten ist aber, dass eine Wiederwahl auch ohne Kandidatur möglich war (Plut. C. G. 8,2); gegen Jones vgl. Hall (vgl. A. 70) 9ff. und Stockton 171.

74 Plut. C. G. 12,4; Plutarch führt dies darauf zurück, dass Gaius seine Kollegen verärgert hatte.

75 So U. Hall, Historia 13, 1964, 295; Athenaeum 50, 1972, 12.

76 S. oben A. 67.

77 Sall. Iug. 37,1–2; dazu H. Chantraine, Untersuchungen zur römischen Geschichte am Ende des 2. Jahrhunderts v. Chr., Kallmünz 1959, 50 A. 80; J. Jahn, Interregnum und Wahldiktatur, FAS 3, Kallmünz 1970, 158.

78 GCG 102 zum J. 101; dazu Jones (vgl. A. 73) 38; Niccolini 202 zum J. 100. Quellen zum Tode des Saturninus: Broughton 2, 1 (dazu E. Badian, Chiron 14, 1984, 101ff.; vgl. Broughton 3, 21f.).

Vorstufe zu höheren Ämtern betrachtet wurde und die Tribunen ihre weitere Karriere nicht durch eine ungebührliche Fortsetzung des Tribunats gefährden wollten.[79] Die Tribunen hatten somit im Normalfall die zeitliche Begrenzung ihrer Tätigkeit auf ein Jahr zu akzeptieren. Unter diesen Bedingungen bot das Volkstribunat genügende Aussichten, noch weitere Ämter ausüben zu können. Längerfristige Politik wurde durch die vorgegebenen Einschränkungen allerdings erschwert.

4. Die Senatszugehörigkeit der Volkstribunen

In diesem Abschnitt stellt sich die Frage, inwieweit die Volkstribunen während ihres Amtsjahres bereits Mitglieder des Senats und damit in dessen Politik einbezogen waren, so dass ihre Verpflichtungen dem Tribunat die Möglichkeit eines unabhängigen Kontrollorgans nahmen.

Die Führung der Senatorenliste unterstand den Censoren, die bei Neuaufnahmen in der Regel auf ehemalige Amtsträger zurückgriffen.[80] Um der Frage nachzugehen, inwieweit das Volkstribunat nach Ablauf des Amtsjahres zu der Aufnahme in den Senat befähigte, ist die *lex Atinia von* Bedeutung (Gell.14,8,2 : *Nam et tribunis plebis senatus habendi ius erat, quamquam senatores non essent, ante Atinium plebiscitum*). Sie wurde in jüngerer Zeit von T. R. S. Broughton und T. P. Wiseman so ausgelegt, dass sie den Volkstribunen das Recht zuteilte, nach dem Amtsjahr in den Senat aufgenommen zu werden.[81] Als Datum wurde bis anhin mehrheitlich die zweite Hälfte des 2.Jh.'s in Erwägung gezogen.[82] R. Develin hat neuerdings die *lex Atinia* so interpretiert, dass durch sie den Senatoren die Bekleidung des Volkstribunats erlaubt wurde; als Datierung hat er das Jahr 216 vorgeschlagen, als viele Stellen im Senat neu besetzt werden mussten.[83] Wiseman deutete die *lex Atinia* als Recht, bei der *senatus lectio* berücksichtigt zu werden, und datierte sie ins Jahr 131, als nach Livius[84] C. Atinius Labeo Macerio bei der Revision der Senatsliste übergangen worden war.[85] Atinius hätte damit als popularer Volkstribun eine Verbesserung der Stellung des Tribunats angestrebt, gleichzeitig aber auch für die Integration der Volkstribunen in den Senat gesorgt. Dies wäre ein deutlicher Hinweis, dass die Stellung des Tribunats und seiner Amtsträger grundsätzlich nicht von der Politik des Senats getrennt aufgefasst wurde.

In der späten Republik waren die Volkstribunen wohl auch schon vor Sulla, der die Quaestorenzahl von acht auf zwanzig erhöhte, zum grössten Teil durch eine voraufgehende

79 Mommsen, StR. 1, 522f., der die Kontinuation und Iteration als „unstatthaft" bezeichnete (523).
80 Mommsen, StR. 2, 418ff.; Meyer, Staatsgedanke, 203ff.
81 Broughton 1, 458f.; Wiseman 97f.
82 Rotondi (330f.) datiert das Gesetz vor 102, da Saturninus in diesem Jahr aus dem Senat entlassen werden sollte (App. BC. 1,28); Niccolini (129) und Broughton (1, 458f.) setzen es auf Grund von Liv. Oxy. Per. 50,109 – spekulativ – ins J. 149; Wiseman (97f.) plädiert für das J. 131. (s. unten).
83 R. Develin, The Atinian Plebiscite, Tribunes and the Senate, CQ 28, 1978, 141–144, bes. 143; eine Frühdatierung schlug schon Lange (Röm. Alterthümer 1, 838) vor, der sie ins Umfeld der *lex Ovinia* setzte.
84 Liv. per. 59: *in senatu legendo praeteritus erat.*
85 Wiseman 97f.; dagegen B. Schleussner, Die Legaten der römischen Republik, München 1978, 219 A. 21; Ziegler (5) datiert den Senatsausschluss des Atinius bzw. dessen Nichtberücksichtigung bei der *senatus lectio* vor dessen Tribunat.

Quaestur in ihrem Amtsjahr bereits Mitglieder des Senats.[86] Jedoch muss es auch andere Tribunen gegeben haben, wie neben der vorsullanischen Zahl der Quaestoren auch die *lex Acilia* des Jahres 122 (lin. 13. 16. 22) anzudeuten scheint, in der die Volkstribunen gesondert von *queive in senatu siet fueritve* aufgeführt sind. Direkte Anzeichen, dass ein spätrepublikanischer Volkstribun während seiner Amtszeit bei der *senatus lectio* übergangen worden ist, sind auf Grund der Überlieferung nur in einem Falle (C. Atinius Labeo Macerio, tr. pl. 131) gegeben.[87] Die Entlassung eines Tribunen aus dem Senat ist für M. Duronius, tr. pl. 97,[88] sowie für C. Epidius Marullus und L. Caesetius Flavus, tr. pl. 44, bezeugt,[89] wobei sie in einem weiteren Fall angestrebt wurde.[90] P. Clodius Pulcher liess im Jahr 58 die censorische Strafbefugnis beschränken, indem eine Strafe nur noch nach einer förmlichen Anklage bei den Censoren und nach einem von beiden Amtsträgern gefällten Urteil verfügt werden durfte.[91] Damit sollten wohl insbesondere willkürliche Senatsausschlüsse verhindert werden.[92] Um ihren Senatsausschluss zu vermeiden, behinderten einige Tribunen in der ausgehenden Republik auch die Erstellung der Censusliste.[93]

Diese Bemühungen zeigen, dass die Volkstribunen in jedem Fall auf einen Sitz im Senat Wert legten und sich gegen einen Ausschluss zu wehren versuchten. Das Volkstribunat wurde dadurch in die Geschäfte des Senats integriert. Grundsätzliche Differenzen zwischen den Interessen des Volkstribunats und des Senats waren daher nicht zu erwarten. Die Rolle eines unabhängigen Kontrollorgans konnte das Tribunat jedenfalls nicht übernehmen. Die Untersuchung der sozialen Herkunft der Volkstribunen hat gezeigt, dass die Amtsträger aus zumindest ritterlichen, in zwei Dritteln der Fälle gar aus senatorischen Familien stammten. Ihr Bemühen um eine weitere Laufbahn hat das seinige dazu beigetragen, sie auf den Senat und den *mos maiorum* zu verpflichten. Das *plebiscitum reddendorum equorum* aus der Zeit der Gracchen schrieb beim Eintritt in den Senat die Abgabe

86 Hofmann 150f. 165; Niccolini, tribunato, 91f. 152f. (mit Ausnahmen); Lengle, Tribunus, 2485; Malitz 24 A. 2; W. V. Harris (CQ 26, 1976, 105) meint, dass nur wenigen Ex-Quaestoren der Eintritt in den Senat verweigert wurde. Nach Broughton ist eine Quaestur für über 30 spätrepublikanische Volkstribunen bezeugt.

87 Liv. per. 59; vgl. aber Plin. NH. 7,143 und Cic. dom. 123: *e(x) senatu censor eiecerat*, so dass offenbar auch Atinius schon Senatsmitglied war. Im J. 131 gab es zum ersten Mal zwei plebejische Censoren (Liv.). Zu den Entlassungen nach dem Amtsjahr vgl. A. 90.

88 Die Entlassung erfolgte, weil er die *lex Licinia sumptuaria* abrogiert hatte (Val. Max. 2,9,5).

89 Dio 44,10,3; vgl. App. BC. 2,108,452; dazu Kloft, Volkstribunen, 324ff.

90 Q. Caecilius Metellus wollte Saturninus nach dem ersten Tribunat zusammen mit Glaucia aus dem Senat entlassen (Cic. Sest. 101; App. BC. 1,28,126) und Ap. Claudius Pulcher hegte gegen C. Scribonius Curio im J. 50 während dessen Tribunat das gleiche Vorhaben, was jedoch durch die Opposition des zweiten Censors (L. Calpurnius Piso) vereitelt wurde (Dio 40,63,5–64,1); Sallust, tr. pl. 52, wurde im J. 50 aus dem Senat ausgeschlossen (Dio 40,63,4). Mit einer *nota censoria* behaftet wurden: M. Lucilius, zu einem unbestimmten Zeitpunkt vor dem J. 58 (Niccolini 438f.; Broughton 3, 128f.) und C. Ateius Capito, tr. pl. 55, im J. 50 (Cic. div. 1,29). C. Antonius, tr. pl. 68 (oder 72), wurde im J. 70 aus dem Senat entlassen, was aber wahrscheinlich vor seinem Tribunat geschah (Cic. Comm. pet. 8; Asc. p. 65f. St.).

91 Rotondi 398; Broughton 2, 196; vgl. Mommsen, StR. 2, 386f. Die Bestimmung war bis 52 in Kraft; zur *nota censoria* vgl. B. Kübler, RE 17, 1936, 1055ff.

92 Vgl. Asc. p. 16 St.

93 Vgl. unten S. 245.

des Staatspferdes und somit den Ausschluss aus den Rittercenturien vor.[94] Es glich die ritterlichen Vertreter den übrigen Senatoren an. Damit gelangten auch Neulinge, die das Tribunat innehatten, im Normalfall in den exklusiven Kreis der Senatoren und wurden auf die Politik der Nobilität verpflichtet.

5. Aufgabenbereiche der Volkstribunen

In der Forschung herrscht die Auffassung von der mangelnden Amtstätigkeit und den fehlenden Aufgabenbereichen der Volkstribunen, da ihnen das *imperium* fehlte und sie aus diesem Grunde weder mit Kriegführung noch mit Ziviljurisdiktion beauftragt waren.[95] Diese Ansicht scheint mir gewisser Modifikationen zu bedürfen. Es ist daher in diesem Abschnitt genauer zu fragen, ob und welche Aufgabenbereiche die Volkstribunen erwarteten und welchen Stellenwert sie in der Res publica hatten. Gab es Aufträge, die die Tribunen für die Gesamtgemeinde verpflichteten und in die Verwaltung der Res publica integrierten? Damit stellt sich allgemein die Frage nach den politischen Bedingungen, die aus den Aufgaben der Volkstribunen resultierten.

Die Gesetzgebung, die in den Quellen als die am häufigsten wahrgenommene Kompetenz der Volkstribunen erscheint, kann nicht als bindender Aufgabenbereich angesehen werden, auch wenn die Tribunen nach Polybios (6, 16, 5)[96] stets zu tun verpflichtet waren, was dem Volk nützte. Ursprüngliche und damit konstitutive Funktion der Volkstribunen war das *ius auxilii ferendi,* das auch in der späten Republik allseitige Anerkennung und Legitimität genoss, wie noch zu zeigen sein wird.[97] Hier geht es aber darum, vorerst nach weiteren Funktionen der Volkstribunen in der Res publica zu fragen. Auszuklammern sind dabei persönliche Doppelfunktionen, die ein Volkstribun wie alle Magistrate während seiner Amtszeit ausüben konnte, etwa: das Amt eines Pontifex,[98] eines Augurn,[99] eines Mitglieds in einer Acker- oder Koloniegründungskommission,[100] eines *curator viarum*[101]

94 Vgl. unten S. 69.
95 Mommsen, StR. 2, 285; Bleicken, Volkstribunat 1955, 3. 25. 99f. 152; Volkstribunat 1981, 94f. 98.
96 Vgl. dazu Martin 138 A. 5; J. von Ungern-Sternberg, in: Sodalitas, Scritti in onore di A. Guarino, Bd. 1, Napoli 1984, 339 A. 2.
97 Vgl. Cic. leg. 3,9.22 und unten S. 236.
98 Pontifex waren beispielsweise die Tribunen Q. Mucius Scaevola (106) und M. Livius Drusus (91).
99 Augur waren beispielsweise die Tribunen Ti. Gracchus (133) und M. Antonius (49) (vgl. Plut. Ant. 5,1).
100 Mitglied einer Ackerkommission waren Ti. Gracchus (133), C. Papirius Carbo (131), C. Gracchus (123/122), der zusammen mit M. Fulvius Flaccus auch bei der Gründungskommission für die Kolonie Iunonia beteiligt war (Liv. per. 60; App. BC. 1,24,102; Plut. C. G. 10,2; s. unten S. 53); vgl. auch M. Baebius (*IIIvir coloniae deducendae: lex agraria* des J. 111, lin. 43; dazu Johannsen 284f.); M. Livius Drusus (91, *Vvir a. d. a. lege Saufeia, Xvir a. d. a. lege sua*: vgl. unten S. 54); L. Antonius (44, *VIIvir a. d. a.* nach einem Gesetz, das wohl die Konsuln eingebracht haben; Antonius hatte unter den *VIIviri* eine führende Position: Broughton 2, 332f.; vgl. W. Sternkopf, Hermes 47, 1912, 146–151).
101 So L. Volcacius, Mitautor der *lex Antonia de Termessibus* (vgl. unten S. 109), wobei er seine Tätigkeit *de conlegarum sententia* durchführte (CIL VI 1299; Dessau 5800); zudem vielleicht auch L. Fabricius als tr. pl. 62, der die Pons Fabricius über den Tiber erstellte (Broughton 2, 174); zu C. Scribonius Curio vgl. unten S. 55. Zur *cura viarum* vgl. allgemein H. E. Herzig, ANRW II 1, 1974, 643f. (A. 326). Folgende Tribunen kümmerten sich um den Bau von Strassen, ohne eine *cura viarum* innezuhaben:

oder ähnlichem. Die wenigen Quellen, die uns Auskunft über die Aufgaben der Volkstribunen im Dienste der gesamten Res publica geben, sind schon verschiedentlich aufgeführt worden.[102] Sie blieben bisher wenig beachtet, so dass an dieser Stelle nochmals an sie erinnert sei.

Im Jahr 304 legte ein Gesetz fest, dass die Dedikation eines Tempels oder Altars ohne Anordnung des Senats oder der Mehrheit der Volkstribunen nicht erlaubt sei.[103] Ein offenbar späteres Gesetz des Tribunen Q. Papirius schrieb für die Weihung von Tempeln und Altären wie auch von Grundstücken einen vorangehenden Beschluss der Plebs vor.[104] In der mittleren Republik hielt eine *lex Atilia* fest, dass Unmündige und Frauen *sui iuris*, die des gesetzlich vorgeschriebenen Vormundes entbehrten, einen solchen vom städtischen Praetor und der Mehrheit der Volkstribunen erhalten sollten (*datio tutoris*).[105] Dieselben Instanzen legten auch die Entschädigungssummen bei staatlichen Enteignungen fest.[106] In diesen Fällen zeigt sich in bestimmten öffentlichen Angelegenheiten eine offizielle, rechtlich festgelegte Zusammenarbeit der Volkstribunen mit den Praetoren. Die Beiziehung der Tribunen hing möglicherweise mit ihrer Schutzfunktion für die Bürger zusammen, die durch deren Präsenz die nötigen Personen für eine Appellation in Reichweite hatten. Der Mehrheitsbeschluss der Volkstribunen garantierte andererseits, dass nach gefälltem Entscheid nicht mehr auf das tribunizische *auxilium* rekurriert werden konnte und das Dekret damit später nicht mehr revisionsfähig war.

In den bisher aufgeführten Fällen handelt es sich um regelmässig auszuführende Daueraufgaben der Volkstribunen. Stets vertreten waren die Tribunen offenbar auch beim Census,[107] bei dem sie als Vertreter der Plebs sowohl repräsentierende als möglicherweise auch schützende Funktion hatten.[108] Neben den regelmässigen Aufgaben ergaben sich den

Ti. Claudius Asellus vermass wohl als tr. pl. 140 Strassen (Gell. 2, 20, 6; dazu R. Till, Res publica, Zürich/München 1976, 360 A. 5); zum Strassenbau des C. Gracchus vgl. unten S. 44f. Fraglich bleibt, inwieweit die Tribunen bei diesen Tätigkeiten den Amtsbereich *domi* verlassen konnten (Mommsen, Gesammelte Schriften, Bd. 3, Berlin 1907, 31; vgl. StR. 2, 699). C. Gracchus konnte als Gründungsmitglied von Iunonia längere Zeit von Rom fernbleiben (Badian, FC, 300f.; J. Molthagen, Historia 22, 1973, 453f.; Stockton 172).

102 Mommsen (StR. 2, 328f.) stellte sie unter die Überschrift „Specielle Nebengeschäfte"; Lange (Röm. Alterthümer 1, 828) „besondere Functionen"; Herzog (1, 1165f.) „Besondere Funktionen der Tribunen"; Stella Maranca (111f.) „funzione accessorie"; Lengle (Tribunus, 2482f.) „Amtsbefugnisse untergeordneter Art"; Fabbrini (810) „Nuovi poteri dei tribuni"; vgl.auch Niccolini, tribunato, 136ff.

103 Liv. 9,46,7; dazu Mommsen, StR. 2, 328. 619ff.; Niccolini 76f.; Lengle, Tribunus, 2482f.; K.-J. Hölkeskamp, Die Entstehung der Nobilität, Stuttgart 1987, 153f.

104 Cic. dom. 125f.; vgl. Niccolini, tribunato, 134f.; Bleicken, Volkstribunat 1955, 56. Cicero weihte im J. 58 vor seinem Abgang ins Exil der Minerva ein Standbild, wofür Rotondi (393) ein Plebiszit annimmt; dies lässt sich quellenmässig aber nicht nachweisen. Zur Statue des M. Marius Gratidianus vgl. G. Lahusen, Untersuchungen zur Ehrenstatue in Rom, Rom 1983, 110; zur Kaiserzeit vgl. CIL VI 449 (83 n. Chr.) und 452 (109 n. Chr.).

105 Das Gesetz muss vor 186 erlassen worden sein: vgl. Rotondi 275f.; R. Taubenschlag, RE 12, 1925, 2330; Niccolini 401f.; Broughton 1, 279; Bleicken, Volkstribunat 1955, 66 A. 1. Unbekannten Datums ist die *lex Titia de tutela*, die vielleicht vom tr. pl. 43 stammt (Rotondi 333; Niccolini 443) und von der *datio tutoris* im Bereich der Provinzen handelte (Broughton 2, 473).

106 Liv. 40,29,13.

107 Varr. l.l. 6,87: *Ubi praetores tribunique plebei quique inlicium vocati sunt venerunt, ...*

108 Soweit bekannt, haben die Volkstribunen in der späten Republik beim Census jedoch nur eingegriffen, wenn es um ihren eigenen Ausschluss ging, vgl. unten S. 245.

Tribunen aber auch eine Reihe von unregelmässigen Aufträgen. So übernahmen sie beim Ausfall ordentlicher Magistrate vertretungsweise Teile derer Funktionen. In der ausgehenden Republik sorgten die Tribunen verschiedentlich für die Durchführung der Spiele, wo dies nicht durch die ordentlichen Magistrate geschehen konnte.[109] Das Munizipalgesetz Caesars sah in Fällen, in denen die Konsuln und Praetoren abwesend waren, die Volkstribunen für die Sicherung der Gertreideversorgung vor.[110] Die Tribunen scheinen sich zumindest teilweise auch beim Feuerwehrwesen, das den *tresviri nocturni* unterstand, eingeschaltet zu haben.[111] Hierfür haben wir jedoch in der Republik keinen Beleg.

Zu berücksichtigen ist ferner die Beiziehung der Volkstribunen in einigen *senatus consulta ultima*. Hier werden sie allerdings nicht gleichberechtigt mit den Obermagistraten zum Schutze des Staates aufgefordert, sondern nur den Konsuln oder deren Vertretern zur Verfügung gestellt, die die Tribunen nach eigenem Ermessen beiziehen konnten bzw. sollten.[112] Dies war aber nur in Jahren der Fall, in denen die Politik besonders durch das Wirken einzelner Volkstribunen in Aufruhr geraten war. Zwingend war das auch in diesen Fällen nicht, da die Tribunen in den SCUa der Jahre 63 und 53 nicht erwähnt werden.[113] Falls die Tribunen bei einem SCU beigezogen wurden, so brachte dies zum Ausdruck, dass die Unruhestifter aus ihren eigenen Reihen stammten und der Rest des Kollegiums zur Opposition gegen sie verpflichtet werden sollte. Die Möglichkeit, die Volkstribunen zum Schutze des Staates einzuberufen, zeigt damit die im Normalfall loyale Haltung der Tribunen gegenüber den Grundprinzipien der römischen Gesellschaft und Politik.

Neben diesen Zeugnissen verdient auch die Erwähnung der Volkstribunen in den schriftlichen Mitteilungen der Promagistrate Beachtung, in denen sie zusammen mit den Konsuln, Praetoren und dem Senat als Adressaten aufgeführt werden.[114] Die dafür überlieferten Beispiele stammen aus den Jahren 51, 44 und 43.[115] Die tribunizische Adresse zielte möglicherweise auf eine besondere Funktion der Tribunen im Senat, da diese in der Curia Briefe verlesen sowie ein Referat darüber einleiten konnten.[116] Das Volkstribunat war damit geeignet, Anliegen abwesender Magistrate im Senat vorzubringen. Die Tribunen

109 So im J. 51, als die Tribunen die praetorischen Spiele übernahmen, da die patrizischen Magistrate noch nicht bestimmt waren (Dio 40,45,3); im J. 49 übernahmen die Tribunen die Geschäfte der Aedilen (Dio 41,36,3); im J. 47 gaben die Tribunen – neben dem Reiterführer Antonius – in Ermangelung der regulären Magistrate einige Spiele (Dio 42,27,3f.).

110 *Lex Iulia municipalis* (des J. 45) lin. 7ff., bes. lin. 11f.; (Bruns, Fontes 18, p. 103).

111 Dig. 1,15,1 (Lyd. de mag. 1,50): *interveniebant nonnumquam et aediles et tribuni plebis*; Mommsen, StR. 2, 328 (A. 1); Gesammelte Schriften, Bd. 3, Berlin 1907, 32; Niccolini, tribunato, 136; Fabbrini 810.

112 Vgl. hier und im Folgenden G. Plaumann, Klio 13, 1913, 334ff., bes. 337 und 339; B. Rödl, Das senatus consultum ultimum und der Tod der Gracchen, Diss. Erlangen 1968, 20ff.; v. Ungern-Sternberg, Notstandsrecht, 73 (A. 93). Dass die Konsuln nach ihrem Ermessen Volkstribunen für den Staatsschutz beiziehen sollten, ist nur für das J. 100 bezeugt (Cic. Rab. perd. 20). Die weiteren Fälle, in denen die Volkstribunen erwähnt wurden, gehören in die J. 52 (Dio 40,49,5; Asc. p. 32 St.), 49 (Cic. fam. 16,11,2; Deiot. 11; Caes. BC. 1,5,3) und 47 (Dio 42,29,3); zu einem eventuellen SCU im J. 53 vgl. Meyer, CM, 210 (A. 3); Taylor, Party Politics, 148. 230f. A. 31.

113 Zum J. 63: Dio 37,43,3, zum J. 53: Dio 40,45,2.

114 Vgl. Mommsen, StR. 2, 314 (A. 1), vgl. 273 A. 2; Herzog 1, 1165f.; Bleicken, Volkstribunat 1955, 89f.

115 Cic. fam. 15,1. 2 (Sept. 51, zwei Fälle); Att. 16,4,1 (Juli 44); fam. 10,35 (Mai 43); fam. 12,15 (Mai/Juni 43).

116 Rubino 47f.; vgl. unten S. 193ff., bes. 205.

werden aber auch im Absender einiger Schreiben des Senats, die unter der Leitung der Obermagistrate an auswärtige Völker verfasst wurden, unmittelbar nach dem Namen des leitenden Beamten und vor der Nennung des Senats unter den Repräsentanten des Staates aufgeführt.[117] Die Belege hierfür datieren aus dem frühen 2. Jh. Zusammen mit den Schriften der Promagistrate zeigen sie aber deutlich, dass die Volkstribunen im Verlaufe der Republik als Vertreter des Gesamtstaates betrachtet und zur Führungsspitze der Res publica gerechnet wurden. Sie waren in die Geschäfte des Senats einbezogen. Sowohl die informelle als auch die aktive Unterstützung des Senats war seit der mittleren Republik Usus geworden, auch wenn sie nicht zum fest definierten Aufgabenbereich der Volkstribunen gehörte.

Zu erwähnen ist abschliessend noch eine besondere Möglichkeit, die Volkstribunen einzusetzen bzw. ihr Ansehen und ihre *sacrosanctitas* auszuschöpfen. Ausnahmsweise waren in den Jahren 310 und 204 den Gesandten an Feldherrn Volkstribunen mitgegeben worden, um den Willen des Senats mit mehr Autorität zu versehen.[118] Ausserhalb Roms waren jedoch keine tribunizischen Interzessionen und Strafverfolgungen möglich, so dass die Tribunen nur die Autorität des Senats repräsentieren konnten. In der späten Republik begegnet in ähnlicher Weise und ebenfalls als Ausnahme der Fall des Jahres 48: Caesars Kollege, der Konsul P. Servilius Isauricus, gab dem von ihm wegen des Schuldengesetzes suspendierten Praetor M. Caelius Rufus einen Volkstribunen mit, als jener vorgab, zu Caesar gehen zu wollen. Der Tribun sollte bei einem eventuellen Aufstand des Rufus einschreiten, denn dieser beabsichtigte in Wirklichkeit zu Milo zu gehen, um sich mit diesem gegen Caesar zu vereinigen. Als Milo aber nach einer Niederlage geflohen war, brach Rufus seinen Marsch ab, worauf ihn der Volkstribun offenbar mit Erfolg nach Rom zurückbeorderte.[119] Der betreffende Tribun stand hier nicht mehr im Einsatz für den Senat, sondern für den Konsul Isauricus und damit letztlich auch für Caesar. Seine Autorität resultierte aus der Beschützung durch die obersten Machthaber. Das Volkstribunat liess sich damit auch in diesem Punkt für Einzelinteressen einsetzen.

Th. Mommsen hatte den Volkstribunen allgemein die Rolle von Verfassungswächtern beigemessen.[120] Ausführlich hat sich J. Bleicken gegen diese These gewandt,[121] so dass hier nicht näher auf sie eingegangen werden soll. Auch die Untersuchung der spätrepublikanischen Interzessionen und Anklagen wird zeigen, dass das Volkstribunat nicht als staatliches Kontrollorgan tauglich war.

Neben den bekannten Geschäften der Tribunen in Gesetzgebung und Justizwesen liess sich in diesem Kapitel ein bemerkenswertes Spektrum weiterer Funktionen im öffentlichen Leben zusammenstellen. Auffallend ist die Zusammenarbeit mit den Praetoren[122]

117 So M. Valerius Messalla, Pr. Peregrinus, im J. 193 *ad Teios* (R. K. Sherk, Roman Documents from the Greek East, Baltimore 1969, 214); C. Livius Salinator, Cos., im J. 188 *ad Delphos* (Sherk 226); M. Licinius Lucullus, Pr. Peregrinus, im J. 186 *ad Amphictiones* (Sherk 229).

118 Mommsen, StR. 2, 292 A. 4. 319 A. 1; Bleicken, Volkstribunat 1955, 10 A. 1. 92 A. 3.

119 Dio 42, 23ff.; Niccolini 338; vgl. F. Münzer, RE 3, 1897, 1271.

120 Mommsen, StR. 2, 327f., vgl. 309.

121 Bleicken (Volkstribunat 1955, 97f.; Volkstribunat 1981, 90 A. 4) hält die Aktionen der Tribunen in diesem Bereich für gleichen Sinnes wie diejenigen der anderen Magistrate; im Vordergrund standen tagespolitische Ziele.

122 Im J. 85 verbanden sich die Volkstribunen mit den Praetoren, um gemeinsam ein Edikt gegen die Geldschwankungen zu erlassen (Cic. off. 3,80; dazu unten S. 170).

bzw. das Auftreten an Stelle der Praetoren oder anderer Magistrate. Der Charakter des Volkstribunats liess es zu, dass die Tribunen in Lücken einsprangen,[123] woraus jedoch nicht ein allgemeiner Mangel an Amtstätigkeit abgeleitet werden darf. Der Schutz der Plebejer vor dem magistratischen *imperium* erforderte eine dauernde Präsenz in der Öffentlichkeit. Durch die weiteren öffentlichen Tätigkeiten, die die Tribunen übernahmen, wurde das Volkstribunat in seiner gesamtstaatlichen Funktion aufgewertet und in die Staatsleitung einbezogen. Der Rückzug aus der Öffentlichkeit konnte sich daher negativ bemerkbar machen. Die Erwähnung bei Dio (38, 6, 6), dass die mit dem Konsul M. Calpurnius Bibulus verbundenen Tribunen nach der gescheiterten Opposition gegen Caesars Ackergesetz keine öffentlichen Geschäfte mehr betrieben (οὐκέτ' οὐδὲν δημόσιον ἔπραξαν), erscheint in diesem Lichte nicht unbedeutend.

123 Bleicken, Volkstribunat 1981, 98; vgl. Volkstribunat 1955, 100.

II. DAS *IUS AGENDI CUM PLEBE*

1. Vorbemerkung

Neben dem *ius auxilii* gehörte auch das *ius agendi cum plebe*, das Recht mit der Plebs zu verhandeln und bindende Beschlüsse zu fassen, zu den entscheidenden Kompetenzen der Volkstribunen. Seine beiden wichtigsten Teile waren die tribunizische Gesetzgebung und die tribunizische Volksgerichtsbarkeit, die wir im Folgenden einzeln betrachten werden. Anschliessend wird sich allgemein die Frage nach dem Charakter der tribunizischen Volksversammlungen (*concilia plebis*) sowie den Artikulationsformen der tribunizischen Politik stellen.

Bei der Betrachtung der tribunizischen Gesetze ist nach dem Anteil und Stellenwert der tribunizischen Rogationen im Rahmen der gesamten Gesetzgebung der späten Republik zu fragen. Wie ist ihr Verhältnis zu den konsularischen und praetorischen Gesetzen? Gibt es spezifisch tribunizische Gesetzesinhalte und existiert eine bewusste Kontinuität einzelner Themen? Welche Absichten verfolgten die Tribunen mit ihren Gesetzen?

Ein weiterer wichtiger Punkt ist die Frage nach der Zusammenarbeit mit dem Senat, die in dem Abschnitt über die Initiatoren und Nutzniesser der tribunizischen Gesetzgebung sowie im Kapitel über das *ius agendi cum senatu* weiterverfolgt werden muss. Was initiierte der Senat und wie wichtig waren diese Vorlagen? Zudem fragt es sich, inwieweit die Tribunen als Werkzeuge einzelner politischer Kräfte wirkten und ob auch noch selbständige tribunizische Initiativen möglich waren. Bei den popularen Gesetzen bleibt näher zu prüfen, inwiefern sie Neuerungen in traditionelle Zustände bringen wollten. Gab es Machtverlagerungen, die einen Eingriff Sullas gegen die tribunizische Initiative nötig machten?

Einige Schwierigkeiten bietet es, die tribunizischen Gesetze in inhaltliche Gruppen zusammenzufassen, da die römische Republik keine systematische und umfassende Gesetzesordnung im Sinne eines Grundgesetzes hatte. Die im Folgenden gewählte Einteilung in fünf Gruppen unterliegt damit, wie jede Kategorisierung, einer gewissen Willkür und basiert auf den von mir gewählten Fragestellungen.

Die erste Gruppe befasst sich mit sozialpolitischen Inhalten. Hier stellt sich die Frage, inwiefern die Tribunen eine materielle Besserstellung des Volkes anstrebten und welche Massnahmen sie in bezug auf die ständische Gliederung ergriffen. Die zweite Gruppe behandelt Regelungen im Zusammenhang mit dem Bürgerrecht und der Stellung der Volksversammlung. Strebten einzelne Tribunen eine Umstrukturierung in der Teilhabe an der Res publica und ihrer Regierung an? Die dritte Gruppe umfasst zum einen Vorschriften, die dem Senat und den Magistraten auferlegt wurden. Zum andern enthält sie Anträge über ausserordentliche Imperien und Vollmachten, die an Einzelpersonen vergeben wurden. Es ist zu fragen, ob das Volkstribunat als Regelorgan für die Senats- und Magistratsordnung auftrat und ob einzelne Tribunen grundlegendere Änderungen in der Administration anstrebten. Inwiefern unterstützten Volkstribunen andererseits gegen den Willen der Senatsmehrheit die Politik von Einzelpersonen und was waren die Konsequenzen für die Res publica? Die vierte Gruppe beinhaltet aussenpolitische Bestimmungen. Hier stellt sich die Frage, inwiefern die Tribunen in die diesbezüglichen Kompetenzen des Senats eingriffen und welche Absichten sie damit verfolgten. Wurden durch die tribunizischen Aktionen Änderungen in der Reichsstruktur angestrebt? Die fünfte Gruppe beinhaltet Gesetze, die sich mit dem Gerichtswesen befassten. Auch hier fragt es sich, ob die Tribunen als Regulativ gegen Missstände in der Res publica einsprangen. Inwieweit setzten sich die Tribunen für den Schutz des Bürgers bzw. die Restitution Verurteilter ein?

2. Tribunizische Gesetzesanträge

a) Sozialpolitische Inhalte

Landgesetze

Bis Anfang des 2. Jh.'s richteten die Römer in den neu eroberten Gebieten Kolonien ein, in denen auch Veteranen angesiedelt werden konnten.[1] Die Versorgung der Bürger mit Land stellte wegen des agrarischen Charakters der römischen Gesellschaft eine unabdingbare Lebensgrundlage dar. Neben den Koloniegründungen bildete die Viritanassignation ein zweite Möglichkeit der Landzuweisung, die jedoch in der Zeit vor den Gracchen selten zur Anwendung gekommen war. Ackerverteilungen waren möglicherweise nur in einem historischen Fall (C. Flaminius im J. 232) von einem Volkstribunen *viritim* vorgenommen worden,wobei dies gegen den Willen des Senats geschehen war.[2] Koloniegründungen und Landassignationen waren in den 70er Jahren des 2. Jh.'s allerdings zum Erliegen gekommen.[3] In der Zeit der auswärtigen Kriege, besonders der Kämpfe in Spanien, kam es in der Mitte des Jahrhunderts in verschiedenen Gebieten zu einer Bodenknappheit und damit einer Krise im Agrarwesen. Einen ersten Versuch, diese Notlage zu beheben, unternahm C. Laelius, wohl als Konsul des Jahres 140.[4] Möglicherweise plante

1 E. T. Salmon, Roman Colonization under the Republic, London/Southampton 1969, 13ff.

2 F. T. Hinrichs, Die Geschichte der gromatischen Institutionen, Wiesbaden 1974, 8ff. Zu C. Flaminius: Broughton 1, 255; vgl. Bleicken, Volkstribunat 1955, 28f.

3 Salmon (vgl. A. 1) 112ff.; Schneider, Wirtschaft, 256. Die letzte Kolonie war Luna im J. 177. Im J. 173 sind *decemviri agris dandis adsignandis* belegt (Broughton 1, 409f.) und im J. 165 restituierte der Praetor P. Cornelius Lentulus im Auftrag des Senats 50'000 *iugera ager publicus* auf dem *ager Campanus* und verpachtete sie an Kleinbauern (Broughton 1, 438; vgl. Brunt, IM, 315f.; Schneider, Wirtschaft, 256 A. 16). In Auximum wurden nach Vell. 1,15,3 wohl im J. 157 römische Bürger angesiedelt (Salmon 112ff. rekonstruiert das Datum 128, was nicht zu überzeugen vermag; in dieses Jahr setzt er zudem auch die Gründung von Heba und glaubt ein optimatisches Gegenprogramm zu den gracchischen Ansiedlungen geltend machen zu können; ähnlich F. T. Hinrichs, Historia 16, 1967, 173f.; vgl. dagegen Stockton 134 A. 55; ferner jetzt L. A. Burckhardt, Politische Strategien der Optimaten in der späten römischen Republik, Historia Einzelschriften H. 57, Stuttgart 1988, 46ff.; zu Heba: W. Eck/E. Pack, Das römische Heba, Chiron 11, 1981, 160ff.).

4 Broughton 1, 479. Dazu H. H. Scullard, JRS 50, 1960, 62f.; Astin, Scipio, 307ff.; Christ 119. Sehr unsicher ist, ob schon C. Licinius Crassus, tr. pl. 145, einzelne Landverteilungen vorgenommen hat (vgl. Varro, r.r. 1,2,9; dazu Niccolini 133ff.), wie Schneider (Wirtschaft, 272 (A. 4); Militärdiktatur, 52) annimmt; vgl. dagegen G. Tibiletti, Athenaeum 28, 1950, 236ff.

er bereits Überprüfungen der Besitzverhältnisse auf dem Staatsland (*ager publicus*), das ja gegen ein Entgelt von Privatpersonen okkupiert werden durfte. Der Widerstand der Mehrheit der Senatoren, die als Grundbesitzer von der Massnahme betroffen waren, veranlasste ihn, seine Vorschläge wieder zurückzuziehen.

Der Besitz eines Okkupanten auf dem Staatsland war im Prinzip gesetzlich auf ein Höchstmass von 500 *iugera* festgelegt, was allerdings nicht eingehalten wurde.[5] Durch eine Beschränkung des Anteils am *ager publicus* bot sich somit eine Möglichkeit, Land für Besitzlose freizustellen, ohne den Privatbesitz anzutasten. Ti. Gracchus, als Exponent einer reformwilligen Gruppe im Senat,[6] setzte seine Agrarreform an dieser Stelle an. Die Kontroverse um die gracchischen Bestimmungen zur Neuverteilung des *ager publicus* wurde zu einem wesentlichen Ausgangspunkt für die Geschichte der späten Republik. [7] Der Volkstribun M. Octavius wurde von den Optimaten zur Interzession gegen das Gesetz des Tiberius angestiftet,[8] und da er nicht von seinem Veto abgebracht werden konnte, liess ihn Tiberius absetzen.[9] Er stellte damit den Willen des Volkes über die Unverletzlichkeit (*sacrosanctitas*) des Volksvertreters. Dies gab dem Volkstribunat einen neuen Impuls, dessen Auswirkungen noch genauer zu untersuchen sind.[10] Ein Novum war auch, dass es sich bei den zu verteilenden Äckern erstmals nicht um neu erworbenes Land handelte und Tiberius die durch sein Ackergesetz festgelegte Dreimännerkommission zur Verteilung der Ländereien mit Judikationsgewalt ausstatten liess.[11] Dies bedeutete einen entscheidenden Eingriff in die Exekutivfunktion des Senats. Eine weitere Verletzung der Senatskompetenz war, dass Ti. Gracchus die Attalos-Erbschaft durch das Volk als Aufbauhilfe für die neuen Grundstücke einsetzen lassen wollte.[12] Mit diesen Aktionen stellte Tiberius die Möglichkeiten des Volkstribunats, eine gegen den Willen der Senatsmehrheit gerichtete Politik zu

5 Zweifelhaft ist, ob diese Bestimmungen bereits auf die tribunizischen *leges Liciniae Sextiae* des J. 367 zurückzuführen sind (Rotondi 217f.); vgl. dagegen Stockton (46ff. 208ff.) und Bernstein (124ff.), die eine Datierung ins frühe 2. Jh. wahrscheinlich machen (vgl. auch K. Bringmann, Die Agrarreform des Tiberius Gracchus, Stuttgart 1985, 11ff.; Das ‚Licinisch-Sextische' Ackergesetz und die gracchische Agrarreform, in: Symposion für Alfred Heuss, FAS 12, Kallmünz 1986, 51–66). Falsch ist die Zuschreibung an C. Licinius Crassus, tr. pl. 145 (so Triebel 183), da mit Catos Rhodierrede das J. 167 als *terminus ante quem* feststeht (vgl. M. Gelzer, RE 22, 1953, 133ff.).

6 Plut. T. G. 9,1; vgl. Bernstein 110ff.; Christ 120. Angehörige dieser Gruppe waren der *princeps senatus* Ap. Claudius Pulcher, der Jurist P. Mucius Scaevola und P. Licinius Crassus Dives Mucianus.

7 Quellen zu den gracchischen Gesetzen: Niccolini 143f.; Broughton 1, 494.

8 Plut. T. G. 10,1f.

9 Plut. T. G. 10ff.; Weiteres unten S. 217f. Nach der ersten Interzession des Octavius soll Tiberius sein Ackergesetz noch verschärft haben, womit die unrechtmässigen Besitzer ihr Land sofort und damit wohl unentgeltlich abtreten sollten (vgl. Bernstein 149f.). J. Molthagen (Die Durchführung der gracchischen Agrarreform, Historia 22, 1973, 424) erachtet die Episode als Erfindung Plutarchs, wobei in Wirklichkeit als Entschädigung ein dauerndes Besitzrecht auf dem verbliebenen Land vorgesehen gewesen sei (vgl. App. BC. 1,11,46).

10 Vgl. dazu unten S. 92f. 217f.

11 Schneider, Wirtschaft, 281. Ungebührlich war wohl auch, dass Ti. Gracchus selbst Mitglied der Ackerkommission war (vgl. Liv. per. 58; zu dem (nicht zu datierenden) Verbot der *lex Licinia* und der *lex Aebutia* vgl. unten S. 99 A. 70 und 73).

12 Plut. T. G. 14,1f.; dazu Bleicken, Lex publica, 126ff.; Perelli (93 A. 49) vermutet, dass dieser Vorschlag nicht mehr zum Gesetz erhoben werden konnte.

betreiben, deutlich vor Augen. Der gracchischen Ackerkommission gelang es wegen der starken optimatischen Opposition und dem Protest der offenbar zu kurz gekommenen Bundesgenossen[13] allerdings nicht, umfangreiche Landverteilungen vorzunehmen; die Zeugnisse über ihre Siedlungstätigkeit hören mit dem Jahr 129, als ihr die Judikationsgewalt entzogen wurde, auf.[14] Das Landproblem begleitete die römische Gesellschaft bis ans Ende der Republik. Ein weiterer umfassender Versuch, die Besitzverhältnisse auf dem Staatsland nach den festgelegten Regeln zu kontrollieren bzw. abzuändern, wurde im Verlauf der späten Republik nicht mehr unternommen. Dies weist darauf hin, dass Reformversuche nur in begrenzter Form zustande kamen. Änderungen in der Sozialstruktur standen dabei nicht zur Debatte. Schon Tiberius ging es um ein konservatives Ziel, das durch die Existenzsicherung der Bürger die Rekrutierungsbasis für das Heer erhalten wollte.[15]

Umstritten ist, ob und inwieweit C. Gracchus mit einem Ackergesetz die Bestimmungen seines Bruders wieder in Kraft setzte und dabei gar weitergehende Massnahmen einführte.[16] Meist wird zumindest die Rückgabe der richterlichen Befugnisse an die Ackerkommission angenommen.[17] J. Molthagen hat aber plausibel gemacht, dass für C. Gracchus keine Wiederaufnahme der Bestimmungen des Tiberius angenommen werden kann.[18] Da die Neuverteilung des *ager publicus* gescheitert war, sah er sich gezwungen, ein neues Modell der Landversorgung zu entwerfen. So entschloss sich C. Gracchus im Jahr 123 wieder zu Koloniegründungen, nachdem diese Ansiedlungsform ein halbes Jahrhundert fast gänzlich geruht hatte. Jetzt handelte es sich allerdings nicht mehr um Ansiedlungen von Veteranen in neu erobertem Gebiet (zum Zweck der Sicherung des Territoriums), sondern um Siedlungen in Küstenlage, die geeignete Handelsplätze abgaben.[19] Dabei waren die zu vergebenden Landparzellen eher auf Händler und kleinere Gutsbesitzer zugeschnitten, als auf besitzlose Plebejer. Eine umfassende Landversorgung für die römische Bevölkerung konnten und sollten diese Kolonien kaum bewirken. Im Zusammenhang mit den Ansiedlungen sind auch die strassenbaulichen Massnahmen des C. Gracchus zu erwähnen, von

13 Bernstein 137f.: „The conclusion that in the end only Romans received plots of land is more likely than the conclusion that only they were intended to"; Sherwin-White, Citizenship, 217f.; Badian, FC, 168ff.; ANRW I 1, 1972, 681; Stockton 42ff.; D. Flach, Die Ackergesetzgebung im Zeitalter der römischen Revolution, HZ 217, 1974, 266ff.; F. Wulff-Alonso, Apiano: la colonización romana y los planes die Tiberio Graco, Latomus 45, 1986, 485ff. (bes. 494) und 731ff. (bes. 750).

14 Molthagen (vgl. A. 9) 447, der mit ca. 3000 Ansiedlungen rechnet (etliche mehr nimmt F. De Martino, in: Sodalitas, Scritti in onore di A. Guarino, Bd. 7, Napoli 1984, 3146f., an); dagegen versucht K. Bringmann (vgl. A. 5) die Möglichkeiten und Bedeutung der Agrarreform herunterzuspielen (dazu Rez. J. Molthagen, HZ 243, 1986, 398f.).

15 Martin 130. 142; Meier, RPA, 96; vgl. dazu jetzt allgemein J. von Ungern-Sternberg, Überlegungen zum Sozialprogramm der Gracchen, GB Suppl. 3, 1988, 168ff.

16 Dazu Molthagen (vgl. A. 9) 448ff.

17 Mommsen, RG 2, 106; Heuss, RG, 151; Martin 154; Christ 137 u. a.; Stockton (141f.) nimmt eine Ausweitung der Judikationsgewalt über Italien hinaus an.

18 Molthagen (vgl. A. 9) 448ff.

19 Last, CAH 9, 68; Gabba, Comm., 79; Martin 155; Molthagen (vgl. A. 9) 453f.; v. Ungern-Sternberg (vgl. A. 15) 178.

denen allerdings nichts Konkretes bekannt ist.[20] Entlang den Strassen entstanden einige neue Siedlungsplätze, über die wir ebenfalls nichts Näheres erfahren. Hierfür kann möglicherweise mit Ti. Claudius Asellus ein Präzedenzfall angenommen werden, der wohl als Volkstribun des Jahres 140 schon Strassen vermessen hatte.[21]

Die Tribunen waren schon in früherer Zeit bei Koloniegründungen aufgetreten, soweit wir wissen jedoch nur im Auftrag des Senats.[22] Die Gründung der Kolonien erfolgte normalerweise auf Beschluss des Senats, der das entsprechende Gesetz über die Magistrate von den Comitien verabschieden liess; dort erfolgte auch die Wahl der erforderlichen Gründungskommission. Zum Teil geschah dies über die Volkstribunen, wobei die tribunizische Beteiligung aber nicht als feste Regel gelten darf.[23] Die Koloniegesetze der späten Republik wurden demgegenüber – soweit die Rogatoren bekannt sind – zumeist von Volkstribunen eingebracht. Jedoch nur in einem Fall wurde ein Volkstribun (M. Livius Drusus im J. 122) von der Mehrheit des Senats zu der Rogation eines Kolonieprojektes aufgefordert.[24] Die übrigen tribunizischen Anträge für Koloniegründungen wurden vom Senat zurückgewiesen. Sie waren früher oder später alle zum Scheitern verurteilt, wenn man von dem speziellen Fall der Kolonie Novum Comum absieht, in die Caesar *lege Vatinia* 5000 Kolonisten deduzierte.[25] Sie war offenbar die einzige Koloniegründung unter tribunizischer Mitwirkung, bei der die Assignationen vollumfänglich durchgeführt werden konnten.

M. Livius Drusus hatte im Jahr 122 in Konkurrenz zu C. Gracchus erfolgreich eigene, zum Teil weiterführende Kolonieprojekte vorgeschlagen. Diese wurden nach der Ausschaltung des C. Gracchus jedoch nicht verwirklicht und waren nur als demagogischer Schachzug gedacht.[26] Im Jahr 121 liess der Senat zudem die Kolonie Iunonia durch den

20 App. BC. 1,23,98; Plut. C. G. 6,3; vgl. Martin 155; F. T. Hinrichs, Historia 16, 1967, 174f.; zum Strassenbau der Volkstribunen vgl. S. 35 A. 101. Siedler entlang von Strassen der Gracchenzeit (*viasii vicani*) erhielten ihr Land von der Ackerkommission oder *ex senatus consulto*, wobei es sich aber nicht um ein Ansiedlungsprogramm des Senats handelte (*lex agraria* des J. 111, lin. 11f.; vgl. Hinrichs, Diss., 103ff.; ZRG 83, 1966, 268ff.; Historia 16, 1967, 173f.; Johannsen 235ff.; v. Ungern-Sternberg (vgl. A. 15) 184; Burckhardt (vgl. A. 3) 41ff.).

21 Gell. 2,20,6; ORF^4, p. 129, frg. 10; P. Fraccaro, Studi storici per l'antichità classica, Bd. 5, Pisa 1912, 381.

22 Vgl. oben S. 42.

23 Hinrichs (vgl. A. 2) 10ff. Ausschliesslich an Plebiszite im Zusammenhang mit Landanweisungen dachten: Mommsen (StR. 2, 626); J. Vančura (RE 12, 1924, 1152); F. Vittinghoff (Römische Kolonisation und Bürgerrechtspolitik unter Caesar und Augustus, AAWM 14, 1951, 1271) und Salmon (vgl. A. 1) 19; dagegen E. Kornemann (RE 4, 1900, 561. 568), der auch auf die Konsuln verweist.

24 App. BC. 1, 23,100; vgl. Plut. C. G. 9; im Auftrag des Senats war zudem die Aufhebung der Colonia Iunonia im J. 121 (App. BC. 1,24,105).

25 Vgl. unten S. 55.

26 Möglicherweise hat sich M. Livius Drusus d. J. im J. 91 an die Verwirklichung einiger dieser Kolonien gemacht (Thomsen 17f.; Stockton 192 A. 32; vgl. unten S. 54). H. C. Boren (Livius Drusus, t. p. 122, and his Anti-Gracchan Program, CJ 52, 1956, 27–36) hat den Antrag des Drusus als ernsthaften Gegenvorschlag der Senatsmehrheit zur Begegnung der Agrarkrise gedeutet (vgl. 33: „limited but workable program to meet the pressing problems of his time"; im gleichen Sinne Boren, The Gracchi, New York 1968, 112–115), was jedoch nicht zu überzeugen vermag (vgl. Perelli 113f. A. 117; ferner jetzt Burckhardt (vgl. A. 3) 54ff.). Möglicherweise als Reaktion auf das Kolonisationsprogramm des

Tribunen M.? Minucius Rufus wieder aufheben,[27] womit auch C. Gracchus im Endeffekt die Machtgrundlage fehlte, seine Reformen dauerhaft durchzusetzen. Andererseits begegnen wir im späten 2. Jh. einigen weiteren Kolonien, die in der Forschung zusammen mit den Projekten des Livius Drusus als optimatisches Gegenprogramm zu den gracchischen Ansiedlungen gedeutet wurden (Auximum, Fabrateria nova, Palma, Potentia u. a.).[28] Diese müssen aber wohl auf die Eigeninitiative von einzelnen Adligen zurückgeführt werden[29] und konnten dabei keine wirkliche Alternative begründen. Anzeichen von vorhergehenden Volksbeschlüssen oder gar tribunizischen Initiativen haben wir für sie nicht. Nichts Näheres erfahren wir auch über die von L. Licinius Crassus als populare Massnahme durchgesetzte Kolonie Narbo Martius, die an einer strategisch und wirtschaftlich wichtigen Verbindungsstelle unmittelbar vor den Toren Italiens plaziert wurde.[30] Sie zeigt allerdings, dass Kolonien nicht nur auf tribunizische Initiativen eingerichtet werden konnten.

Die tribunizischen Kolonieprojekte der späten Republik standen im Gegensatz zu früheren Gründungen meist im Zusammenhang mit Ackergesetzen. Bei C. Gracchus, M. Livius Drusus (d. J.) und P. Servilius Rullus waren sie Teil einer umfassenden Ackergesetzgebung und Reform in der Landversorgung.[31] Die andern Anträge standen, wie auch die *lex Servilia*, seit Marius im Interesse von Feldherrn, die ihre Veteranen mit Land ausstatten mussten. Bei den Ackergesetzen der späten Republik zeigt sich, dass sie mehrheitlich von Volkstribunen eingebracht wurden.[32] Sie stammten ausser im Falle des M. Livius Drusus (d. J.) und wohl auch des Saufeius alle von popularer Seite, wenn man von den Anträgen zur Abänderung der gracchischen Gesetze absieht. Die popularen tribunizischen Agrargesetze scheiterten nach den Gracchen jedoch alle am Widerstand des Senats. Damit sind alle Acker- und Koloniegesetze der Tribunen, die Landanweisungen planten, in der späten Republik kurz- oder mittelfristig gescheitert. Erfolgreich waren dagegen diejenigen Gesetze, mit denen der Senat die gracchischen Bestimmungen wieder aufheben liess, sowie die rechtlichen Regelungen des C. Mamilius Limetanus im Jahr 109 (auf Grund derer je-

Drusus erhöhte C. Gracchus die im Gesetz festgehaltene Siedlerzahl in Iunonia auf 6000 (App. BC. 1,24,104; dazu Wolf 121), womit er aber den Popularitätsverlust, den er während seines Afrikaaufenthaltes gegenüber Drusus in Kauf nehmen musste, nicht mehr aufholen konnte; zum Afrikaaufenthalt vgl. Badian, FC, 300f.; Molthagen (vgl. A. 9) 453f.; Stockton 172.

27 Rotondi 316. Die bereits vergebenen Ländereien konnten von den Siedlern beibehalten werden (*lex agraria* des J. 111, lin. 59–61); Scolacium und Tarent blieben wahrscheinlich bestehen (Last, CAH 9, 98; Molthagen (vgl. A. 9) 455).

28 Hinrichs, Diss., 132f.; Historia 16, 1967, 170f.; Salmon (vgl. A. 1) 112ff. 121ff.; spekulativ ist die Beiziehung von Grumentum, Abellinum und Telesia (vgl. Die Schriften der römischen Feldmesser, Bd. 1, hrsg. v. F. Blume / K. Lachmann / A. Rudorff, Berlin 1848 (ND Hildesheim 1967), p. 209 (*limitibus Graccanis*). 229. 238) bei K. J. Beloch, Römische Geschichte bis zum Beginn der Punischen Kriege, Berlin/Leipzig 1926, 493ff. Salmon (A. 141 und A. 219) und E. Hermon (Athenaeum 60, 1982, 265 A. 27) denken an Gründungen im Anschluss an die Gesetze des Drusus, was aber keine Stützen findet (vgl. A. 3).

29 Ähnliche Überlegungen im Zusammenhang mit Narbo Martius bei Badian, FC, 163. 205. 264f.

30 Salmon (vgl. A. 1) 121ff.; Perelli 119f.; ferner Badian (vgl. A. 29).

31 Zu Drusus vgl. Schneider, Wirtschaft, 321 A. 170; zu Rullus: 334f.

32 Nichttribunizisch sind die Anträge des Sulla und Caesar (dazu unten) sowie möglicherweise des C. Laelius (140?).

doch keine Assignationen getroffen wurden)[33] und die für die caesarischen Landverteilungen erlassene *lex Mamilia Roscia Peducaea Alliena Fabia*. Selbst die offenbar zu Beginn vom Senat gestützte *lex agraria* des Livius Drusus d. J. wurde kurz nach Inkrafttreten wieder aufgehoben.

Die gracchischen Bestimmungen hatte der Senat durch drei bei Appian erwähnte Gesetze endgültig ausser Kraft setzen lassen,[34] wobei das bereits verteilte Land den neuen Siedlern aber belassen worden war. Es ist gesagt worden, dass diese Gesetze nicht als „reaktionär" betrachtet werden können, da sie mit der Möglichkeit zum Landverkauf und der Abgabenbefreiung für die Assignierten Vorteile brachten.[35] Dabei darf aber nicht vergessen werden, dass die gracchische Agrarreform im Prinzip schon mit dem Entzug der Judikationsgewalt der Ackerkommission im Jahr 129 zum Erliegen kam und die Ackerkommission im Jahr 121 nicht mehr ergänzt wurde.[36] Nach Appian bedeutete das Gesetz des Sp. Thorius eine Vergünstigung für die Armen, während die Beseitigung der gracchischen Bestimmungen insgesamt aber die Armen endgültig ins Unglück stürzte.[37] Durch die drei bei Appian erwähnten Gesetze wurden die Reformen jedenfalls auch juristisch ausser Kraft gesetzt.[38]

Im Jahr 104 erfolgte mit L. Marcius Philippus nochmals ein Anlauf zu Landverteilungen, über deren Charakter wir jedoch nichts Näheres wissen.[39] Offenbar handelte es sich um die Aufteilung von Land, das in den Händen von Grossgrundbesitzern war. Als Philippus (wohl im Senat) auf Widerstand stiess, liess er von dem Vorhaben ab. Dies wird von Cicero anerkennend vermerkt, wobei er ihm aber populare Agitation bei der Rogation dieses Gesetzes vorwirft. Unklar bleibt, inwieweit der Vorstoss als ernsthafter Reform-

33 Galsterer 184. C. Mamilius Limetanus kann allerdings nicht als Rogator des dritten appianischen Gesetzes gelten, vgl. A. 34.

34 App. BC. 1,27; Cic. Brut. 136; de or. 2,284. Umstritten ist die Bedeutung von Brut. 136 (*Sp. Thorius satis valuit in populari genere dicendi, is qui agrum publicum vitiosa et inutili lege vectigali levavit*). E. Badian (Studies in Greek and Roman History, Oxford 1964, 235–242) hat überzeugend dargelegt, dass damit nur Folgendes gemeint sein kann: Sp. Thorius befreite den *ager publicus* von einem schändlichen und unnützen Gesetz, indem er ein *vectigal* auferlegte. Daher muss Appians Angabe stimmen, nach der Sp. Thorius für das zweite nachgracchische Ackergesetz (Bestätigung der *possessores* auf dem *ager publicus* in ihrem Besitz und Erhebung eines *vectigal*) verantwortlich war. Dies hob zuletzt auch K. Meister (Historia 23, 1974, 86-97) hervor, der zudem das dritte appianische Gesetz zu Recht wieder mit der inschriftlich überlieferten *lex agraria* des J. 111 (CIL I² 585; Bruns, Fontes 11, p. 73ff.) gleichsetzte; damit wird auch die zuletzt von K. Johannsen vertretene These hinfällig, die das dritte appianische Gesetz als *lex Thoria* anspricht (69ff.). Abzulehnen ist im gleichen Sinne die Identifikation des zweiten appianischen Gesetzes mit der *lex agraria* des J. 111 (so zuletzt Triebel 204ff., die das dritte appianische Gesetz wie Niccolini (186f.) wieder C. Mamilius Limetanus, tr. pl. 109, zuweisen möchte, wofür wir jedoch keinen Anhaltspunkt haben, vgl. unten S. 53). Das erste nachgracchische Gesetz gehört somit wohl in die J. 122–119/118, das zweite ins J. 119/118, das dritte ins J. 111 (Th. Mommsen, Gesammelte Schriften, Bd. 1, Berlin 1904, 65ff.; Johannsen 81ff., bes. 91; Meister, a.a.O; vgl. auch J. S. M. Willock, CQ 32, 1982, 474f.).

35 Gruen, RP, 101; E. Gabba, ANRW I 1, 1972, 775; Perelli 117.

36 Molthagen (vgl. A. 9) 456.

37 App. BC. 1,27.

38 Vgl. A. 36.

39 Cic. off. 2,73; Rotondi 326f.

vorschlag, der die Zustimmung des Senats haben sollte, gewertet werden kann.[40] Zu beachten ist, dass das Scheitern des Vorschlags eine Ursache für die härteren Massnahmen des Saturninus dargestellt haben könnte.[41] Gegen diesen ergriff Philippus in der Folge die Waffen und trat im Jahr 91 auch gegen Drusus und die reformwilligen Senatsmitglieder auf.[42] Sein Reformwille konnte damit nur beschränkt gewesen sein. An dem Grossgrundbesitz liess sich schwerlich rütteln, wie sich später auch bei Cicero zeigen sollte (s. unten).

Da seit Marius auch Besitzlose ins Heer aufgenommen wurden, stellte sich den Feldherrn in der ausgehenden Republik in vermehrtem Masse die Aufgabe der Veteranenversorgung, denn der Senat befasste sich kaum mit dieser Angelegenheit. Die Veteranen traten dadurch in eine engere Beziehung mit ihrem Feldherrn und dienten diesem in der Volksversammlung als Stimmpotential.[43] Um Land zu erwerben, setzten sich die Feldherrn mit einzelnen Volkstribunen in Verbindung. Als L. Appuleius Saturninus wohl im Jahr 103[44] ein erstes Landgesetz einreichte, wollte er seinerseits die Unterstützung von Marius' Veteranen aus dem iugurthinischen Krieg erlangen.[45] Nach den gracchischen Koloniegründungen wurden mit Saturninus erstmals wieder tribunizische Anträge für die Anlage solcher Siedlungen eingebracht. Auch sie gehörten in das Ansiedlungsprogramm des Feldherrn.[46] Die von Saturninus beantragten Kolonien waren jetzt ausschliesslich ausseritalische Siedlungen, die in der Nähe der Kriegsschauplätze angelegt wurden.[47] Die Gesetze des Jahres 100 wurden unter Beiziehung der Veteranen durchgebracht, die eventuell schon bei der Abstimmung über die *lex agraria* des Jahres 103 beteiligt waren.[48] Nach Cicero (leg. 2,14) wurden die Gesetze des Saturninus wieder annulliert.[49]

40 Kaum den Tatsachen entsprechen kann der rhetorisch überhöhte Ausspruch des Philippus (Cic. off. 2,73): *non esse in civitate duo milia hominum, qui rem haberent*. Thomsen (27f.) bezeichnet Philippus als „Anhänger einer kleinen und unvermeidlichen Reform" (28); J. van Ooteghem (Lucius Marcius Philippus et sa famille, Bruxelles 1961, 105ff.) verteidigt ihn gegen den Vorwurf der Demagogie; Martin (177f.) schreibt ihm persönliche Ziele zu; Perelli (130) betrachtet ihn als reinen Demagogen.

41 Lange, Röm. Alterthümer 3, 76.

42 Cic. Rab. perd. 21; vir. ill. 66,9; dazu F. Münzer, RE 14, 1930, 1562ff.; Thomsen 27f.

43 Dazu allgemein H. Aigner, Die Soldaten als Machtfaktor in der ausgehenden römischen Republik, Innsbruck 1974, 159ff.; ferner Gabba, Republican Rome, 20ff.; Meier, RPA, 100ff.

44 U. Hackl hat für die Landverteilung in Afrika zuletzt wieder das J. 100 geltend gemacht (Senat, 185f.). Aurelius Victor (vir. ill. 73), der das Gesetz erwähnt, berichtet anschliessend von dem Koloniegesetz des J. 100, das er in Zusammenhang mit dem Ausdruck *tribunus plebis refectus* (73,5) bringt. Hackl lässt dies nicht als Argument für die Datierung des Ackergesetzes ins erste Tribunat des Saturninus gelten und deutet die Wendung als blossen Hinweis darauf, dass Saturninus zweimal Volkstribun war. Dieses Argument verliert an Bedeutung, wenn man weiter unten (73, 9) das *tertio tribunus plebis refectus* in Erwägung zieht, das für eine chronologische Bedeutung des Ausdrucks spricht. Zudem standen im J. 103 die Veteranen aus dem afrikanischen Krieg an (Badian, FC, 198 A. 3). Zur Datierung ins J. 103 vgl. auch Last, CAH 9, 166; Badian, FC, 198f.; Martin 181; E. H. Erdmann, Die Rolle des Heeres in der Zeit von Marius bis Caesar, Neustadt/Aisch 1972, 104ff.; Schneider, Wirtschaft, 311f. Zum Problem der Praetur(en) des Glaucia vgl. E. Klebs, RE 2, 1895, 263f.; Broughton 3, 196.

45 vir. ill. 73,1. Nach H. Ch. Schneider (111ff.) fand das Gesetz beim Senat keinen Widerstand, was angesichts des Interzessionsversuches des M.? Baebius eher unwahrscheinlich ist.

46 Nur Mariana auf Korsika ist als Gründung des Marius belegt. Marius selbst wurde nicht zu einem eigentlichen Gründer von Kolonien (Salmon (vgl. A. 1) 129).

47 Schneider, Wirtschaft, 311.

48 Meier, RPA, 112 (mit A. 300); Badian, FC, 200 (A. 1); Erdmann (vgl. A. 44) 105.

49 So auch Smith 167ff.

Möglicherweise wurden sie aber einfach nicht beachtet,[50] und die Ansiedlungspläne waren in jedem Fall zum Scheitern verurteilt. P. A. Brunt hat dargelegt, dass auch in Afrika grössere Ansiedlungen unwahrscheinlich sind.[51] Die Zivilbevölkerung als Ganzes wurde nicht berücksichtigt, so dass das Gesetz nicht geeignet war, das Landproblem der späten Republik in den Griff zu bekommen.[52] Sex. Titius, der im Jahr darauf (99) an das Werk des Saturninus anknüpfen wollte,war ebenfalls zum Scheitern verurteilt.[53]

M. Livius Drusus plante im Jahr 91 als erster seit den Gracchen wieder Landverteilungen in Italien an die Plebs, bei denen offenbar *ager publicus* im Spiel war.[54] Es war zugleich der einzige Fall der späten Republik, in dem ein Assignationsprojekt von einem Vertreter der konservativen Senatsmehrheit vorgelegt wurde.[55] Ähnliches ist nur noch für die *lex Saufeia* desselben Jahres anzunehmen, die mit Drusus als Kommissionsmitglied kaum der popularen Seite entsprungen ist. Die Bestimmungen des Drusus wurden jedoch noch während der Amtszeit wegen der Verletzung von Promulgationsvorschriften annulliert,[56] und der Tribun fügte sich dieser Entscheidung.[57] Damit waren auch die Bemühungen von senatstreuer Seite, das Landproblem zu lösen, gescheitert.[58] J. Martin sah in dem Ackergesetz des Drusus allerdings eine blosse Largition, um das Richter- und das Bundesgenossengesetz durchzusetzen.[59] H. Schneider hat es demgegenüber zu Recht als konkreten Lösungsvorschlag im Zusammenhang mit der Landmisere gedeutet.[60] Zu berücksichtigen ist, dass Drusus mehrere drängende Probleme aufnahm, auch wenn wohl die Lösung des Richter- und Bundesgenossenproblems bei ihm im Vordergrund gestanden hat.[61] Der Versuch des Drusus zeigt jedenfalls, dass der Senat nicht zu einer Reform in der Landfrage fähig war und es neuer Persönlichkeiten bedurfte, die die Sache in die Hand nahmen.

Wahrscheinlich in seinem Volkstribunat des Jahres 83 hat M. Iunius Brutus die Gründung einer Kolonie in Capua durchgesetzt.[62] Damit tätigte er einen Eingriff in den *ager Campanus,* gegen dessen Aufteilung die Optimaten sich stets zur Wehr gesetzt hatten.[63] E. Gabba hat die Koloniegründung als Entschädigung für eine Marius treue Oberschicht in

50 S. unten S. 53f.

51 Brunt, IM, 577ff.

52 Schneider, Wirtschaft, 318.

53 Vgl. unten S. 54.

54 Vgl. App. BC. 1,36,162f. (Weiteres unten S. 54). Einige *socii* befürchteten Landverluste, Etrusker und Umbrier protestierten in Rom (App.; Badian, FC, 217f.).

55 Zur Position des Drusus: Cic. de or. 1,24; Mil. 16; Diod. 37,10,1; Liv. per. 71; Tac. Ann. 3,27; Flor. 2,5,1; Vell. 2,13,2.

56 Zur Frage einer *lex satura* vgl. Thomsen 30ff.

57 Vgl. unten S. 54.

58 Gabba (Esercito, 205 A. 37) rechnet auch mit der Annullierung der *lex Saufeia*. Unsicher ist, ob die Inschrift aus Vibo (CIL X 44 und p. 1003) auf die Tätigkeit der *decemviri* hinweist (vgl. Broughton 2, 23f. A. 10).

59 Martin 196f.

60 Schneider, Wirtschaft, 321 A. 170.

61 Zum Richtergesetz s. unten S. 118; zum Bundesgenossengesetz S. 77f.

62 Rotondi 348; dazu Schneider, Wirtschaft, 322; Militärdiktatur, 124.

63 Zu dem gescheiterten Kolonisationsprojekt des C. Gracchus in Capua vgl. vir. ill. 65,3; Plut. C.G. 8; Lit. S. 53.

Capua gedeutet und auf den militärischen Aspekt für die Marianer aufmerksam gemacht.[64] Die Kolonie war jedoch nicht von langer Dauer, da sie unter Sulla wieder aufgehoben wurde.[65] Sulla führte dann in eigener Regie ein Kolonisationsprogramm durch und siedelte eine grosse Anzahl von Veteranen an. Ihm standen bessere Mittel zur Verfügung als den Volkstribunen. Trotz des bedeutenden Aufwandes erreichte er aber keine dauerhafte Lösung der Landfrage, da bei seinen Landbeschaffungen auch Kleinbauern expropriiert wurden und die Veteranen nur *ager publicus*, also keinen Privatbesitz, erhielten.[66] In der Zeit nach Sulla bemühten sich die Popularen, das zu verteilende Land aufzukaufen und strebten keine allgemeine Änderung der Besitzverhältnisse auf dem *ager publicus* mehr an, die spätestens mit dem Jahr 111 fest waren.[67] Für die weiteren Landverteilungen wurde damit die Finanzierung zu einem zentralen Problem.[68]

Als nächste Aufgabe stellte sich die Versorgung der Veteranen des Pompeius, die jedoch erst unter Caesar gelöst werden konnte. Für die *rogatio Plautia agraria* ist das Jahr 70 das wahrscheinliche, als die Volkstribunen wieder ihre vollen Rechte erhielten.[69] Sie sollte der Versorgung der Veteranen aus dem spanischen Krieg des Pompeius und Metellus dienen. Cicero bezeichnete die *lex Plotia* als *sane levis*.[70] Trotzdem war auch sie zum Scheitern verurteilt.[71] Das umfassende Ackergesetz des P. Servilius Rullus aus dem Jahr 63 plante Landanweisungen zugunsten der Veteranen des Pompeius wie auch allgemein der Plebs. Ähnlich verhielt es sich mit der *lex Flavia* des Jahres 60. In beiden Fällen nennen die Quellen die *plebs urbana* als Adressaten,[72] wobei aber auch – wenn nicht vornehmlich – an die *plebs rustica* gedacht war.[73] Darauf deutet der Umstand, dass Rullus die ländlichen Tribus bei der Ackerverteilung vorziehen wollte.[74] Da Pompeius als Abwesender von einem Sitz in der servilischen Ackerkommission ausgeschlossen war,[75] wurde das Gesetz meist als machtpolitischer Schachzug gewertet, der Crassus und Caesar staatliche Aufgaben und Kompetenzen verschaffen sollte.[76] Damit wurde aber der Reformcharakter der Maßnahme übergangen. Zu berücksichtigen ist auch, dass die Kompetenzen der Ackerkommission

64 Gabba, Republican Rome, 56–59; vgl. Cic leg. agr. 2,90 u. passim; zudem schon Last, CAH 9, 271.
65 Vgl. Cic. leg. agr. 2,81 und unten zu P. Servilius Rullus, der das Projekt wieder aufnahm.
66 Salmon (vgl. A. 1) 129ff.; Brunt, IM, 300ff.; Schneider, Wirtschaft, 322ff.
67 Schneider, Wirtschaft, 358.
68 Zur *rogatio Servilia*: Schneider, Wirtschaft, 336f.; zur *rogatia Flavia*: 346.
69 Cic. Att. 1,18,6; vgl. dazu Gabba, Esercito, 443–447 (= PP 5, 1950, 66–68); Broughton 2, 128. 130 A. 4; B. A. Marshall, Antichthon 6, 1972, 43–52 (zur Datierung 46ff.); Gruen, LG, 388; Schneider, Wirtschaft, 326f.; Perelli 171 A. 35; R. E. Smith (CQ 7, 1957, 82–85) vermutet für die *lex Plautia* auch Kolonien (83).
70 Cic. Att. 1, 18, 6.
71 S. unten S. 54.
72 *Lex Servilia*: Cic. leg. agr. 2,70; *lex Flavia*: Cic. Att. 1,19,4.
73 P. A. Brunt, JRS 52, 1962, 72 (= WdF 413, 1976, 135) legt dar, dass hauptsächlich die *plebs rustica* berücksichtigt werden sollte; vgl. auch Perelli 177f.
74 Cic. leg. agr. 2,79.
75 Belegstellen bei Schneider, Wirtschaft, 337 A. 207.
76 Gelzer, Caesar, 38ff.; Cicero, 72f.; Meyer, CM, 14; Martin 45f.; A. M. Ward, Historia 21, 1972, 244–258. Nach Schneider (Wirtschaft, 337ff.) sollte der Ausschluss von Abwesenden vermeiden, dass Pompeius als Prokonsul noch zusätzliche Befugnisse erhielt, was die Optimaten von Anfang an zur Ablehnung des Gesetzes geführt hätte.

nicht militärischer Art[77] waren und nicht zur Rekrutierung von Truppen benutzt werden konnten. Der Machtzuwachs als Kommissionsmitglied wäre daher nur beschränkt gewesen. Trotzdem ging das Projekt Cicero entschieden zu weit, denn es stellte einen Eingriff in die Finanzverwaltung des Senats dar. Den Vorschlag des L. Flavius bezeichnet Cicero drei Jahre später hingegen als harmlos wie die *lex Plotia*.[78] Flavius stand auf der Seite des Pompeius und sah auch keinen Verkauf von Staatsbesitz vor. Zudem versprach sich Cicero Einfluss auf den Gesetzeslaut, um die Grossgrundbesitzer vor nachteiligen Auswirkungen zu schützen.[79] Das Gesetz wurde durch die senatorische Opposition vereitelt. Damit sahen sich die Feldherrn künftig gezwungen, eigene Wege zur Ansiedlung ihrer Veteranen zu suchen. Ein erster Schritt dazu war der Zusammenschluss zum Triumvirat.[80] Umfassende tribunizische Ansiedlungsprojekte waren mit der *lex Flavia* am Ende. Caesar nahm die Ansiedlung der Veteranen und des städtischen Proletariats selbst in die Hand und bedurfte dazu kaum der Hilfe der Tribunen.

Im Gegensatz zu Saturninus, der die Zivilbevölkerung ausgeklammerte hatte, berücksichtigten Servilius Rullus und Flavius nicht nur die Veteranen. Dies wurde damit begründet, dass die Stimmbürger mit dieser Massnahme zur Zustimmung zu den Ackergesetzen bewogen werden sollten.[81] Gleichzeitig wurde aber auch behauptet, dass die *plebs urbana* gar nicht an einer Rückführung auf die Äcker interessiert war.[82] Entsprechende Forderungen können sicherlich nicht im Vordergrund gestanden haben, dürfen aber angesichts der Popularität der Ackergesetze nicht gänzlich in Abrede gestellt werden.[83] Rullus hat ja mit der Landverteilung an die *plebs urbana* geworben.[84] Die Rückführung von städtischen Proletariern auf das Land beabsichtigte wohl eine Besserung der sozialen und wirtschaftlichen Lage der Stadtbevölkerung, die von Arbeitslosigkeit geprägt war. In diesem Ziel waren sich offenbar verschiedene Seiten einig, da es auch von Livius Drusus und Cicero vertreten wurde.[85] Die Beteiligung der Popularen deutet darauf hin, dass es nicht grundsätzlich gegen den Willen der *plebs urbana* gefordert worden sein kann. Auch Caesar musste sich darum bemühen, für die städtische Bevölkerung neue Auskommen zu finden. Erst ihm gelang es schliesslich, unter Wiederaufnahme und Modifikation der Pläne des Rullus, die Veteranen des Pompeius und Teile des *plebs urbana* anzusiedeln.[86] Er begann in seinem gross angelegten Kolonisierungsprogramm selbst bzw. über seine Legaten[87]

77 Vgl. Mommsen, StR. 1, 631; G. V. Sumner, TAPhA 97, 1966, 576; anders Hinrichs (vgl. A. 2) 14ff.
78 Cic. Att. 1,18,6.
79 Cic. Att. 1,19,4.
80 Schneider, Wirtschaft, 345ff.; Militärdiktatur, 191.
81 Meier, Populares, 591f. 609; vgl. auch die Klassifizierung von Martin 210ff.
82 P. A. Brunt, WdF 413, 1976, 134f.
83 Stärker war sicher der Wunsch nach Getreide, vgl. dazu unten S. 55ff. H. Schneider hat dargelegt, dass auch im J. 100 kein grundsätzlicher Gegensatz zwischen *plebs urbana* und *plebs rustica* bestanden hatte; nach der Ermordung des gegnerischen Konsulatskandidaten C. Memmius hatte Saturninus Mühe, seine Anhängerschaft unter den Veteranen zu bewahren und suchte Unterstützung bei der stadtrömischen Bevölkerung (AS 13/14, 1982/83, 193–221, bes. 201f.).
84 Cic. leg. agr. 2,79.
85 Vgl. Cic. Att. 1,19,4; dazu P. A. Brunt, WdF 413, 1976, 135.
86 Broughton 2, 187f.; Gruen, LG, 397ff. 403f.; Schneider, Wirtschaft, 348ff.; H. Ch. Schneider 161ff.; Perelli 198ff.
87 H. Ch. Schneider 188f.; Yavetz 141.

durchzuführen, was die Tribunen während der späten Republik nie befriedigend erreichen konnten.[88] In diesen Zusammenhang gehörten die wohl tribunizischen Bestimmungen der *lex Mamilia Roscia Peducaea Alliena Fabia*. Das Gesetz wurde möglicherweise im Anschluss an die Bekämpfung der Verteilung des *ager Campanus* erlassen. Eine weitergehende tribunizische Beteiligung an den Ansiedlungsplänen Caesars ist jedoch nicht festzustellen.

C. Scribonius Curio verlangte im Jahr 50 für sich ein Strassenbauamt auf fünf Jahre, mit dem er wohl auch Ansiedlungen plante,[89] denn Cicero verglich das Gesetz mit der *lex Servilia agraria* des Jahres 63.[90] Appian bezeichnete diesen Antrag als Vorwand für Curios Übertritt zu Caesar, da der Tribun damit gerechnet haben soll, dass ihn die Freunde des Pompeius verwerfen würden.[91] Aus Cicero geht jedoch hervor, dass Curio seinen Wechsel zu Caesar anlässlich der Ablehnung seines *intercalaris*-Antrages publik machte und erst jetzt das Strassenprojekt (wie auch das Alimentationsgesetz) vorbrachte.[92] Umfassende Reformabsichten in der Landversorgung konnte Curio allerdings nicht haben. Vor seinem Amtsantritt hatte er sich gegen Caesars Ackergesetz, besonders in bezug auf das Campanische Land, gewandt und hatte seine Opposition gegen Caesar zu Beginn seines Tribunats fortgesetzt.[93] Das Streben nach Popularität und einer besonderen Amtsstellung wird bei Curio im Vordergrund gestanden haben.

Bei der Betrachtung der spätrepublikanischen Landgesetze ergibt sich, dass die Ackerversorgung mehrheitlich von Volkstribunen in Vorschlag gebracht wurde. Das Tribunat wurde hier wiederholt dazu benutzt, um gegen den Willen der Senatsmehrheit zu agieren. Gleichzeitig konnten aber auch Volkstribunen zur Abrogation der tribunizischen Siedlungsgesetze eingesetzt werden. Das Verhalten der Tribunen war damit keineswegs einheitlich. Nur im Falle der *lex Servilia* des Jahres 63 traten mehrere Tribunen gleichzeitig für ein Landgesetz ein. Doch auch hier reichte die tribunizische Position nicht aus, um den Antrag erfolgreich durchzubringen. Erst den Feldherrn gelang dann in höhergestellten politischen Funktionen die Durchführung der Pläne, auch wenn das konsularische Gesetz die Ausnahme blieb.[94] Das Engagement einzelner Volkstribunen für Landgesetze ist allerdings nur bedingt auf sozialpolitische Absichten zurückzuführen, da sich auch andere Interessen damit verbanden. Ti. Gracchus wollte die militärische Grundlage der Res publica sichern und später überwog das Ziel der Veteranenversorgung. Stets brachten die Landversorgungen die Möglichkeit zu neuer Klientelbildung mit sich, so dass sie den Tribunen persönlichen Machtgewinn versprachen. Die Arbeitsbeschaffung und materielle Besserstellung des Volkes wurde jedenfalls nie zu einem grundsätzlichen Ziel tribunizischer Politik.

Wir kennen folgende tribunizische Gesetze, die sich mit Landanweisungen befassten (Acker- und Koloniegesetze):

88 Vittinghoff (vgl. A. 23) 1269ff.; Yavetz 138ff.
89 App. BC. 2,27,102; vgl. Cic. fam. 8,6,5.
90 Cic. fam. 8,6,5.
91 App. BC. 2,27,102; vgl. Dio 40,61f.
92 Cic. fam. 8,6,5; vgl. Dio 40,62, der den *intercalaris*-Antrag als Manöver beschreibt, um eine Beschlussfassung gegen Caesar hinauszuzögern (dazu Martin 110ff.).
93 Dio 40,61,2.
94 Martin 74.

- 133 Ti. Sempronius Gracchus beorderte den Einzug des Landes auf dem *ager publicus*, das über die gesetzlich festgelegte Höchstgrenze von 500 *iugera* hinausging. Zu den 500 *iugera* durften pro Kind jetzt noch 250 *iugera* dazukommen, wobei eventuell eine Höchstgrenze von insgesamt 1000 *iugera* bestand (vir. ill. 64,3; vgl. dagegen D. C. Earl, Tiberius Gracchus. A Study in Politics, Bruxelles-Berchem 1963, 16ff.; Stockton 41 A. 3). Nach der erfolglosen Interzession des M. Octavius und der Annahme des Gesetzes begann die Ackerkommission *(tresviri a.d.a/a.i.a.)*, das frei werdende Land an Besitzlose zu verteilen, die wohl eine kleine Abgabe zu entrichten hatten (Stockton 42. 59; Christ 124) (Quellen: GCG 1f.; Niccolini 143f.; Broughton 1, 494)
- 123 C. Sempronius Gracchus leitete die Gründung verschiedener Kolonien ein. Erwähnt werden Tarent, Scolacium und Capua, bei dem es aber offenbar nicht zur Ausführung kam (Broughton 1, 514; dazu Molthagen (vgl. A. 9) 452; E. Hermon, Athenaeum 60, 1982, 258–272; allgemein Salmon (vgl. A. 1) 118ff.)
- 122 C.? Rubrius vollzog mit der Unterstützung des C. Gracchus die Gründung der Kolonie Iunonia auf dem Boden des ehemaligen Karthago, als erste überseeische römische Kolonie. Berücksichtigt wurden nach Plutarch die rechtschaffensten/sehr angesehene Bürger (Plut. C.G. 9,2: χαριεστάτους) aus ganz Italien, darunter offenbar auch *socii* (App. BC. 1,24,104), womit wohl an Händler (z.T. ritterlichen Standes?) gedacht war (Broughton 1, 517. 519 A. 5. 3, 182; Heuss, RG, 153f.; Salmon (vgl. A. 1) 119ff.; Molthagen (vgl. A. 9) 453f.; Schneider, Wirtschaft, 296; Militärdiktatur, 72; Stockton 133ff. 171ff.; Perelli 101; G. Schöllgen, Ecclesia sordida ?, JbAC Ergänzungsband 12, 1984, 18–22). C. Gracchus war Mitglied in der Gründungskommission (App. BC. 1,24,102; Plut. C. G. 10,2)
- 122 M. Livius Drusus schlug in Konkurrenz zu C. Gracchus 12 Kolonien mit je 3000 Siedlern – jetzt aus der Unterschicht – in Italien vor, die jedoch nicht verwirklicht wurden (Broughton 1, 517; dazu Martin 164. 166; Salmon (vgl. A. 1) 120f.). Drusus hatte auch die Aufhebung eines Vectigals beantragt, womit wohl die Abgaben auf dem von der gracchischen Ackerkommission neu verteilten *ager publicus* gemeint waren (Plut. C. G. 9,2; vgl. F. Münzer, RE 13, 1926, 857; M. Gelzer, Kleine Schriften, Bd. 2, Wiesbaden 1963, 84; H. C. Boren, CJ 52, 1956, 32; The Gracchi, New York 1968, 113f.; Schneider, Wirtschaft, 299)
- 121 M.? Minucius Rufus liess die Kolonie Iunonia wieder aufheben (Rotondi 316)
- 122 –119/118 Durch ein wohl tribunizisches Gesetz wurde das von der gracchischen Ackerkommission verteilte Land wieder zum Verkauf zugelassen (Rotondi 317; Niccolini 174)
- 119 /118 (?) Sp. Thorius veranlasste, dass die Possessoren auf dem *ager publicus* in ihrem Besitz bestätigt wurden und erhob eine Abgabe (App. BC. 1,27,122; Cic. Brut. 136; de or. 2,284; dazu E. Badian, Studies in Greek and Roman History, Oxford 1964, 235–242; Molthagen (vgl. A. 9) 457; K. Meister, Historia 23, 1974, 86–97; Broughton 3, 205. Nach Johannsen ging das Land bereits jetzt in Privatbesitz über (233 A. 171), dazu unten zum J. 111)
- 111 Durch ein Plebiszit wurden die Pächter von der Abgabe befreit und das Land ging in ihren Privatbesitz über (CIL I^2 585; Bruns, Fontes 11, p. 73ff.; Molthagen (vgl. A. 9) 457; K. Meister, Historia 23, 1974, 95; anders: R. Develin, Antichthon 12, 1978, 45–50)
- 109 C. Mamilius Limetanus erliess ein Gesetz, das offenbar allgemeine Bestimmungen über die Abgrenzung von Grundstücken enthielt *(limitatio)* und bei widerrechtlicher Inbesitznahme von Landstreifen im Grenzgebiet zwischen zwei Grundstücken die Ernennung eines Schiedsrichters *(arbiter)* vorsah (Broughton 1, 546 mit A. 2 (547f.); dazu H. Rudolph, Stadt und Staat im römischen Italien, Leipzig 1935, 193ff.)
- 104 (?) L. Marcius Philippus brachte ein nicht näher bekanntes Ackergesetz ein, bei dem es aber offenbar um die Aufteilung von Land ging, das in den Händen der Grossgrundbesitzer war. Als er damit auf Widerstand stiess, liess er wieder von dem Vorhaben ab (Cic. off. 2,73; Rotondi 326f.; vgl. J. van Ooteghem, Lucius Marcius Philippus et sa famille, Bruxelles 1961, 105ff.)
- 103 L. Appuleius Saturninus brachte zugunsten der Veteranen des Marius ein Ackergesetz ein, das Landzuteilungen von je 100 *iugera* in Afrika vorsah; unklar ist, ob durch Viritanassignation oder durch Koloniegründung (vir. ill. 73,1; Salmon (vgl. A. 1) 129 rechnet hauptsächlich mit Viritanassignation; vgl. H.Ch. Schneider 105ff.; D. J. Piper, Historia 36, 1987, 38ff.; Broughton 3, 21)

– 100 L. Appuleius Saturninus beantragte Koloniegründungen in Sizilien, Achaea und Makedonien und gab Marius das Recht, eine Anzahl von Personen zu Bürgern dieser Kolonie zu ernennen (vir. ill. 73,5; Cic. Balb. 48 nennt die Zahl von drei Bürgern pro Kolonie, was wohl zu wenig ist; E. Badian (DArch 4–5, 1970–71, 403f.) schlägt die Lesung von *trecenos* (300) statt *ternos cives* vor und vermutet (FC, 204f.) darin Projekte zur Ansiedlung der Veteranen des Aquillius und des Didius; vgl. daneben Rotondi 332; H.Ch. Schneider 116ff.; Hackl, Senat, 186f.)

– 100 L. Appuleius Saturninus beantragte gleichzeitig, Ländereien in Gallien an die Veteranen aus dem Kimbernkrieg zu verteilen (Rotondi 331; Broughton 1, 575f.; vgl. Badian, FC, 204ff.; Meier, RPA, 101; Schneider, Wirtschaft, 314ff.; H. Ch. Schneider 116ff.; Hackl, Senat, 186f.). Nach Cicero leg. 2, 14 wurden die Gesetze des Saturninus wieder annulliert, möglicherweise wurden sie aber einfach nicht beachtet (vgl. Cic. Balb. 48; dazu Badian, FC, 210; Lintott 136ff.; v. Ungern-Sternberg, Notstandsrecht, 74 A. 97; Schneider, Wirtschaft, 316 (A. 153); H.Ch. Schneider 121f.)

– 99 Sex. Titius wollte mit seiner *lex agraria* möglicherweise das Werk der übergangenen appuleischen Bestimmungen fortsetzen; wie bei Saturninus (vir. ill. 73,1; App. BC. 1,29) handelte es sich um eine *lex de agris dividendis* (Iul. Obs. 46), was jedoch nur ein unsicherer Hinweis ist; gegen das Gesetz erfolgte die Obnuntiation und Interzession von Kollegen, so dass es auf Grund eines Dekretes der Augurn wieder aufgehoben wurde (vgl. unten S. 222 und S. 247; Rotondi 333; Broughton 2, 2; H. Ch. Schneider 122f.)

– 91 Saufeius liess eine Fünfmännerkommission zur Landverteilung einsetzen, der auch M. Livius Drusus angehörte (CIL I^2 p. 199; Dessau 49)

– 91 M. Livius Drusus liess eine Zehnmännerkommission zur Landverteilung und Koloniegründung einsetzen, der er selbst angehörte. Dabei wurden die Landverteilungen an die Zivilbevölkerung in Italien wieder aufgenommen und auch *ager publicus* in Betracht gezogen (Rotondi 337f.; Broughton 2, 21; vgl. Thomsen 17f.; Meier, RPA, 212; Schneider, Wirtschaft, 320f.; Militärdiktatur, 104; Christ 175; Perelli 141). Die Bestimmungen des Drusus wurden jedoch noch während seiner Amtszeit wegen der Verletzung von Promulgationsvorschriften annulliert, und der Tribun fügte sich dieser Entscheidung (vgl. Thomsen 30ff.)

– 83 M. Iunius Brutus setzte möglicherweise in seinem Volkstribunat als Marianer die Gründung einer Kolonie in Capua durch, die unter Sulla aber wieder aufgehoben wurde (Rotondi 348; vgl. Last, CAH 9, 271; Gabba, Republican Rome, 56–59; Schneider, Wirtschaft, 322)

– 70 Die *rogatio Plotia agraria*, die wahrscheinlich ins J. 70 gehört, sollte der Versorgung von Pompeius' und Metellus' Soldaten aus dem spanischen Feldzug dienen. Sie fand nach Dio (38,5,lf.) zwar die Zustimmung des Senats, der aber wohl unter der Bedrohung durch Pompeius stand (P. A. Brunt, JRS 52, 1962, 79 = WdF 413, 1976, 156; Schneider, Militärdiktatur, 166); gemäss der bei Dio überlieferten Rede des Pompeius kam das Gesetz wegen Geldmangel nicht zur Durchführung (Cic. Att. 1,18,6; Broughton 2, 128. 130 A. 4; vgl. Gabba, Esercito, 443ff.; Perelli 171 A. 35). Nach einer Stelle bei Plutarch (Luc. 34,3f.), an der die agitatorischen Worte des P. Clodius Pulcher wiedergegeben werden, könnte man einige Ansiedlungen annehmen (vgl. R.E. Smith, CQ 51, 1957, 82–85; Gruen, LG, 388); B.A. Marshall (Antichthon 6, 1972, 49ff.) nimmt an, dass die Rogation gar nicht zum Gesetz erhoben wurde

– 63 P. Servilius Rullus verfasste unter Mitarbeit weiterer Tribunen ein umfassendes Ackergesetz (Cic. leg. agr. 2,11ff.22; Plut. Cic. 12,2.5). Es plante Landanweisungen zugunsten der Veteranen des Pompeius wie auch allgemein der Plebs. Das Gesetz erstrebte die Aufteilung des von den Gracchen und Sulla nicht berührten *ager Campanus* und *ager Stellas* und sah unter anderen auch Capua als Kolonie vor (leg. agr. 1,18. 2,76. 96; zu den Kolonien (in Italien) leg. agr. 1,16. 2,31. 2,73–75; vgl. Rotondi 381f.; Schneider, Wirtschaft, 341ff.; Gruen, LG, 390). Erstmals war jetzt der Kauf von Land in Italien geplant (leg. agr. 1,14. 2,66), wobei das Geld durch Verkauf anderer römischer Territorien in Italien und den Provinzen sowie durch Steuern und Kriegsbeute beschafft werden sollte (G. V. Sumner, TAPhA 97, 1966, 569–582; Schneider, Wirtschaft, 336ff.). Zur Durchführung des Gesetzes war eine Zehnmännerkommission mit *potestas praetoria* auf fünf Jahre vorgesehen. Cicero hielt vier Reden gegen das Gesetz (Att. 2,1,3) und L. Caecilius

Rufus drohte die Interzession an, so dass das Projekt schliesslich scheiterte. Plutarch (Cic. 12,5) macht wahrscheinlich, dass die Volkstribunen das Gesetz noch vor der Abstimmung zurückzogen, jedoch ist auch eine Ablehnung durch die Volksversammlung nicht auszuschliessen (vgl. Plin. NH. 7, 117; Cic. Rab. perd. 32) (Rotondi 381f.; Niccolini 271; dazu Gelzer, Caesar, 38f.; RE 7 A, 1939, 866ff.; Cary, CAH 9, 486; P. A. Brunt, JRS 52, 1962, 72 = WdF 413, 1976, 135; Gruen, LG, 389ff.; Schneider, Wirtschaft, 328ff., bes. 334f. 344; Perelli 175 ff.; zum Gesetzestext: J.-L. Ferrary, Athenaeum 66, 1988, 141ff.)

– 60 L. Flavius brachte wiederum zugunsten der Veteranen des Pompeius und (nach Dio 37,50,1 zu Propagandazwecken) der Plebs ein Ackergesetz ein, das die Assignation von unverteiltem *ager publicus* aus der Zeit der Gracchen sowie von Gütern, die Sulla konfisziert hatte, vorsah, wobei die alten Besitzer wohl eine Entschädigung erhalten sollten. Die Finanzierung des Gesetzes sollte durch die Verwendung des Vectigals aus den Eroberungen im Osten über fünf Jahre ermöglicht werden. Cicero wollte einige Korrekturen (Att. 1,19,4), gab diesmal aber seine Zustimmung, doch das Gesetz scheiterte am Widerstand des Senats (Broughton 2, 184; vgl. Schneider, Wirtschaft, 345ff.; Militärdiktatur, 189f.; Gruen, LG, 396f.; Perelli 194f.)

– 59 P. Vatinius, als Hauptunterstützer des Triumvirats unter den Tribunen, ermöglichte Caesar den Ausbau der latinischen Kolonie Comum, wohin dieser 5000 Kolonisten deduzierte und ihnen offenbar widerrechtlich das römische Bürgerrecht zugestand (Broughton 2, 190; vgl. E. Kornemann, RE 4, 1900, 524; Ch. Hülsen, RE Suppl. 1, 1903, 326; H. Gundel, RE 8 A, 1955, 503; Meyer (CM, 92 A. 4) nahm kein separates Gesetz an, sondern dachte an die *lex de imperio Caesaris* (s. unten S. 101); dagegen G. Luraschi, Foedus ius latii civitas, Padova 1979, 379ff.)

– 55 (?) Die wohl tribunizische *lex Mamilia Roscia Peducaea Alliena Fabia* befasste sich mit der Gründung von Kolonien, Munizipien, Praefekturen, Foren und *conciliabula* und enthielt Bestimmungen über die Landvermessung; sie ist aber eher als Munizipalgesetz denn als Ackergesetz aufzufassen (Broughton 2, 217. 220 A. 2; H. Rudolph, Stadt und Staat im römischen Italien, Leipzig 1935, 186ff., bes. 191. 194; W. Simshäuser, Iuridici und Munizipalgerichtsbarkeit in Italien, München 1973, 111ff.; Argumente, die das J. 109 nicht ausschliessen, hat H. Galsterer in seiner Rezension zu Simshäuser (GGA 229, 1979, 69ff.) angeführt; abwegig ist F.T. Hinrichs, Historia 18, 1969, 521–537, der das Gesetz als praetorisch erachtet und ins J. 49 setzt)

– 50 C. Scribonius Curio verlangte für sich ein Strassenbauamt auf fünf Jahre, mit dem er wohl auch Ansiedlungen plante (App. BC. 2,27,102; vgl. Cic. fam. 8,6,5, der das Gesetz mit der *lex Servilia agraria* des J. 63 vergleicht; dazu Martin 111)

Getreidegesetze

Der Getreidehandel lag im republikanischen Rom in privaten Händen. Öffentliche Getreideverteilungen wurden in der früheren Republik offenbar nur sporadisch vorgenommen. Für die Durchführung zeichneten seit dem 3. Jh. die Aedilen verantwortlich.[95] Diese unterstanden den Weisungen des Senats, konnten aber auch aus persönlicher Initiative Getreidespenden veranlassen, um sich damit Popularität zu verschaffen. Getreideverteilungen wurden nicht nur bei Versorgungsengpässen unternommen, sondern auch beim Eintreffen besonderer Lieferungen für die römische Zentrale.[96] Sie blieben jedoch in

95 Mommsen, StR. 2, 502f.; M. Rostowzew, RE 7, 1910, 172; H. Pavis d'Esurac, La préfecture de l'annone service administratif impérial d'Auguste à Constantin, Rom 1976, 4; Rickman 28ff., bes. 34ff.; P. Garnsey/T. Gallant/D. Rathbone, JRS 74, 1984, 38; vgl. auch die Bestrafung für die Zurückhaltung von Getreide, die die Aedilen im J. 189 vornahmen (Liv. 38,35,5).

96 Pavis d'Esurac, a.a.O.; P. Garnsey & a. (vgl. A. 95); Rickman 35.

früherer Zeit stets eine ausserordentliche Massnahme. Erst mit der weiteren Entwicklung Roms zur Grossstadt wurden umfangreichere Vorkehrungen zur Beschaffung von Getreide nötig. Erste und entscheidende Impulse kamen jetzt von tribunizischer Seite. C. Curiatius forderte im Jahr 138 anlässlich einer Preissteigerung eine Verbesserung der Getreideversorgung durch den Staat und verlangte vergeblich, dass besondere Legaten für diese Aufgabe eingesetzt würden.[97] In der späten Republik nahmen dann einzelne Volkstribunen die Anträge zur Getreideversorgung selbst in die Hand. Private Spenden spielten weiterhin besonders im propagandistischen Bereich eine bedeutende Rolle,[98] doch erhielt der Staat jetzt mit dem Gesetz des C. Gracchus eine permanente Aufgabe für die Beschaffung und Abgabe von Getreide an römische Bürger.

Die weiteren Getreidegesetze der späten Republik wurden durch verschiedene Kornknappheiten veranlasst[99] und befassten sich mit Art und Umfang (Empfängerkreis, monatliche Menge und deren Preis) der staatlichen Getreideversorgung. Etwas mehr als die Hälfte der Gesetze wurde von Volkstribunen eingebracht. Damit waren sie keine ausschliesslich tribunizische Materie, sondern beschäftigten auch andere Magistrate. Verschiedene Konsuln rogierten eigene Getreidegesetze, während die Aedilen und Praetoren mit deren Durchführung betraut wurden.[100]

Die Getreidegesetze stellten einen folgenreichen wirtschaftlichen Eingriff dar, denn sie brachten eine starke Belastung der Staatskasse mit sich. Damit stand wiederum das Problem der Finanzierung im Vordergrund. Dies hatte Eingriffe in die Finanz- und Aussenpolitik des Senats zur Folge. C. Gracchus, Clodius und möglicherweise auch Curio sahen für ihre Getreidegesetze eine Finanzierung durch neue Einkünfte aus den Provinzen vor, die durch separate Gesetze dem Volk vorgelegt wurden.[101] Livius Drusus versuchte,

97 Val. Max. 3,7,3 (der Konsul P. Cornelius Scipio Nasica wies in dieser Sache den Willen des Volkes durch seine Autorität zurück); Schneider, Wirtschaft, 363; zuletzt dazu C. Nicolet, in: Demokratia et Aristokratia, Paris 1983, 39ff. Wohl im J. 129 sorgte dann der Aedil Q. Caecilius Metellus für die Beschaffung von thessalischem Getreide (P. Garnsey/T. Gallant/D. Rathbone, JRS 74, 1984, 30ff.; JRS 75, 1985, 20ff.; Virlouvet 91ff.).

98 Im dritten Viertel des 2. Jh.'s prägten C. und Ti. Minucius Augurinus sowie M. Marcius Münzen, die an die Getreideverteilungen ihrer Vorfahren erinnern sollten. Die Darstellungen können sehr wohl einen Bezug auf zeitgenössische Kornverteilungen seitens dieser Kreise haben, wie die Denare der Quaestoren des J. 100 (oder danach) und des Faustus Cornelius Sulla aus dem J. 56 zeigen (H. A. Grueber, Coins of the Roman Republic in the British Museum I (1910), London 1970, 135, Nr. 952; 148ff., Nr. 1005–1013 und 1125–1128; M. H. Crawford, Roman Republican Coinage I, Oxford 1974, 273ff., Nr. 242. 243. 245. 330; Rickman 258f.). Private Spenden gaben die Aedilen des J. 75 bzw. 74, Q. Hortensius Hortalus und M. Seius (Cic. Verr. 2,3,215; off. 2,58). Cicero sandte als Quaestor des J. 75 aus Sizilien eine grosse Menge Getreide nach Rom (Cic. Planc. 64). Zu M. Crassus im J. 70: Plut. Crass. 12,2 (vgl. Comp. Crass. et Nic. 1,4); zur Getreidelieferung des Fabius aus Spanien sowie der Reaktion des C. Gracchus s. unten S. 203.

99 Zu C. Gracchus vgl. App. Pun. 136; dazu Schneider, Wirtschaft, 363; P. Garnsey/D. Rathbone, JRS 75, 1985, 20–25. Zum J. 104 vgl. Cic. har. resp. 43; Sest. 39; Diod. 36, 12; zu den 70er J. s. unten; allgemein dazu Virlouvet 14ff.

100 Zu den Gesetzen der Konsuln s. unten. Zu den Praetoren vgl. Asc. p. 48f. St. (Mommsen, StR. 2, 238 A. 2). Zu den Aedilen s. unten S. 61 zum J. 50.

101 C. Gracchus erliess ein ertragreiches Steuersystem in Asia und erhob neue Zölle (vgl. unten S. 109; ferner Brunt, IM, 377; Stockton 128; Perelli 106ff.); Clodius verfügte die Annexion Zyperns und die Versteigerung des Besitzes des Ptolemaios (unten S. 109); Curio forderte die Annexion des Königreiches Mauretanien (unten S. 109).

durch ein Münzgesetz Gelder zur Sicherung seines Programms zu gewinnen.[102] Um die Getreideversorgung der Stadt Rom zu gewährleisten, beantragte C. Gracchus auch den Bau von Getreidemagazinen,[103] damit die nötigen Vorräte angelegt werden konnten. Der Markt war dadurch weniger den schwankenden Lieferungen ausgesetzt, und der Einkauf konnte zu Zeiten mit niedrigeren Preisen erfolgen.

Weitere Massnahmen, die mit der Getreideversorgung zusammenhingen, waren die Aktionen gegen die Piraten, die die Zufuhr des Getreides nach Rom gefährdeten. Die sogenannte *lex de piratis* der Zeit um 100, die schon Saturninus[104] bzw. Glaucia[105] zugeschrieben worden ist, untersagte den Ländern des östlichen Mittelmeeres jegliche Beihilfe für die Piraten.[106] Verschiedentlich setzte sich auch der Senat gegen die Piraten ein und sandte Magistrate gegen sie aus.[107] Er beschloss im Jahr 74 für M. Antonius ein zeitlich unbegrenztes Kommando (*imperium infinitum*) im Gebiet der Mittelmeerküsten.[108] Schliesslich rogierte aber A. Gabinius im Jahr 67 für Pompeius ein Imperium gegen die Piraten, der diesen Antrag in kürzester Zeit durchführte.[109] Im Jahr 57 beschloss der Senat nach erneuten Schwierigkeiten in der Getreideversorgung unter Protest bedeutender Aristokraten, Pompeius eine spezielle *cura annonae* auf fünf Jahre zu übertragen.[110] Der Antrag des Tribunen C. Messius, der zusätzliche Forderungen stellte, konnte sich dabei nicht durchsetzen.[111]

Sechs der wohl sieben tribunizischen Getreidegesetze sahen Vergünstigungen in der Getreideverteilung vor, während nur eines (*lex Octavia*) eine Einschränkung beinhaltete. Abstriche in der Getreideversorgung wären in der Volksversammlung auch kaum auf Gegenliebe gestossen. Die *leges frumentariae* waren vor allem für die Existenz der *plebs urbana* von grosser Bedeutung. Als populäre Massnahme dienten sie vorwiegend den Popularen zur Gewinnung der städtischen Plebs.[112] Nach C. Gracchus scheiterten jedoch bis zu Clodius alle von popularer Seite verlangten Vergünstigungen bei der *frumentatio*. Die tribunizischen Getreidegesetze wurden bei C. Gracchus, Saturninus und Livius Drusus zusammen mit Ackergesetzen und Koloniegründungsprojekten eingebracht.[113] Sie dienten damit zur Sicherung der Lebensgrundlagen der Bevölkerung. Zu beachten sind aber wiederum die Grenzen dieser Reformen sowie die weiteren Absichten der Tribunen.[114]

102 Thomsen 16f. 25; zudem unten S. 67.
103 Plut. C. G. 6,3; Fest. p. 370 L.
104 van Ooteghem, Marius, 237ff.; F. T. Hinrichs, Hermes 98, 1970, 471–502; Schneider, Wirtschaft, 373.
105 M. Hassall/M. Crawford/J. Reynolds, JRS 64, 1974, 195ff., bes. 219.
106 Vgl. unten S. 109.
107 Im J. 102 wurde der Pr. M. Antonius nach Kilikien beordert (Broughton 1, 568); im J. 77 wurde der Procos. P. Servilius Vatia gegen die Piraten ausgesandt (Broughton 2, 90f.); im J. 68 wurde der Procos. Q. Caecilius Metellus Creticus zum Kampf gegen die Piraten in Kreta beauftragt (Broughton 2, 139) und zwar als Nachfolger des M. Antonius, Pr. 74, s. A. 108.
108 Broughton 2, 101f.; Schneider, Wirtschaft, 375.
109 Cic. imp. Pomp. 44, vgl. Plut. Pomp. 27,2; dazu unten S. 98. 100.
110 Rotondi 402f. Von Cicero am Vortage (7. 9.) erstmals vorgebracht und am 8. 9. in einem Gesetzesentwurf der Konsuln angenommen (Meyer, CM, 116f.; Schneider, Wirtschaft, 386f.).
111 Rotondi 402; Sh. Jameson, Historia 19, 1970, 559f.
112 Meier, Populares, 591f.; Brunt, WdF 413, 1976, 295; Schneider, Wirtschaft, 364f. (zu C. Gracchus).
113 Curio plante neben dem Alimentargesetz Strassenbauprojekte, bei denen eventuell einige Siedlungen vorgesehen waren, vgl. oben S. 55.
114 Dazu unten S. 60; zu C. Gracchus: v. Ungern-Sternberg (vgl. A. 15) 177ff.

Saturninus wollte mit seinem Getreidegesetz die Wählerstimmen der *plebs urbana* gewinnen, denn diese war bei seinen Landanweisungen nicht berücksichtigt worden.[115] Gleichzeitig war es aber auch eine Revanche am Senat, denn dieser hatte ihm im Jahr 104, als er als Quaestor für Ostia zuständig war, der Getreideversorgung enthoben, da die Preise gestiegen waren.[116] Dies dürfte allerdings kaum die Schuld des Saturninus gewesen sein, da er ansonsten schwerlich zum Volkstribunen für das nächste Jahr gewählt worden wäre. Aus diesem Grund scheint das erste Tribunat des Saturninus für dessen Getreidegesetz plausibler, da dieses somit unmittelbar in Anschluss an den erwähnten Vorfall abgefasst worden wäre;[117] stichhaltig zu entscheiden ist die Frage der Datierung allerdings nicht. J. Martin hat festgehalten, dass das Getreidegesetz des Saturninus erstmals einer sachlichen Grundlage entbehrte.[118] Dagegen hat H. Schneider mit gutem Grund auf die Notlage in der Getreideversorgung hingewiesen.[119] Belegt wird dies auch durch die Massnahme gegen die Piraten, mit denen die Getreidezufuhr in diesen Jahren verbessert werden sollte.

Erst als Pompeius, der im Jahr 67 durch den Tribunen A. Gabinius ein Imperium erhalten hatte, gegen die Piraten einschritt, verbesserte sich der Getreideimport.[120] Dies eröffnete die Möglichkeit, weitere Vergünstigungen in der Getreideverteilung zu beantragen. Radikale Massnahmen in der Getreideversorgung ergriff nach der Erweiterung des Empfängerkreises durch Cato (62) der Tribun Clodius, indem er das Getreide gratis abgeben liess. Die privaten Getreidelieferanten beantworteten die von ihm gleichzeitig eingeführte staatliche Überwachung mit einer künstlichen Verknappung der Getreidezufuhr, so dass sich die Situation noch verschärfte und es im Jahr 57 zu Aufruhr kam.[121]

Von optimatischer Seite kam nur ein einziger Antrag zur Erweiterung der *frumentatio* zustande, nämlich derjenige des Cato, der gleichzeitig auch als einziger zwischen C. Gracchus und Clodius erfolgreich war. Der Senat war grundsätzlich negativ zur *frumentatio* eingestellt, da sie eine Belastung für die Staatskasse darstellte.[122] Das gracchische Getreidegesetz wurde allerdings erst durch die wohl tribunizische *lex Octavia*, die wahrscheinlich in die 90er Jahre gehört, abrogiert und durch reduziertere Bestimmungen ersetzt. Dabei ist am ehesten an eine Einschränkung des Empfängerkreises zu denken, da eine Preiserhöhung kaum akzeptiert worden wäre.[123] Die *lex Octavia* blieb bis zu Sulla in Kraft, der der *frumentatio* möglicherweise ganz Einhalt gebot.[124] Der Senat konnte sich aber sowohl in vor- als auch in nachsullanischer Zeit nicht gänzlich über die Notwendigkeit einer

115 Vgl. Hackl, Senat, 200f.

116 Cic. har. resp. 43; Sest. 39; Diod. 36,12.

117 In diesem Sinne auch A. R. Hands, CR 86, 1972, 12f.

118 Martin 180, vgl. 190f.: „Als erster der in unseren Quellen als Popularen bezeichneten Männer war er reiner Demagoge" (191).

119 Schneider, Wirtschaft, 373.

120 Vgl. A. 109.

121 Schneider, Wirtschaft, 384ff. Von dem staatlichen Getreide allein konnte ein Plebejer aber auch nach der *lex Clodia* nicht leben.

122 Schneider, Wirtschaft, 391ff.

123 Brunt, IM, 377; Rickman 165.

124 Eine gänzliche Aufhebung der *frumentatio* durch Sulla nehmen M. Rostowzew (RE 7, 1910, 173), Brunt (IM, 378), Schneider (Wirtschaft, 370) und Rickman (165) an; entgegen A. E. Douglas (AJP 87, 1966, 298), der Octavius in die Zeit Sullas setzt und ihn als dessen „front man" bezeichnet.

verstärkten staatlichen Getreideversorgung hinwegsetzen.[125] Zugeständnisse kamen in der Zeit nach Sulla jedoch erst angesichts drohender Hungerrevolten zustande.[126] Von kurzer Dauer war daher das Gesetz des Konsuls M. Aemilius Lepidus, der im Jahr 78 die Wiederaufnahme der Getreideverteilung propagiert hatte.[127] Als es dann im Jahr 75 wegen des Getreidemangels zu Tätlichkeiten kam,[128] verfügte der Senat kurz darauf (75/74) die Annexion der Königreiche Cyrene und Bithynien, da er sich jetzt zu eigenen Massnahmen für die Beschaffung von Korn und Verbesserung der wirtschaftlichen Lage gezwungen sah.[129] Nach der Aussendung des M. Antonius gegen die Piraten regelte die konsularische *lex Terentia Cassia* im Jahr 73 den Kauf von Getreide in Sizilien.[130] Mit den Annexionen und der Vergabe eines *imperium infinitum* wich der Senat in den späten 70er Jahren von einigen wichtigen Prinzipien der bisherigen Politik ab, um die wirtschaftliche Lage zu verbessern.[131] Die Massnahmen erwiesen sich aber als ungenügend. Damit konnte auch das Getreideproblem während der späten Republik bis zu Caesar nie befriedigend gelöst werden. Die durch Clodius' Anordnungen des Jahres 58 entstandenen Schwierigkeiten in der Getreideversorgung führten schliesslich im September 57 zur Beauftragung des Pompeius mit der *cura annonae*.[132] Allerdings gelang es auch Pompeius nicht, das Problem der Getreideversorgung zu beseitigen.[133] Eine Verbesserung auf dem Lebensmittelmarkt strebte nochmals C. Scribonius Curio im Jahr 50 an, dessen Vorschlag jedoch nicht zur Ausführung gelangte. Erst Caesar ergriff dann die umfassende Massnahme, eine genaue Liste der Bezugsberechtigten aufzustellen und für neue Auskommen ausserhalb Roms zu sorgen, womit er die Zahl der Getreideempfänger um die Hälfte reduzierte.[134]

125 Vgl. die Beauftragung des *princeps senatus* M. Aemilius Scaurus mit der *provincia Ostiensis* im J. 104 (Rickman 47. 162). Eine weitere Massnahme des Senats lässt sich in vorsullanischer Zeit (im J. 100 oder kurz danach) anhand von Münzen der Quaestoren Q. Servilius Caepio und L. Calpurnius Piso vermuten. Sie stellte möglicherweise eine Reaktion auf das Verhalten des Saturninus dar (GCG 282; Broughton 1, 578 A. 5; E. A. Sydenham, The Coinage of the Roman Republic, London 1952, 85; Rickman 163. 258; H. Schneider, AS 13/14, 1982/83, 210; F. Reduzzi Merola, in: Sodalitas, Scritti in onore di A. Guarino, Bd. 2, Napoli 1984, 547; vgl. auch A. 98; allg. dazu jetzt Burckhardt (vgl. A. 3) 240ff.). Die Zustimmung einer Mehrheit im Senat fand wohl auch die *lex Livia frumentaria*.

126 Schneider, Wirtschaft, 389, vgl. 370 und 386; Rickman 167; Perelli 161f. 167. 194.

127 Für das Gesetz ist eine monatliche Menge von fünf *modii* überliefert: Gran. Licin. p. 27 Criniti; dazu Rotondi 364; Brunt, IM, 378; Schneider, Wirtschaft, 370; Gruen, LG, 384; Rickman 166. Die Menge von fünf *modii* war möglicherweise schon von C. Gracchus eingeführt worden und blieb auch bei den Gesetzen nach Lepidus erhalten (vgl. Sall. hist. 3,48,19; zu C. Gracchus: M. Rostowzew, RE 7, 1910, 173; D. van Berchem, Les distributions de blé et d'argent à la plèbe romaine sous l'empire (1939), New York 1975, 15; zur *lex Terentia Cassia*: Brunt, IM, 378; Rickman 166; Reduzzi Merola (vgl. A. 125) 550). Dass das Gesetz des Lepidus *nullo resistente* (Gran. Licin.) rogiert worden sein soll, ist zweifelhaft.

128 Sall. hist. 2,45; vgl. Cic. Planc. 64; dazu A. 126.

129 Sall. hist. 2,43; App. BC. 1,111.

130 Sall. hist. 3,48,19; Cic. Verr. 2,3,163.173. 2,5,52; Brunt, IM, 378f.; Gruen, LG, 385; Schneider, Wirtschaft, 370ff.; Rickman 167; Reduzzi Merola (vgl. A. 125) 551ff. Der Preis für eine Monatsrate betrug für die Getreideempfänger wiederum 6 1/3 Asse (Asc. p. 15f. St.; Cic. Sest. 55).

131 Schneider, Wirtschaft, 375.

132 Vgl. unten S. 101.

133 Schneider, Wirtschaft, 388f.; Rickman 174f.: Pompeius versuchte, die Verteilung an die im Anschluss an die *lex Clodia* Freigelassenen unter Kontrolle zu bringen (Dio 39,24,1f.). Der Senat musste Pompeius am 5. 4. 56 weitere Gelder gewähren (Cic. Q. fr. 2,6,1).

134 Suet. Iul. 41, 3; Rotondi 421f. Zu den Kolonisationsprojekten vgl. oben S. 51f.

Dieser Überblick zeigt, dass die *frumentatio* der späten Republik anfänglich auf tribunizische Initiative zurückging. In nachsullanischer Zeit kam bis zu Cato jedoch keine Massnahme mehr durch das Wirken der Tribunen zustande. Nach der Aufhebung der *frumentatio* durch Sulla folgten in den 70er Jahren eine konsularische Initiative (Lepidus) und verschiedene Bemühungen des Senats. Die tribunizische Legislative war in jener Zeit durch die sullanischen Einschränkungen unterdrückt. In den Agitationen der Volkstribunen der 70er Jahre taucht jedoch nie die Forderung nach erneuter *frumentatio* auf. Erst mit Cato kommt wieder ein entscheidender Impuls von tribunizischer Seite zustande. Aber auch er hatte ansonsten keine weiteren Pläne für die Versorgung der Bevölkerung. Die materielle Besserstellung wurde damit immer nur von Einzelpersonen verfolgt und tritt im Kollegium der Tribunen nie als kontinuierliches Prinzip auf.

Es begegnen folgende tribunizische Getreidegesetze:

– 123 C. Sempronius Gracchus führte eine permanente Getreideabgabe zu einem festen Preis ein (6 1/3 Asse pro *modius* bei einer monatlichen Menge von eventuell 5 *modii* pro Bezüger) (Rotondi 307f.; Last, CAH 9, 57ff.; van Berchem (vgl. A. 127) 18; Brunt, IM, 376ff.; Schneider, Wirtschaft, 363ff.; Stockton 126; Perelli 98f.; Reduzzi Merola (vgl. A. 125) 533ff.; P. Garnsey/D. Rathbone, JRS 75, 1985, 20–25)

– 119 C. Marius lehnte sich gegen ein möglicherweise tribunizisches Getreidegesetz auf und zog sich damit den Zorn des Volkes zu (Plut. Mar. 4,4). Daher ist anzunehmen, dass es gegenüber der *lex Sempronia* weitere Vergünstigungen vorsah (möglicherweise eine Ausweitung des Empfängerkreises oder eine Preissenkung; vgl. Rickman 161f.; dagegen Brunt, IM, 377 und Perelli 118 A. 5)

– 103 /100 L. Appuleius Saturninus brachte eine grosszügige *lex frumentaria* ein, die sich mit dem Getreidepreis befasste und ihn nach Auct. ad Her. 1, 21 auf 5/6 As pro *modius* reduzierte (für das J. 103 plädieren Last, CAH 9, 165; Perelli 133; Broughton 3, 21; für das J. 100 H.B. Mattingly, CR 83, 1969, 267–270; Brunt, IM, 377f.; Rickman 162f.; Reduzzi Merola (vgl. A. 125) 546f.; unentschieden ist A. R. Hands, CR 86, 1972, 12f.; dazu oben S. 58). Die Abstimmung über das Gesetz wurde jedoch durch den Quaestor Q. Servilius Caepio gewaltsam verhindert, nachdem er im Senat einen Beschluss bewirkt hatte, der eine Rogierung vor dem Volk als *adversus rem publicam* erklärte (Auct. ad. Her. 1,21, vgl. 2,17; ferner unten S. 222)

– 90 er Jahre (?) Eine wohl tribunizische *lex Octavia* ersetzte die *lex Sempronia* durch reduziertere Bestimmungen, wobei am ehesten an eine Einschränkung des Empfängerkreises zu denken ist (Cic. off. 2,72 erklärt das Gesetz als für die Res publica erträglich; Niccolini 426f.; Broughton 2, 471. 3, 151; vgl. J. G. Schovánek, Historia 21, 1972, 235–243, bes. 242; Schneider, Wirtschaft, 367ff.; Rickman 161ff., bes. 164 f.; Reduzzi Merola (vgl. A. 125) 543ff.; eine frühere Datierung zuletzt bei Perelli 118 A. 5; vgl. Brunt, IM, 377)

– 91 Ein nicht näher bekanntes Getreidegesetz des M. Livius Drusus wurde zusammen mit seinen anderen Gesetzen wieder aufgehoben. Es dürfte eine Liberalisierung in der Getreideversorgung vorgesehen haben, die aber nicht sehr weitgehend sein musste (Liv. per. 71; vgl. Rickman 164 f.; Reduzzi Merola (vgl. A. 125) 548f.; Thomsen (16) nimmt an, dass der Preis reduziert wurde)

– 62 M. Porcius Cato setzte eine vom Senat genehmigte Erweiterung des Empfängerkreises von Getreide durch, für die allerdings kein anschliessendes Plebiszit überliefert ist (Plut. Cat. min. 26,1; Caes. 8,4; Praec. rei pub. ger. 24,818 D; vgl. Schneider, Wirtschaft, 380f.; Gruen, LG, 386; Rickman 168ff.; Perelli 193f.; Reduzzi Merola (vgl. A. 125) 553f.; Brunt (IM, 379) denkt an die Aufnahme von Freigelassenen und Zuwanderern von ausserhalb Roms; der Preis pro *modius* dürfte wiederum wie bei der *lex Terentia Cassia* des J. 73 bei 6 1/3 Assen, die monatliche Ration bei fünf *modii* gelegen haben)

– 58 P. Clodius Pulcher führte die Abgabe von Gratisgetreide ein und übertrug einem Procurator (Sex. Cloelius, der mit Clodius verbunden war, vgl. Cic. dom. 125) umfassende Aufsichtskompetenzen über den gesamten Getreidehandel (Rotondi 398; Broughton 2, 196; vgl. Brunt, IM, 379f.; Gruen,

LG, 386; Schneider, Wirtschaft, 381 ff.; Perelli 206; Reduzzi Merola (vgl. A. 125) 554ff.; Benner 58 ff.)

– 50 C. Scribonius Curio beantragte im Februar, als er seinen Übertritt zu Caesar enthüllte, ein Alimentargesetz. Es beauftragte die Aedilen mit der Abmessung von Nahrungsmitteln und damit wohl auch mit der Verteilung von Getreide. Vom Ausgang dieses Antrags ist nichts bekannt. Curios Massnahmen stiessen jedoch auf harte Kritik unter den Senatoren (Cic. fam. 8,6,5 *(legem) ... alumentariam, quae iubet aedilis metiri, iactavit*; dazu Martin 111. 210ff.; Gruen, LG, 473)

Militärgesetze

Eine populäre Forderung, die in der späten Republik nur bei den Gracchen auftritt, betraf Vergünstigungen im Zusammenhang mit dem Heeresdienst.[135] Allerdings hatten sich die Volkstribunen im spanischen Krieg gegen Aushebungen gewandt und möglicherweise auch damit zusammenhängende Gesetzesvorschläge unterbreitet.[136] In der späten Republik richteten sich nur noch C. Ateius Capito und P. Aquillius Gallus (im Jahr 55) gegen Aushebungen.[137] Dies geschah jedoch nicht zum Schutze der betroffenen Bürger, sondern aus politischen Motiven, denn Pompeius und Crassus sollte eine eigenmächtige Kriegführung verunmöglicht werden. Eine weitere populare Aktion seitens der Volkstribunen begegnet im Jahr 109, als einige Tribunen Sp. Postumius Albinus daran hinderten, neue Truppen mit nach Afrika zu nehmen.[138] Aber auch in diesem Falle ging es nicht um die Rekrutierung oder die Frage der Militärdienstzeit, sondern um die senatorische Kriegführung, die von ritterlichen Kreisen angeprangert wurde.

Sowohl Ti. Gracchus als möglicherweise auch C. Gracchus[139] wollten mit ihren Anträgen eine Verkürzung des Heeresdienstes erreichen. Damit sollte ermöglicht werden, dass die Bürgersoldaten ihre Güter weiter bewirtschaften konnten. Die gracchischen Gesetze zielten darauf ab, die Lebensgrundlagen der Bürger zu sichern, wie dies auch bei den Landgesetzen der Fall war; sie griffen auch hier in die Kompetenz des Senats ein.[140] Über das Schicksal der gracchischen Forderungen ist nichts bekannt. Eine Verkürzung der Dienstzeit muss aber in jenen Jahren zustande gekommen sein, da eine solche im Jahr 109 durch den Konsul M. Iunius Silanus wieder aufgehoben wurde.[141]

Neuerliche Forderungen in bezug auf den Heeresdienst kennen wir in der späten Republik nicht. Die Heeresreform des Marius mag die Rekrutierungsbasis und den Charakter des Militärdienstes verändert haben. Jedoch kam es auch in der ausgehenden Republik noch zu Zwangsrekrutierungen.[142] Die Länge der Dienstzeit fiel jetzt aber weniger ins Gewicht. Das Hauptaugenmerk lag auf der Versorgung der Veteranen mit Land. An den

135 Vgl. allgemein R. E. Smith, Service in the Post-Marian Roman Army, Manchester 1958, 8f.; Meier, Populares, 609.

136 Taylor, Forerunners, 24.

137 Dazu unten S. 232 und 248.

138 Dazu unten S. 231.

139 Brunt, IM, 401 A.4; vgl. Stockton 137.

140 Vgl. Bleicken, Lex publica, 123f.

141 Asc. p. 54 St.; Rotondi 324; dazu Smith (vgl. A. 135).

142 Aigner (vgl. A. 43) 164f.

Grundzügen des Militärsystems und der Dienstpflicht wurden auch von tribunizischer Seite nie Änderungen gefordert.

In der späten Republik sind von Volkstribunen folgende Versuche bekannt, Vergünstigungen im Zusammenhang mit dem Heeresdienst zu erreichen:[143]

– 133 Ti. Sempronius Gracchus verlangte eine Verkürzung der Militärdienstzeit (Plut. T. G. 16,1; Dio 24 frg.83,7; vgl. Niccolini 145f.; Bernstein 216f.)

– 123 C. Sempronius Gracchus forderte unentgeltliche Versorgung und Ausrüstung der Soldaten sowie ein Verbot des Militärdienstes für Jugendliche unter 17 Jahren (Plut. C. G. 5,1; Diod. 34/35,25,1; vgl. Asc. p. 54 St.; dazu Stockton 137. 167)

Regelungen zum Privatrecht, Zins- und Münzwesen

Auch die Gesetze zum Verkehr zwischen den Bürgern wurden zur Zeit der Republik dazu verwendet, soziale Sicherheit zu schaffen. Im Vordergrund der aus diesem Bereich überlieferten Zeugnisse stehen allerdings nicht allgemeine zivilrechtliche Anordnungen, sondern Forderungen nach Schuldennachlass und Beschränkung der Zinsen. Diese traten jedoch erst seit dem Bundesgenossenkrieg auf, denn in jener Zeit zeichnete sich eine umfängliche Krise im Finanzwesen ab, da viele Schuldner zahlungsunfähig wurden.[144]

In diesen Zusammenhang sind hier auch die Regelungen zum Münzwesen einzuordnen, obwohl sie nicht unmittelbar in den Bereich des Privatrechts gehören. Bereits vor Ausbruch des Bundesgenossenkrieges führte M. Livius Drusus bei den Münzen eine Reduzierung des Edelmetallgehaltes ein. Er wollte auf diese Weise zur Durchführung seines Land- und Getreidegesetzes die staatliche Finanzkraft steigern. Neben Finanzklauseln in den *leges agrariae* und *leges frumentariae* eröffnete er sich damit eine weitere Möglichkeit, Mittel für Reformen zu beschaffen. Es handelte sich dabei aber nicht um einen direkten Eingriff in die Finanzhoheit des Senats, wie ihn Ti. Gracchus mit seinem Gesetz über die Attalos-Erbschaft und C. Gracchus mit seinem Steuerpachtsystem in Asien vorgenommen hatten.[145]

Münzgesetze konnten in der Folge angesichts der Währungskrise auch als eigenständige Reformmassnahmen durchgeführt werden. Als Geldgesetze begegnen in der späten Republik noch die *lex Clodia de victoriato* und die *lex Papiria semiunciaria*, die möglicherweise beide tribunizisch sind.[146] Die *lex Papiria* führte entweder in Anbetracht

143 M. Livius Drusus schlug im J. 122 ein generelles Verbot der Geisselung von Latinern vor, das auch für den Militärdienst gelten sollte (Plut. C. G. 9,3; vgl. unten S. 121).

144 Meier, RPA, 146; E. Badian, Quaestiones Variae, Historia 18, 1969, 475ff.; Schneider, Wirtschaft, 222. Vor den 80er Jahren begegnen keine tribunizischen Forderungen nach *tabulae novae* bzw. gegen Zinswucher (Z. Yavetz, Historia 12, 1963, 491 A. 21; Meier, Populares, 609; Bleicken, Lex publica, 128f.; F. De Martino, in: De iustitia et iure, Festgabe U. v. Lübtow, Berlin 1980, 79ff.).

145 S. unten S. 108f.

146 Durch die wohl tribunizische *lex Clodia* wurde die Prägung von Quinarien im Typ der Victoriaten eingeführt (um 104 v. Chr.?) (Rotondi 326; Niccolini 419; Broughton 1, 560; H. Chantraine, RE 24, 1963, 881ff.; H. Zehnacker, Moneta II, Rom 1973, 638; M. H. Crawford, Roman Republican Coinage II, Cambridge 1974, 610). Möglicherweise Cn. oder C. Papirius Carbo (tr. pl. 92/91 bzw. 89) war Rogator einer *lex Papiria*, die den Gebrauch des semiuncialen As regelte (Plin. NH. 33,46; vgl. Rotondi

des Bundesgenossenkrieges vorsorglich oder dann in Angleichung an die Münzprägung einzelner neu ins Bürgerrecht aufgenommener Gemeinden den semiuncialen As ein. In diesem Fall dürfte sie dem Tribunen des Jahres 89, C. Papirius Carbo, zuzuschreiben sein. Zudem wäre anzunehmen, dass das Gesetz in Übereinkunft mit dem Senat erfolgte, da Carbo auch in der Frage des Bürgerrechts für den Senat handelte.[147] Im Jahr 85 strebten die Volkstribunen gemeinsam eine Reform im Münzwesen an, da durch die Münzverschlechterungen grosse Unsicherheiten entstanden waren. Die Tribunen handelten hier im Verbunde mit dem Praetor M. Marius Gratidianus. Dieser gab dann die Reform gegen den Willen seiner Partner alleine bekannt und erwarb sich damit grossen Ruhm bei der Bevölkerung.[148] Auch wenn sich die Tribunen in dieser Situation an dem Versuch beteiligten, die Krise im Geldwesen zu beheben, so kam ihnen offenbar im Verlaufe der späten Republik keine allgemeine Aufgabe bei der Regelung des Münz- und Finanzwesens zu.

In der finanziellen Krisensituation zur Zeit des Bundesgenossenkrieges wurden Forderungen nach Schuldenerlass erhoben bzw. Massnahmen gegen Wucherzinsen in die Wege geleitet, die den normalen Geldfluss verhindert hatten. An ihnen beteiligten sich auch einzelne Volkstribunen. Als sich der Praetor des Jahres 89, A. Sempronius Asellio, in seiner richterlichen Funktion auf die Seite der Schuldner stellte und damit die seit alters bestehenden Verbote der Zinsnahme wieder geltend machte, wurde er von Gläubigern getötet. Die betreffenden Kreditoren waren von dem Tribunen L. Cassius aufgereizt worden.[149] Cassius stand hier als Volkstribun auf seiten der Geldgeber. Ein einheitliches Verhalten in Sachen Schuldenerlass war von den Volkstribunen auf diesem Gebiete nicht zu erwarten.

Zur Eindämmung der verbreiteten Verschuldung sowie zur Einschränkung des Senatorenstandes war im Jahr darauf der Antrag des P. Sulpicius gedacht, der für die Schulden von Senatoren eine schikanös niedrige Obergrenze von 2000 Drachmen festlegte. Diese Massnahme gehört im Grunde zu den Luxusgesetzen, die den standesgemässen Lebenswandel sichern wollten – auf sie wird weiter unten noch einzugehen sein.[150] Einen wesentlichen Schritt machte dann das Gesetz des Konsuls 86, L. Valerius Flaccus, das drei Viertel der Schulden erliess, wobei die Art der Schulden jedoch nicht bekannt ist.[151] Gegenüber diesen Massnahmen tritt die Bedeutung der tribunizischen Aktionen zurück, so dass den Tribunen in der Bekämpfung des Schuldenproblems keine erstrangige Rolle zuzumessen ist. Die Frage des Schuldenerlasses war auf grossen Widerstand gestossen und ist für uns nach der Mitte der 80er Jahre vorerst nicht mehr weiter zu verfolgen.

Im Jahr 67 wurde von C. Cornelius und A. Gabinius eine Massnahme beantragt, die die Umgehung der Zinsgesetze verhindern sollte. Anleihen an Provinzialen, die als Gesandte nach Rom kamen, sollten verboten werden, wie dies einige Jahre zuvor mit

341f.; Niccolini 404; Broughton 2, 34; Crawford I, 77f. II, 596. 610f.; Coinage and Money under the Roman Republic, London 1985, 183ff.; zudem E. La Cascio, Athenaeum 57, 1979, 215ff.).

147 Dazu unten S. 76.

148 Vgl. unten S. 170.

149 Val. Max. 9,7,4; dazu Nicolet 1, 382f.; zu Asellio: Broughton 2, 33f.

150 S. unten S. 67ff.

151 Rotondi 347f.; Bleicken, Lex publica, 128 A. 79; vgl. auch die *lex Cornelia Pompeia unciaria* (Rotondi 344).

konkretem Bezug schon in einem Senatsbeschluss festgehalten worden war. Der Senat wollte aber offenbar verhindern, dass eine allgemeine gesetzliche Norm konstituiert wurde. Als der Vorschlag des Cornelius im Senat abgelehnt wurde, fügte sich dieser, während Gabinius sich mit seinem Antrag gegen den Senat durchsetzte.[152] Anzeichen, dass Gabinius mit dem Senat über seine Rogation debattierte, fehlen. Cornelius und Gabinius ging es sowohl darum Zinswucher zu verhindern als auch die Provinzialen in Schutz zu nehmen.[153] Gleichzeitig sollte wohl vermieden werden, dass Gesandte in den Besitz von Bestechungssummen kamen. Das Gesetz des Gabinius blieb jedoch ohne grössere Wirkung. Es gab Wege, die Vorschriften zu umgehen, so dass auch in der Folge Anleihen an Gesandtschaften zustande kamen.[154]

Im Jahr 63 wurde durch Catilina erneut die Forderung nach Aufhebung der Schulden gestellt. In diese Richtung zielte zuvor schon ein tribunizischer Antrag desselben Jahres, der aber von Cicero vereitelt worden war. Die Forderung nach *tabulae novae* war sowohl zugunsten der Plebs als auch der verarmten Adligen gedacht, die mit dem finanziellen Verlust auch an politischem Einfluss einbüssten.[155] Für eine Teilnahme an den gewaltsamen Plänen des Catilina seitens der Volkstribunen gibt es nur geringe Anzeichen. Es war vorgesehen, dass L. Calpurnius Bestia nach Amtsantritt im Dezember 63 Cicero vor der Volksversammlung anklagen und dies gleichzeitig das Zeichen für den Ausbruch der Revolte am nächsten Tag geben sollte.[156] Im Jahr 65 hatte ein Tribun verhindert, dass im Senat Strafmassnahmen gegen Catilina beschlossen wurden.[157] Diese Aktionen schliessen aber nicht aus, dass der Grossteil der Tribunen nichts mit den geplanten Gewaltmassnahmen des Catilina zu tun haben wollte. Von einem Anschluss an die Revolte seitens der Tribunen ist jedenfalls nichts bekannt. Die Tribunen nahmen eher die Haltung der Gewerbetreibenden (*tabernarii*) ein, die einen wichtigen Teil der Volksversammlung ausmachten.[158] Diese traten zwar für Schuldenerleichterungen ein, wollten aber keine umstürzlerischen Handlungen in Kauf nehmen.[159] Falls die Vermutung, dass sich die Volkstribunen in der catilinarische Verschwörung zurückhielten, richtig ist, so spräche dies wiederum für deren soziale Etabliertheit und das Interesse am Fortbestand der alten Res publica.

Schuldentilgungen kamen im Jahr 63 nicht zustande, und die Erwartungen richteten sich nun an Caesar. Dieser verzichtete im Jahr 49 jedoch auf die Aufhebung aller Schulden und suchte mit Erfolg einen Mittelweg, um sowohl Gläubiger als auch Schuldner zufriedenzustellen. Er erleichterte die Abzahlungsbedingungen und setzte Richter zur Schlich-

152 Dazu zuletzt M. Bonnefond, La lex Gabinia sur les ambassades, in: Des ordres à Rome, hrsg. v. C. Nicolet & a., Paris 1984, 94f., vgl. 85f. Die Ablehnung des Gesetzes durch den Senat soll Cornelius dem Senat entfremdet und ihn zum Exemptionsgesetz veranlasst haben (Asc. p. 48 St.).

153 Bonnefond, a.a.O., 94f.; vgl. auch Meier, RPA, 140f. Gegen Korruption im Gesandtenwesen wirkte auch die Bestimmung des Gabinius, die den Gesandtschaften im Monat Februar im Senat den Vorrang vor den andern Geschäften sichern sollte (s. unten S. 88).

154 F. Von der Mühll, RE 7, 1919, 425; Badian, Imperialism, 84ff. Dispens von dem Gesetz erhielten die Salaminier im J. 54, vgl. Stein 43f.

155 Vgl. Schneider, Wirtschaft, 223ff.; ferner Yavetz 135; WdF 413, 1976, 122f.

156 Sall. Cat. 43,1; App. BC. 2,3,12.

157 Dazu unten S. 213.

158 Dazu unten S. 183.

159 Z. Yavetz, Historia 12, 1963, 496f.

tung der Streitfälle ein.[160] Im Vorfeld zu Caesars Reformen hatten einige Volkstribunen die Zinsen reduziert, was offenbar ohne grössere Wirkung geblieben war. Hier hatten die betreffenden Volkstribunen in Abwesenheit Caesars eine Lösung des Schuldenproblems angestrebt, die sich als ungenügend erwies.

Nach Caesars Massnahmen forderte der Praetor M. Caelius Rufus im Jahr 48 in Konkurrenz zu Caesar neue Schulden- und auch Mietzinsnachlässe (auf ein Jahr).[161] Caelius hatte unter den Tribunen einige Helfer, die anfänglich verhinderten, dass im Senat ein Suspensionsbeschluss gegen ihn abgefasst wurde.[162] Der Wille des Senats wurde jedoch in einer *auctoritas* festgehalten und die neuen (Schuld-)Tafeln von dem Konsul P. Servilius Isauricus wieder eingezogen.[163] Es erfolgte ein SCU und jetzt wurde auch die Amtssuspension des Caelius in die Wege geleitet.[164]

P. Cornelius Dolabella übernahm als tr. pl. 47 die Pläne des gescheiterten Praetors. In der Opposition gegen Dolabella traten der Kollege L. Trebellius sowie C. Asinius Pollio, dessen Status als Volkstribun allerdings nicht gesichert ist,[165] hervor. L. Trebellius, der vorgab, die *nobiles* zu vertreten, soll aber gleichzeitig eigene Edikte erlassen haben, die nach Dio nicht besser waren als diejenigen des Dolabella.[166] Der Senat schritt gegen die eigenmächtigen Aktionen der beiden Tribunen ein. Er erliess einen Beschluss, der bis zu Caesars Rückkehr jegliches Gesetz verbot sowie das Waffentragen in der Stadt untersagte; nach neuen Auseinandersetzungen kam es zum SCU und Antonius verhinderte als *magister equitum* durch militärischen Einsatz die Anträge des Dolabella.[167]

In den frühen 40er Jahren ist somit von tribunizischer Seite eine beachtliche Beteiligung an der Bekämpfung des Schuldenproblems festzustellen. Dolabella wie auch schon Rufus beabsichtigten mit ihren Forderungen, die eigenen Schulden loszuwerden.[168] Ihr Einsatz im Wettbewerb gegen Caesar kann jedoch nicht nur aus persönlichen Motiven erfolgt sein. Beide fanden mit ihren Anträgen Anhang im Volk.[169] Trotzdem war die Konkurrenz mit Caesar nicht mehr aussichtsreich. Die Position des Volkstribunen erlaubte es Dolabella nicht mehr, gegen die Massnahmen Caesars erfolgreich anzutreten.

Aufs Ganze gesehen, zeigten die Volkstribunen in der späten Republik ein unterschiedliches Verhalten in der Frage des Schuldenproblems. Kontinuierlicher Einsatz bei den Tribunenkollegien ist in dieser Sache nicht festzustellen. Ihre Massnahmen hatten gegenüber den konsularischen Verfügungen (Valerius Flaccus, Caesar) nur zweitrangige Bedeutung. Die Tribunen waren auch nicht bereit, zur Lösung der Schuldenfragen den Aufstand zu proben, wenn man vom Einsatz der privaten Garden des Dolabella absieht. Aber auch diese richteten sich nicht gegen die bestehenden politischen Strukturen, sondern

160 Rotondi 415; Meyer, CM, 366f.; Yavetz 134ff.
161 Martin 119; vgl. allg. M. W. Frederiksen, JRS 56, 1966, 128ff.
162 Dio 42,23,1; Stein 67; vgl. unten S. 216.
163 Broughton 2, 272.
164 Dio 42,23,2f.; dazu Stein 67; Broughton 2, 272f.
165 Plut. Ant. 9,1f.; vgl. J. André, REL 25, 1947, 137ff.; Broughton 2, 287. 3, 26; Nowak 159.
166 Vgl. unten S. 171.
167 Dio 42,29,2f.; dazu Stein 68f.; Niccolini 339f.; F. Münzer, RE 4, 1900, 1302.
168 F. Münzer, RE 4, 1900, 1302; Martin 119.
169 Zu Caelius: Dio 42,22,4; zu Dolabella: Dio 42,32,2f.; rein politische Motive unterstellt P. Simelon, LEC 53, 1985, 387–405.

gegen die Anhängerschaft seines gegnerischen Tribunatskollegen Trebellius. Die Volkstribunen, die gegen das Schuldenproblem ankämpften, beabsichtigten nur bedingt eine Besserstellung des Volkes.

Neben den Regelungen zum Zins- und Schuldenwesen stammten vermutlich einige weitere Regelungen aus dem Bereiche des Privatrechts von seiten der Volkstribunen. Es sind dies Gesetze über Spielwetten[170] sowie die *lex Fabia de plagiariis*.[171] Auch wenn solche Massnahmen nur punktuell überliefert sind, müssen sie in einem grösseren Rahmen gesehen werden, in dem es um die Festigung sozialer Verhältnisse ging. Nicht zu erkennen ist hingegen, dass die betreffenden Antragsteller auf Initiative von Magistraten (insbesondere der für dieses Gebiet prädestinierten Praetoren) handelten, wie J. Bleicken für entsprechende zivilrechtliche Regelungen der mittleren Republik angenommen hat.[172] Wahrscheinlicher ist, dass sich einzelne Tribunen in ähnlicher Weise wie die andern Magistrate und dabei auch unabhängig von diesen am Ausbau des Zivilrechts beteiligten.Dies spricht dafür, dass die Tribunen auf diesem Gebiet allgemein im Sinne oder gar im Auftrag der Mehrheit des Senats handelten. Durch ihr *ius auxilii* waren die Volkstribunen durchaus mit den Rechtsverhältnissen ihrer Zeit vertraut. Daher sind sie wohl zum Teil auch über die Gesetzgebung im Sinne der Rechtssicherheit oder sozialpolitischer Massnahmen gegen Missstände für Schwächergestellte eingetreten.[173] Die Regelungen blieben allerdings in bescheidenem Rahmen und erfolgten nicht nach einem übergeordneten Gesamtkonzept. Im Prinzip sollten nur Unsicherheiten beseitigt und damit die hergebrachten Zustände bewahrt werden. Eine gesellschaftliche Umorientierung wurde auf dem Wege der Privatrechtsgesetzgebung nie angestrebt.

Folgende tribunizische Anträge befassten sich mit Regelungen zum Privatrecht:[174]

– 67 C. Cornelius plante ein Verbot für Anleihen an Gesandte auswärtiger Völker in Rom. Der Senat lehnte den Antrag unter Hinweis auf ein bestehendes, gleichgerichtetes *senatus consultum* des J. 94 ab, das im J. 70/69 im Zusammenhang mit dem Aufenthalt der kretischen Gesandtschaft in

170 Den Einsatz von Spielwetten regelten die nicht näher bekannten *leges Titia, Publicia* und *Cornelia (de aleatoribus)*. Falls letztere Sulla zuzuschreiben ist, gehören die zwei anderen wohl vor das J. 81 und wurden möglicherweise von Volkstribunen erlassen. Die Gesetze erlaubten in Spielen, die der Senat als *virtutis causa* anerkannt hatte, den Einsatz der *sponsio* und verboten Geldwetten bei unerlaubten Spielen (*alea*) (Dig. 11,5,2,1.3; vgl. Niccolini 433; Broughton 2, 473; Bleicken, Lex publica, 169 A. 114; M. Kuryłowicz, ZRG 102, 1985, 194f.; ders., in: Studia V. Pólay, Szeged 1985, 273).

171 Die möglicherweise tribunizische *lex Fabia de plagiariis* schritt wahrscheinlich im 1. Jh., sicher vor 63, gegen diejenigen ein, die einen Freien, Freigelassenen oder fremden Sklaven unter ihre Gewalt brachten (Rotondi 258f.; Niccolini 437; vgl. Mommsen, Strafr., 780ff.; F. Münzer, RE 6, 1909, 1743; E. M. Štaerman, Die Blütezeit der Sklavenwirtschaft in der römischen Republik, Wiesbaden 1969, 50, vgl. 59).

172 Bleicken, Volkstribunat 1955, 64ff.; dazu die Kritik von Kunkel, Kl. Schr., 583f.

173 Vgl. auch Kunkel, Kl. Schr., 584; Bleicken, Lex publica, 145.

174 Zu den Gesetzen über Spielwetten vgl. A. 170, zur *lex Fabia de plagiariis* A. 171. Unsicher sind Datum und Autor einer *lex Scribonia*, die die *usucapio* von Servituten verbot (Rotondi 414), sowie einer *lex Marcia*, die Regelungen für die Verfolgung von Zinswucher festhielt und dem Schuldner die *manus iniectio* erlaubte, um Wucherzinse zurückzuerhalten (Gai. 4,23); als Rogator ist u. a. L. Marcius Philippus, tr. pl. 104, in Betracht gezogen worden (vgl. Rotondi 326; Niccolini 418; J. van Ooteghem (vgl. A. 40) 105; vgl. dagegen F. Klingmüller, RE 6, 1909, 2192ff., der das Gesetz in das 4. Jh. datiert; zur *manus iniectio* vgl. R. Taubenschlag, RE 14, 1930, 1400ff.); zur *lex Titia de tutela* s. S. 36 A. 105.

Rom bestätigt worden war. Cornelius beklagte sich darauf vor einer *contio*; ob er eine entsprechende Rogation vorlegte, muss ungewiss bleiben; offenbar hat er den Antrag nach der Ablehnung durch den Senat aber nicht mehr weiterverfolgt (Asc. p. 47 St.; dazu M. Bonnefond, in: Des ordres à Rome, hrsg. v. C. Nicolet, Paris 1984, 84ff.)

– 67 A. Gabinius brachte wahrscheinlich gleich darauf (kaum als Konsul 58, wofür zuletzt Gruen, LG, 251f. plädiert) erfolgreich einen Antrag ein, der die Kreditvergabe an Provinzialen in Rom verbot, wobei hier wohl wiederum an die Gesandten gedacht war (Niccolini 258; Broughton 2, 145; vgl. Mommsen, Strafr., 885f.; Bleicken, Lex publica, 145 A. 26; Bonnefond, a.a.O., 87ff.)

– 63 Eine tribunizische Rogation, die wohl noch vor den Forderungen Catilinas eingebracht wurde, beantragte eine Schuldentilgung, über deren Art und Umfang wir jedoch nichts Näheres wissen; sie scheiterte offenbar schon frühzeitig an der Opposition aus dem Lager Ciceros (Dio 37,25,4; vgl. Cic. Cat. 2,18; fam. 5,6,2; Q. fr. 1,1,6; off. 2,84; Rotondi 380; dazu Meyer, CM, 24 ff.; Z. Yavetz, Historia 12, 1963, 490ff., bes. 491 A. 21; Meier, Populares, 609; Martin 45; Schneider, Wirtschaft, 229ff.; Bleicken, Lex publica, 128 A. 79). Dio (37,25,3) redet von einem mit Antonius verbündeten Tribunen

– 49 Einige Tribunen reduzierten während der Abwesenheit Caesars die Zinsen (Dio 41,37,2; vgl. schon Cic. Att. 7,3,5 (9. Dez. 50): Q. Cassius Longinus hatte alle Verschuldeten auf seiner Seite; dazu Meyer, CM, 366; Yavetz 135)

– 47 P. Cornelius Dolabella übernahm die Pläne des gescheiterten M. Caelius Rufus, Pr. 48, der im Anschluss an Caesars Massnahmen (Erleichterung der Abzahlungsbedingungen und Einsetzung von Richtern zur Schlichtung; vgl. Rotondi 415; Yavetz 134ff.) neue Schulden- und Mietzinsennachlässe (auf ein Jahr) gefordert hatte (zu Caelius: Broughton 2, 273; vgl. F. Münzer, RE 3, 1897, 1271; zu Cornelius: Rotondi 418; Broughton 2, 287; vgl. F. Münzer, RE 4, 1901, 1302f.). Seine Anträge scheiterten, da die Abstimmung durch ein SCU und das militärische Eingreifen des *magister equitum* Antonius verhindert wurde (Dio 42,29,2f.; Niccolini 339f.; Stein 68f.)

Der sozialpolitischen Tendenz der privatrechtlichen Regelungen anzuschliessen sind Massnahmen im Bereiche des Münzwesens:[175]

– 91 M. Livius Drusus liess die Silbermünzen mit einem Achtel Kupfer durchsetzen, um damit Geld für sein Acker- und Getreidegesetz zu gewinnen (Rotondi 336; Niccolini 218; vgl. E. Nuber, KJ 14, 1974, 80ff.). Das Edikt, das sich im J. 85 zur Einrichtung von Münzprüfstätten aufdrängte, ist nach M. H. Crawford nicht als Reaktion auf die *lex Livia*, die er als unwirksam erachtet, zurückzuführen (PCPhS 14, 1968, 1–4; Roman Republican Coinage II, Cambridge 1974, 616; Coinage and Money under the Roman Republic, London 1985, 185ff.)

Regelungen zum Senatoren- und Ritterstand (Luxusgesetze)

Einschränkungen von privatem Luxus begegnen seit dem zweiten punischen Krieg durch die ganze Geschichte der Republik. Sie hatten den Zweck, die hergebrachte Sozialordnung zu bewahren und den Senatoren- und Ritterstand vor gewissen Formen der Korruption, die sich auf den politischen Bereich auswirken konnten, zu schützen. Neben gesetzlichen Bestimmungen kamen Massnahmen gegen *sumptus* auch mittels Senatsbeschlusses und magistratischen Edikts zustande.[176] Die tribunizischen Rogationen sind daher als Bestandteil allgemeiner Bemühungen zu sehen. Luxusgesetze (*leges sumptuariae*) sind

175 Zur *lex Clodia de victoriato* und zur *lex Papira semiunciaria* vgl. A. 146.
176 Bleicken, Lex publica, 171.

nach J. Bleicken jeweils auf Anregungen der Nobilität zurückzuführen.[177] Für die tribunizischen Massnahmen der späten Republik ist diese Voraussetzung etwas zu differenzieren. Bei den Gesetzen, die gegen *sumptus* und zur Einschränkung des Senatorenstandes gedacht waren, schalteten sich jetzt auch populare Tribunen ein. P. Sulpicius strebte mit seiner Limite für die Schulden von Senatoren eine Lösung im zerrütteten Kreditwesen an. Gleichzeitig sollten die betroffenen Senatoren möglicherweise zu Landverkäufen veranlasst werden, damit die Ritter neue Möglichkeiten für eine gesicherte Geldanlage erhielten.[178] Hier ging es also weniger um die Einhaltung eines alten Ideals, das die Senatoren allgemein von Handels- und Geldgeschäften abhalten sollte,[179] als um die Besserung der wirtschaftlichen Lage, wohl unter besonderer Berücksichtigung der Ritter. Im Jahr 50 plante Curio eine Gesetzesvorlage, mit der er vermeiden wollte, dass die Senatoren durch pompöses Auftreten ausserhalb Roms die Provinzialen in allzu hohe Unkosten stürzten. Der Antrag war Teil von mehreren Rogationen, die gegen Missstände vorgingen und die Curio offenbar aus eigener Initiative entwickelt hatte.[180]

Die Standesinteressen der Ritter, wie sie auch im Antrag des Sulpicius vertreten wurden, waren schon im *plebiscitum reddendorum equorum* aus der Zeit der Gracchen berücksichtigt worden. Dieses glich im Senat die Vertreter ritterlicher Herkunft den übrigen Senatoren an und grenzte im Zuge der Aufwertung des Ritterstandes aber auch den Senatorenstand von den *equites* ab. Scipio sah sich offenbar veranlasst, den Antrag als *largitio* abzulehnen.[181] Da Senatoren jetzt generell aus den Rittercenturien ausgeschlossen wurden und neue Leute nachrücken konnten, erfuhr der senatorische Einfluss bei Abstimmungen gewisse Einbussen. Nach dem Ausgleich zwischen den Senatoren und den Rittern in der Frage der Richterbestellung vom Jahr 70[182] konnte L. Roscius Otho für die Ritter ein Privileg durchsetzen, das wahrscheinlich schon von C. Gracchus eingeführt, in der Folge aber von Sulla aufgehoben worden war. Gleichzeitig wurden offenbar auch Richtlinien für die ritterliche Qualifikation festgehalten. Der Senat konnte jedenfalls den Bestimmungen des Roscius zustimmen,[183] da sie keinen prinzipiellen Affront gegen den Senatorenstand enthielten.

Im Sinne des Senats war auch die kurz zuvor erlassene *lex Antia sumptuaria*, die wieder in den eigentlichen Bereich der Luxusgesetze zurückführt. Diese wollte Gastmähler, die zur politischen Bestechung veranstaltet wurden, verhindern und somit gegen *ambitus* wirken. Sie näherte sich damit bis zu einem gewissen Grade der Straf-

177 Bleicken, Lex publica, 170; vgl. Volkstribunat 1955, 67, wo Bleicken noch magistratische Initiative in Erwägung zog (dazu oben S. 66.); vgl. zudem I. Sauerwein, Die leges sumptuariae als römische Massnahme gegen den Sittenverfall, Diss. Hamburg 1970, 168; demnächst E. Baltrusch, Regimen morum. Die Reglementierung des Privatlebens der Senatoren und Ritter in der römischen Republik und frühen Kaiserzeit, Vestigia 41, München 1988.

178 Meier, RPA, 83 A. 115. 220 (mit A. 85).

179 Vgl. Brunt, Equites, 128f. (= WdF 413, 1976, 196).

180 Vgl. oben S. 55 und 61.

181 Cic. rep. 4, 2.

182 Dazu unten S. 115.

183 Meier, RPA, 87 A. 140. Cicero nahm L. Roscius Otho besonders bei der Missbilligung durch das Volk bei dessen Theaterbesuch als Praetor des J. 63 in Schutz (Plin. NH. 7,117, vgl. 33,34; Cic. Att. 2,1,3; Plut. Cic. 13).

rechtsgesetzgebung an, konnte aber offenbar nicht die gewünschte Wirkung erzielen. I. Sauerwein hat die *lex Antia* als „Anachronismus" bezeichnet, da Verstösse gegen Luxusgesetze trotz den umfassenden Bestimmungen Sullas[184] zu diesem Zeitpunkt kaum mehr geahndet wurden.[185]

Es kam andererseits auch vor, dass, wie im Falle des Vorstosses des M. Duronius im Jahr 97, bestehende Aufwandgesetze gelockert bzw. abgeschafft wurden. Schon im Verlaufe des 2. Jh.'s hatte der Tribun C. Aufidius durchgesetzt, dass für die Circus-Spiele wilde Tiere (Panther) aus Afrika importiert werden durften, was durch einen Senatsbeschluss untersagt gewesen war.[186] Diese Änderung musste nach J. Bleicken „nicht unbedingt einen Affront gegen den Senat darstellen, da dieser derartige Aufführungen gewiss bereits öfter – wie i. J. 186 – stillschweigend geduldet haben wird".[187]

Die tribunizischen Aktionen im Zusammenhang mit Luxusgesetzen zeigen im Ganzen unterschiedliche Verhaltensweisen. Berücksichtigt man die konsularischen Massnahmen,[188] so spielten die Volkstribunen bei der Wahrung der senatorischen und ritterlichen Standesinteressen durch Luxusgesetze nur eine untergeordnete Rolle. Auch die popularen Anträge konnten nicht die beabsichtigte Wirkung erzielen, da sie beide schon frühzeitig vereitelt wurden. Die Interessen der Plebs wurden auch auf diesem Gebiet nur ungenügend vertreten. Die Volkstribunen übernahmen im Bereich der Luxusgesetze keine regelmässige Aufgabe. Die Aufsicht über die Sitten blieb den Censoren überlassen. Die Rolle eines Überwachungsorgans hatte das Tribunat nie ausgeübt. Eine wichtige Funktion nahm das Tribunat allerdings ein, wenn es um ritterliche Privilegien ging. Aufwertungen ihres Standes hatten die Ritter jeweils tribunizischen Massnahmen zu verdanken. Eine politische Umorientierung wurde in der Zeit nach den Gracchen damit jedoch nicht mehr angestrebt. Bevorteilungen für die Ritter kamen jeweils nur sporadisch und als Einzelmassnahmen zustande.

In der späten Republik kennen wir folgende tribunizische Luxusgesetze und Regelungen zum Senatoren- und Ritterstand:

- 129 (?) Ein Plebiszit, das nach den von Cicero (rep. 4,2) dem P. Scipio Aemilianus in den Mund gelegten Worte im J. 129 diskutiert wurde, schrieb beim Eintritt in den Senat die Abgabe des Staatspferdes und somit den Austritt aus den Rittercenturien vor (Rotondi 303; Niccolini 415; vgl. Mommsen, StR. 3, 505f.; Nicolet 1, 103–111; Meier, RPA, 73 A. 57; Badian, Publicans, 56ff.; Stockton 93f.)
- 97 M. Duronius hob wohl die *lex sumptuaria* des Licinius auf und wurde daraufhin von den Censoren aus dem Senat gestossen (Niccolini 210 f.; dazu Sauerwein (vgl. A. 177) 96f.; Bleicken, Staatliche Ordnung, 24 A. 19; zur *lex Licinia*: Rotondi 327f. und Sauerwein 94 f., der sie ins J. 134 setzt)
- 88 P. Sulpicius (Rufus) setzte für die Schulden eines Senators die Höchstlimite von 2000 Drachmen, deren Überschreitung den Senatsausschluss zur Folge haben sollte. Das Gesetz wurde zusammen

184 Vgl. Rotondi 354f.

185 Sauerwein (vgl. A. 177) 170f., vgl. 144.

186 Plin. NH. 8,64; Niccolini (420) setzt das Gesetz an das Ende des 2. Jh.'s; vgl. dagegen Bleicken (Volkstribunat 1955, 67 A. 5) und Broughton (1, 423 A. 6), die den Tribunen des J. 170 als Rogator vermuten.

187 Bleicken, Volkstribunat 1955, 67 A. 5.

188 In Betracht zu ziehen sind: *lex Aemilia* des J. 115 (Rotondi 320), *lex Licinia* vor dem J. 103 (Rotondi 327f.), *lex Cornelia* des J. 81 (Rotondi 354f.), *rogatio Tullia* des J. 63 (Rotondi 379f.), *rogatio Pompeia Licinia* des J. 55 (Rotondi 405); dazu Sauerwein (vgl. A. 177) 94ff. 120ff. 144ff.

mit den andern Bestimmungen des Sulpicius unter Sulla wieder aufgehoben (App. BC. 1,59,268; Rotondi 345 f.; vgl. Meier, RPA, 83 A. 115; Brunt, Equites, 128f. (= WdF 413, 1976, 196); Bleicken, Lex publica, 173f.)

– 68 (?) Antius Restio, der mit C. Antius der *lex Antonia de Termessibus* identifiziert wird, erliess ein Luxusgesetz, das den Speiseaufwand bei Gastmählern beschränkte und den Magistraten sowie den Bewerbern um ein Amt die Teilnahme an einem Mahl nur bei bestimmten Personen erlaubte (Rotondi 367f.; Niccolini 248f.; vgl. B. Kübler, RE 4 A, 1931, 907; Sauerwein (vgl. A. 177) 140ff.; Bleicken, Lex publica, 171 mit A. 123)

– 67 L. Roscius Otho sicherte den Rittern gesonderte Sitze im Theater, wie dies möglicherweise schon von C. Gracchus vorgenommen, jedoch durch Sulla wieder abgeschafft worden war (Rotondi 374f.; Broughton 2, 145; vgl. B. Kübler, RE 6, 1907, 287f.; F. Von der Mühll, RE 1 A, 1914, 1126; Heuss, RG, 153; Meier, RPA, 73; Badian, Publicans, 58; Bleicken, Lex publica, 175 A. 138). Gleichzeitig wurde mit dem Gesetz des Roscius der Census von 400'000 Sesterzen als ritterliche Qualifikation festgehalten (Iuv. 14,324; Schol. Iuv. 3,155; vgl. Mommsen, StR. 3, 487. 499; Von der Mühll, a.a.O.; Nicolet 1, 56f.; U. Scamuzzi, RSC 17, 1969, 259ff.; 18, 1970, 5ff. 374ff.)

– 50 C. Scribonius Curio plante eine Vorlage, die übertriebenen Aufwand bei Reisen von Senatoren unter Strafe stellte. Ein Gesetz kam aber wohl nicht zustande (Cic. Att. 6,1,25; Rotondi 413; Niccolini 323)

Als Massnahme aus dem Bereich der Sozialpolitik zu erwähnen ist schliesslich noch Clodius' Gesetz über die Vereine, die für die unteren Bevölkerungsschichten eine wichtige Funktion einnahmen, aber auch zur Mobilisierung politischer Gefolgschaften eingesetzt werden konnten. Auf sie wird bei der Untersuchung der Anhängerschaft der Volkstribunen näher einzugehen sein:

– 58 P. Clodius Pulcher legalisierte die Existenz von *collegia* (Kultgenossenschaften, Begräbnisvereine und Handwerkerversammlungen), die im J. 64 vom Senat verboten worden waren (Broughton 2, 196. 3, 58; Bleicken, Lex publica, 163; vgl. unten S. 184)

Zusammenfassung

Gesetze, die die Lebensgrundlagen der Bevölkerung verbessern sollten, betrafen in erster Linie Landanweisungen und Getreidebeschaffungen. Ackerverteilungen wurden in nachgracchischer Zeit zur Hauptsache aber nur noch für Veteranen angestrebt. Getreidegesetze kamen in nachsullanischer Zeit erst wieder mit Cato zustande. Für Schuldenerlass engagierten sich von tribunizischer Seite nach einem ersten Vorschlag vom Jahr 63 erst wieder die Tribunen des Jahres 49. Verbesserungen im Militärdienst waren nur von den Gracchen gefordert worden. Kontinuierliche tribunizische Politik kam damit auf dem Gebiet der Sozialpolitik nicht zustande, auch wenn sich in der Agrarfrage einzelne Tribunen mit einer gewissen Regelmässigkeit bemüht zeigten, entsprechende Anträge einzubringen.

Zivilrechtliche Bestimmungen zielten zum Teil auf eine soziale Schutzfunktion für die Bürger, konnten aber keine unmittelbare Verbesserung für die Lage der Plebs bringen. Die Tribunen übernahmen keine allgemeine Aufgabe in der Überwachung der Aristokratie, wie sich auch bei den Luxusgesetzen zeigte. Diese wurden nur sporadisch eingesetzt und blieben erfolglos bzw. ohne die beabsichtigte Wirkung.

Abgesehen von den Forderungen in bezug auf den Heeresdienst und der Abgabe von Gratisgetreide auf Grund der *lex Clodia*, wurden die Massnahmen der Tribunen auf dem Gebiet der Sozialpolitik durch Vorkehrungen der Konsuln, insbesondere derjenigen

Caesars, überflügelt. Anträge, die von tribunizischer Seite erhoben wurden, konnten meist erst durch konsularische Gesetze umgesetzt werden. Caesar führte auch in der Getreideverteilung einen tragbaren Kompromiss herbei. Wenn man die Luxusgesetze ausklammert, hatten die Volkstribunen aufs Ganze gesehen bei den sozialpolitischen Vorschlägen in der späten Republik aber gegenüber den andern Magistraten zahlenmässig grössere Anteile.

Die Versorgung der gesamten Bevölkerung kann bei den sozialpolitischen Massnahmen der Tribunen nicht als oberster Grundsatz betrachtet werden. C. Gracchus dachte bei seinem Kolonisationsprogramm eher an Gutsbesitzer und Händler als an Kleinbauern. Livius Drusus d. J. ging es in erster Linie um einen Ausgleich zwischen Senat und Rittern. Mit umfassenden Reformprogrammen ist besonders in nachgracchischer Zeit bei den Tribunen nicht zu rechnen.

Diejenigen tribunizischen Anträge, die Vergünstigungen für das Volk herbeiführen wollten, gingen vorwiegend von popularer Seite aus. Von ihr stammten auch die Begünstigungen für den Ritterstand bzw. die entsprechenden Beschränkungen für den Senatorenstand. In einzelnen Fällen kamen zugleich Anträge im Sinne der Senatsmehrheit zustande, etwa auf dem Gebiete der Getreideversorgung, der Luxusgesetzgebung sowie wohl der privatrechtlichen Regelungen. Der Senat selbst ist dabei jedoch kaum als Initiator dieser Gesetze zu fassen.

Die Bestimmungen richteten sich in keinem Fall gegen die sozialen Abstufungen und den prinzipiellen Vorrang des Senatorenstandes, dem die Volkstribunen im Normalfall ja selbst angehörten. Der Ritterstand wurde in nachgracchischer Zeit nur noch selten begünstigt. In der Schuldenfrage nahmen verschiedene Tribunen die Haltung der Kleinhändler ein, die von Krediten abhängig und nur bedingt an *tabulae novae* interessiert waren. Angriffe auf die bestehenden wirtschaftlichen Grundstrukturen lehnten sie ab.

Die tribunizischen Vorlagen im sozialpolitischen Bereich waren allgemein geeignet, die politische Position der betreffenden Tribunen im aristokratischen Machtgefüge durch neue Anhängerschaft zu stärken. Dies schliesst jedoch den Reformwillen einzelner Volkstribunen nicht aus. Bemühungen zur Versorgung der Bevölkerung kamen bis in die Zeit der Herrschaft Caesars zustande.[189] Die tribunizischen Bestrebungen um Schuldenerlass zeigten sich unter Caesar allerdings als erfolglos. Reformen wurden jetzt von anderer Seite diktiert.

b) *Civitas* und Volksversammlung

Bürgerrechtsverleihung

Der Gedanke, Leuten in oder aus unterworfenen und verbündeten Gebieten (Italiens) das Bürgerrecht zu verleihen und damit in die Res publica einzubeziehen, war den Römern im Gegensatz zu den Griechen vertrauter. Erste Impulse zu einer allgemeinen Bürgerrechtsverleihung an die Bundesgenossen kamen unter den Gracchen zustande. Sie ergaben

189 C. Cornelius, tr. pl. 67, mit J. Martin (41) „als den letzten selbständigen Reformtribunen der römischen Republik“ zu bezeichnen, halte ich für zu pauschal. Zudem dürfen Reformbestrebungen auch bei C. Scribonius Curio, tr. pl. 50, nicht gänzlich in Abrede gestellt werden (so Martin 111ff.).

sich aus dem Anliegen, bei der Neuaufteilung des *ager publicus*, der zum Teil auch von Bundesgenossen okkupiert war, eine Gleichbehandlung aller Bewohner Italiens zu ermöglichen. In der Folge wurde das Problem jedoch nicht nur von Volkstribunen aufgegriffen, wie noch zu zeigen sein wird. Hinsichtlich der tribunizischen Vorstösse stellt sich die Frage, inwieweit die betreffenden Tribunen durch das Einbeziehen der Bundesgenossen in den römischen Bürgerverband eine Veränderung der bestehenden politischen Machtstrukturen beabsichtigten. Gleichzeitig ist zu fragen, inwiefern die Bundesgenossengesetze durch Forderungen seitens der *socii* hervorgerufen wurden und damit eine einsichtige Reaktion auf die Umstände der Zeit waren.

Die Übertragung des Bürgerrechts an ganze Gemeinden erfolgte während der Republik im Prinzip immer durch Volksbeschluss.[1] Dies war auch in den wenigen Beispielen von Bürgerrechtsverleihungen an Einzelpersonen der Fall. Erfolgte die Zusprechung des Bürgerrechts bei der Gründung einer Kolonie oder – wie dann seit Marius belegt[2] – durch einen Feldherrn, so musste dies ebenfalls durch einen voraufgehenden Volksbeschluss autorisiert werden.[3] Eine besondere Art der Bürgerrechtsverleihung war diejenige an erfolgreiche Ankläger vor Gericht, wie wir sie von zwei tribunizischen Repetundengesetzen kennen: Die tribunizische *lex Acilia repetundarum* von 122 enthielt die Bestimmung, dass ein unter diesem Gesetz erfolgreicher Ankläger nach Wahl das römische Bürgerrecht oder das Provokationsrecht erhalten sollte.[4] Das Bürgerrecht war auch für Latiner als erfolgreiche Ankläger unter dem Repetundengesetz des C. Servilius Glaucia vom Jahr 101 (bzw. schon demjenigen des Konsuls des J. 106, Q. Servilius Caepio) vorgesehen, sofern das Volk der betreffenden Aufnahme zustimmte.[5] Die Bundesgenossen wurden durch diese Bestimmungen angereizt, Vergehen römischer Beamter ausserhalb Roms anzuzeigen; sie wandten sich damit gegen Korruption im Provinzialgebiet. Im Folgenden sind aber nicht solche Einzelfälle, sondern die Anträge für eine allgemeine Bürgerrechtsverleihung an die Bundesgenossen zu betrachten.

1 Vgl. hier und im Folgenden: Mommsen, StR. 3, 132ff.; E. Kornemann, RE Suppl. 1, 1903, 309ff.; L. R. Taylor, The Voting Districts of the Roman Republic, Rom 1960, 17ff.; Bleicken, Lex publica, 112f.; vgl. Volkstribunat 1955, 50 A. 2. Bürgerrechtsverleihungen durch Magistrate und Senat ohne Befragung des Volkes (Botsford 283. 304; dazu Lange, Röm. Alterthümer 2, 638) sind auch in der früheren Republik unwahrscheinlich (Bleicken, Lex publica, 112).

2 Im J. 101 im kimbrischen Krieg, als Marius aber wohl noch *iniussu populi* handelte (Plut. Mar. 28,3; Val. Max. 5,2,8; vgl. G. Luraschi, Sulle ‚leges de civitate' (Iulia, Calpurnia, Plautia Papiria), SDHI 44, 1978, 329 A. 26); zu Marius als Koloniegründer oben S. 48 A. 46; vgl. zudem die *lex Vatinia* des J. 59 für Caesar (oben S. 55; Taylor (vgl. A. 1) 19).

3 Dieses Recht erhielt in der späten Republik neben Marius (vgl. A. 2) Pompeius, der durch die *lex Gellia Cornelia* der Konsuln 72 nach dem sertorischen Krieg *de consilii sententia* das Bürgerrecht *singillatim* vergeben durfte (Cic. Balb. 19. 32f. 38; vgl. Rotondi 367; Gabba, Republican Rome, 90), nachdem den Feldherrn bereits im J. 90 erlaubt worden war, das Bürgerrecht *virtutis causa* zu verleihen (s. unten S. 78 zur *lex Calpurnia* und *lex Iulia*).

4 *Lex Acilia* lin. 76ff.; Eder 224ff., bes. 229 A. 2, der mit der Mehrheit der Forscher annimmt, dass hier ein *terminus ante quem* für die Bürgerrechtsverleihung an gewesene Magistrate latinischer Gemeinden vorliegt; vgl. auch E. Kornemann, RE Suppl. 1, 1903, 308. Dagegen hat Galsterer (93ff.) dargelegt, dass diese Art der Bürgerrechtserwerbung erst später anzusetzen sei. – Die Wahl des Provokationsrechts entfiel für diejenigen, die in ihren Gemeinden Diktator, Praetor oder Aedil waren.

5 Cic. Balb. 54; dazu E. Badian, Lex Servilia, CR 4, 1954, 101f.

Nach dem Ergebnis J. Bleickens waren die Volkstribunen im Zusammenhang mit der Bürgerrechtsfrage etwas weniger oft beteiligt als in andern Gesetzesbelangen, da „hier eine ältere, von den Curien auf die Centurien übergegangene Kompetenz zäher an der ursprünglichen Versammlung, nämlich den Centuriatcomitien, haftete.“[6] In der späten Republik stammten die Hauptvorschläge im Zusammenhang mit der Bürgerrechtsverleihung, die das Bürgerrecht für alle Bundesgenossen beantragten, von Konsuln (M. Fulvius Flaccus, Cos. 125, und C. Iulius Caesar, Cos. 90). Caesar handelte dabei im Interesse der Senatsmehrheit, während Flaccus den Senat umgangen hatte.[7] Die Beteiligung von Konsuln, möglicherweise auch Praetoren, zeigt ansonsten, dass der Senat an gewissen Punkten Zugeständnisse machen musste, denn nichttribunizische Anträge kamen in vorsullanischer Zeit im Normalfall noch stets in Absprache mit dem Senat zustande.

Vor der endgültigen Verleihung des Bürgerrechts an alle Italiker im Jahr 90/89 war die Bürgerrechtsfrage Gegenstand der popularen Politik, obwohl sie an sich nicht populär war.[8] Die betreffenden Politiker griffen mit der Bundesgenossenfrage ein mit der Neuverteilung des *ager publicus* entstandenes Problem auf,[9] das nicht nur eine Reform im Bundesgenossensystem Roms versprach, sondern ihnen auch neue Anhänger aus dem Gebiet ausserhalb der Stadt verschaffen konnte.[10] Unsicher ist, ob sich bereits Ti. Gracchus mit dem Problem der Bürgerrechtsverleihung beschäftigte.[11] Wahrscheinlich ist, dass sein Ackergesetz zwar auch die Bundesgenossen berücksichtigte, diese dann aber de facto bei der Aufteilung des *ager publicus* leer ausgingen.[12] Akut wurde die Bundesgenossenfrage offenbar erst nach dem Tode des Tiberius.[13] Im Jahr 129 suchten einige Bundesgenossen in Scipio einen Verteidiger gegen die Ackerkommission, die jetzt offenbar auch das von *socii* okkupierte Staatsland einzog.[14] Unmittelbar nach Amtsantritt griff dann der mit den Gracchen verbundene Konsul des Jahres 125, M. Fulvius Flaccus, die Bundesgenossenfrage auf und forderte für die Italiker nach Wahl das Bürgerrecht oder das Provokationsrecht, was er aber nicht durchsetzen konnte.[15] Die Wahl des Provokationsrechts zeigt, dass damals nicht die Forderung nach dem Bürgerrecht als solchem, sondern der Schutz vor römischen Magistraten bei den Bundesgenossen im Vordergrund stand.

6 Bleicken, Lex publica, 112.

7 Val. Max. 9,5,1.

8 Rübeling 25; Meier, Populares, 593; Martin 4.

9 App. BC. 1,21, vgl. 1,34. Dazu E. Badian, FC, 187f., vgl. 178; Roman Politics and the Italians (133–91 B. C.), DArch 4–5, 1970–71, 373–409, bes. 385ff.; Gabba, Republican Rome, 70f.; Galsterer 174ff.; vgl. aber P. A. Brunt, JRS 55, 1965, 90, der auf die Bürgerrechtserwerbungen und Repatriierungen im 2. Jh. als Hinweis auf den Wunsch nach der *civitas* aufmerksam gemacht hat.

10 Zu der Zeit des C. Gracchus vgl. Badian, FC, 179; zu M. Livius Drusus vgl. Meier, RPA, 214ff.; Galsterer 200f.

11 Vell. 2,2,2 ist die einzige Stelle, die dies bejaht: *pollicitusque toti Italiae civitatem*; panitalische Ziele bei Ti. Gracchus macht Appian geltend (vgl. Sherwin-White, Citizenship, 218 A. 2; Badian, FC, 172f. Zu Velleius vgl. F. Münzer, RE 2 A, 1923, 1419f.; weitere Lit. bei Wolf 100 A. 3).

12 Vgl. oben S. 44 A. 13.

13 Vgl. Galsterer 175ff.

14 App. BC. 1,19; dazu Badian, FC, 175; J. Molthagen, Historia 22, 1973, 429ff.; Galsterer 176.

15 Val. Max. 9,5,1; App. BC. 1,21,87; Rotondi 306; Broughton 1, 510; vgl. Galsterer 177ff.; E. Badian (DArch 4–5, 1970–71, 391) denkt nicht an eine Verleihung an Gemeinden, sondern an gewillte Einzelpersonen.

Die Mehrheit des Adels sah sich durch eine Reform in der Bürgerrechtsfrage gefährdet, da sie für die verantwortlichen Politiker Machtzuwachs sowie den Zustrom neuer Leute in die Politik befürchteten.[16] So war denn der Senat erst nach Ausbruch des Bundesgenossenkrieges zu Konzessionen bereit. Der Senat hatte im Jahr 126 auf die offenbar frühzeitig bekannt gewordenen Pläne des Fulvius Flaccus mit einem tribunizischen Gesetz des M. Iunius Pennus geantwortet, das Peregrinen aus Rom auswies und dazu wohl eine *quaestio* einsetzte.[17] Flaccus wurde offenbar noch vor der Abstimmung über sein Bundesgenossengesetz zur Unterstützung Massilias gegen die Ligurer ausgesandt, womit die Rogation hinfällig wurde.[18] Dem Wunsch nach dem Provokationsrecht kam der Senat insofern entgegen, als M. Livius Drusus, der optimatische Konkurrent des C. Gracchus, ein generelles Verbot der Geisselung von Latinern vorschlug, das auch für den Militärdienst gelten sollte.[19] Dies blieb wohl nur eine taktische Versprechung. Gleichzeitig gelang es, das Volk durch entsprechende Gegenpropaganda zu einer egoistischen Position zu führen, die sich gegen das Eindringen neuer Leute in die Volksversammlung und andere öffentliche Institutionen verteidigte.[20]

Für C. Gracchus ist zu vermuten, dass er seine *lex de sociis* erst Mitte des Jahres 122 eingebracht hat.[21] Dies ist ein weiterer Hinweis dafür, dass er anfänglich nach andern Mitteln der Ansiedlung als der Neuverteilung des *ager publicus* gesucht hat. Für die *socii* war zudem nicht das volle Bürgerrecht vorgesehen, so dass weiterhin Schwierigkeiten bestanden hätten, das Staatsland umfänglich aufzuteilen. C. Gracchus lag daher wohl eher an einer Reform im Herrschaftssystem Roms,[22] die ihm gleichzeitig eine Erweiterung seiner persönlichen Anhängerschaft versprach. Jedenfalls setzten sich die Bundesgenossen für den Tribunen ein: Die *socii* wurden für die Zeit der Abstimmung über diese Fragen aus Rom ausgewiesen.[23] Beim römischen Volk erlitt C. Gracchus wegen der Bundesgenossenfrage

16 Vgl. A. 10 und A. 20.

17 Broughton 1, 508. C. Gracchus hielt eine Rede dagegen (Fest. p. 362 L; ORF[4], p. 179f.); Mommsen (StR. 3, 200 A. 1; Strafr., 858) vermutet eine *quaestio* zur Aburteilung von Anmassungen des Bürgerrechts; vgl. Rotondi 304. Möglicherweise ist die Verurteilung des M. Perperna, Vater des Konsuls 130, darauf zu beziehen (Val. Max. 3, 4, 5; vgl. Mommsen, a.a.O.; M. Gelzer, Kleine Schriften, Bd. 1, Wiesbaden 1962, 59f. A. 457; dagegen E.Badian, DArch 4–5, 1970–71, 378). Auch in der Diskussion um die Aufnahme der Transpadaner ins Bürgerrecht wurde im J. 65 eine *quaestio* eingesetzt (vgl. unten S. 162). R. W. Husband (On the Expulsion of Foreigners from Rome, CPh 11, 1916, 324, vgl. 319f.) hat dargelegt, dass es sich bei Pennus um die einzige generelle Ausweisung von Bundesgenossen zur Zeit der Republik handeln könnte; vgl. auch E. Badian, DArch 4–5, 1970–71, 388; Galsterer 178f.

18 Broughton 1, 510.

19 Plut. C. G. 9,3. Oft wird dies als Verleihung des Provokationsrechts an die Latiner gedeutet, vgl. Rotondi 315; Sherwin-White, Citizenship, 136f.; H.C. Boren, CJ 52, 1956, 32; Badian, FC, 185ff.; J. Bleicken, RE 23, 1959, 2448f.; P. A. Brunt, JRS 55, 1965, 91.

20 C. Fannius, Cos. 122, hielte eine Rede *de sociis et nomine Latino contra C. Gracchum* (Cic. Brut. 99), in der er dem römischen Volk die Gefährdung seiner Plätze bei der Volksversammlung, den Spielen und Festen suggerierte (ORF[4], p. 143f.; dazu Badian, FC, 187f.; Galsterer 182).

21 Vgl. K. Meister, Die Bundesgenossengesetzgebung des Gaius Gracchus, Chiron 6, 1976, 118f.

22 Martin 156 f.

23 Vgl. unten S. 170.

aber einen endgültigen Popularitätsverlust.[24] Für seine persönliche Machtstellung hat sich die Bundesgenossenfrage im Endeffekt negativ ausgewirkt.

Nach dem Scheitern des Fulvius Flaccus und des C. Gracchus hören wir von der Bundesgenossenfrage vorerst nichts mehr.[25] Bei den Bundesgenossen müssen aber in der Folge weitere Nachteile gegenüber den römischen Bürgern bewusst geworden sein. So machte sich auch bei den *socii* der Wunsch breit, nach der Militärdienstzeit angesiedelt zu werden.[26] In der gehobeneren Schicht der Händler tauchte wohl die Forderung nach dem Stimmrecht auf, um insbesondere bei Fragen der Aussenpolitik eine gewisse Mitbestimmung zu erhalten.[27] Als die Konsuln des Jahres 95 die Massnahmen gegen rechtswidrige Erwerbung des Bürgerrechts verschärften, sollte dies ein Anlass zum Ausbruch des Bundesgenossenkrieges werden. Die Zuerkennung des Bürgerrechts an alle Italiker liess sich in der Folge nicht mehr lange verhindern.[28]

Im Jahr 91 griff M. Livius Drusus erstmals als Vertreter der Optimaten die brisante Frage auf und setzte sich, allerdings ohne Erfolg, für die Bürgerrechtsverleihung ein. Inwieweit dieser Vorschlag auch mit seinem Ackergesetz zusammenhing, muss fraglich bleiben.[29] Drusus hatte unter den Bundesgenossen eine grosse persönliche Gefolgschaft, die ihm angeblich eidlich verpflichtet war und ihn nach der Aufnahme in die Bürgerschaft politisch unterstützen sollte.[30] Hier bahnte sich für das Empfinden der römischen Führungsschicht eine allzu grosse Machtstellung an, und im Herbst gelang es dem Konsul L.

24 Vgl. K. Meister, Chiron 6, 1976, 118f.; Wolf 128 (A. 3); Galsterer 183.

25 Mit der Zerschlagung der Bürgerrechtspläne des Fulvius Flaccus wird der Aufstand der latinischen Kolonie Fregellae in Verbindung gebracht (Badian, FC, 179 A. 4; Wolf 106; Galsterer 179ff.). C. Gracchus, dem damals die Schuld zugeschoben wurde, konnte sich erfolgreich verteidigen (Plut. C. G. 3,1; vgl. Galsterer 180f.). Der Aufstand blieb jedoch ein Einzelfall, der keine weiteren Proteste nach sich zog.

26 Galsterer 193ff.

27 Gabba, Republican Rome, 70ff.; E. T. Salmon, The Cause of the Social War, Phoenix 16, 1962, 107–119; P. A. Brunt, Italian Aims at the Time of the Social War, JRS 55, 1965, 90–109 (bes. 90).

28 Asc. p. 54 St.; Cic. Sest. 30; Rotondi 335; vgl. dazu Husband (oben A. 17) 321ff., der meint, dass es sich nicht um eine generelle Ausweisung von *socii*, sondern um eine *quaestio* zur Aburteilung von Leuten mit unrechtmässig erworbenem Bürgerrecht handelt, wofür Cic. off. 3,47 spricht; anders Mommsen, Strafr., 858f. (A. 5); vgl. Sherwin-White, Citizenship, 111. 140; Badian, FC, 297 Note R; DArch 4–5, 1970–71, 405ff.; Galsterer 187ff.; P. A. Brunt (JRS 55, 1965, 92) und E. Gabba (ANRW I 1, 1972, 786) betrachten dies nicht als Repatriierungsmassnahme, wie dies zuletzt Galsterer (165. 187ff.) angenommen hat.

29 S. unten S. 77f. Umstritten ist die Stellung und der Zeitpunkt dieses Gesetzes innerhalb des Programms des Drusus. Dass die Bürgerrechtsverleihung seit Beginn des Tribunats des Drusus propagiert wurde, nimmt mit gutem Grund Gabba (Republican Rome, 73) an, auch wenn das Hauptanliegen das Richtergesetz war; abzulehnen ist Thomsen (33f. 43. 47), der das Bürgerrechtsgesetz dem Richtergesetz voranstellen will; U. Hackl (Gymnasium 94, 1987, 120ff.) hat zuletzt geltend gemacht, dass das Bürgerrechtsgesetz nicht von Anfang an auf dem Programm des Drusus stand, sondern erst im Verlaufe des Tribunats entwickelt wurde; ein Zeitpunkt nach dem Tode des Crassus muss aber zu spät sein, da auch Drusus bald darauf starb; ausserdem war Drusus in den Ackerkommissionen tätig (CIL VI 1, 1312 = Dessau 49) und muss daher schon frühzeitig an eine Lösung des Bundesgenossenproblems gedacht haben.

30 Diod. 37,10,2.11; vgl. dagegen Martin 195 A. 5. Drusus hatte seine Klienten wie C. Gracchus und hellenistische Könige in drei Klassen eingeteilt (Sen. benef. 6,34,1f.).

Marcius Philippus schliesslich, den Senat gegen Drusus umzustimmen.[31] Als Drusus etwas später umgebracht wurde, entbrannte in Kürze der Aufstand der Bundesgenossen gegen Rom. Beachtung verdient in unserem Zusammenhang folgende Episode bei Diodor:[32] Der Marserführer Pompaedius soll mit 10'000 Männern in Richtung Rom marschiert sein, um vom Senat das Bürgerrecht zu verlangen, bis ihm unterwegs Cn. Domitius Ahenobarbus[33] begegnete. Diesem gab er die Auskunft, dass er von den Volkstribunen gerufen sei. Da die Begebenheit eher in die Zeit nach Drusus' Tod fällt, könnte sie dafür sprechen, dass einige Tribunen dessen Politik weitergeführt haben.[34]

Der Senat musste schliesslich dem Druck der Bundesgenossen weichen. Der Bundesgenossenkrieg führte im Jahr 90 zur konsularischen *lex Iulia*, die das Bürgerrecht an die Latiner[35] sowie an alle treu gebliebenen Bundesgenossen[36] und eventuell auch an diejenigen, die bis zu einem gewissen Zeitpunkt die Waffen niedergelegt hatten,[37] vorsah. Durch die *lex Plautia Papiria* wurde die Bürgerrechtsfrage in Italien zumindest südlich des Po endgültig beigelegt. Zieht man zur *lex Plautia Papiria* die *lex Calpurnia* (über die Gründung zweier neuer Tribus)[38] in Betracht, so hatten die tribunizischen Gesetze in dieser Phase eher nur ergänzenden Charakter, da die Hauptpunkte vorangehend schon durch ein konsularisches Gesetz festgelegt worden waren. Ferner dürften die Gesetze der Tribunen hier auf eine Zusammenarbeit mit dem Senat bzw. gar eine Weisung des Senats zurückzuführen sein. Motive des persönlichen Machtgewinns können bei ihnen kaum im Vordergrund gestanden haben.

Als letzter Streitpunkt blieb noch die Aufnahme des Transpadaner ins Bürgerrecht, die im Jahr 89 durch das Gesetz des Konsuls Cn. Pompeius Strabo nur latinisches Recht erhalten hatten.[39] Caesar wollte den Transpadanern schon Ende 68 die *civitas* gewähren,[40] und Crassus strebte als Censor des Jahres 65 dasselbe Ziel an.[41] Dies versprach ihnen eine

31 Galsterer 201.

32 Diod. 37,13,1.

33 Diodor nennt einen C. Domitius.

34 F. Münzer (RE 13, 1926, 878f.) denkt als Nachfolger an Drusus' Kollegen Saufeius, der mit diesem in der Ackerkommission wirkte. Als Fortführer der drusischen Politik gilt auch P. Sulpicius (Rufus), tr. pl. 88 (s. unten S. 79). Auf Drusus bezogen die Episode zuletzt E. Badian (DArch 4–5, 1970–71, 407) und Galsterer (200); vgl. schon Thomsen 46 A. 2 (vgl. 43 A. 1).

35 Gell. 4,4,3.

36 Cic. Balb. 21; App. BC. 1,49,212.

37 Vell. 2,16,4; dazu E. Badian, Historia 11, 1962, 228; Luraschi (vgl. A. 2) 324. Das Gesetz regelte wie die *lex Calpurnia* (s. unten S. 78) auch die Zuteilung des Bürgerrechts *virtutis causa* durch einen Feldherrn (Dessau 8888; vgl. Rotondi 338f.; P. A. Brunt, JRS 55, 1965, 107, vgl. 95f.). Die Bürgerrechtsverleihung Sisenna frg. 119 Peter: *Tudertibus senati consulto et populi iusso dat civitatem* dürfte nach der *lex Iulia* erfolgt sein (Sherwin-White, Citizenship, 153; Badian, a.a.O., 228 A. 111; Brunt, a.a.O., 96 mit A. 39) und zeigt die Zusammenarbeit zwischen Senat und Volksversammlung (zur Rolle des Senats s. auch Liv. per. 80); vgl. ferner M. W. Seston, CRAI 1978, 529–542.

38 S. unten S. 81 und A. 55.

39 Rotondi 342; dazu Badian, FC, 229.

40 Vgl. Suet. Iul. 8; dazu Meyer, CM, 12f.

41 Ebenda. Crassus scheiterte am Widerspruch des Kollegen Catulus (Plut. Crass. 13, vgl. Dio 37,9). Vgl. auch die Censusverhinderung im darauffolgenden Jahr durch die Tribunen, unten S.245. Ferner Gelzer, Caesar, 85; Gruen, LG, 409ff.

Erweiterung ihrer persönlichen Machtstellung. Der Senat reagierte darauf wiederum mit einem Gerichtshof gegen Anmassung des Bürgerrechts, den der Tribun C. Papius im Jahr 65 durchsetzte.[42] Die Aufnahme der Transpadaner gelang Caesar jedoch erst im Jahr 49, wobei er dies aber kaum durch ein tribunizisches Gesetz vornehmen liess.[43]

Dieser Überblick zeigt, dass der Senat in der Bundesgenossenfrage erst zu Handlungen bereit war, als massiver Druck auf ihm lastete. Für gesetzliche Regelungen standen ihm Tribunen zur Verfügung. Angewiesen war er auf diese jedoch nicht, da die wesentlichen Bestimmungen bereits von konsularischer Seite festgelegt worden waren. Unter den Volkstribunen hatten sich nur C. Gracchus und Livius Drusus eigenständig in der Bundesgenossenfrage engagiert. C. Gracchus büsste dadurch seine Popularität ein und auch Livius Drusus stürzte über dem Bundesgenossenantrag. Die Inangriffnahme der Bundesgenossenfrage erwies sich damit für weitere Tribunen wohl als zu riskant. Die Bundesgenossen bildeten nur eine unsichere Anhängerschaft. Die Frage der *civitas* konnte nicht zu einem tribunizischen Thema werden. Die Tribunen strebten keine Veränderung der politischen Grundstrukturen an, sondern nur eine Erweiterung ihrer Anhängerschaft. Zudem ging es in nachgracchischer Zeit um die Lösung eines zur Bedrohung gewordenen Problems.

Folgende tribunizische Anträge befassten sich mit der Verleihung des Bürgerrechts: [44]

- 122 C. Sempronius Gracchus, der mit M. Fulvius Flaccus zusammenarbeitete (App. BC. 1,34,153), schlug für die Latiner das Bürgerrecht und für die übrigen Bundesgenossen das latinische Recht oder auch nur das Stimmrecht vor. Oft werden zwei Phasen in der Bundesgenossengesetzgebung des Gaius angenommen, wobei die nichtlatinischen Bundesgenossen erst in der zweiten Phase berücksichtigt worden seien (vgl. dazu Sherwin-White, Citizenship, 136f.; Wolf 87ff., bes. 130). K. Meister hat demgegenüber zuletzt wieder nur eine Rogation angenommen, die ungefähr in die Mitte des J. 122 zu setzen wäre; für die Bundesgenossen war nach ihm das volle Stimmrecht in allen 35 Tribus vorgesehen (Chiron 6, 1976, 113–125, vgl. 116f. zum Stimmrecht; 124 A. 35: weitere Autoren, die nur ein Gesetz annehmen; vgl. allgemein auch Badian, FC, 181ff.; Martin 156f.; mit dem Stimmrecht rechnen auch Meyer, Staatsgedanke, 302 und Heuss, RG, 154). Das Gesetz kam nicht zustande, da es wohl vom Volk abgelehnt wurde (App. BC. 1,23,101; vgl. Meister 122 A. 34), womit sich auch eine Interzession des M. Livius Drusus erübrigte (Wolf 128 A. 3 mit Lit.)
- 91 M. Livius Drusus stellte ohne Erfolg den Antrag auf Bürgerrechtsverleihung, wobei nicht bekannt ist, ob nach dem Schema der früheren Vorschläge (Fulvius Flaccus, C. Gracchus) oder ob jetzt an alle Bundesgenossen (Rotondi 336; Broughton 2, 21f.; dazu Badian, FC, 215ff.; Meier, RPA, 211ff.; Galsterer 200f. A. 96). Nach Velleius (2,13,3) gab der Senat den schlechten Vorschlägen

42 Vgl. unten S. 162; Husband (vgl. A. 17) 323ff.

43 Vgl. dazu Rotondi 416; Broughton (2, 258), Yavetz (68ff.) und F. J. Bruna (Lex Rubria, Leiden 1972, 310f.) denken an den Praetor L. Roscius Fabatus als Rogator; vgl. dagegen Niccolini (441ff.) und U. Ewins (The Enfranchisement of Cisalpine Gaul, PBSR 23, 1955, 91ff.), die an Stelle der *lex Roscia* die möglicherweise tribunizische *lex Rubria* (vgl. Broughton 3, 182) in Erwägung ziehen. Vgl. auch die Zuteilung des Bürgerrechts an die Gaditaner (Rotondi 415).

44 Als normatives Gesetz auf dem Gebiet des Bürgerrechts begegnet die möglicherweise tribunizische *lex Minicia*, die auf einen unbekannten Zeitpunkt vor dem J. 90 fallen muss und die den Status von Kindern aus Verbindungen zwischen Bürgern und Nichtbürgern nach letzteren definierte, falls kein *conubium* bestand (Gai. 1,78–80; Ulp. 5,8; vgl. Niccolini 424; Galsterer 161 (A. 23) datiert es in die erste Hälfte des 2. Jh.'s v. Chr.).

der Kollegen des Drusus mehr Zustimmung als denjenigen des Drusus. Über den Inhalt dieser Vorschläge ist nichts bekannt; möglicherweise haben sie das Gesetz des Drusus konkurrenziert und von dessen Hauptpunkten abgelenkt

– 90 /89 (?) L. Calpurnius Piso stellte als Volkstribun (oder Praetor; vgl. Lange, Röm. Alterthümer 3, 112; Gabba, Republican Rome, 91) Regeln für die Verleihung des Bürgerrechts, wie sie ein Feldherr als Tapferkeitsauszeichnung vornehmen konnte, auf. Das Gesetz wird meist in unmittelbare Nähe zur konsularischen *lex Iulia* des J. 90 gesetzt, das die gleiche Klausel enthielt und allgemein die Verleihung des Bürgerrechts an die Bundesgenossen regelte (Sisenna frg. 120 Peter; Niccolini 225ff.; dazu E. Badian, Historia 11, 1962, 227 und G. Luraschi, SDHI 44, 1978, 321–370, die die *lex Calpurnia* nach dem Erlass der *lex Iulia* ansetzen, entgegen E. Gabba, Athenaeum 32, 1954, 87–98 (= Republican Rome, 89–96), P. A. Brunt, JRS 55, 1965, 107 f. und Broughton 3, 48, die sie vor die *lex Iulia* setzen; zur Kreierung zweier neuer Tribus durch Pio s. unten S. 79 und 81). Caesar, der das Bürgerrecht schon vor der *lex Iulia* an einen Kreter gab, handelte eventuell unter der *lex Calpurnia* (Diod. 37,18)

– 89 M. Plautius Silvanus und C. Papirius Carbo beschlossen nach Cicero (Arch. 7) das Bürgerrecht auch für *adscripti* der neu aufgenommenen Gemeinden (womit wohl Peregrinen gemeint sind, die in eine italische Gemeinde aufgenommen worden waren, möglicherweise aber in einer andern Gemeinde wohnten). Diese mussten beim Erlass des Gesetzes allerdings in Italien Wohnsitz haben und sich innerhalb von 60 Tagen beim Praetor melden. Trotzdem wird in diesem Gesetz meist eine allgemeine und umfassende Massnahme zur Aufnahme aller Italiker ins Bürgerrecht vermutet, wie Schol. Bob. p. 175 St. angibt (vgl. zuletzt G. Luraschi, SDHI 44, 1978, 339f. 370; dagegen Rotondi 340 f.; Sherwin-White, Citizenship, 151ff.; E. Badian, Historia 11, 1962, 227f.; Studies in Greek and Roman History, Oxford 1964, 98 A. 34; Broughton 3, 159)

Tribuseinteilung

Bei Aufnahmen ins Bürgerrecht stellte sich jeweils die Frage, in welche Tribus die Neubürger einzuteilen waren. Auch im Falle von Koloniegründungen musste in den entsprechenden Gesetzen wohl stets die Tribuseinteilung der Bewohner geregelt werden.[45] Bei den tribunizischen Koloniegründungen ist jedoch nichts über Tribuszuweisungen bekannt. In diesem Kapitel geht es daher ausschliesslich um die Einteilung der im Jahr 89 neu ins Bürgerrecht aufgenommenen Italiker sowie um den Versuch, auch die Freigelassenen auf alle Tribus zu verteilen.[46]

Die Zahl der Tribus war im Jahr 241 zum letzten Mal erhöht worden und sollte von da an bei 35 bleiben.[47] Mit der Aufnahme der Italiker ins Bürgerrecht stellte sich aber offenbar nochmals das Problem, ob und wie viele Tribus für die Neubürger zu schaffen waren, oder ob sie in eine bestimmte Zahl der bestehenden Tribus eingeteilt werden sollten. Es ist anzunehmen, dass für die Neugründung von Tribus ein Volksbeschluss vorliegen musste.[48] Als der Senat im Jahr 89 die Neubürger auf nur wenige,[49] wahrscheinlich

45 Taylor (vgl. A. 1) 18.

46 Zum Bundesgenossengesetz des C. Gracchus hat K. Meister (Chiron 6, 1976, 116 ff.), gestützt auf App. BC. 1,23,99 und Plut. C. G. 5,2, entgegen der üblichen Forschungsmeinung, dass die übrigen Bundesgenossen neben den Latinern das latinische Recht und damit das Stimmrecht nur in einer der Tribus erhalten sollten, angenommen, dass diese in alle Tribus eingeteilt werden sollten.

47 U. Hackl, Das Ende der römischen Tribusgründungen 241 v. Chr., Chiron 2, 1972, 135–170.

48 Taylor (vgl. A. 1) 18ff., bes. 23f.; Hackl (vgl. A. 47) 164.

49 Dazu unten.

neugeschaffene[50] Tribus verteilen liess, war dies möglicherweise in der *lex Plautia Papiria* verankert,[51] denn einen andern Volksbeschluss, der dies hätte enthalten können, kennen wir im Jahr 89 nicht. Tribusgründungen hatte wohl schon die *lex Iulia* festgelegt, die somit – unverändert oder leicht modifiziert – übernommen werden konnten.[52] Nach Velleius wurden die Neubürger am Ende des Bundesgenossenkrieges in acht Tribus eingeteilt,[53] während mit Appian für die *lex Iulia* an zehn Tribus zu denken ist.[54] Spekulativ ist die Annahme, dass von ursprünglich 10 neuen Tribus die zwei von L. Calpurnius Piso rogierten Tribus abgezogen wurden.[55]

Durch die Einteilung der Neubürger in nur wenige Tribus wollte der Senat deren Einfluss in den Abstimmungen möglichst gering halten. Damit sollten allfällige Machtverlagerungen in der Volksversammlung vermieden werden, auch wenn von den Neubürgern kaum ein anderes Wahlverhalten zu erwarten war, als es bei den Altbürgern der Fall war. Als sich in der Zeit nach dem Bundesgenossenkrieg eine Gruppe von Politikern mit neuen Formen der Tribuszuteilung beschäftigte und auch die Freigelassenen in alle Tribus einteilen wollte, geschah dies stets gegen den Willen des Senats.

P. Sulpicius führte mit seiner Vorlage zur Aufteilung der Neubürger in alle Tribus die Bürgerrechtspolitik des Livius Drusus konsequent weiter und beugte der Gefahr neuer Aufstände der Bundesgenossen vor.[56] Die Reform war zudem geeignet, die Bestechungsmöglichkeiten bei Abstimmungen zu verringern. Da die Tribus an Homogenität einbüssten, wurde die gezielte Bestechung einzelner Wahlkörper erschwert. Daher musste jetzt an mehr Leute Geld verteilt werden, um auf diesem Wege die Mehrheit aller Tribusstimmen zu gewinnen. Dem Rogator selbst versprach die Vorlage andererseits Anhängerschaft bei den Neubürgern. Die Verbesserung der Stellung der Neubürger missfiel aber nicht nur dem Senat, sondern war auch im Volke unpopulär.[57] Sulpicius sicherte sich daher die Unterstützung des Marius, dem er als Gegenleistung das Kommando gegen Mithridates übertragen liess, das bereits Sulla zugesprochen worden war.[58] Neben den Neubürgern wollte Sulpicius auch die Freigelassenen auf alle Tribus verteilen und so ihre Position in der Volksversammlung aufwerten. Ähnliche Versuche, die politische Stellung der Freigelassenen zu verbessern, waren vereinzelt auch schon früher unternommen worden, zuletzt eventuell durch den Konsul des Jahres 115, M. Aemilius Scaurus.[59] In einem Fall

50 So App. BC. 1,49,214.53,231; vgl. Meier, RPA, 216f.; D. Flach, HZ 217, 1974, 283ff.

51 Gabba, Republican Rome, 94, der mit acht Tribus rechnet; vgl. Flach (vgl. A. 50) 284f.

52 Nach App. BC. 1, 53, 231 wurden die Neubürger am Ende des Bundesgenossenkrieges auf dieselbe Weise in neue Tribus aufgenommen wie zuvor, was Gabba (Republican Rome, 92) auf die *lex Iulia* bezieht.

53 Vell. 2,20,2.

54 App. BC. 1,49,214; dazu Gabba, Republican Rome, 91f.

55 Dazu Gabba, Republican Rome, 94f.; zur Einteilung der Neubürger vgl. allgemein Taylor (vgl. A. 1) 101ff.

56 Meier, RPA, 217.

57 Martin 205f. Die Verteilung der Neubürger auf alle Tribus, wie sie Sulpicius anstrebte, bedrohte nach Ch. Meier (RPA, 139) „die Stellung der alten Senatsaristokratie zum ersten Mal stärker, wenn auch keineswegs grundsätzlich".

58 Nach App. BC. 1,55f. war das Neubürgergesetz mit dem Ziel erlassen worden, Marius dieses Kommando zuzusprechen; vgl. dagegen Martin 199ff.

59 Taylor (vgl. A. 1) 141ff.

hatte sich auch ein Volkstribun beteiligt, nämlich Q. Terentius Culleo im Jahr 189, der für die Scipionen die Söhne von Freigelassenen auf alle Tribus verteilen lassen wollte.[60]

Als Cinna als Konsul des Jahres 87 das sulpicische Gesetz über die Neubürger und die Freigelassenen nach der Beseitigung durch Sulla wieder aufnehmen wollte, kam es zu bewaffneten Auseinandersetzungen zwischen Neubürgern und den von dem zweiten Konsul (Cn. Octavius) angeführten Gegnern der Bestimmung. Nach Appian war die Mehrheit der Volkstribunen gegen den Plan des Cinna und interzedierte.[61] Daraufhin gingen die Neubürger mit Dolchen auf sie los, und es kam zum Gemetzel mit Octavius und seinen Leuten. Cinna verliess die Stadt, und sechs Volkstribunen taten es ihm gleich.[62] Somit müsste man mit einem Stellungswechsel von zwei oder mehr Tribunen rechnen, falls Appians Angabe über die interzedierenden Tribunen, die die Mehrzahl dargestellt haben sollen, stimmt.[63] Unklar ist, ob Cinna in der Folge das Gesetz unmittelbar nach seiner Rückkehr in die Stadt durchbrachte oder erst im Jahr 84, wie man aus Livius schliessen könnte.[64] Die Verteilung der Neubürger auf alle Tribus akzeptierte dann auch Sulla,[65] nicht aber diejenige der Freigelassenen.

In nachsullanischer Zeit wurde das Ziel, die Stellung der Freigelassenen zu verbessern, erneut aufgegriffen, wobei sich insbesondere C. Manilius, tr. pl. 66, hervortat. Sein Gesetz entsprach demjenigen des Sulpicius und war offenbar schon von C. Cornelius als Tribun des Jahres 67 geplant, aber nicht rogiert worden.[66] Die *lex Manilia* wurde jedoch vereitelt und auch Clodius, der im Hinblick auf die von ihm angestrebte Praetur für das Jahr 52 eine entsprechende Aufwertung der *liberti* ankündigte, kam nicht mehr ans Ziel,[67] so dass das Projekt endgültig scheiterte.

Sowohl die Verteilung der Neubürger als auch diejenige der *liberti* auf alle Tribus war unpopulär und gegen den Willen des Senats. Im Falle der Neubürger bestand aber grösserer Druck von seiten der betroffenen Bevölkerungsschicht, so dass ihre Neuverteilung bald auch von konservativen Kreisen akzeptiert werden musste.[68] Entsprechendes ist im Falle der Freigelassenen nicht zu beobachten, auch wenn sich Manilius zur Durchsetzung seines Antrages einer Bande bediente, in der *liberti* vertreten waren.[69] Zu tätlichen Auseinandersetzungen kam es ansonsten in dieser Angelegenheit nie. Jene Einzelpersönlichkeiten, die sich der Sache der Freigelassenen annahmen, verfolgten dies offenbar nicht mit letzter Konsequenz und der Senat konnte ihnen erfolgreich entgegentreten.

60 Bleicken, Volkstribunat 1955, 68; Taylor (vgl. A. 1) 138.
61 App. BC. 1,64,290.
62 Liv. per. 79; Gran. Licin. p. 13 Criniti.
63 B. R. Katz, AC 45, 1976, 500. E. Gabba (Comm., 182) stellte die Angabe des Appian wegen der sechs entflohenen Tribunen in Frage.
64 Liv. per. 84; dazu Taylor (vgl. A. 1) 105; Martin 206; Meier, RPA, 230 (A. 147); Brunt, IM, 91ff.; Perelli 149f.; Hackl, Senat, 246 A. 111. An die Verteilung der *liberti* im J. 84 denkt Perelli 151, vgl. P. A. Brunt, JRS 55, 1965, 109.
65 Liv. per. 86.
66 Cic. in Corn. I p. 52 St.; dazu Marshall 90.
67 Asc. p. 44 St.; vgl. Cic. Mil. 87.89.
68 Dazu Gabba, Republican Rome, 97.
69 Asc. p. 39 St.; Weiteres unten S. 184.

Auch wenn die Händler und Handwerker als *liberti* einen Teil der Anhängerschaft der Tribunen ausmachten,[70] handelte es sich bei der angestrebten Neueinteilung der Freigelassenen um eine politische Reform, die nicht nur aus dem Willen zu persönlichem Machtgewinn zu erklären ist. Dies deutet schon die Beteiligung des Cornelius an, der sich um weitere Reformen in der Res publica bemüht hatte.[71] Bei Manilius war der Antrag mit einer Reform des Abstimmungsmodus in den Centuriatcomitien gekoppelt, wie sie möglicherweise schon C. Gracchus geplant hatte.[72] Da die Freigelassenen in der Volksversammlung zahlenmässig stärker vertreten waren als die Neubürger, hätte ihre Aufteilung auf alle Tribus eine spürbare Gewichtsverlagerung mit sich gebracht. Der Anteil der unteren Schichten in den Tributcomitien wäre aufgewertet worden. Grundsätzliche Veränderungen in den Machtstrukturen strebten die betreffenden Tribunen mit dieser Massnahme jedoch nicht an. Vielmehr suchten sie einen Angleich an die gesellschaftliche Entwicklung, die die Zahl der Freigelassenen und deren Bedeutung zunehmend ansteigen liess.

Das Verhalten der Volkstribunen war in der Frage der Tribuseinteilung wiederum unterschiedlich. Im Jahr 87 waren sowohl auf der Seite Cinnas als auch auf der Seite seiner Gegner Tribunen engagiert. Im Ganzen waren die Volkstribunen bei den Bestrebungen um die Tribuszuweisung der Neubürger und Freigelassenen zu gleichen Teilen beschäftigt wie andere Magistrate. Die Neubürger und Freigelassenen boten nicht nur für die Volkstribunen eine Mobilisierungsbasis. Zudem liess der von den Neubürgern ausgeübte Druck Massnahmen zu deren Besserstellung wohl für breite Kreise als unausweichlich erscheinen.

Folgende tribunizische Anträge befassten sich mit der Tribuseinteilung von Neubürgern und Freigelassenen:

- 90 /89 (?) L. Calpurnius Piso, der möglicherweise für die *lex Calpurnia de civitate* (s. oben S. 78) verantwortlich war, kreierte in Anbetracht der aufzunehmenden Bundesgenossen zwei neue Tribus (Sisenna frg. 17 Peter: *Lucius Calpurnius Piso ex senati consulto duas novas tribus;* dazu Gabba, Republican Rome, 90ff.)
- 88 P. Sulpicius (Rufus) versuchte, die neu ins Bürgerrecht aufgenommenen Bundesgenossen auf alle Tribus zu verteilen, was ihm vorerst auch gelungen ist (Rotondi 346)
- 88 P. Sulpicius (Rufus) wollte zudem auch die Freigelassenen auf alle Tribus verteilen (Asc. p. 52 St.; Liv. per. 77; dazu Taylor (vgl. A. 1) 143f.; Meier, RPA, 139. 220; Populares, 610; A.W. Lintott, CQ 21, 1971, 453; Alföldi, Caesar in 44 v. Chr., 19f.). Sulla liess die Bestimmungen des Sulpicius wieder aufheben (vgl. Cic. Phil. 8, 7)
- 67 C. Manilius brachte Ende 67 ein Gesetz ein, das die Freigelassenen auf alle Tribus verteilen sollte, indem es die *liberti* der Tribus ihres Patrons zuwies. Das Gesetz wurde jedoch vom Senat wegen Missachtung der Promulgationsfrist gleich wieder kassiert, ohne von Manilius weiter verteidigt zu werden (Asc. p. 39.52f. St.; Broughton 2, 153; vgl. Mommsen, StR. 3, 376 A. 1; Taylor (vgl. A. 1) 144f.; K.-W. Welwei, in: Vom Elend der Handarbeit, hrsg. v. H. Mommsen/W. Schulze, Stuttgart 1981, 63f.; Perelli 173; Alföldi, Caesar in 44 v. Chr., 20f.)

70 Dazu unten S. 183.
71 Vgl. oben S. 66f. zum Anleiheverbot an Gesandte und S. 88 zur Regelung der Gesetzesexemption.
72 Vgl. unten S. 85.

Regelungen zu Abstimmungs- und Wahlverfahren

Bereits in vorgracchischer Zeit wurde in zwei Fällen von Volkstribunen die Forderung nach geheimer Stimmabgabe erhoben. Im Jahr 139 wurde durch ein Gesetz des A. Gabinius die schriftliche Abstimmung bei Wahlen eingeführt, und im Jahr 137 erreichte dies L. Cassius Longinus Ravilla für die Gerichtsverhandlungen (mit Ausnahme von Perduellionsverfahren).[73] J. Martin hat gezeigt, dass es sich hier nicht um selbständige tribunizische Initiativen handelte und zumindest die *lex Cassia* auf Scipio Aemilianus als einen der führenden Senatoren und eine Gruppe von *nobiles* zurückgeführt werden muss.[74] Die Massnahmen sollten die Aristokratie von Manipulationen bei Abstimmungen abhalten und damit auch gegen *ambitus* wirken. Es handelte sich um eine inneraristokratische Reform, für die es keine Anzeichen auf Forderungen seitens des Volkes gibt. Die Stimmbürger wurden durch die Gesetze immerhin von der Überwachung durch ihren Patron befreit. Dies war auch der Grund, weshalb die *leges tabellariae* von der Mehrheit des Senats abgelehnt wurden.

Weniger als Reform denn als Verbreiterung der tribunizischen Machtbasis ist das Gesetz des C. Papirius Carbo vom Jahr 131 zu deuten, das für die Gesetzesabstimmung Stimmtäfelchen einführte.[75] Um eine Disziplinierungsmassnahme wie bei den Gerichts- und Wahlcomitien konnte es sich hier kaum handeln. Dies war auch bei C. Coelius Caldus nicht der Fall, der im Jahr 107 abschliessend bei Hochverratsprozessen die geheime Abstimmung einführen liess. Auf die neue Bestimmung hin konnte er die Verurteilung des C. Popillius Laenas durchsetzen. Caldus hatte also persönliche Ziele, und es ging ihm nicht um die Vollendung des Tabellarprinzips.[76] Nach der Erfüllung seines Zieles soll Caldus sein Abstimmungsgesetz Cicero zufolge bereut haben.[77]

Cicero zählte zu den Gegnern der hergebrachten verdeckten Abstimmung und liess in seinem Dialog De legibus die Rogatoren der Tabellargesetze von seinem Bruder Quintus sehr abschätzig beurteilen.[78] Allerdings glaubte er im Gegensatz zu andern Aristokraten, nicht mehr zu der mündlichen Stimmabgabe zurückkehren zu können. Er hielt nur die absolute Geheimhaltung der Stimmtafeln, wie sie ja mit dem Gesetz des Marius zustande gekommen war, für abwegig.[79] Sein Ziel war, die Kontrolle der Nobilität über die Abstimmung und den Wahlleiter zu bewahren.[80] An der verdeckten Stimmabgabe kritisierte er, dass sie ihre Wirkung gegen Korruption verfehlt[81] sowie weniger strenge

73 Niccolini 140f.; Bleicken, Volkstribunat 1955, 69.
74 Martin 125ff.; vgl. Bleicken, Volkstribunat 1955, 68ff.
75 Martin 150; Stylow 16.
76 Vgl. Bleicken, Staatliche Ordnung, 38 A. 64.
77 Cic. leg. 3,36.
78 Cic. leg. 3,35: *ab homine ignoto et sordido* (A. Gabinius); *dissidente a bonis* (L. Cassius Longinus Ravilla); *seditiosi atque inprobi civis* (C. Papirius Carbo).
79 Cic. leg. 3,10.33ff., bes. 38f.
80 Vgl. G. A. Lehmann, Politische Reformvorschläge in der Krise der späten römischen Republik, Beiträge zur Klassischen Philologie 117, Meisenheim a. G. 1980, 48f.
81 Cic. leg. 3,39.

Gerichtsurteile herbeigeführt habe, als es unter der mündlichen Stimmabgabe der Fall gewesen war.[82] Ciceros Urteil dürfte hier aber zu pauschal sein. Das Beispiel des Coelius Caldus zeigt, dass mit Hilfe der *tabellae* im Einzelfall durchaus eine Verurteilung erreicht werden konnte.

Durch die Einführung der Stimmtäfelchen und der damit verbundenen Beschränkung der patronalen Kontrolle wurde möglicherweise auch die Bereitschaft der Aristokratie, an die Stimmbürger Bestechungsgelder zu verteilen, verringert. Politische Ziele wären demnach weniger mit Geld als mit popularen Anliegen zu erreichen gewesen. Für populare Tribunen eröffnete sich die Möglichkeit, in der Volksversammlung neue Stimmen zu gewinnen. Andererseits mussten Tendenzen, die sich mit schwindendem Einfluss des Geldes verbanden, bei einem Grossteil der Nobilität auf Ablehnung stossen. Die aus den Tabellargesetzen resultierenden Verlagerungen können dabei aber nicht als politische Aufwertung des Volkes gedeutet werden. Es fand lediglich eine Änderung in den Bedingungen der Stimmwerbung statt, die sich populare Politiker zunutze machen konnten. Trotz der Kritik an den *leges tabellariae* kam nach der *lex Coelia* keine Änderung der Abstimmungsform mehr zustande. Durch tribunizische Gesetze ist hier also im ausgehenden 2. Jh. stufenweise eine Neuerung eingeführt worden, die sich in der Folge als tragbar erwies. Zudem konnte sie von den Popularen als Freiheit von Bevormundung und damit als Bestandteil der *libertas* charakterisiert werden.[83]

Das Volkstribunat zeigte sich in der Frage der geheimen Abstimmung als geeignet, Gesetze gegen den Willen der Senatsmehrheit durchzusetzen. Die Absenz anderer Magistrate in dieser Angelegenheit könnte darauf hinweisen, dass es sich nicht um eine unumgängliche Reform handelte, sondern um Einzelversuche, die Stellung des Wahlleiters gegen optimatische Gegenpropaganda abzuschirmen. Im späteren 2. Jh. wurden populare Anträge fast ausschliesslich im *concilium plebis* vorgetragen. In den Centuriatcomitien wirkte noch ungebrochen das Prinzip der Vorberatung im Senat (*patrum auctoritas*), das Entscheidungen gegen die Senatsmehrheit verhinderte. Also konnten vorerst hauptsächlich die Tribunen von der geheimen Abstimmung Auswirkungen auf die Stimmresultate erwarten und sorgten daher für die entsprechenden gesetzlichen Grundlagen. Das Volkstribunat als Hauptträger der popularen Politik konnte in der Folge auch am meisten von dieser Neuerung profitieren. Diese Tatsachen schliessen jedoch nicht aus, dass auch bei den Tabellargesetzen Rogationen von Magistraten ausserhalb des Tribunenkollegiums möglich gewesen wären, da breitere Kreise an ihnen interessiert waren. Die *leges tabellariae* dürfen jedenfalls nicht als ausschliesslich tribunizisches Anliegen gewertet werden.

Eine andere Neuerung wollte den Einfluss der Plebs bei den Centuriatcomitien erhöhen und damit ebenfalls gegen *ambitus*-Vergehen wirken.[84] C. Gracchus und nach ihm C. Manilius, tr. pl. 66, wollten die Abstimmungsreihenfolge der Centurien durch das Los und damit unabhängig von der Reihenfolge der fünf Vermögensklassen festlegen. Dies hätte im Gegensatz zu den Tabellargesetzen eine deutliche Aufwertung der Stimme des einfachen Bürgers gebracht. Die politische Stellung des Volkes im Ganzen wäre dadurch

82 Cic. leg. 3,34.39.

83 Cic. leg. 3,39; Sest. 103; leg. agr. 2, 4; dazu Wirszubski 62f.; Stylow 16f.; Bleicken, Staatliche Ordnung, 37ff.

84 Vgl. Sall. ep. ad Caes. 2,8,1.

aber nicht geändert worden. Es wären lediglich Mechanismen des *concilium plebis* bzw. der Tributcomitien auf die Centuriatcomitien übertragen worden. Dies hätte wiederum für populare Anträge grössere Erfolgschancen mit sich gebracht. Die beiden Volkstribunen scheiterten in dieser wichtigen Frage. Anscheinend wurde das Begehren aber auch nicht mit Konsequenz und kontinuierlich verfolgt. Nach Cicero soll der Jurist Ser. Sulpicius Rufus bei der Konsulatsbewerbung für das Jahr 62 nochmals ähnliche Absichten gehegt haben.[85] Da es sich um Centuriatcomitien handelte, wurde die *confusio suffragiorum* jetzt offenbar nicht nur von Tribunen propagiert, denn von der Neuerung hätten in erster Linie eigenwillige Konsuln, möglicherweise auch Praetoren, profitiert.

In der Frage der Priesterwahl strebten einige Volkstribunen die Beteiligung der Comitien an. Für die Abstimmung sollten 17 Tribus beigezogen werden, womit es sich also nicht um eine Volkswahl nach gewohntem Muster handelte.[86] Religiöse Vorschriften liessen eine Partizipation des Gesamtvolkes nicht zu.[87] Den Vorschlag, für die Priesterwahlen das Volk einzuschalten, hatte schon C. Licinius Crassus, tr. pl. 145, gemacht; der Praetor C. Laelius war ihm aber mit einer Rede erfolgreich entgegengetreten.[88] Als Cn. Domitius Ahenobarbus im Jahr 104 den Vorschlag wieder aufnahm, hatte dies einen persönlichen Hintergrund. Domitius war nicht in das Pontifikalkollegium kooptiert worden.[89] Nachdem Sulla die Beteiligung der Tribus wieder abgeschafft hatte, brachte sie T. Labienus im Jahr 63 erneut zustande. Der Antrag wurde von Caesar unterstützt, der in der Folge dieser Propaganda zum Pontifex Maximus gewählt wurde.[90] Trotz der erneuten Volksbeteiligung änderte sich nichts an der sozialen Zusammensetzung der Priesterschaften, die weiterhin von der Nobilität beherrscht wurden; die Ämter wurden jedoch für die populare Politik geöffnet und damit religiöse Obstruktion von optimatischer Seite erschwert.[91] Mitsprache bei der Wahl der Priester (*sacerdotes*) war für die popularen Politiker wegen der priesterlichen Auspizientätigkeit von Bedeutung.[92] Es handelte sich nicht um eine allgemein erforderliche Versachlichungsmassnahme, wie schon die Umstände der Gesetzesrogierung zeigen. Persönliche Absichten standen hier im Vordergrund.

Eine Kompetenzerweiterung für die Comitien plante auch C. Cornelius, tr. pl. 67, indem er in seinem ersten Vorschlag über die Gesetzesexemption die Vergabe von Privilegien ausschliesslich an die Volksversammlung binden wollte. Da hier dem Senat ein Sachbereich entzogen werden sollte, der Grundentscheid bei der Exemption aber nach dem Scheitern des ursprünglichen Planes beim Senat belassen wurde, sind die entsprechenden

85 Cic. Mur. 47; vgl. C. Nicolet, MEFR 71, 1959, 160ff.

86 Dazu J. Bleicken, Hermes 85, 1957, 357. 359f.

87 Cic. leg. agr. 2,18; vgl. Bleicken (vgl. A. 86) 466.

88 Broughton 1, 469f.; Bleicken, Volkstribunat 1955, 62; Taylor, Forerunners, 25; Martin 128f.

89 Asc. p. 24 St.; Suet. Ner. 2,1; Broughton 1, 562 A. 7.

90 Caesar musste jedoch gleichzeitig auch Bestechungsgelder für seine Wahl einsetzen; Gelzer, Caesar, 42; F. Münzer, RE 12, 1924, 260f.; Taylor, Party Politics, 92f. J. Martin (58) zeigt, dass es sich bei der *lex Labiena* um eine Antwort auf Ciceros Reden gegen das Ackergesetz des Servilius Rullus handelte. – Der Pontifex Maximus wurde schon seit dem 3. Jh. vom Volke gewählt (Broughton 2, 172 A. 1; Taylor, Party Politics, 91f.; Bleicken (vgl. A. 86)).

91 Taylor, Party Politics, 94ff.; vgl. allgemein Bleicken, Lex publica, 153f.

92 Vgl. Taylor, Forerunners, 25.

Rogationen erst im Rahmen des Geschäftsgangs des Senats näher zu betrachten. Die Tabellargesetze waren somit die einzige Errungenschaft, die eine Änderung in den Comitien herbeiführten. Die Stimme des einzelnen Bürgers wurde durch sie von unmittelbarem fremdem Einfluss befreit, ihr politisches Gewicht jedoch nicht grundsätzlich verändert. Die Abstimmungsstrukturen wurden im Ganzen belassen, die politische Rolle des Volkes nicht aufgewertet. Die Popularen hielten damit im Prinzip an den gegebenen Voraussetzungen fest und strebten keine grundsätzliche Änderung der politischen Verhältnisse an.[93]

Folgende tribunizische Rogationen bezogen sich auf Abstimmungs- und Wahlverfahren in den Volksversammlungen:[94]

- 131 C. Papirius Carbo führte bei der Abstimmung über Gesetzesvorlagen die geheime Stimmabgabe ein (Broughton 1, 502; Martin 150; v. Ungern-Sternberg, Notstandsrecht, 44; Stylow 16)
- 122 C. Sempronius Gracchus wollte ein neues Abstimmungsverfahren in den Centuriatcomitien einführen. Die Abstimmungen (Befragung der Centurien) sollten unabhängig von den fünf Vermögensklassen entschieden werden, durch Aufrufung der Centurien in der Reihenfolge des Loses. Die Vorlage konnte sich offenbar nicht durchsetzen (Sall. ep. ad Caes. 2, 8, 1; dazu Mommsen, StR. 3, 294, vgl. 272; Ch. Meier, RE Suppl. 8, 1956, 591; RPA, 132 A. 426; Populares, 610; Stockton 167; abwegig ist C. Nicolet, MEFR 71, 1959, 145–210; vgl. Martin 161 A. 2)
- 119 C. Marius liess gegen den Willen des Senats und unter Gewalt die Wahlstege *(pontes)* verschmälern, damit die Stimmtafeln nicht einsehbar waren und so von den Patronen nicht kontrolliert werden konnten. Marius wurde vor den Senat geladen, konnte sich aber gegen den Willen des Senats zur Wehr setzen, worauf das SC fallengelassen wurde, das dem Gesetz des Marius den Kampf angesagt hatte; die andern Volkstribunen hielten zu Marius (Plut. Mar. 4; Cic. leg. 3,38; Broughton 1, 526; dazu E. Badian, JRS 46, 1956, 94; Martin 169f.)
- 107 C. Coelius Caldus führte schliesslich bei Hochverratsprozessen die geheime Abstimmung ein (Rotondi 324f.; Broughton 1, 551). Neben Perduellionsprozessen umfasste dies jetzt offenbar auch *maiestas*-Prozesse, wie die Verurteilung *de maiestate* des C. Popillius Laenas zeigt (Auct. ad Her. 1,25; vgl. Bauman, Crimen, 38)
- 104 Cn. Domitius Ahenobarbus legte fest, dass die Kooptation von Priestern auf Grund eines Entscheides von 17 Tribus erfolgen sollte (Broughton 1, 559. 3, 82f.). Die Bestimmung wurde unter Sulla wieder aufgehoben
- 66 C. Manilius wollte wie C. Gracchus die Reihenfolge der Stimmabgabe in den Centuriatcomitien durch Losentscheid bestimmen lassen, hatte aber keinen Erfolg (Cic. Mur. 47; dazu Ch. Meier, RE Suppl. 8, 1956, 591f.; RPA, 141; Populares, 610)
- 63 T. Labienus erreichte nach der Intervention Sullas wiederum die Beteiligung der Tribus an der Priesterwahl (Dio 37,37,1f.)

93 Vgl. Meier, RPA, 144ff.; Populares, 557; Bleicken, Volkstribunat 1981, 102.

94 Cn. Marcius Censorinus brachte 123/122, eventuell als Volkstribun, ein Gesetz über die Wahl von Kriegstribunen ein, das möglicherweise die Beteiligung des Volkes verringern wollte und gegen das C. Gracchus Stellung nahm (ORF^4, p. 196, frg. 60; Rotondi 311; vgl. zudem Stockton 236; dagegen J. v. Ungern-Sternberg, Rez. Gnomon 54, 1982, 469 A. 8). Unbekannt sind Datum und Autor der *lex Papia* über die Aufnahme der Vestalinnen. Sie ersetzte das Kaptionsrecht des Oberpontifex durch ein Verfahren in der *contio*, bei dem das Los unter zwanzig vom Oberpontifex ausgewählten Jungfrauen entschied (Gell. 1,12,10ff.); eher unwahrscheinlich ist eine späte Zuweisung an C. Papius, tr. pl. 65 (vgl. Bleicken, Volkstribunat 1955, 72f.). Zu C. Cornelius' Exemptionsgesetz s. unten S. 88; zur Einsetzung der Comitien beim Amtsentzug S. 91f. Eine geringe Verlagerung in den Centuriatcomitien brachte wohl das *plebiscitum reddendorum equorum* mit sich, vgl. oben S. 68.

Zusammenfassung

Die Bundesgenossenfrage sowie die Tribuseinteilung der Neubürger und der Freigelassenen waren keine ausschliesslich tribunizischen Themen. Die betreffenden Volkstribunen strebten mit der Aufnahme der Bundesgenossen ins Bürgerrecht keine grundsätzliche Veränderung der Volksversammlung durch Einbeziehen neuer politischer Elemente an, auch wenn sie sich von der Neuerung persönliche Vorteile erhofften. Sie versuchten ein Problem zu lösen, das mit der Neuaufteilung des *ager publicus* vordringlich geworden war und in der Folge auch mit Forderungen von seiten der *socii* verbunden war. Die Tribunen nahmen hier, wie in allen Fragen im Zusammenhang mit der *civitas* und Volksversammlung, unterschiedliche Haltungen ein. Die tribunizischen Massnahmen im Verlaufe des Bundesgenossenkrieges setzten Beschlüsse des Senats um und ergänzten konsularische Gesetze.

J. Martin sah mit P. Sulpicius, der sich für die Neubürger eingesetzt hatte, das Ende der Reformphase in der popularen Politik. [95] Diese Charakterisierung erweist sich jedoch als zu global, wie schon bei den Gesetzen mit sozialpolitischen Inhalten festgestellt werden konnte. Die Einteilung der Freigelassenen auf alle Tribus wurde in nachsullanischer Zeit erneut aufgegriffen. Das Unternehmen fand offenbar keine genügende Resonanz und scheiterte. Die Freigelassenen planten auch nie den Aufstand wie die Bundesgenossen. Trotz der wirtschaftlichen Bedeutung der *liberti* finden wir keine Anzeichen von breiteren Forderungen nach verbesserter politischer Partizipation. Die Freigelassenen waren um einiges zahlreicher in der Volksversammlung vertreten als die ausserhalb von Rom wohnenden Bürger. Die Verteilung der Neubürger auf alle Tribus brachte daher wohl auch nicht dieselben Auswirkungen mit sich, wie dies bei den Freigelassenen der Fall gewesen wäre. Bei beiden Anliegen konnten sich die Antragsteller eine Erweiterung ihrer politischen Anhängerschaft erhoffen.

In bezug auf die Kompetenzen der Comitien strebten die Volkstribunen kaum Erweiterungen an. Zudem gab es nur wenige Versuche, den politischen Einfluss des sozial schwächeren Volkes zu erhöhen. Die Auflösung des timokratischen Prinzips bei den Centuriatcomitien scheiterte. Hier zeigte sich wie im Falle der Tribuseinteilung der *liberti*, dass bedeutende Massnahmen nicht durchgesetzt werden konnten. Die Einführung der Tabellargesetze gab den Stimmbürgern zwar grössere Unabhängigkeit, die sich jedoch nicht auf ihre politische Stellung auswirkte. Die Popularen strebten eine festere Position des Wahlleiters an, damit sich dieser gegen optimatische Gegenpropaganda und Beeinflussung durch Bestechungsgelder durchsetzen konnte. Damit erhoffte man sich grössere Chancen für populare Anträge. Die Tabellargesetze wurden ausschliesslich von Volkstribunen eingebracht und für sie sollten sie auch den grössten Nutzen bringen. Trotzdem dürfen sie nicht als rein tribunizische Materie betrachtet werden, da breitere Interessen dahinter standen und entsprechende Anträge auch von anderer Seite denkbar gewesen wären. Aufs Ganze gesehen änderte sich auch durch die populare tribunizische Gesetzgebung an der politischen Verfassung nicht viel, da sie in ihren Grundzügen nie angetastet wurde. Umfassende Reformprogramme wurden in den Tribunenkollegien nie entwickelt.

95 Martin 214, vgl. 202.

c) Senat und Magistratur

Bestimmungen über den Geschäftsgang des Senats

Bei der Betrachtung der Gesetzesvorlagen zu Senat und Magistratur stellt sich die Frage, ob das Volkstribunat als Regelorgan für die Verfassung fungierte. Welche Absichten verfolgten die tribunizischen Anträge und inwieweit stellten sie Eingriffe in die bestehende Ordnung dar? Untersucht werden soll in diesem Zusammenhang auch die Anwendung des Amtsentzuges. Zu fragen ist, ob das Volkstribunat mit der Abrogation eine Kontrollfunktion ausübte. Abschliessend sind jene tribunizischen Anträge zu betrachten, die Bevollmächtigungen von Einzelpersönlichkeiten in die Wege leiteten. Führten die tribunizischen Vorlagen zu Machtverlagerungen und was waren die Folgen?

In der späten Republik sind nur drei tribunizische Gesetze bekannt, die normierend in den Geschäftsgang des Senats eingriffen. Die betreffenden Anträge wurden von C. Gracchus, A. Gabinius und C. Cornelius eingebracht, stammten also von popularer Seite. Die Gesetze des C. Gracchus und des A. Gabinius waren jedoch nicht darauf ausgelegt, die Befugnisse des Senats zu beschränken. Vielmehr wollten sie die Effizienz der Senatspolitik steigern und offenbar auch Fällen von Korruption entgegenwirken. Die *lex Sempronia de provinciis consularibus* war bis zum Jahr 52 in Kraft und wurde damit offenbar von der Nobilität akzeptiert, so dass man gar mit der Zustimmung des Senats zu diesen Regelungen rechnen kann.[1]

Andererseits wollte C. Cornelius mit seinem ursprünglichen Gesetzesplan über die Exemption die *potentissimi* und deren Einfluss im Senat treffen.[2] Nach Asconius resultierte das Exemptionsgesetz des Cornelius daraus, dass der Senat dessen Anleiheverbot an Gesandte abgelehnt hatte.[3] Dies soll zu einer Entfremdung zwischen Cornelius und dem Senat geführt haben. Die Differenzen können jedoch nur von kurzer Dauer gewesen sein. Mit der revidierten Fassung des Gesetzes hielt sich Cornelius an die Autorität des Senats, die durch das Gesetz sogar gestärkt wurde.[4] Er erliess in der Folge zwei weitere Bestimmungen zur genaueren sachlichen Regelung einzelner staatlicher Vorgänge und öffentlicher Geschäfte.[5] Auch wenn Cornelius in eigener Initiative Reformen gegen Korruption im Senat forderte, so setzte er diese aber nie gegen den Willen der Senatsmehrheit durch. Sein Exemptionsgesetz enthielt im Gegenteil eine Sicherung gegen die Interzession (auch der Tribunen) und trug so zur Verabsolutierung des Senatsentscheides bei.

Neben den drei tribunizischen Gesetzen ist auf dem Gebiet der Senatsordnung nur noch die wohl vom Konsul des Jahres 61 stammende *lex Pupia* bekannt, die möglicherweise Senatssitzungen an *dies comitiales* verbot.[6] Damit erfolgten in der späten Republik nur wenige Eingriffe in die hergebrachte Geschäftsordnung des Senats. Eine umfassende

1 Stockton 130.

2 Asc. p. 48 St.; dazu K. Kumaniecki, Meded. Vlaamse Acad. 32, 1970, 4f.

3 Anders Dio 36,38,4–39,2, der an Stelle des Anleihegesetzes das *ambitus*-Gesetz setzt (dazu M. Griffin, JRS 63, 1973, 196ff., bes. 203; Marshall 84ff.).

4 Dazu Marshall 91.

5 Zur *lex Cornelia de edicto praetorio* vgl. unten S. 91; zum *ambitus*-Gesetz unten S. 118.

6 Broughton 2, 178.

Versachlichung der Politik war auf dem Wege der Gesetzgebung nicht zu erreichen. Die Bestimmungen erwiesen sich als umgehbar. Die vom Senat zugeteilten Provinzen konnten durch Volksbeschluss ausgetauscht, Sonderrechte zum Teil weiterhin ohne Senatsbeschluss zugeteilt werden.[7]

Die Gesetze der Volkstribunen zeigen, dass die Position des Senats als solche auch durch die Anträge von popularer Seite nicht angegriffen wurde. Tribunizische Eingriffe in die Kompetenzen des Senats wurden somit nicht durch einschränkende Gesetzesvorschriften, sondern durch eigenständige Massnahmen in Zusammenarbeit mit der Volksversammlung vorgenommen. Hier zeigte sich, dass sich die Volkstribunen mit ihrem Rogationsrecht in zentrale Themen einschalten konnten.

Über den Geschäftsgang des Senats wurden folgende Bestimmungen erlassen:[8]

– 123 C. Sempronius Gracchus legte fest, dass die konsularischen Provinzen bereits vor den Wahlen bestimmt werden mussten (Broughton 1, 514; dazu Martin 159f.; Stockton 129ff.). Die Interzession gegen die Zuteilung der Provinzen war verboten (Cic. prov. cons. 17)

– 67 A. Gabinius legte wahrscheinlich während seines Volkstribunats fest, dass der Senat im Monat Februar an jedem (Senats-)Tag ausländische Gesandte anhören musste (Rotondi 373; Niccolini 256ff.; M. Bonnefond, in: Des ordres à Rome, hrsg. v. C. Nicolet, Paris 1984, 61–99; Broughton 3, 97f.)

– 67 C. Cornelius versuchte, dem Senat die Kompetenz Sonderrechte auszustellen zu entringen und ausschliesslich auf das Volk zu übertragen (Broughton 2, 144; vgl. Bleicken, Lex publica, 132ff.). Er scheiterte jedoch an der Interzession des P. Servilius Globulus und brachte einen Kompromiss ein, der die Zusammenarbeit zwischen Senat und Volksversammlung bei der *solutio legum* implizierte: Bei der Zuteilung eines *privilegium* musste unter einer Mindestpräsenz von 200 Senatoren ein Senatsbeschluss zustande kommen, der anschliessend von der Volksversammlung zu verabschieden war; bei der Abstimmung in den Comitien durfte nicht interzediert werden (Asc. p. 48 St.)

Regelungen zu den Magistraturen

Die hier zu betrachtenden Gesetze befassten sich zur Hauptsache mit Richtlinien der Amtsführung. Anzufügen sind aber auch jene Gesetze des C. Gracchus und L. Cassius Longinus, die sich im Zusammenhang mit der Abrogation und der gerichtlichen Verurteilung mit Massnahmen in bezug auf öffentliche Funktionen befassten. Da diese sich nicht mit der strafrechtlichen Verfolgung an sich, sondern mit den Konsequenzen speziell im Falle der Bestrafung von Magistraten beschäftigten, sind sie hier unter den Einschränkungen für Beamte zu behandeln.

Der Antrag des C. Gracchus, der einem abgesetzten Magistraten verbot, weitere Ämter auszuüben, erinnerte unmittelbar an den von seinem Bruder abrogierten M. Octavius.[9] Er sollte aber wohl in erster Linie Gaius selbst vor möglichen Interzedenten gegen

7 Dazu unten S. 102.

8 Unbekannt sind Autor, Inhalt und Datum einer *lex Titia*, die sich mit der Zuteilung quaestorischer Provinzen befasste; da sie Cicero in Pro Murena (18) erwähnt, gehört sie jedenfalls vor das J. 63 und stammt möglicherweise von dem Tribunen des J. 99 (Rotondi 333f.; Niccolini 437f.; G. Wesener, RE 24, 1963, 810; W. V. Harris, CQ 26, 1976, 105).

9 Plut. C.G. 4,1f.

seine weiteren Gesetzesprojekte schützen und so zur Sicherung der *popularis ratio* beitragen. Das Gesetz des L. Cassius, das abrogierten Imperiumsträgern und Verurteilten die Senatszugehörigkeit absprach, war auf Q. Servilius Caepio zugeschnitten.[10] Dieser war nach seiner Niederlage von Arausio wohl durch Plebiszit seines Imperiums enthoben worden. In beiden Fällen führten somit persönliche Gründe zu den einschränkenden Massnahmen. Die Definition des Beamtenvergehens als solches stand nicht im Vordergrund.

Auswirkungen für die Beamten hatte auch die bereits betrachtete *lex Antia sumptuaria* (68 ?), die den Magistraten und den Bewerbern um ein Amt die Teilnahme an einem Gastmahl nur bei bestimmten Personen erlaubte. Sie führt in den Bereich der Massnahmen gegen *ambitus* und damit der Strafgesetzgebung, die weiter unten zu verfolgen ist. Im Folgenden sollen jene Gesetze betrachtet werden, die die Möglichkeiten einzelner Magistraturen und deren Geschäftsgang regelten.

C. Cornelius schritt als Volkstribun des Jahres 67 gegen Willkür in der praetorischen Rechtssprechung ein. Er reagierte damit gegen Missbräuche, wie sie besonders unter Verres vorgekommen waren.[11] Das Gesetz des Cornelius hatte nach Asconius (p. 48 St.) einen positiven Effekt und entsprach nach Dio (36,40) allgemeinen Bemühungen jener Zeit, unrechtmässigen Gelderwerb in den Provinzen zu verhindern. Das Gesetz dürfte demnach – trotz voraufgehender Zerwürfnisse mit dem Senat über dem Anleiheverbot[12] – mit Zustimmung der Senatsmehrheit eingebracht worden sein.

L. Marius und M. Porcius Cato traten im Jahr 62 übermässigen Siegesfeiern der Feldherrn entgegen und wollten das Recht auf einen Triumphzug wieder an ganz bestimmte Leistungen binden. Hier handelte es sich um einen Versuch, die innenpolitischen Ansprüche der Feldherrn zu unterbinden und damit das aristokratische Gleichgewicht zu bewahren. Dazu war diese Massnahme allein freilich ungenügend.

Eine wichtige Einschränkung der Censur nahm Clodius im Jahr 58 vor. Sie sollte willkürliche Senatsausschlüsse, wie sie gegenüber popularen Politikern vorgenommen worden waren,[13] verhindern. Damit diente das Gesetz zur Sicherung der *popularis ratio.* Cicero fasste die Vorschrift geradezu als Beseitigung der Censur auf,[14] wovon aber keine Rede sein kann. Die Censur wurde als gesellschaftliches Kontrollorgan bis zur Diktatur Caesars in ihren Grundstrukturen beibehalten. Zur Erweiterung der tribunizischen Machtbasis und der popularen Methode sollte auch Clodius' Einschränkung der Obnuntiation dienen. Clodius wollte religiöse Obstruktionen von Volkstribunen und andern Magistraten gegen populare Gesetze vermeiden. Seine Bestimmungen erreichten aber nicht die gewünschte Wirkung, wie im Kapitel über das *ius obnuntiandi* zu zeigen sein wird.

Ungewiss sind die Ziele einer *lex Clodia*, die den Schreibern von Quaestoren Handelsgeschäfte verbot. Falls sie dem Tribunen des Jahres 58 zuzuschreiben ist, kann sie

10 Asc. p. 61 St.

11 Marshall 85. Lefèvre (58) meint, dass dadurch tribunizische Interzessionen gegen Zivilprozesse in Zukunft vermieden werden sollten, was aber wegen des unzureichenden Quellenmaterials nicht verifiziert werden kann.

12 Dazu oben S. 66f.

13 Senatsausschlüsse gegenüber Volkstribunen s. oben S. 34. Clodius sicherte sich durch das Gesetz auch selbst ab.

14 Cic. Pis. 9; vgl. prov. cons. 46 und Sest. 55: Abschaffung der *nota censoria.*

kaum als Massnahme gegen die Ausbeutung der Provinzen verstanden werden, da Clodius selbst nicht vor Geldbeschaffung in der Provinz zurückschreckte.[15] Möglicherweise enthielt sie einen Affront gegen den Ritterstand, aus dem sich eine grosse Zahl der *scribae* rekrutierte.[16] Der Erlass könnte auch im Zusammenhang mit dem Getreidegesetz des Clodius gestanden haben, indem er sich gegen Getreidelieferanten, die die Position des *scriba* zu persönlichen Handelsgeschäften missbrauchten, richtete.

Bei den Beschränkungen der Magistratur nahmen die Volkstribunen abgesehen von den sullanischen Massnahmen[17] eine dominierende Rolle ein. Sulla war auch der einzige, der je Restriktionen gegenüber dem Volkstribunat vornahm. An Erweiterungen der Magistratur waren die Volkstribunen nur beschränkt beteiligt. Die Aufhebung der sullanischen Einschränkungen des Tribunats erfolgte durch ein konsularisches Gesetz des Pompeius, nachdem im Jahr 75 der Konsul C. Aurelius Cotta schon das Ämterverbot aufgehoben hatte. Obwohl Volkstribunen verschiedentlich am Kampf um die Restitution beteiligt waren,[18] war es ihnen unter den gegebenen Bedingungen nicht möglich, eine entsprechende Rogation einzubringen. Der entscheidende Schritt auf Gesetzesebene musste von anderer Seite erfolgen.

Abgesehen von dem Kampf um die Wiederherstellung der alten tribunizischen Rechte war zur Zeit der späten Republik für das Volkstribunat nur eine einzige Erweiterung angestrebt worden. C. Papirius Carbo hatte im Jahr 131 geplant, die Kontinuation des Tribunats zu legalisieren. Auch wenn die Kompetenzen der Tribunen im einzelnen dadurch nicht verändert worden wären, so hätte diese Verfügung doch längerfristige Politik ermöglicht, die insbesondere popularen Politikern zugute gekommen wäre. Für dieses Anliegen war allerdings keine genügende Unterstützung zu gewinnen. Profitieren sollten populare Volkstribunen zudem von der *lex Clodia*, die Volksversammlungen auch an *dies fasti* zuliess und damit die Rogationsmöglichkeiten verbesserte.

Weitere Massnahmen zur Erweiterung der regulären Magistraturen sind von seiten der Tribunen nicht bekannt. Die Erhöhung der Quaestoren- und Praetorenzahl ging auf Sulla und Caesar zurück.[19] Die Tribunen beteiligten sich demzufolge nicht am Ausbau der Verwaltungsstruktur und strebten keine Änderung der Reichsadministration an. Sie erreichten vielmehr ein paar Einschränkungen, die aber nur Korrekturen am Bestehenden anbrachten. An den Grundzügen des Herrschaftssystems änderten auch die Gesetze des Cornelius und des Clodius nichts. Grössere Umstrukturierungen wurden damit auch von popularer Seite nicht angestrebt.

Eigens betrachtet werden muss die Kreierung ausserordentlicher Magistraturen, an denen die Volkstribunen massgeblich beteiligt waren. Auf den Charakter dieser Bevollmächtigungen ist im übernächsten Kapitel einzugehen. In bezug auf die Magistraturen planten die Volkstribunen folgende Rogationen:[20]

15 Vgl. oben S. 56 und unten S. 107.
16 Vgl. E. Kornemann, RE 2 A, 1921, 853f.
17 GCG 212ff.
18 Dazu unten S. 174.
19 Rotondi 353f. 421.
20 Vgl. auch die möglicherweise tribunizische *rogatio* des Cn. Marcius Censorinus über das Wahlverfahren für Militärtribunen, gegen die sich C. Gracchus wandte, um damit wohl das Prinzip der Volkswahl zu fördern (Broughton 1, 517; J. Lengle, RE 6 A, 1937, 2440f.; Weiteres oben S. 85 A. 94).

– 131 C. Papirius Carbo versuchte, die Kontinuation des Volkstribunats gesetzlich zu ermöglichen; das Volk lehnte diesen Antrag jedoch ab (Broughton 1, 502; vgl. Martin 149f.; Weiteres oben S. 31)

– 123 C. Sempronius Gracchus wollte festlegen, dass es einem vom Volk abgesetzten Magistraten verboten war, je wieder ein Amt auszuüben. Nach Plutarch zog Gaius den Antrag auf Bitten seiner Mutter Cornelia wieder zurück (Plut. C.G. 4,1 f.; vgl. Meier, RPA, 133f.). Nach Diodor (34/35,25,2) beschloss das Volk das Exil für den von Ti. Gracchus abgesetzten Tribunen M. Octavius, was Gaius dann aber verhindert haben soll. Stockton (115 f.) rechnet daher mit der Durchführung der *lex Sempronia de abactis*, was aber nicht zwingend ist

– 104 L. Cassius Longinus liess gesetzlich festlegen, dass Männer, die vom Volk verurteilt wurden, oder denen das Imperium abrogiert wurde, nicht mehr Mitglieder des Senats sein durften (Asc. p. 61 St.; Broughton 1, 559; vgl. K. J. Neumann, RE 1, 1893, 113; Meier, RPA, 134 A. 431; R. A. Bauman, RhM 111, 1968, 49; H. Kloft, ZAGV 84/85, 1977/78, 169)

– 67 C. Cornelius erliess ein Gesetz, das die Praetoren zwang, sich bei der Rechtssprechung an die von ihnen festgelegten Edikte zu halten (Asc. p. 48 St.; Dio 36,40,2; vgl. N. Palazzolo, in: Sodalitas, Scritti in onore di A. Guarino, Bd. 5, Napoli 1984, 2427–2448)

– 62 L. Marius und M. Porcius Cato hielten fest, dass alle Feldherrn, die einen Triumph wünschten, vorher unter Eid Angaben über die getöteten Feinde und eigenen Verluste machen mussten; zudem mussten in einer einzelnen Schlacht (*una acie*) mindestens 5000 Gegner getötet worden sein, wie schon eine Regel des 2. Jh.'s vorgeschrieben hatte (Val. Max. 2,8,1; vgl. Rotondi 279; Taylor, Party Politics, 225 A. 35)

– 58 P. Clodius Pulcher liess die *nota censoria* beschränken, wodurch ein Senatsbeschluss bzw. Übergehen bei der *senatus lectio* nur noch nach einer förmlichen Anklage bei den Censoren und durch das Urteil beider Amtsträger zugelassen war; das Gesetz war bis zum J. 52 in Kraft (Rotondi 398; Broughton 2, 196; vgl. Mommsen, StR. 2, 386f.; Bleicken, Lex publica, 157 A. 67; zur *nota censoria* vgl. B. Kübler, RE 17, 1936, 1055ff.)

– 58 P. Clodius Pulcher bestimmte, dass neben den *dies comitiales* auch die *dies fasti* für Volksversammlungen zulässig sein sollten und schränkte die Obnuntiation ein (Rotondi 397; Broughton 2, 196; vgl. dazu unten S. 243f.)

– 58 P. Clodius Pulcher war möglicherweise Rogator eines Gesetzes, das den Schreibern von Quaestoren (als Begleiter von Provinzialstatthaltern) Handelsgeschäfte verbot, um Missbrauch zu verhindern (Suet. Dom. 9, 3; vgl. Mommsen, StR. 1, 336 A. 3; E. Kornemann, RE 2 A, 1921, 853f.; Gruen, LG, 255; Bleicken, Lex publica, 157 A. 68)

Amtsentzug

Die römische Auffassung von der Magistratur sah die Möglichkeit des Amtsentzuges ursprünglich nicht vor.[21] Wenn sie im Verlaufe der Republik trotzdem eintrat, so war das nach H. Kloft „ein Indiz für den Zerfall der aristokratischen Ordnung". [22] Die Fälle, in denen das Volk die Absetzung eines Magistraten bzw. den Entzug des Imperiums beschloss, blieben aber Ausnahmen. Bei der Amtsentsetzung handelte es sich jedenfalls um „keine den

Die Zuteilung von Amtsbereichen betrafen auch die *lex Titia de provinciis quaestoriis* (vgl. A. 8) und die *lex Sempronia de provinciis consularibus* (vgl. S. 88); zu den *leges Licinia et Aebutia* über die Kreierung ausserordentlicher Aufträge s. unten S. 99. Hypothetisch ist die Annahme von Ch. Meier (RPA, 142 A. 487), dass Clodius die Herabsetzung der Altersgrenze für das Konsulat plante.

21 Mommsen, StR. 1, 628ff.; K. J. Neumann, RE 1, 1893, 111ff.; dazu H. Kloft, Bemerkungen zum Amtsentzug in der römischen Republik, ZAGV 84/85, 1977/78, 161–180.

22 Kloft (vgl. A. 21) 180.

Volkswahlen entsprechende Kompetenz des Volkes", wie J. Bleicken festgehalten hat.[23] Eine allgemeine Abrogationsbefugnis wurde nie gesetzlich verankert.[24] Allerdings war sie bei zwei bekannten tribunizischen Gesetzesanträgen der späten Republik implizit enthalten. Die *rogatio Sempronia de abactis* vom Jahr 123 wollte den vom Volk abgesetzten Magistraten weitere Ämter untersagen, und das Plebiszit des L. Cassius Longinus vom Jahr 104 schloss die vom Volk abrogierten Imperiumsträger und die gerichtlich Verurteilten von der Mitgliedschaft im Senat aus.[25] Wie gesehen, führten jeweils persönliche Gründe zu diesen Anträgen. Zudem war bei der *lex Cassia* nicht allgemein von der *abrogatio imperii* die Rede. Einen eigentlichen Kampf um eine generelle Abrogationsbefugnis des Volkes haben die Tribunen nicht geführt. Vielmehr ging es um die rechtliche Fixierung der Folgen einer Abrogation, die das Recht zum Amtsentzug bereits voraussetzte.

Zu Versuchen, Abrogationen vorzunehmen, kam es schon zur Zeit des zweiten punischen Krieges.[26] Dabei handelte es sich vorwiegend um Angriffe gegen Promagistraturen.[27] Aber keiner von ihnen war erfolgreich und die erste *abrogatio imperii* kam erst im Jahr 136 (gegen den Prokonsul M. Aemilius Lepidus) zustande. [28] Die Abrogationsversuche vor diesem Zeitpunkt stammten in drei Fällen (aus den J. 217, 209, 178) von Volkstribunen; in einem weiteren Fall (aus dem J. 204) stellte Q. Fabius Maximus im Senat einen Antrag, der ebenfalls die Volkstribunen mit der Abrogation beauftragen sollte.[29]

H. Kloft hat bereits festgehalten, dass die Volkstribunen „in der Regel" die Antragsteller bei Absetzungen von Magistraten waren.[30] Die erste Amtsentsetzung eines ordentlichen Magistraten nahm Ti. Gracchus im Jahr 133 vor.[31] Als M. Octavius auf seinem Veto gegen das gracchische Ackergesetz beharrte, liess Tiberius ihn durch die Volksversammlung absetzen. Dieses Vorgehen war ohne Präzedenzfall und warf die Frage nach den Kompetenzen und der Absicherung der Volkstribunen auf.[32] Erst A. Gabinius wollte im Jahr 67 wieder einen interzedierenden Kollegen absetzen, was unwillkürlich Erinnerungen an die Tat des Ti. Gracchus wachrufen musste.[33] Amtsenthebungen gegenüber Volkstribunen kamen nach Octavius jedoch nur noch am Ende der von uns betrachteten Epoche zustande, wobei C. Epidius Marullus und L. Caesetius Flavus im Jahr 44 sowie P. Servilius Casca im Jahr 43 betroffen wurden. Auch diese Abrogationen wurden von Tribunatskollegen beantragt. Es lag in der Natur der Sache, dass die Amtsentsetzungen von Volkstribunen jeweils durch Plebiszit zustande kamen.

23 Bleicken, Lex publica, 122.

24 E. von Stern, Hermes 56, 1921, 250ff.; Meier, Populares, 604.

25 S. oben S. 91.

26 K. J. Neumann, RE 1, 1893, 111. Zu den Fällen des J. 509: R. A. Bauman, AClass 9, 1967, 129–141; Kloft (vgl. A. 21) 176f.

27 Mommsen, StR. 1, 629f.; Bleicken, Lex publica, 122; Kloft (vgl. A. 21) 164ff.; vgl. dagegen R. A. Bauman, RhM 111, 1968, 37 (mit A. 3).

28 K. J. Neumann, RE 1, 1893, 112; E. von Stern (vgl. A. 24) 250f.; Kloft (vgl. A. 21) 165; dagegen Bauman (vgl. A. 27) 45ff.

29 Bauman (vgl. A. 27) 39f.; Kloft (vgl. A. 21) 164f.; zudem Bleicken, Volkstribunat 1955, 61f.

30 Kloft (vgl. A. 21) 168.

31 Vgl. A. 26 und A. 28.

32 Vgl. Plut. T. G. 14,4–15; dazu unten S. 217f.

33 Asc. p. 57 St.

Ein weiterer Volkstribun, der von der Abrogation bedroht war, ist C. Lucilius Hirrus, der im Jahr 53 das Volk ermuntert hatte, Pompeius zum Diktator zu wählen.[34] Q. Caecilius Metellus, der im Jahr 62 als Volkstribun nach dem SCU zu Pompeius geflohen war, wurde auf Senatsbeschluss von seinem Amt suspendiert.[35] Sein Gegner M. Porcius Cato verhinderte als Tribun jedoch eine förmliche Abrogation,[36] so dass Metellus später wieder zur Fortsetzung seiner Amtsgeschäfte zugelassen werden konnte.[37] Cato sah, dass der Senat ansonsten seine Rechtsposition, die sich auf die Unabsetzbarkeit der Magistrate berief, aufgegeben hätte. Die Opposition Catos erfolgte im Senat, womit eine Abrogationsabstimmung durch die Comitien entfiel.

Im Falle einer Amtsentsetzung war die Interzession in der Volksversammlung ausgeschlossen.[38] Dies entsprach der Regelung, wie sie auch für die Wahl der Volkstribunen galt. Die von der Abrogation betroffenen Tribunen konnten damit nicht selbst gegen ihre Entsetzung interzedieren. Die Möglichkeit, einen Kollegen auszuschalten, wurde von den Volkstribunen jedoch nur in wenigen Fällen eingesetzt. Die Abrogation wurde nie zu einem allgemeinen Kontrollmechanismus unter den Tribunen.

Neben Kollegen enthoben die Volkstribunen der späten Republik auch Promagistrate des Amtes[39] und bedrohten gar Obermagistrate mit der Abrogation. Wir kennen zwei, möglicherweise drei Fälle (vgl. unten zu den J. 84 und 67 sowie zum J. 88: Q. Pompeius Rufus), in denen Tribunen versuchten, einen ordentlichen Magistraten mit *imperium* abzusetzen, wovon der eine unter der Herrschaft des Cinna eingeleitet wurde. A. Gabinius wollte nach dem Erfolg seines Piratengesetzes die Stimmung im Volk nutzen und zu einer anmassenden Aktion gegen den opponierenden Konsul C. Calpurnius Piso ansetzen, die Pompeius aber nicht zulassen konnte. Unsicher bleibt auch in diesen Fällen, inwieweit nicht das Amt des Konsuls als solches, sondern nur das zugeteilte *imperium* von der Abrogation betroffen gewesen wäre.[40] Zur Amtsentsetzung eines ordentlichen Magistraten mit *imperium* sollte es jedenfalls nie kommen. Der Entzug der Obermagistratur hätte wohl eine zu grosse Anmassung dargestellt.

Neben den Massnahmen des Ti. Gracchus und A. Gabinius kam von popularer Seite eine weitere Aktion auf dem Gebiet der Abrogation zustande. Sulla wurde durch ein Plebiszit das Kommando gegen Mithridates entzogen. Dies liess Sulla allerdings nicht auf sich beruhen, sondern besetzte mit einem Heer die Stadt Rom, um sich gegen seine Gegner durchzusetzen.

Die überlieferten tribunizischen Abrogationsmassnahmen dürften nur in einem Fall im Sinne der jeweiligen Senatsmehrheit gewesen sein, nämlich beim Konsul Cn. Papirius Carbo im Jahr 84. Zudem führte Caesar im Jahre 44 ein *senatus consultum* über die Abrogation zweier missliebiger Volkstribunen herbei, die der Tribun C. Helvius Cinna vom

34 Plut. Pomp. 54,2.

35 Suet. Iul. 16; vgl. Dio 37,44,2; dazu F. Münzer, RE 3, 1897, 1217; vgl. Kloft (vgl. A. 21) 170.

36 Vgl. unten S. 213; ferner Stein 17f.

37 Dazu allgemein Mommsen, StR. 1, 262 A. 1.

38 Mommsen, StR. 1, 287 A. 1; vgl. Bernstein 183.

39 Vgl. unten zu den J. 105, 87/86, 56.

40 Vgl. Drumann-Groebe 4, 317 A. 8; A. W. Lintott, CQ 21, 1971, 443; Bleicken (Lex publica, 122) hält nur Promagistrate und Volkstribunen für absetzbar, während R. A. Bauman (RhM 111, 1968, 37 mit A. 3) dies für alle Imperiumsträger im Bereich *militiae* annimmt.

Volk verabschieden liess.[41] Ein weiterer Senatsbeschluss wäre allenfalls bei der Abrogation des Q. Servilius Caepio im Jahr 105 zu erwägen. Dieser hatte mit seinem Eigensinn den Senat stark brüskiert und grosse Verluste erlitten, so dass er möglicherweise nicht ohne Sanktionen an der Curia vorbeikam. Zwingend ist dies aber nicht, da Caepio vorwiegend zur Zielscheibe von popularen Politikern wurde.[42] Im Falle des Konsuls 84, Cn. Papirius Carbo, dürfte es auch dem Senat ein Anliegen gewesen sein, dass die verfassungsmässige Ordnung eingehalten wurde.[43] Unklar ist, inwieweit sich der Senat dem tribunizischen Abrogationsvorhaben unter Cinna anschloss, das sich gegen Ap. Claudius Pulcher als Heerführer Sullas richtete.

Der Senat konnte wohl selbst über die Aufhebung eines prorogierten Imperiums verfügen, hat aber üblicherweise seine Beschlüsse von der Volksversammlung verabschieden lassen.[44] In der späten Republik ist weder eine selbständige Abrogation noch die Beauftragung eines Volkstribunen bezeugt. Eine Initiative des Senats kann auch im Falle des Jahres 84 (Cn. Papirius Carbo) nicht nachgewiesen werden. Eine Zusammenarbeit zwischen Senat und Volkstribunat konnte sich auf diesem Gebiet offenbar kaum entfalten.

Die Abrogation des Caesetius Flavus und Epidius Marullus im Jahr 44 zeigt, dass Caesar tribunizische Opposition nach wie vor ausgesprochen unangenehm werden konnte und er einen Rückschlag in seinem Ansehen riskierte, um sie wieder auszuschalten.[45] Bei den beiden Tribunen erwies sich aber auch, dass gegen den Diktator von tribunizischer Seite nicht mehr anzukommen war. Eine tribunizische Abrogation kam dann nochmals im Jahr 43 zustande. Sie richtete sich gegen P. Servilius Casca und war ein Nachspiel zu dessen Flucht vor Octavian, mit der er sich eine unerlaubte Entfernung aus seinem Amtsbereich hatte zuschulden kommen lassen. Die tribunizische *sacrosanctitas* bot damit in Zeiten des Bürgerkrieges keinen genügenden Schutz mehr.

Weder Senat noch Popularen setzten die Abrogation häufig als politisches Kampfmittel ein. Mit ihrer Anwendung verhielt es sich ähnlich wie bei dem während der Amtszeit üblicherweise nicht erlaubten Strafprozess.[46] Die Abrogation konnte allerdings dazu dienen, noch vor Ende des Amtsjahres einen Strafprozess einzuleiten.[47] Sie wurde als

41 App. BC. 2,108,452f.; vgl. Dio 44,10,2f.; dazu G. Dobesch, in: Antidosis, Festschrift W. Kraus, Wien/Köln/Graz 1972, 88 (A. 30); H. Kloft, Historia 29, 1980, 324f.

42 Dazu unten S. 155f. und S. 162. Hackl (Senat, 163ff.) rechnet mit einem Senatsbeschluss.

43 Cic. har. resp. 43; dazu Hackl, Senat, 245.

44 Kloft (vgl. A. 21) 168f.; Hackl, Senat, 165ff. Cinna ist nach Appian (BC. 1,65,296) ausschliesslich auf Senatsbeschluss abgesetzt worden und betrachtete seine Abrogation aus diesem Grunde als unrechtmässig; nach Vell. 2,20,3 wäre aber auch hier ein Volksbeschluss anzunehmen (vgl. v. Ungern-Sternberg, Notstandsrecht, 77f.; R. A. Bauman (RhM 111, 1968, 37ff.) hält am Prinzip des Volksbeschlusses fest). – Ohne Volksbeschluss konnte der Senat Amtssuspensionen verfügen; Kloft (vgl. A. 21) 170: im J. 62 gegen den zu Pompeius geflohenen Tribunen Q. Caecilius Metellus Nepos sowie den Praetor Caesar (Suet. Iul. 16: *ambo administratione rei publicae decreto patrum submoverentur*; vgl. Dio 37,44,2); im J. 48 schloss der Konsul Servilius nach Amtssuspension des Senats den Praetor M. Caelius Rufus vom Senat aus und hinderte ihn an der Rede vor dem Volk (Caes. BC. 3,21,3; Broughton 2, 272f.; dazu Gelzer, Caesar, 208f.).

45 Dio 44,10,4. Caesar hatte den beiden Tribunen die Todesstrafe angedroht; s. Dobesch (vgl. A. 41) 80 (A. 6).

46 Zum Strafprozess: Mommsen, Strafr., 352ff.; Meyer, Staatsgedanke, 155. Bleicken (Volkstribunat 1955, 122f.) hält einen Prozess im Falle eines *in ordinem coactio*-Verbrechens für erlaubt.

47 R. A. Bauman, RhM 111, 1968, 37(ff.).

Sanktionsform bei Verfassungsbruch gegenüber abwesenden Promagistraten angewandt, die nicht zu den staatsrechtlich nötigen Handlungen zurückkehrten (87/86, 84), sowie gegenüber Volkstribunen, die ihrem Amtsbereich entflohen waren (43, vgl. 62) oder gegen den Willen des Diktators Caesar gehandelt hatten (44). Wegen der Brisanz der Abrogation blieb aber der nachträgliche Rechenschaftsprozess die übliche Strafmassnahme gegen illoyale Standesvertreter.[48]

Folgende Amtsentzüge und Abrogationen des Imperiums wurden von Volkstribunen durchgeführt oder angestrebt:[49]

– 133 Ti. Sempronius Gracchus liess seinen Kollegen M. Octavius absetzen, da dieser nicht von seiner Interzession gegen das Ackergesetz abwich; die ersten 17 Tribus stimmten dem Antrag einstimmig zu (App. BC. 1,12; Plut. T.G. 12), und Tiberius bat nochmals um den Rückzug des Vetos (Niccolini 145; Broughton 1, 493; dazu unten S. 217f.)

– 105 Wohl durch einen Beschluss des *concilium plebis* wurde das *imperium proconsulare* des Q. Servilius Caepio abrogiert, der bei Arausio eine Niederlage erlitten hatte (Niccolini 189; vgl. R. A. Bauman, RhM 111, 1968, 48f.; Hackl, Senat, 163ff.). Ein Plebiszit ist in Analogie zu der beabsichtigten Abrogation des J. 204 (Liv. 29,19,6) und in Anbetracht der späteren tribunizischen Aktionen gegen Caepio wahrscheinlich

– 88 P. Sulpicius (Rufus) abrogierte das Provinzialkommando des Sulla und übertrug es auf Marius (Rotondi 345; vgl. H. Kloft, ZAGV 84/85, 1977/78, 174f.)

– 88 P. Sulpicius (Rufus) könnte nach Plutarch den Konsul Q. Pompeius Rufus bzw. dessen Imperium abrogiert haben (Plut. Sull. 8,4: τὸν Πομπήϊον ἐπάρχοντα παύσας (statt ποιήσας) Drumann-Groebe 4, 317 A. 8; W. Schur, Klio Beih. 46, 1942, 133 A. 3; Hackl, Senat, 219; F. Hinard, Kentron 1, 1985, 3–5)

– 87 /86 Wohl durch Plebiszit wurde das *imperium propraetore* des Ap. Claudius Pulcher abrogiert, der als Heerführer Sullas der Vorladung eines Volkstribunen nicht Folge geleistet hatte (Cic. dom. 83, der dies als *poena legitima* bezeichnet; Niccolini 236f.; vgl. E. J. Weinrib, Phoenix 22, 1968, 42; zudem unten S.157). Ein Plebiszit ist hier im Zusammenhang mit dem tribunizischen Angriff auf Pulcher wahrscheinlich

– 84 Die Volkstribunen drohten dem Konsul Cn. Papirius Carbo mit der Abrogation, falls er keinen Nachfolger für den verstorbenen Cinna wählen liesse. Darauf kehrte Carbo von seinen Vorbereitungen gegen Sulla aus Norditalien nach Rom zurück und kündete einen Wahltermin an. Dieser musste aber wegen schlechter Vorzeichen zweimal verschoben werden, so dass Carbo für den Rest des Jahres alleiniger Konsul blieb (App. BC. 1,78,358f.; Rotondi 348; Broughton 2, 60; ferner K. J. Neumann, RE 1, 1893, 112f.)

– 67 A. Gabinius wollte den Konsul C. Calpurnius Piso abrogieren lassen, da dieser die Vorbereitungen des Pompeius für den Krieg gegen die Piraten sabotierte. Pompeius schritt dann allerdings selbst gegen diesen Antrag ein (Plut. Pomp. 27,1f.; Dio 36,37,lf.; vgl. Gelzer, Pompeius, 74f.)

– 67 A. Gabinius wollte seinen Kollegen L. Trebellius absetzen, da dieser das Kommando gegen die Piraten durch sein Veto blockierte. Trebellius trat dann allerdings von seiner Interzession zurück, als bereits 17 Tribusstimmen gegen ihn vorlagen, so dass die Abrogationsabstimmung vorzeitig abgebrochen wurde (Broughton 2, 144f.; vgl. H. Kloft, ZAGV 84/85, 1977/78, 175)

48 Im Zusammenhang mit der Abrogation des P. Servilius Casca Longus, tr. pl. 43, wird in zwei Quellen (Dio 46,49,1ff.; Iul. Obs. 70) eine alte Regel erwähnt: *Constat neminem qui magistratum collegae abstulerat annum vixisse*. Auch hier werden nur wenige Fälle der Abrogation aufgeführt (darunter zwei, die von Volkstribunen vorgenommen worden waren): L. Iunius Brutus, Cos. 509; Ti. Gracchus, tr. pl. 133; Cn. Octavius, Cos. 87; C. Helvius Cinna, tr. pl. 44, und Tullus Hostilius, tr. pl. 42, die jedoch die Ungeheuerlichkeit der Abrogation verdeutlichen.

49 Ob bei der Abrogationsdrohung gegen den Tribunen C. Lucilius Hirrus (Plut. Pomp. 54,2; oben S.93) ein tribunizisches Gesetz in Betracht gezogen wurde, ist nicht auszumachen.

– 56 C. Porcius Cato beantragte Anfang Februar die Abrogation des Imperiums des P. Cornelius Lentulus Spinther, Prokonsul in Kilikien. Er wollte verhindern, dass Cornelius den vertriebenen König Ptolemaios Auletes nach Aegypten zurückführte, wie es vom Senat beschlossen worden war. Sein Unterfangen scheiterte jedoch, da die benötigten Comitialtage aufgehoben wurden (Broughton 2, 209; vgl. H. Volkmann, RE 23, 1959, 1751ff.)

– 44 C. Helvius Cinna liess auf einen von Caesar bewirkten Senatsbeschluss hin seine Kollegen C. Epidius Marullus und L. Caesetius Flavus absetzen. Diese hatten sich gegen monarchische Anspielungen im Umfeld des Diktators zur Wehr gesetzt: Von der Caesarstatue bei den Rostra hatten sie ein Diadem entfernen lassen, das heimlich angefügt worden war, und bei der Rückkehr Caesars vom Latinerfest auf dem Albanerberg hatten sie denjenigen verhaften lassen, der dem Diktator zuerst *rex* zugerufen hatte (Broughton 2, 323f.; vgl. Meyer, CM, 526f.; G. Dobesch, in: Antidosis, Festschrift W. Kraus, Wien/Köln/Graz 1972, 78–92, bes. 87 (A. 29); H. Kloft, Historia 29, 1980, 315–334)

– 43 P. Titius setzte die Abrogation des Kollegen P. Servilius Casca Longus durch. Dieser war vor Octavian geflüchtet und hatte sich damit eine unerlaubte Entfernung aus seinem Amtsbereich zuschulden kommen lassen (Dio 46,49,1; vgl. Iul. Obs. 70; dazu F. Münzer, RE 2 A, 1923, 1788f.)

Zuteilung von Imperien und zivilen Sonderämtern

Im Prinzip lag es in der Kompetenz des Senats, bei Mangel an Imperiumsträgern ausserhalb Roms (im Bereich *militiae*) weitere Personen mit militärischen Kommandos auszustatten.[50] Dies geschah einerseits durch Prorogation, bei der das Imperium eines amtierenden Magistraten verlängert wurde, andererseits durch die Vergabe von Promagistraturen an Männer, die zu diesem Zeitpunkt kein Amt bekleideten (*privati*). Bei der Prorogation wurde ursprünglich nach dem Beschluss des Senats ein Volksentscheid herbeigeführt. Besonders im zweiten punischen Krieg hatte der Senat die Volkstribunen in einzelnen Fällen eingesetzt, um ausserordentliche Imperien auf schnellem Wege vom Volk legitimieren zu lassen.[51] Die vom Senat beanspruchte Entscheidungskompetenz bei der Zuteilung von Imperien wurde dadurch nicht in Frage gestellt.

Dies änderte sich im Verlaufe der späten Republik. Das Volk war offenbar schon in den Jahren 147 und 134 bei der Zuteilung der Imperien des Scipio Aemilianus beigezogen worden.[52] Im Jahr 147 hatte die Forderung eines Volkstribunen dazu den Ausschlag

50 Bleicken, Lex publica, 117. 119; H. Kloft, RE Suppl. 15, 1978, 444ff., bes. 459f.; vgl. zum Folgenden auch Mommsen, StR. 1, 636f. 2,651f. 3, 1089ff.; A. E. R. Boak, The Extraordinary Commands from 80 to 48 B. C., AHR 24, 1918, 1–25 (Reprint Labeo 29, 1983, 50–69); W. F. Jashemski, The Origins and History of the Proconsular and the Propraetorian Imperium to 27 B. C., Chicago 1950; Gruen, LG, 534ff.; H. Kloft, Prorogation und ausserordentliche Imperien 326–81 v. Chr., Beiträge zur Klassischen Philologie 84, Meisenheim a. G. 1977; R. T. Ridley, The Extraordinary Commands of the Late Republic. A Matter of Definition, Historia 30, 1981, 280–297; A. Giovannini, Consulare Imperium, SBAW 16, Basel 1983.

51 Bleicken, Volkstribunat 1955, 48ff., bes. 52 und 54, vgl. 134; Lex publica, 102 A. 4; Volkstribunat 1981, 97; Hackl, Senat, 1ff., bes. 3. Nach dem zweiten punischen Krieg wurde die Prorogation wieder alleinige Aufgabe des Senats, bis in der zweiten Hälfte des 2. Jh.'s das Volk allmählich wieder mit einbezogen wurde (vgl. Kloft, Prorogation, 51f. 55).

52 Broughton 1, 462. 490; Astin, Scipio, 67f.; Bleicken, Lex publica, 118 A. 38; Ch. Meier, MH 32, 1975, 206f.; Kloft, Prorogation, 52.

gegeben.[53] Als Erfolg der popularen Politik ist auch die Vergabe des Oberbefehls gegen Aristonikos im Jahr 131, die durch die Tributcomitien erfolgte, zu werten. Dies war jedoch nicht als Affront gegen die Senatsmehrheit gedacht, sondern sollte die Differenzen innerhalb der Nobilität bereinigen. Es handelte sich in diesen Fällen nicht um die Revision von Senatsbeschlüssen. – Kurz darauf wandte sich C. Gracchus allgemein gegen Willkür bei der Zuteilung der Provinzen durch den Senat. Er legte fest, dass die konsularischen Provinzen bereits vor den Wahlen bestimmt werden mussten.[54] Die Kompetenz dazu blieb allerdings beim Senat. C. Gracchus bestätigte also in diesem Bereich die Oberhoheit des Senats. Das Gesetz verhinderte aber nicht, dass auch das Volk unter der Leitung eines Tribunen jederzeit unabhängig vom Senat in diese Materie eingreifen konnte.

Im Jahr 107 kam es anlässlich des Krieges gegen Iugurtha zu der ersten Zuteilung eines Imperiums, die gegen den Willen der Senatsmehrheit über das Volkstribunat vollzogen wurde. Als folgenreich erwies sich dann der nächste Versuch des Marius, über die tribunizische Gesetzgebung ein Kommando entgegen dem Willen des Senats zu erhalten. Als ihm P. Sulpicius (Rufus) im Jahr 88 das vom Senat Sulla zugedachte Kommando gegen Mithridates übertragen wollte,[55] reagierte Sulla mit militärischen Mitteln und führte als erster in der Geschichte der römischen Republik ein Heer in die Stadt Rom.

In der Zeit nach der Wiederherstellung der vollen tribunizischen Rechte im Jahr 70 wurde die Kompetenz des Senats bei der Zuteilung der Provinzen wiederholt in Frage gestellt. Durch die gehäuften tribunizischen Konstituierungen von Kommandos verselbständigten sich die Imperien zunehmend.[56] Bei den Volksgesetzen zur Übertragung von Imperien und Vollmachten an Einzelpersonen nahmen die Volkstribunen in der späten Republik eine herausragende Rolle ein.[57] Obwohl die auf diese Weise vergebenen ausserordentlichen Imperien nicht zur popularen Materie gehörten, also nicht prinzipiell zum Wohle des Volkes proklamiert werden konnten, bezeichnete sie Cicero im Jahr 43 als popular, da sie nicht vom Senat, sondern von *tribuni plebis turbulenti* vorgenommen wurden.[58] Zudem verband sich mit ihnen die Gefahr der Übermacht eines einzelnen Aristokraten.[59] Die Bevollmächtigungen waren meist gegen den Willen des Senats gerichtet. Der Senat sah sich jedoch auch selbst gezwungen, ausserordentliche Imperien zu vergeben und sich mit einzelnen popularen Anträgen abzufinden, da er nicht in der Lage war, die betreffenden Probleme auf anderem Wege zu lösen. Dies galt besonders für die

53 App. Pun. 112.

54 Vgl. oben S. 88.

55 Ch. Meier (RPA, 220f.) weist darauf hin, dass diese Art der Kommandoübertragung ohne Präzedenzfall war und „einen gefährlichen Eingriff der Volksversammlung in die Exekutive" darstellte (221).

56 H. Kloft, RE Suppl. 15, 1978, 453ff.; vgl. schon die Verselbständigung der Magistratur mit Imperium im spanischen Krieg: Hackl, Senat, 13. 114. (50ff.).

57 Nichttribunizisch war die Verlängerung von Caesars Provinzkommando im J. 55 (Rotondi 404); vgl. auch die *cura annonae* des Pompeius im J. 57; dazu Ridley (vgl. A. 50) 294f.; zu den Kommandos der 70er Jahre: Boak (vgl. A. 50) 52ff. Die vom Senat veranlassten Prorogationen wurden weiterhin ohne Volksbeschluss zugeteilt (H. Kloft, RE Suppl. 15, 1978, 454. 458ff.).

58 Cic. Phil. 11,18; dazu Martin 28. 212; Meier, Populares, 605.

59 Wirszubski 76ff.

Getreideversorgung und die Beseitigung des ihr hinderlichen Piratenwesens.[60] Im Jahr 67 liess A. Gabinius ein Imperium gegen die Piraten verabschieden, das von der Volksversammlung Pompeius zugedacht wurde. Es sollte die nach wie vor ungesicherte Getreidezufuhr verbessern. Als das Gesetz im Senat diskutiert wurde, trat angeblich nur Caesar dafür ein und Gabinius wurde fast erschlagen.[61] Der Senat lehnte es ab, dass über das *concilium plebis* ein Imperium vergeben werden sollte, und wandte sich gegen eine erneute Sonderstellung des Pompeius. In der Volksversammlung interzedierte L. Trebellius, bis ihm in der von Gabinius eingeleiteten Abrogationsabstimmung die Amtsentsetzung drohte. L. Roscius Otho brachte nur andeutungsweise einen Kompromissvorschlag vor, der nach dem Kollegialitätsprinzip zwei Promagistrate vorsah; er stiess damit aber auf Empörung und konnte nicht weiter vordringen.[62] Nach der Annahme des gabinischen Gesetzes in der Volksversammlung bewilligte der Senat trotz der anfänglichen Ablehnung der Vorlage dem Pompeius zusätzliche Rüstungen,[63] denn auch die Senatoren waren an einem Erfolg des Unternehmens interessiert, wenn es schon zustande kommen musste.

Die Feldherrn konnten in der späten Republik durch die tribunizischen Imperiumsgesetze für ihren eigenen Machtzuwachs sorgen,[64] um sich so gegenüber dem Senat zu behaupten. Pompeius strebte nach seinen Siegen im Osten auch in Rom eine herausragende Stellung an. Durch ein Kommando gegen Catilina, wie es Q. Caecilius Metellus Nepos beantragte, wollte er seine Rückkehr nach Italien einleiten. Im Jahr 53 forderten dann zwei Tribunen für Pompeius eine führende Position unter den Magistraten Roms, indem sie ihn gar als Diktator vorschlugen, was dieser dann propagandistisch von sich wies. Die aristokratische Gleichheit konnte keine zivile Sonderstellung zulassen, die dem militärischen Rang der Feldherrn entsprach. Caesar eroberte sich daher mit seinem Heer selbst die beanspruchte Führungsstellung in der Res publica.

Die Bestimmungen der Volkstribunen statteten sowohl Magistrate als auch Privatpersonen mit Imperien aus. Zum einen wurde damit in das vom Senat (im Prinzip durch Los) bestimmte Provinzzuteilungsverfahren eingegriffen.[65] Der Amtsbereich eines ordentlichen Magistraten und Promagistraten konnte durch zusätzliche Kompetenzen erweitert werden.[66] Zum andern wurden Private mit einem Imperium betraut.[67] Neben militärischen Imperien wurden auch zivile Sonderämter konstituiert, insbesondere zur Sicherung der Getreideversorgung, Einrichtung einer Provinz und Landassignation.[68] Die dabei verge-

60 Dazu S. 57 (A. 107); zu Caesars gallischem Kommando vgl. Cic. Phil. 11,20: *imperium C. Caesari belli necessitas*; dazu Martin 107ff.; zur Verlängerung von Pompeius' Statthalterschaft s. unten; Bleicken (Lex publica, 116 A. 34) stellt fest, dass die Kommandos ab 59 ohne militärische Zwangslage vergeben wurden.

61 Dio 36,24; Plut. Pomp. 25,4. Breitere Unterstützung nimmt M. Gelzer, Kleine Schriften, Bd. 2, Wiesbaden 1962, 178 A. 190, an.

62 Dio 36,30,3; Plut. Pomp. 25,6f.; vgl. Gelzer, Pompeius, 72.

63 Plut. Pomp. 26,1f.; App. Mithr. 94; Dio 36,37,1f.; dazu Boak (vgl. A. 50) 58f.

64 Dazu auch H. Kloft, RE Suppl. 15, 1978, 456. Vgl. die Scipionen als Vorläufer (Bleicken, Volkstribunat 1955, 70; Lex publica, 118 A. 38).

65 Vgl. unten zu den J. 131, 107, 88, 67, 66, 59, 58, 55.

66 Vgl. unten zu den J. 67, 66, 59, 57, 55, vgl. 52.

67 Vgl. unten zu den J. 88, 67, 66, 58 (Cato), 57.

68 S. unten zu den J. 65, 63, 57, 50, ferner die *rogatio Caninia* 56; Bleicken, Lex publica, 117 A. 35.

benen Vollmachten liessen sich aber nicht in jedem Fall vom militärischen Bereich trennen, da zur Durchführung der Aufträge ausserhalb Italiens Waffengewalt nötig werden konnte. Als Pompeius die *cura annonae* übernahm, erhielt er durch konsularisches Gesetz geradezu ein *imperium pro consule* und kam in den Besitz einer Armee und einer Flotte.[69]

Regelungen über zivile Sonderämter enthielten offenbar die tribunizischen *leges Licinia et Aebutia*, die möglicherweise bereits in vorgracchischer Zeit, sicher aber vor 63 eingebracht worden sind.[70] Sie schlossen diejenigen, die ein ausserordentliches Amt kreierten, sowie deren Kollegen, Verwandte und Verschwägerte von der Übernahme dieser Funktion aus. Diese Bestimmung erwies sich aber schon bei der Ackerkommission des Ti. Gracchus,[71] wie dann auch bei derjenigen des M. Livius Drusus, [72] als umgehbar, sofern man die Gesetze nicht erst als Reaktion auf diese Selbstbeförderungen ansehen will.[73] Ein Volkstribun hat sich auf diese Weise jedoch nie ein militärisches Kommando zusichern lassen. Militärische Aufgaben waren Sache von Männern, die nicht an Rom gebunden waren.

Eine weitere Art der Zuteilung eines Imperiums kam bei den Beschlüssen für einen Triumph zustande, die dem Feldherrn für einen Tag erlaubten, in militärischem Aufzug die Stadt Rom zu betreten.[74] Die Erlaubnis für einen Triumph wurde üblicherweise wie die Prorogation vom Senat in die Wege geleitet, konnte aber auch von der Volksversammlung alleine beschlossen werden.[75] Dies war jedoch selten der Fall,[76] und wir können kein einziges sicheres tribunizisches Gesetz ausmachen, das in der späten Republik einen Triumph festlegte.[77] Die Feldherrn hielten sich hier offenbar vom Einsatz der Volkstribunen zurück. Im Jahr 80 brachte Sulla schliesslich selbst den von Pompeius beantragten Triumph ein,[78] und im Jahr 54 agierte C. Pomptinus über den Praetor Ser. Sulpicius Galba.[79] Nicht näher bekannt ist die rechtliche Grundlage für den Triumph Caesars über Iuba im Jahr 48.[80] Im Jahr 62 setzten sich zwei Tribunen (L. Marius und M. Porcius Cato) gar gegen den Missbrauch des Triumphes ein, wie wir oben gesehen haben.[81]

Die Betrachtung der ausserordentlichen Kommandos zeigt, dass sich in etlichen Fällen Volkstribunen dafür einspannen liessen, den Feldherrn und Konsuln zu den gewünschten Imperien zu verhelfen. Inwieweit die Anlehnung an einen Konsul oder Feldherrn der eigenen Politik der betreffenden Tribunen dienen konnte oder ob die

69 Cato wurde als *quaestor pro praetore* nach Zypern gesandt (s. unten).
70 Cic. leg. agr. 2,21; vgl. Rotondi 290; Niccolini 411; Broughton 2, 468. 470; ferner E. Weiss, RE 12, 1925, 2320.
71 Liv. per. 58.
72 CIL I² 1 p. 199; Dessau 49.
73 So Mommsen, StR. 1, 501 A. 2. 2, 630 A. 1; Bleicken, Volkstribunat 1955, 72; E. Badian, ANRW I 1, 1972, 705 A. 113; vgl. Stockton 52.
74 Bleicken, Lex publica, 121f.
75 Mommsen, StR. 1, 134f.; W. Ehlers, RE 7, 1939, 499.
76 Bleicken, Lex publica, 122 A. 47.
77 Zu vermuten wäre ein Plebiszit allenfalls beim Triumph des Pompeius Ende 71, dem ein *senatus consultum* voraufging (Cic. imp. Pomp. 61f.; vgl. Lange, Röm. Alterthümer 2, 677f.; Rotondi 367).
78 Der Triumph wurde auch vom Senat angenommen; vgl. Rotondi 364; Gelzer, Pompeius, 40f.
79 Rotondi 408. Zum Widerstand von tribunizischer Seite vgl. unten S. 232.
80 Rotondi 417.
81 Vgl. oben S. 91.

Tribunen hier als reines „Werkzeug“ von Einzelpersönlichkeiten fungierten, muss unten noch näher untersucht werden.[82] Für den Senat ist festzuhalten, dass er bei der Vergabe von Imperien nicht auf die Volkstribunen angewiesen war und auf diesem Gebiet eine Zusammenarbeit mit den Tribunen vermied. Die tribunizischen Imperiumsgesetze bedeuteten daher einen der gravierendsten Eingriffe in die Senatskompetenzen. Die betreffenden Tribunen lieferten mit ihren Bevollmächtigungen einen Beitrag zum Desintegrationsprozess der Res publica. Die Entwicklung resultierte schliesslich darin, dass P. Titius im Jahr 43 die Vollmachten der Triumvirn Octavian, Antonius und Lepidus bestätigen liess, die in der Folge über die Leitung des Staates verfügen konnten.

Auf dem Gebiet der Imperiumszuteilung war Sulla selbst Opfer der tribunizischen Gesetzgebung geworden, was bei seinem Entschluss zu Einschränkungen des Volkstribunats sicher mitgespielt hatte. Bei Caesar zeigte sich andererseits, dass er als Diktator nicht mehr auf Imperiumszuteilung durch Volkstribunen angewiesen war.

Es begegnen folgende Fälle, in denen Imperien und zivile Sonderämter von Volkstribunen beantragt wurden:[83]

- 131 Die Tributcomitien entschieden über den Oberbefehl gegen Aristonikos, wobei der Konsul P. Licinius Crassus, Mitglied der Ackerkommission, trotz seines Amtes als Pontifex Maximus gewählt wurde. Der bewährte Feldherr Scipio Aemilianus erhielt als Privatmann nur zwei Tribusstimmen (Niccolini (155) denkt an ein Plebiszit; vgl. Rotondi 302f.; Astin, Scipio,234; Bleicken, Lex publica, 118 (A. 38). 120 A. 40; Kloft, Prorogation, 52)
- 107 T. Manlius Mancinus übertrug dem Konsul C. Marius *extra sortem* das Kommando gegen Iugurtha (Sall. Iug. 73,7, vgl. 82,2), das vom Senat dem Metellus Numidicus durch Prorogation zugedacht worden war (Martin 178; Bleicken, Lex publica, 118 A. 38. 132 A. 101; Kloft, Prorogation, 52f.)
- 101 /100 Die *lex de piratis* (s. oben S. 57 A. 104 f.) plante möglicherweise ein ausserordentliches Kommando für Marius (Bleicken, Lex publica, 116 A. 34)
- 88 P. Sulpicius (Rufus) ersetzte den vom Senat bestimmten Sulla durch Marius (als Privatmann) im Kommando gegen Mithridates (wohl mit *imperium proconsulare*), was schliesslich durch Sulla vereitelt wurde (Broughton 2, 41; Jashemski (vgl. A. 50) 92). Das Gesetz wurde vom Senat für ungültig erklärt (App. BC. 1,59,268; vgl. Cic. Phil. 8,7)
- 67 A. Gabinius kreierte gewaltsam ein dreijähriges Imperium gegen die Piraten, das Pompeius (als Privatmann) übertragen wurde. Es umfasste das ganze Mittelmeer und jeweils 50 Meilen der Küstenzone landeinwärts. Zudem gewährte es das Recht auf Aushebung, Flottenbestellung, Wahl von Legaten und Verwendung staatlicher Mittel (Broughton 2, 144 f.; dazu Boak (vgl. A. 50) 58f.; Sh. Jameson, Historia 19, 1970, 539–560; Schneider, Wirtschaft, 376ff. 379)

82 Dazu unten S. 140ff.

83 Ausgenommen sind Koloniegründungsaufträge (vgl. oben S. 44ff., bes. S. 55 zu Caesar, der *lege Vatinia* die Kolonie Comum einrichtete) sowie normale *curae viarum* (vgl. oben S. 35 A. 101) und Ackerkommissionen (zur Judikationsgewalt der gracchischen Ackerkommission: Liv. per. 58). Der Proquaestor P. Sestius schrieb Q. Fufius Calenus und andere (Volkstribunen?) an, damit er Ende 62/ Anfang 61 noch nicht in seiner Provinz abgelöst wurde; Cicero gewann die betreffenden Leute für dieses Vorhaben (Cic. fam. 5,6,1), womit möglicherweise ein Plebiszit verbunden war. Im J. 88 meldeten sich viele Bewerber mit Volksführern (διὰ τῶν δημαγογῶν) für das Kommando gegen Mithridates (Plut. Mar. 34,1); Anzeichen von entsprechenden Rogationen haben wir allerdings nicht. C. Memmius verpflichtete den Pr. L. Cassius Longinus mittels eines Gesetzes, Iugurtha nach Rom zu schaffen (Sall. Iug. 32,5).

- 67 A. Gabinius übertrug dem Konsul M'. Acilius Glabrio an Stelle des Lucullus die Provinz Bithynien und Pontus mit dem Kommando im mithridatischen Krieg (Broughton 2, 144; vgl. Gelzer, Pompeius, 70; Jashemski (vgl. A. 50) 77)
- 66 C. Manilius kreierte ein Kommando im Osten gegen Mithridates und Tigranes (Provinzen Bithynien und Pontus, die noch Glabrio unterstanden, sowie Kilikien, das Q. Marcius Rex unterstand); es wurde Pompeius (als Privatmann) übertragen, der die entsprechenden Streitkräfte übernahm. Alle 35 Tribus hatten den Antrag befürwortet (Broughton 2, 153; vgl. Gelzer, Pompeius, 80f.; Jashemski (vgl. A. 50) 93; Sh. Jameson, Historia 19, 1970, 558 f.)
- 65 Caesar (als Aedil) versuchte, nach einer zweifelhaften Nachricht bei Sueton (Iul. 11), durch einige Volkstribunen ein ausserordentliches Kommando in Aegypten zu erhalten, wo der König Ptolemaios vertrieben worden war und Crassus eine Provinz einrichten wollte. Das Unternehmen kam jedenfalls nicht zustande (Cic. leg. agr. 2,43f.; Plut. Crass. 13; vgl. H. Strasburger, Caesars Eintritt in die Geschichte, München 1938, 113 f.; Heuss, RG, 199; Boak (vgl. A. 50) 60; Ridley (vgl. A. 50) 284; Bleicken, Lex publica, 117 A. 35)
- 63 P. Servilius Rullus wollte mit seinem Ackergesetz eine Zehnmännerkommission mit *potestas praetoria* und Liktorenbegleitung auf fünf Jahre einsetzen (Cic. leg. agr. 2, 32), wovon wohl besonders Caesar und Crassus profitieren sollten. Es handelte sich offenbar nicht um ein militärisches Kommando (vgl. Mommsen, StR. 2, 631; G.V. Sumner, TAPhA 97, 1966, 576; Schneider, Wirtschaft, 338; dagegen Boak (vgl. A. 50) 60 f.)
- 62 Q. Caecilius Metellus Nepos wollte mit Hilfe Caesars den Prokonsul Pompeius mit seinen Truppen nach Italien berufen, um die Ordnung nach der catilinarischen Verschwörung wieder herzustellen. Cato interzedierte, worauf es zu Auseinandersetzungen kam, die zur Notstandserklärung führten. Metellus und Caesar wurden von ihren Ämtern suspendiert, so dass der Antrag scheiterte (Broughton 2, 174; Gelzer, Pompeius, 116; Ch. Meier, Athenaeum 40, 1962, 103–125)
- 59 P. Vatinius übertrug dem Konsul Caesar die Provinzen Gallia Cisalpina und Illyricum auf fünf (so zuletzt A. Giovannini, Consulare Imperium, SBAW 16, Basel 1983, 129ff.) bzw. vier (vgl. H. Gesche, Chiron 3, 1973, 179–220) Jahre. Das Gesetz verschaffte Caesar drei Legionen, Geldmittel und das Recht auf Legatenbestellung. Es enthielt eine Bestimmung, die eine weitere Verhandlung über diese Provinzen bis zum 1.3.54 verbot (Broughton 2, 190; Boak (vgl. A. 50) 62f.; Gelzer, Caesar, 77ff.; zur Datierung des Gesetzes Ch. Meier, Historia 10, 1961, 69ff.). Der Senat fügte Gallia Narbonensis und eine vierte Legion hinzu, aus Angst vor einem neuen Plebiszit (Suet. Iul. 22)
- 58 P. Clodius Pulcher übertrug dem Konsul Gabinius die Provinz Kilikien, die er anschliessend durch eine neue Bestimmung durch das lukrativere Syrien ersetzte, sowie dem Konsul Piso Makedonien (Broughton 2, 195f.; vgl. Sh. Jameson, Historia 19, 1970, 542)
- 58 P. Clodius Pulcher verfügte die Annexion Zyperns als Provinzialterritorium sowie die Veräusserung von Ptolemaios' Besitz und die Rückführung von Verbannten nach Byzanz, womit Cato beauftragt wurde (als *quaestor pro praetore*). Die exilierten Byzantiner waren bei inneren Wirren vertrieben worden und hatten Clodius für ihre Rückführung bestochen (Rotondi 397)
- 57 C. Messius forderte für Pompeius (als Privatmann) eine *cura annonae* mit erweiterten Kompetenzen (*imperium maius* mit einer Flotte, einer Armee und staatlichen Geldern, vgl. Cic. Att. 4,1,7; dazu Sh. Jameson, Historia 19, 1970, 543. 559f.), die Pompeius schliesslich selbst ablehnte. Er begnügte sich mit dem zuvor von Cicero im Senat vorgeschlagenen *imperium pro consule* im ganzen römischen Raum auf fünf Jahre und dem Ernennungsrecht für 15 Legaten, was von den Konsuln als Gesetz durchgebracht wurde (Rotondi 402f.; Boak (vgl. A. 50) 64f.; Ridley (vgl. A. 50) 295). Am 5.4.56 erhielt Pompeius vom Senat 40 Mio. Sesterzen (Cic. Q. fr. 2,6,1)
- 56 L. Caninius Gallus beantragte, dass Pompeius an Stelle des vom Senat vorgesehenen Procos. P. Cornelius Lentulus Spinther in Begleitung von zwei Liktoren, aber ohne Heer, Ptolemaios Auletes auf den aegyptischen Thron zurückführen sollte (Rotondi 403; Niccolini 305; Broughton 2, 209)
- 55 C. Trebonius übertrug den Konsuln die spanischen Provinzen, die Pompeius zufielen, sowie

Syrien, das Crassus zugeteilt wurde. Dabei erhielten sie die Kompetenz für Aushebungen und Flottenbesetzung sowie die Beschlussgewalt über Krieg und Frieden. Pompeius durfte in Italien bleiben und *legati* in seine Provinzen schicken (Broughton 2, 217). Caesars Statthalterschaft wurde aber kaum durch eine Bestimmung des Trebonius, sondern durch die Konsuln um fünf Jahre verlängert (Dio 39,36,2; Boak (vgl. A. 50) 65; Gelzer, Caesar, 115f., gegen Niccolini 309)

– 53 M. Coelius Vinicianus und C. Lucilius Hirrus schlugen Pompeius vergeblich als Diktator vor, nachdem ein anderer tribunizischer Vorschlag während des Interregnums erfolglos die Wahl von Konsulartribunen vorgesehen hatte. Ob ein entsprechender Antrag zustande kam, bleibt ungewiss (Dio 40,45,4f.; Broughton 2, 228; vgl. Mommsen, StR. 2, 705 A. 1; Gelzer, Pompeius, 165. 169)

– 52 Das Imperium des Pompeius (vgl. oben zum J. 55) wurde auf Senatsbeschluss (App. BC. 2,24,92; Plut. Caes. 28,5) um fünf Jahre verlängert, wobei 1000 Talente pro Jahr für den Unterhalt seiner Armee vorgesehen waren. Der Beschluss dürfte als Plebiszit verabschiedet worden sein (Rotondi 409; Gelzer, Pompeius, 179. 275 A. 85; H. Kloft, RE Suppl. 15, 1978, 455)

– 50 C. Scribonius Curio wollte für sich ein Strassenbauamt auf fünf Jahre verabschieden lassen (App. BC. 2,27,102; Cic. fam. 8,6,5; dazu oben S. 55; ferner W.K. Lacey, Historia 10, 1961, 325ff.)

– 44 Anfang Juni liess sich der Konsul M. Antonius, dem Makedonien als Provinz zugedacht war, wohl durch ein Plebiszit die gallischen Provinzen übertragen (App. BC. 3,27; Dio 45,25,1f.; Broughton 2, 316; anders Rotondi 432). Ein Antrag im Senat war vorgesehen, kam aber nicht zustande (Stein 77). Antonius bestach die vom Senat für die Interzession beorderten Volkstribunen (App. BC. 3,30). Wohl durch dasselbe Plebiszit wurde den Konsuln M. Antonius und P. Cornelius Dolabella ein fünfjähriges Prokonsulat übertragen, das damit die in der *lex Iulia de provinciis* festgelegte Höchstlimite von zwei Jahren überstieg (was Cicero kritisierte). Gleichzeitig wurde am 2. Juni der Senatsbeschluss, der die Konsuln zusammen mit einer Kommission ab 1. Juni zur Untersuchung der *acta Caesaris* vorgesehen hatte, durch ein Plebiszit ersetzt, das die Konsuln alleine beauftragte (Rotondi 432f.; Niccolini 348. 351; dazu W. Sternkopf, Hermes 47, 1912, 357ff.; T. Rice Holmes, The Architect of the Roman Empire, Bd. 1, Oxford 1928, 15f.)

– 43 P. Titius legalisierte das Triumvirat (*IIIviri rei publicae constituendae* mit *potestas consulare* auf fünf Jahre; Broughton 2, 340)

Zuteilung von Sonderrechten

Die Zuteilung von Sonderrechten, die von einer bestehenden Gesetzesvorschrift befreiten (Privilegien), wurde während der späten Republik sowohl vom Senat als auch vom Volk vorgenommen.[84] C. Cornelius strebte als Tribun des Jahres 67 eine Änderung dieser Praxis an, indem er das Recht der Privilegienvergabe ausschliesslich auf die Volksversammlung beschränken wollte.[85] Als er damit scheiterte, beliess er die Kompetenz beim Senat, band dessen Beschlüsse allerdings an die Zustimmung des Volkes. Diese Vorschrift sollte jedoch keine grosse Wirkung zeigen. In der Folge teilten sowohl der Senat als auch die Volksversammlung weiterhin Sonderrechte zu.[86] Konsularische oder praetorische Gesetze sind in diesem Zusammenhang nicht bekannt, so dass man mit einem Vorrang der tribunizischen Vorlagen rechnen kann. Neben den tribunizischen Gesetzen ist allerdings auch eine ganze Reihe von Senatsbeschlüssen anzunehmen.[87] Von den tribunizischen

84 Bleicken, Lex publica, 132, vgl. 129ff. und 196ff.

85 Vgl. oben S. 88.

86 Bleicken, Lex publica, 133.

87 Beispiele von Senatsbeschlüssen bei Bleicken, Lex publica, 134 A. 108.

Beschlüssen für die Vergabe von Privilegien waren jeweils Personen in magistratischer Stellung betroffen. Die entsprechenden Anträge sind daher im Kapitel über Senat und Magistratur angefügt, obwohl die Sonderrechte prinzipiell nicht mit der Beamtenstellung zusammenhängen mussten.

Befreiungen von gesetzlichen Vorschriften kamen schon zustande, als Volkstribunen gegen die Regeln des Provinzzuteilungsverfahrens Imperien vergaben.[88] Die hier zu betrachtenden, von Volkstribunen beantragten Sonderrechte, konnten im weiteren von Vorschriften bei Wahlbewerbung befreien (vgl. unten zu den J. 62 und 52),[89] besondere Kompetenzen zuteilen[90] oder bestimmte Ehrenrechte vermitteln.[91] Pompeius und Caesar sollte die Konsulatsbewerbung *in absentia* ermöglicht werden, damit sie aus ihren Provinzen zurückkehren und eine angemessene Stellung in der Res publica einnehmen konnten. Diese Vorhaben trafen auf Opposition, und beide Feldherrn wählten schliesslich andere Wege.

Ein Ehrenbeschluss ist in der späten Republik vor dem Jahr 67 (C. Papirius Carbo)[92] nicht bekannt. Für Pompeius kam offenbar nur eine einzige Ehrung durch Plebiszit zustande (s. unten zum J. 63). Sie stammte, wie dann auch der Antrag auf ein Konsulat im Jahr 62, von popularer Seite und wurde von Caesar unterstützt, der den Feldherrn für sich gewinnen wollte. Cato setzte sich in beiden Fällen zur Wehr. Bei den Sonderrechten für Caesar können wir jeweils einen vorangehenden Senatsbeschluss annehmen.[93] Der Senat kapitulierte hier vor dem Diktator, und es konnte nochmals zu einer Zusammenarbeit zwischen Volkstribunat und Senat kommen. Abgesehen von Pompeius profitierte ausschliesslich Caesar von den tribunizischen Ehrenbeschlüssen. Nur in einem einzigen Fall (C. Papirius Carbo, s. A. 92) ist eine Ehrung durch Plebiszit zu vermuten, die nicht einen der beiden Feldherrn betraf.

Caesar näherte sich durch die wohl tribunizischen Beschlüsse der Jahre 48 (*ius subselli*) und 44 (*sacrosanctitas*) der *tribunicia potestas* an. Er genoss denselben Schutz wie die Volkstribunen, kam aber kaum in den Besitz von Tribunengewalt.[94] Allerdings zeigte sich, dass wichtige Teile der *tribunicia potestas* vom Amt der Volkstribunen loslösbar bzw. übertragbar wurden und zur Legitimation einer monopolisierten Machtstellung missbraucht werden konnten. Die weiteren Beschlüsse des Jahres 44 (Ernennungsrecht für Magistrate und Patrizier) stellten – wie schon das Verfügungsrecht über die Pompeianer vom Jahr 48 – eine Erweiterung der politischen Handlungsbasis und einen massiven Eingriff in die Prinzipien der Res publica dar. Die tribunizische Gesetzesinitiative liess sich hier offenbar auch mit Senatszustimmung dazu missbrauchen, die Stellung Caesars zu

88 Bleicken, Lex publica, 132 (A. 101).
89 Bleicken, Lex publica, 131 (A. 99).
90 Vgl. unten zu den J. 48 und 44.
91 Vgl. unten zu dem J. 63; ferner die konsularischen Insignien des C. Papirius Carbo (A. 92).
92 Niccolini 436f.; Broughton 2, 145; ferner J.-M. David, MEFR 92, 1980, 205ff.
93 Willems 2, 733f.; Rotondi 426f. Inwieweit Caesar die betreffenden Senatsbeschlüsse selbst einleitete, ist nicht zu klären.
94 E. Hohl, Besass Cäsar Tribunengewalt?, Klio 32, 1939, 61–75, bes. 75 (vgl. 69); zudem F. De Visscher, La „tribunicia potestas“ de César à Auguste, SDHI 5, 1939, 101ff.; Martin 120f.; Z. Yavetz, Plebs and Princeps, Oxford 1969, 54f.; M. A. Levi, La „Tribunicia potestas“ di C. Giulio Cesare, in: Il Tribunato della plebe e altri scritti su istituzioni pubblici romane, Milano 1978, 41–44; R. A. Bauman, Tribunician Sacrosanctity in 44, 36 and 35 B.C., RhM 124, 1981, 166–183.

untermauern und Mechanismen der hergebrachten republikanischen Ordnung preiszugeben.

Folgende Sonderrechte wurden durch tribunizische Gesetze an Einzelpersonen vergeben:[95]

– 63 T. Labienus und T. Ampius Balbus erwarben für Pompeius das Recht, bei Zirkusspielen den Goldenen Kranz und das Triumphalgewand, bei Bühnenspielen den Goldenen Kranz und die *toga praetexta* zu tragen (Vell. 2,40,4; Dio 37,21,3f.; vgl. Meyer, CM, 38; Gelzer, Pompeius, 115f.; Martin 58f.; Bleicken, Lex publica, 130 A. 93; Alföldi, Caesar in 44 v. Chr., 142ff.)

– 62 Q. Caecilius Metellus Nepos wollte für Pompeius das Recht erwerben, *in absentia* für das Konsulat zu kandidieren (und mit dem Heer nach Italien zurückzukehren, s. oben S. 101). Als das SCU beschlossen wurde, ging Nepos zu Pompeius ab (Broughton 2, 174)

– 52 Alle zehn Volkstribunen setzten für Caesar das Recht durch, sich *in absentia* um das Konsulat zu bewerben (Broughton 2, 236; Niccolini 320f.; J.P.V.D. Balsdon, JRS 52, 1962, 140f.), was wohl mit der Zustimmung des Senats geschah (vgl. Cic. Att. 7,3,4. 6,2; Flor. 2,13,15f.)

– 48 A. Hirtius erteilte möglicherweise als Volkstribun Caesar die Vollmacht über das Los der Pompeianer (Niccolini 335 ff.; Broughton 2, 274. 285 A. 3; vgl. Gelzer, Caesar, 233 (mit A. 294); Yavetz 77f.; eventuell geschah dies auch während der Praetur des Hirtius, vgl. Rotondi 419)

– 48 Als Caesar im J. 48 auf ein Jahr zum Diktator ernannt wurde, liess er sich wohl durch Plebiszit auch das Recht verleihen, auf der Tribunenbank Platz zu nehmen *(ius subselli)*, wobei dies möglicherweise auf die Spiele beschränkt war (Dio 42,20,3. 44,4,2; Rotondi 417; Niccolini 337f.; vgl. L. Wickert, RhM 96, 1953, 288; anders E. Hohl, Klio 32, 1939, 71f.; zum Problem der *sacrosanctitas* vgl. R.A. Bauman, RhM 124, 1981, 172 f.; M. Jehne, Der Staat des Dictators Caesar, Köln/Wien 1987, 96ff.)

– 44 Caesar erhielt das Recht, denselben Schutz wie die Volkstribunen zu geniessen, also sacrosanct zu sein. Dies erfolgte auf Grund eines Senatsbeschlusses, der möglicherweise durch ein Plebiszit bestätigt wurde (Liv. per. 116; Dio 44, 4, 2. 5,3. 50,1; App. BC. 2, 106. 144; Rotondi 425; Niccolini 345; anders E. Hohl, Klio 32, 1939, 69f.; vgl. aber Jehne, a.a.O.)

– 44 L. Antonius erteilte zu Beginn seiner Amtszeit Caesar wohl das Ernennungsrecht für die Hälfte der Magistrate der nächsten zwei Jahre (Cic. Att. 14, 6, 2; vgl. Frei-Stolba 60), mit Ausnahme der Konsuln (Rotondi 427f.; Frei-Stolba 58ff. 72ff.; Yavetz 129ff.; Jehne, a.a.O., 110ff.). Dies geschah wahrscheinlich auf Senatsbeschluss (vgl. Nic. Damas. Caes. 20; dazu Frei-Stolba 62). Die Regelung betraf auch die Volkstribunen (vgl. Cic. Att.; dazu Frei-Stolba 63 A. 139; H. Kloft, Historia 29, 1980, 321). Vorstufen zu diesem Recht, wie sie im J. 46 und 45 vom Senat angeboten worden waren, hatte Caesar zumindest im J. 45 abgelehnt (Frei-Stolba 48ff.)

– 44 L. Cassius Longinus, tr. pl. 44, war wahrscheinlich Autor der Bestimmung, die Caesar (als Pont. Max.) das Ernennungsrecht für Patrizier zuteilte (Rotondi 426; Niccolini 347; vgl. Yavetz 128f.; möglicherweise geschah dies auch durch den Bruder des Tribunen, den Praetor C. Cassius Longinus)

Zusammenfassung

Der Geschäftsgang des Senats wurde durch tribunizische Vorlagen kaum eingeschränkt, sondern vielmehr in einzelnen Punkten rationalisiert. Bei den Einschränkungen gegenüber Beamten spielten die Volkstribunen eine übergeordnete Rolle,

95 Caesar soll zudem im J. 44 den Tribunen C. Helvius Cinna beauftragt haben, für ihn das Recht durchzusetzen, soviele Frauen zu heiraten, wie er wolle, um männliche Nachkommenschaft zu erhalten (Suet. Iul. 52,3; Dio 44,7,3); von einer entsprechenden Rogation ist nichts bekannt.

sofern man von den Massnahmen Sullas absieht. Die tribunizischen Bestimmungen stellten auch hier jeweils nur voneinander unabhängige Einzelmassnahmen dar, die keine systematische Kontrolle der Aristokratie gewährleisteten. Zudem zeigte sich, dass ihre Wirkung beschränkt war. Als Gesetze zur genaueren Regelung des staatlichen Lebens[96] wurden sie nicht mit einem übergeordneten Konzept zur Reformierung der Res publica und der Reichsadministration verfolgt. Nur C. Gracchus und C. Cornelius rogierten auf diesem Gebiet mehr als eine Bestimmung. Hingegen dürfen die tribunizischen Massnahmen zu Senat und Magistratur nicht ausschliesslich auf Gründe des politischen Tageskampfes oder auf persönliche Vorteile zurückgeführt werden, da mit ihnen durchaus die Beseitigung einzelner Missstände angestrebt wurde.

Die Regelungen wurden mehrheitlich gegen den Willen der Optimaten eingebracht. Zumindest C. Gracchus und C. Cornelius haben aber offenbar für ihre Rogationen die Zustimmung der Senatsmehrheit eingeholt. Bei dem Gesetz des L. Marius und Cato über den Triumph ist andererseits kaum anzunehmen, dass die Initiative aus den Reihen des Senatsplenums selbst gekommen war. Vielmehr ist insbesondere Cato als weitgehend selbständig handelnder Tribun aufzufassen. Der Senat war hier, wie auch bei der Abrogation und Vergabe von Imperien und Sonderrechten, nicht auf die Tribunen angewiesen, sofern ihm an einer betreffenden Aktion lag. Ein *senatus consultum* alleine konnte genügen, oder ansonsten bestand auch die Möglichkeit eines konsularischen bzw. praetorischen Gesetzes. Die Tribunen haben somit keine allgemeine Aufgabe in der Regelung des staatlichen Lebens bzw. der Einschränkung der Magistrate wahrgenommen.

Ferner kam es nur zu einem einzigen Versuch, die Möglichkeiten der Magistratur zu erweitern, nämlich als C. Papirius Carbo für das Volkstribunat die Kontinuation ermöglichen wollte. Am Ausbau der ordentlichen Magistratur waren die Volkstribunen nicht beteiligt. Durch die tribunizischen Reformen wurden damit auch keine prinzipiellen Machtverlagerungen angestrebt. Die einzige fundamentale Änderung lag in der Aufhebung der sullanischen Beschränkungen, die wieder die Möglichkeit schuf, Politik gegen den Willen der Senatsmehrheit über die Volksversammlung zu betreiben. Auch wenn etliche Tribunen am Kampf um die Restituierung des Volkstribunats beteiligt waren, so konnte diese aber erst durch konsularische Gesetze vollzogen werden.

Etwas anders verhielt es sich beim Amtsentzug und der Zuteilung von Imperien und Sonderrechten. Hier ging es einerseits um die Sicherung der *popularis ratio*, andererseits um die Unterstützung einzelner Konsuln und Feldherrn. Abrogationen blieben aber Einzelfälle und konnten nicht zu einem permanenten Kontrollmechanismus gegenüber den Magistraten werden. Unter den Gesetzen zu Abrogation und Imperiumsvergabe spielten die tribunizischen eine dominante Rolle. Sie standen allerdings in Konkurrenz zu Senatsbeschlüssen, die die gleiche Wirkung erzielen konnten. Unter Caesar kam es nochmals zu einer Zusammenarbeit zwischen Senat und Volkstribunat. Der Feldherr hatte den Senat unter Kontrolle und wirkte auch auf die Besetzung der Ämter ein. Er konnte sich durch tribunizische Gesetze Sonderrechte zuteilen lassen, die ihn in Verbindung mit seiner Diktatur zu einer überragenden Machtstellung führten. Dies erlaubte es ihm schliesslich, auf die Volkstribunen und ihre Gesetzesinitiative zu verzichten.

96 Hierzu sind im Prinzip auch die Regelungen zu der Gerichtsbarkeit zu zählen, die im übernächsten Abschnitt behandelt werden.

d) Aussenpolitische Regelungen

Aussenpolitische Geschäfte lagen traditionsgemäss in den Händen des Senats.[1] Fragen des staatlichen Verkehrs mit andern Territorien und insbesondere Bündnisverträge mussten nicht unbedingt vor die Volksversammlung getragen werden. Jedenfalls sind uns nur wenige Gesetze, die sich mit dem Status von foederierten Gebieten befassten, überliefert. Für die tribunizischen Gesetze fragt sich im Folgenden, inwieweit sie in die Senatspolitik eingriffen und dabei Neuerungen in der Aussenpolitik anstrebten.

Bei den aussenpolitischen Rogationen handelten die betreffenden Tribunen meist ohne Auftrag des Senats. Nur die *lex Antonia de Termessibus* (68?) und wohl die *lex Aufeia* zur Zeit des C. Gracchus wurden im Sinne des Senats eingebracht. Das Projekt des Aufeius über die neu einzurichtende Provinz Asia stand offenbar in Konkurrenz mit den Bestimmungen des C. Gracchus, so dass die vom Senat befürwortete Lösung durch ein Gesetz abgesichert werden sollte. Auch hier wurde C. Gracchus also über das Volkstribunat konkurrenziert. Im Gegensatz zu den Vorschlägen des M. Livius Drusus war die *lex Aufeia* aber kaum nur propagandistisch gemeint. Ob bei der *lex Antonia* über den Status der pisidischen Stadt Termessos ähnliche Umstände vorgelegen haben, wissen wir nicht, da über die politischen Hintergründe nichts Näheres bekannt ist.

Die übrigen aussenpolitischen Gesetze der Volkstribunen stammen von popularer Seite. Einen Eingriff in die Senatskompetenz hatte schon Ti. Gracchus vorgenommen, als er das Volk über das Schicksal der pergamenischen Städte entscheiden lassen wollte. C. Gracchus knüpfte an diese Gedanken an. Er verfolgte mit seinem Gesetz über die Steuerpacht in der Provinz Asia möglicherweise ein doppeltes Ziel: Einerseits sollte es der Finanzierung seines Siedlungs- und Getreidegesetzes dienen,[2] andererseits sollten die Provinzialen vor dem Zugriff der senatorischen Magistrate geschützt werden.[3] Durch die Neuregelung wurden zudem die Publicanen bevorteilt, die die asiatischen Steuern jetzt in Rom pachten konnten. Zu diesem Gesetz und der *lex de piratis* (um 100) traten in der späten Republik weitere Massnahmen zum Schutze der Provinzialen, die aber an anderer Stelle zu erläutern sind.[4] Ferner sagte C. Cornelius als Rogator des Anleiheverbotes an Gesandte in einer *contio,* dass die hohen Zinsen die Provinzen ruinierten.[5] Am grundsätzlichen Charakter von Roms Beziehung zu den Provinzialen und deren Untergebenenrolle wurde jedoch auch von popularer Seite nichts geändert. Die Provinzen wurden stets als finanzielle Ressourcen betrachtet. Entlastungen kamen nur punktuell und meist in Verbindung mit Anliegen, die Rom selbst betrafen, zustande.

U. Hackl hat dargestellt, dass in der Anfangsphase des iugurthinischen Krieges „erstmals auch in bezug auf die Aussenpolitik Volkstribunen" für kurze Zeit „als neue Gegenspieler des Senates" erschienen.[6] Diese Beobachtung muss sich auf tribunizische

1 Vgl. Polyb. 6,13; ferner Bleicken, Lex publica, 126.

2 Gell. 11,10,3.

3 Badian, FC, 184f., vgl. allg. Imperialism. 44ff.; Martin 160; Meier, RPA, 70; Perelli 107f.

4 Vgl. hierzu die *lex Sempronia* über die Zuteilung der konsularischen Provinzen und die *lex Gabinia* über den Gesandtenempfang sowie das Anleiheverbot an Gesandte; zudem das Reisegesetz des Curio und die Regelungen des Repetundendeliktes.

5 Asc. p. 47 St.

6 Hackl, Senat, 145; vgl. auch Schneider, Militärdiktatur, 87.

Anklagen und Interzessionen stützen, die weiter unten zu behandeln sind.[7] Gesetze wurden in diesem Rahmen keine erlassen. Zu beachten ist hier, dass die Tribunen durch mehrere Mittel in die Aussenpolitik eingreifen konnten. Durch die Vergabe von Imperien mischten sie sich in der späten Republik zudem in Fragen des Kriegsentscheides und Friedensschlusses ein, die traditionell beim gesamten Volk bzw. den Centuriatcomitien lagen.[8] Die Beauftragung von Einzelpersönlichkeiten mit Provinzialkommandos trug insgesamt eher zu einer aggressiven Aussenpolitik bei, die sich nicht von den hergebrachten Gewohnheiten unterschied.

Ch. Meier hat andererseits festgehalten, dass die Aussenpolitik trotz der tribunizischen Interventionen bis in die 80er Jahre in den Händen der führenden Kreise des Senats war.[9] Zur Zeit der sullanischen Beschränkungen sind keine Aktionen der Tribunen in bezug auf die Aussenpolitik bekannt. Die Volkstribunen traten hier erst wieder in Erscheinung, als die Restriktionen gegen ihre Gesetzesinitiative aufgehoben waren. Aber auch jetzt übernahmen sie in der Aussenpolitik keine regelmässige Rolle, sondern vollzogen nur punktuelle Eingriffe.

Ende 69 agierten die Popularen gegen Lucullus, den sie aus dem mithridatischen Krieg abberufen wollten. Sie sollen damit beim Volk auf Resonanz gestossen sein. Unter den δημαγωγοί, die dieses Anliegen propagierten, befanden sich möglicherweise auch Volkstribunen.[10] Die führende Rolle kam aber offenbar dem Praetor L. Quinctius zu,[11] so dass die Tribunen hier jedenfalls nicht alleine auftraten. Zudem war die Aktion wohl von den Rittern gestützt, die sich gegen die für die Publicanen nachteiligen Anordnungen des Lucullus richteten.

Nach den Gracchen (und der *lex de piratis*) kamen erst wieder in Zusammenhang mit Caesar von popularer Seite Gesetzesanträge auf dem Gebiet der Reichsverwaltung zustande. Die von Crassus geplante Einziehung Aegyptens konnte allerdings nicht realisiert werden. Erfolgreich waren nur Vatinius, der in Zusammenarbeit mit Caesar für die konkrete Durchführung von Pompeius' Anordnungen im Osten sorgte, und Clodius, der Cato nach Zypern entsandte. Die übrigen popularen Anträge scheiterten über kurz oder lang. Die Vorlagen auf dem Gebiet der Aussenpolitik tangierten die römische Bürgerschaft nur zu einem kleinen Teil direkt und konnten damit beim Volk auch nicht unbedingt populär gemacht werden. Es sei denn, es handelte sich um Massnahmen zur Geldbeschaffung, wie bei den Gracchen und Clodius.[12] Die Popularen schalteten sich nur in aussenpolitische Angelegenheiten ein, wenn es um Fragen ging, die sich auf politische Machtstellungen und persönliche Interessen erstreckten. Trotz einiger Vorstösse überliessen auch die Popularen Entscheide über Bündnis- und Territorialfragen dem Senat.[13]

Im Jahr 56 griffen die Volkstribunen massgeblich in die Frage der Rückführung des vertriebenen Ptolemaios Auletes ein.[14] Das Vorhaben wurde schliesslich aber wegen der

7 Vgl. unten S. 151 und bes. S. 224f.
8 Bleicken, Lex publica, 108f. und 119.
9 Meier, RPA, 168.
10 Plut. Luc. 24,3; dazu Niccolini 253.
11 Vgl. Sall. hist. 4,71; dazu M. Gelzer, RE 13, 1926, 400.
12 Zu Clodius vgl. auch Schneider, Militärdiktatur, 201.
13 Hierzu auch unten S. 201.
14 Vgl. unten S. 204. 214.; ferner Meyer, CM, 129ff.; H. Volkmann, RE 23, 1959, 1752f.

Ansprüche des Pompeius vom Senat sistiert.[15] Im Jahr 55 erwies sich die Opposition des C. Ateius Capito und des P. Aquillius Gallus gegen die Aushebungen zum Partherkrieg des Crassus als erfolglos.[16] In dieser Situation gelang es weder dem Volkstribunat noch dem Senat, gegen den Feldherrn vorzugehen. Ein grundsätzlich neues Verhalten zeigte sich jedenfalls auch bei den Tribunen des Jahres 55 nicht. Es ging hier in erster Linie darum, den Ansprüchen des Triumvirn entgegenzutreten.

In den 40er Jahren fehlen Gesetze der Tribunen zur Aussenpolitik. Caesar konnte die von ihm beabsichtigten Regelungen jetzt selbst vornehmen. Etliche der nichttribunizischen Gesetze auf dem aussenpolitischen Sektor stammen daher von Caesar. Dieser war als Konsul und Diktator nicht mehr auf die Volkstribunen angewiesen. Tribunizische Eingriffe in die Aussenpolitik bzw. eigenständige Gesetze waren offenbar nicht mehr möglich.

Obwohl gut die Hälfte aller aussenpolitischen Regelungen der späten Republik von Volkstribunen verfasst wurden,[17] ist auch in der Zeit vor Caesar mit einer grossen Zahl konsularischer Gesetze zu rechnen, wie die *lex Gabinia Calpurnia* von Delos und das neu gefundene Zolldekret von Ephesos zeigen. Letzteres beinhaltet Regelungen der Konsuln des Jahres 75 sowie einen Zusatz der Konsuln des Jahres 72.[18] Wichtige Verfügungen wurden also auch auf diesem Gebiet nicht unbedingt den Volkstribunen überlassen, sondern kamen durch konsularische Gesetze zustande. Regelungen von Bündnisfragen waren im Verlauf der späten Republik nur ausnahmsweise von Volkstribunen vorgenommen worden. Die Beteiligung der Tribunen an der Aussenpolitik verband sich zu einem guten Teil mit innenpolitischen Machtfragen. Programmatische Änderungen in den zwischenstaatlichen Beziehungen Roms haben die Tribunen nicht verfolgt.

In folgenden Fällen planten oder vollzogen Volkstribunen Regelungen über den Status von auswärtigen Gebieten und deren Verwaltung:[19]

– 133 Als Ti. Sempronius Gracchus die Attalos-Erbschaft für die Ackerreform einsetzen lassen wollte, plante er auch, das Volk über das Schicksal der pergamenischen Städte entscheiden zu lassen (Niccolini 145; vgl. Bernstein 207ff.; Stockton 67ff. 153f.)

– 123 (?) Durch das Gesetz eines Aufeius, der wahrscheinlich Volkstribun (oder Praetor; vgl. Lange, Röm. Alterthümer 3, 35) war, sollten möglicherweise die Massnahmen der vom Senat nach Asien gesandten Kommission unter M'. Aquillius bestätigt werden. C. Gracchus stellte sich diesem Antrag entgegen (Niccolini 163 f.; Broughton 1, 513. 515 A. 3; zur *lex Aufeia* (Gell. 11,10,1) vgl. H. Hill, CR 62, 1948, 112f., der das Gesetz mit einer *lex* des M'. Aquillius identifizierte; dagegen Badian, FC, 183ff., bes. A. 9; Gruen, RP, 77f., bes. A. 166)

15 Dio 39,19. Ptolemaios wurde erst im J. 55 durch A. Gabinius zurückgeführt.

16 Vgl. unten S. 232. 248.

17 Nichttribunizisch sind die *lex Octavia Aurelia portoria* 75 (H. Engelmann/D. Knibbe, EA 8, 1986, 19ff.), die *lex de legatis decem mittendis* 67 (Rotondi 375), die *lex Iulia de actis Cn. Pompei confirmandis* 59 (Rotondi 391), die *lex Iulia de rege alexandrino* 59 (Rotondi 391), die *lex Gabinia Calpurnia de insula sacra* 58 (C. Nicolet & a., Insula sacra. La loi Gabinia-Calpurnia de Délos (58 av. J.-C.), Rom 1980), die *lex Rubria* 49 (s. S. 77 A. 43), die *lex Iulia de rege Deiotaro* 44 (Rotondi 431) und die *lex Iulia de insula Creta* 44 (Rotondi 430).

18 H. Engelmann/D. Knibbe, EA 8, 1986, 21.

19 Bei der *lex de regno Aegypti* von 130 könnte es sich nach Niccolini (156) ebenfalls um ein Plebiszit handeln. Das Gesetz übergab die Krone des vertriebenen Ptolemaios Euergetes an seine Schwester Cleopatra (Liv. per. 59: *regnum a populo datum*).

– 123 C. Sempronius Gracchus regelte für die Provinz Asia die Einziehung der Steuern, so dass die direkten Steuern (Zehnten) künftig von den Censoren in Rom an Publicanen verpachtet wurden (Badian, FC, 184f.; Meier, RPA 70. 72 A. 55; Martin 160; Perelli 107f.) und führte neue Zölle ein, über die wir jedoch nichts Näheres wissen (Vell. 2,6,3; vgl. Stockton 153ff., bes. 156)

– um 100 Die möglicherweise tribunizische *lex de piratis*, die neben C. Servilius Glaucia auch schon L. Appuleius Saturninus zugeschrieben worden ist, enthielt allgemeine Regelungen über die Verwaltung der östlichen Provinzen (GCG 279ff.; jetzt offenbar mit einem neuen Fragment: M. Hassall/M. Crawford/J. Reynolds, JRS 64, 1974, 195ff.; vgl. dazu A. W. Lintott, ZPE 20, 1976, 65–82; A.N. Sherwin-White, JRS 66, 1976, 1–14; den Gegnern des Saturninus zugewiesen haben das Gesetz A. Giovannini/E. Grzybek, MH 35, 1978, 33–47; dagegen R. K. Bulin, Untersuchungen zur Politik und Kriegführung Roms im Osten von 100–68 v. Chr., Frankfurt a.M. /Bern 1983, 15ff.; vgl. auch oben S. 57 A. 104)

– 68 (?) C. Antonius legte mit dem gesamten Tribunenkollegium den Status des pisidischen Termessos gemäss seinem Senatsbeschluss als *civitas libera* fest (CIL I^2 2, 1, 589; Dessau 38; Bruns, Fontes 14, p. 92ff.; dazu zuletzt J.-L. Ferrary, Athenaeum 63, 1985, 419–457, der das J. 68 wahrscheinlich gemacht hat; vgl. auch J. Béranger, in: Mélanges A. Piganiol, Bd. 2, Paris 1966, 723–737; A.N. Sherwin-White, JRS 66, 1976, 11ff.; Dahlheim 236ff.; zudem S. 132 A. 15)

– 65 Möglicherweise durch eine tribunizische *rogatio* sollte Aegypten als Provinz eingezogen werden, wofür sich Crassus und wahrscheinlich auch Caesar einsetzten; dieses Vorhaben kam jedoch nicht zustande (Niccolini 265; vgl. oben S. 101)

– 59 P. Vatinius legte nach der Ratifizierung der Anordnungen des Pompeius im Osten Verträge mit einzelnen Klientelstaaten der Volksversammlung zur Abstimmung vor, wobei in diesen Gebieten kein Tribut erhoben wurde. Dies geschah wohl gegen den Willen der Senatsmehrheit, vgl. Cic. Sest. 114: *senatus auctoritatem ... nihili putaret* (Rotondi 392; vgl. Meyer, CM, 76; Gelzer, Caesar, 68; H. Gundel, RE 8 A, 1955, 500f.; Schneider, Militärdiktatur, 194)

– 58 P. Clodius Pulcher liess das Königreich Zypern einziehen und als Provinzialterritorium einrichten sowie die Güter des Ptolemaios konfiszieren und Verbannte nach Byzanz zurückführen (Broughton 2, 196. 198; dazu Gelzer, Caesar, 90; Schneider, Wirtschaft, 382f.; Militärdiktatur, 201; R. T. Ridley, Historia 30, 1981, 281)

– 58 P. Clodius Pulcher liess zudem dem asiatischen Galater Brogitarus gegen Geld bzw. Schuldversprechungen den Königstitel verleihen, den der Senat nur für dessen Schwiegervater Deiotarus vorgesehen hatte und sprach ihm an Stelle des Deiotarus (wie in den Akten des Pompeius festgehalten) die Aufsicht über die Stadt Pessinus mit ihrem Kult der Magna Mater (Kybele) zu, die Deiotarus aber wieder zurückeroberte (Broughton 2, 196; vgl. B. Niese, RE 4, 1901, 2401f.; Gelzer, Pompeius, 142; Bleicken, Lex publica, 126 A. 66)

– 56 L. Caninius Gallus engagierte sich für Pompeius, der an Stelle des Lentulus Spinther mit zwei Liktoren nach Aegypten gehen und Ptolemaios Auletes wieder als König einsetzen sollte. Dieses Vorhaben wurde vom Senat abgelehnt und danach offenbar nicht mehr weiterverfolgt (Rotondi 403; Niccolini 305; Broughton 2, 209; Weiteres unten S. 204. 214)

– 50 C. Scribonius Curio wollte im Sinne Caesars das Königreich Iubas (Numidien) einziehen, da der Herrscher zu Pompeius hielt; dieses Projekt kam aber nicht zustande (Broughton 2, 249)

e) Gerichtswesen

Regelungen zu den Gerichtshöfen (*quaestiones perpetuae*)

Seit der Mitte des 2. Jh.'s ging man in Rom dazu über, an Stelle der ad hoc gebildeten Richtergremien (*quaestiones extraordinariae*) feste Gerichtshöfe einzurichten. Charakteristisch für den permanenten Gerichtshof ist die Geschworenenliste, die für die Dauer eines

Amtsjahres zur Aburteilung einer bestimmten Deliktskategorie aufgestellt wurde.[1] Die *quaestiones perpetuae* versprachen angesichts der wachsenden Korruption rationellere Aburteilungen und wirksameren Schutz gegen Manipulationsmöglichkeiten, wie sie insbesondere auch bei der Wahl der Richter in die *quaestiones extraordinariae* gegeben waren. Im Folgenden ist zu untersuchen, welchen Anteil die Volkstribunen bei der Konstituierung der permanenten Gerichtshöfe hatten und welche Ziele sie mit den entsprechenden Massnahmen verfolgten. Besondere Aufmerksamkeit wird der personellen Besetzung der Gerichtshöfe zu schenken sein.

Die erste bekannte *quaestio perpetua* wurde im Jahr 149 eingerichtet und zwar für die Untersuchung von Repetundenfällen, bei denen es um die Rückerstattung von in der Provinz erpressten und widerrechtlich angeeigneten Geldern ging.[2] Rogator war der Volkstribun L. Calpurnius Piso Frugi, der wohl auf Initiative des Senats handelte.[3] Bei einem Schuldspruch wurde allerdings nur die einfache Rückerstattung des Gewinns gefordert und damit auf eine eigentliche Bestrafung verzichtet.[4] Die Repetundenprozesse der Jahre 149–123 endeten zudem jeweils mit Freisprüchen, so dass sich die *lex Calpurnia* für die Reichsangehörigen als wirkungslos erwies.[5] Der Senat begegnete mit der *lex Calpurnia* nur beschränkt einem Missstand, der durch die territoriale Expansion Roms entstanden war. Gleichzeitig stellte er sicher, dass die Kontrolle über die Aburteilung von Repetundenforderungen bei den Senatoren selbst lag, denn die Richter sollten aus dem *ordo senatorius* ausgewählt werden. W. Eder, gefolgt von H. Schneider, kam daher zum Schluss, dass das Gesetz bei Repetundendelikten politische Initiativen der Volkstribunen vermeiden sollte, wie sie im Jahr 149 gegen Ser. Sulpicius Galba angestrebt worden war.[6] In der späten Republik sind uns in der Tat keine tribunizischen Volksgerichte oder Berufungen von *quaestiones extraordinariae* zur Aburteilung von Repetundenvergehen bekannt.[7] Das Fehlen diesbezüglicher Prozesse kann aber nicht durch die blosse Existenz eines stehenden Repetundengerichtshofes erklärt werden, wie dies W. Eder tut.[8] Wenn sich die Tribunen mit Repetundenprozessen zurückhielten, so hat dies wohl andere Gründe. Es boten sich

1 Kunkel 95(ff.); RE 24, 1963, 736ff.

2 Broughton 1, 459; vgl. Bleicken, Volkstribunat 1955, 58; Eder 58ff.; zum Repetundendelikt ausführlicher zuletzt C. Venturini, Studi sul „crimen repetundarum“ nell'età repubblicana, Milano 1979. L. Fascione (Crimen e quaestio ambitus nell'età repubblicana, Milano 1984, 46. 51ff. 144) rechnet damit, dass die *quaestio de ambitu* schon vor der *quaestio de repetundis* des J. 149 eingerichtet wurde und plädiert als Datum für das J. 159.

3 Bleicken, Volkstribunat 1955, 58; Eder 58ff.

4 Eder 71f.

5 Eder 74ff.

6 Eder 88; Schneider, Militärdiktatur, 45. Zur Agitation gegen Ser. Sulpicius Galba vgl. F. Münzer, RE 4 A, 1931, 762f.

7 Vgl. unten S. 155ff. 161f. Auch in der Zeit vor 149 haben wir keine Anzeichen für tribunizische Repetundenklagen vor dem Volksgericht, vgl. Bleicken, Volkstribunat 1955, 127. Die Popularklage bei Repetundendelikten kam nach Kunkel (62) möglicherweise erst ab Sulla zustande, so dass ein Volkstribun – als Patron von geschädigten Untertanen – nur als Ankläger hätte auftreten können, falls er vom zuständigen Praetor eingesetzt worden wäre (vgl. dazu Eder 90ff.), was praktisch auszuschliessen ist.

8 Eder 88; vgl. etwa die Anklagen wegen Hochverrats vor der Volksversammlung nach der Einrichtung der *quaestio de maiestate* des J. 103, unten S. 155ff.

wirksamere Formulierungen für die Verfolgung von politischen Gegnern als die Repetundenklage. Auf eine Verurteilung *de repetundis* erfolgte weder der Ausschluss aus dem Senat noch ein Ämterverbot oder die Ausweisung aus der Bürgerschaft. Mit Repetundenklagen konnte einem Widersacher also weniger Schaden zugefügt werden als beispielsweise mit Perduellions- bzw. Majestätsklagen.[9] Die *lex Calpurnia* blieb damit eine senatsinterne Regelung zur Kontrolle über allfällig gestellte Repetundenforderungen. Diese Massnahme wurde von popularer Seite insofern angegriffen, als seit den Gracchen der Anspruch erhoben wurde, die Repetundengerichte ausschliesslich mit Rittern zu besetzen und damit der senatorischen Willkür zu entreissen. Hierauf ist im zweiten Teil dieses Kapitels einzugehen.

Das Delikt *de repetundis* blieb während der zweiten Hälfte des 2. Jh.'s bis zum Majestätsgesetz des Saturninus aber nicht das einzige, für das wir einen festen Gerichtshof erschliessen können. Anzunehmen sind auch eine *quaestio de ambitu*[10] und eine *quaestio inter sicarios*[11] sowie die möglicherweise noch vorsullanische *quaestio de peculatu* und die *quaestio de vi.*[12] Nur für die Repetundenverfahren kennen wir jedoch Gesetze, die das betreffende Delikt bzw. dessen Verfolgung in weiterführender Weise neu umschrieben und sich insbesondere mit der Besetzung der Gerichtshöfe befassten (s. unten).

Auf die *lex Calpurnia* folgte die nicht näher bekannte und ebenfalls tribunizische *lex Iunia de repetundis*. Die inschriftlich erhaltene *lex Acilia* brachte kurz darauf eine umfassende Neuregelung des Repetundenwesens.[13] Die Geschworenen wurden jetzt aus dem Ritterstand ausgewählt. Den Provinzialen kam ein eigenständiges Anklagerecht zu. Im Falle der Verurteilung wurde eine doppelte Rückerstattung des erpressten Ertrages gefordert, wodurch das Repetundendelikt jetzt den Charakter einer Straftat erhielt.[14] Eine weitere Verschärfung des Repetundenvergehens brachte am Ende des 2. Jh.'s der Tribun C. Servilius Glaucia zustande, indem Verurteilte vom Senat und von öffentlichen Funktionen ausgeschlossen wurden.

L. Appuleius Saturninus führte wahrscheinlich in seinem ersten Tribunatsjahr (103) eine wohl permanente *quaestio* mit ritterlichen Geschworenen für *maiestas*-Klagen ein.[15] Dies wurde zuletzt von J.-L. Ferrary als Reaktion auf die Bekämpfung der *lex Appuleia frumentaria* durch eine Gruppe von Optimaten gedeutet, denn der Quaestor Q. Servilius Caepio wurde wegen der gewaltsamen Verhinderung der Abstimmung über das Getreidegesetz nach seinem Amtsjahr *de maiestate* angeklagt.[16] Die Anwendung des Gesetzes ist in unseren Quellen aber nur im Falle des C. Norbanus, tr. pl. 103, im Jahr 94 sicher bezeugt.[17]

9 Vgl. unten S. 155ff.

10 Mommsen, Strafr., 867; L. M. Hartmann, RE 1, 1894, 1800; Lengle, Sulla, 22; Gruen, RP, 261; L. Fascione (vgl. A. 2).

11 Lengle, Sulla, 36ff.; Bleicken, Volkstribunat 1955, 59 A. 6; Kunkel 45ff.

12 Lengle, Sulla, 40.

13 Zur nicht näher bekannten *lex Acilia* und *lex Rubria* (*de cultu Iovis Capitolini*; vgl. Rotondi 315f.; Niccolini 163): Broughton 3, 2. 182.

14 lin. 59; Eder 126ff.

15 Vgl. unten A. 45.

16 J.-L. Ferrary, CRAI 1983, 556ff., bes. 565. 567f.; vgl. Auct. ad Her. 1,21.2,17; ferner dazu Zumpt 501f.; Martin 180 A. 6.

17 Cic. de or. 2,107; vgl. Lengle, Sulla, 24; zum Verfahren gegen Caepio vgl. unten S. 162; ferner Mommsen, Strafr., 198; Broughton 1, 563. 565 A. 4.

Die Mehrheit der Forscher sah in dem Gesetz wohl zu Recht eine Reaktion auf die bedeutenderen Vorfälle der vorangegangenen Prozesse, in denen die Feldherrn des Krieges gegen die Kimbern und Teutonen zur Rechenschaft gezogen worden waren.[18] H. Schneider meint, dass die Volkstribunen mit dem Gesetz eine „Institutionalisierung der Kontrolle und Aufsicht senatorischer Aussenpolitik und Kriegführung" erreichten.[19]

Bemerkenswert ist in der Tat, dass Saturninus als popularer Volkstribun einen festen Gerichtshof einrichten liess, der das tribunizische Volksgericht im Prinzip überflüssig machte.[20] Dies gilt auch für die andern von Tribunen konstituierten *quaestiones perpetuae*, durch die die herkömmlichen Volksprozesse abgelöst wurden.[21] Die Präsenz eines dauernden Gerichtshofes garantierte jedoch noch keine wirksame Verfolgung einer bestimmten Deliktskategorie, wie auch bei den Repetundenfällen zu beobachten ist (s. unten). Das Gericht trat nicht von sich aus in Aktion, sondern behandelte nur die von Drittpersonen vorgetragenen Anklagen. Ein automatischer Nutzen im Sinne einer Machtkontrolle konnte aus der Kreierung einer *quaestio de maiestate* nicht entstehen. In der Zeit nach 103 haben wir zudem keine Anzeichen für Anklagen seitens der Volkstribunen vor der *quaestio de maiestate*.[22] Vielmehr wurden einige tribunizische Anklagen, die man unter dem Begriff des *maiestas*-Vergehens hätte subsumieren können, in der Zeit vor der sullanischen Gerichtsreform noch vor dem Volksgericht vorgetragen.[23] Der Nutzen der *lex Appuleia* lag für populare Volkstribunen darin, dass tribunizische Aktionen unter den Schutz der *maiestas populi* gestellt wurden[24] und das Tribunat dadurch neue Legitimität erhielt.

Sulla richtete ein umfassendes System von permanenten Gerichtshöfen ein,[25] das jetzt alle notwendigen Deliktskategorien abdeckte. In der Zeit nach Sulla entfaltete sich aber eine rege Gesetzgebung, die die Regelungen über die einzelnen Vergehen modifizierte oder umgestaltete. Mit der Zunahme von Gewalt als politischem Mittel drängte sich offenbar auch eine strengere Gesetzgebung für den Deliktsbereich *de vi* auf. Wohl im Anschluss an die sullanische Ordnung wurde die *lex Plautia de vi* erlassen, die mit dem Tribunen des Jahres 70 in Verbindung gebracht wird, jedoch nicht tribunizisch sein muss. Mit ihr wurde jetzt auch Gewalt gegen Private verfolgt.

In den 60er Jahren versuchten zwei tribunizische Rogationen, die Bestimmungen der *lex Cornelia de ambitu*[26] zu verschärfen, was im Prinzip auch vom Senat befürwortet wurde. Erste gesetzliche Massnahmen gegen *ambitus* waren in der historischen Zeit der römischen Republik erst nach dem zweiten punischen Krieg ergriffen worden.[27] In der Folge ist aber bereits im späten 2. Jh. mit einem Gerichtshof für *ambitus* zu rechnen.[28] Besonders

18 Lit. bei J.-L. Ferrary, CRAI 1983, 558f. Bauman (Crimen, 49f.) und Meier (RPA, 147 A. 517) sehen in dem Gesetz eine Massnahme gegen prozesslose Tötung unter dem *senatus consultum ultimum*, welche jetzt vor einem Rittergericht abgeurteilt werden konnte.

19 Schneider, Militärdiktatur, 90.

20 Dazu näher unten S. 154f.

21 Bleicken, Lex publica, 146ff.

22 Vgl. unten S. 163.

23 Vgl. unten S. 155ff.

24 Martin 181. Vgl. den Prozess gegen C. Cornelius und Rabirius.

25 Dazu unten S. 163.

26 GCG 221.

27 Vgl. Bleicken, Lex publica, 147; allgemein L. M. Hartmann, RE 1, 1894, 1800ff.

28 Vgl. A. 10.

akut wurde das Problem der Amtserschleichung in den 60er Jahren des 1. Jh.'s, als viele, die im Jahr 70 von den Censoren aus dem Senat entlassen worden waren, sowie ehemalige Volkstribunen[29] und auch *homines novi*[30] sich um ein Amt bewarben. Dies hatte mehrere Senatsbeschlüsse und Gesetze gegen dieses Delikt zur Folge.[31] Die unlauteren Mittel bei der Amtsbewerbung konnten damit aber nicht mehr unterbunden werden.

Von tribunizischer Seite stammte die *lex Cornelia* des Jahres 67, die eine Bestrafungsklausel gegen *divisores* (Verteiler von Bestechungsgeldern) enthielt. Dies soll beim Volk (ομιλος) Anklang gefunden haben.[32] Der Senat erachtete das Gesetz als zu streng und begegnete ihm mit der konsularischen *lex Calpurnia*.[33] Die *divisores* versuchten, das Gesetz trotz des abgemilderten Inhalts zu verhindern. [34] Der Konsul Piso setzte es aber mit einer vom Senat bewilligten Schutztruppe[35] und einem Edikt *qui rem publicam salvam esse vellent, ut ad legem accipiendam adessent* durch.[36] Der Senat reagierte jedoch nicht erst auf tribunizische Initiativen, sondern beauftragte in einem Fall auch einen Volkstribunen, M. Aufidius Lurco (61), mit einem *ambitus*-Gesetz. Es sollte noch vor den Wahlen eingebracht werden, wozu der Senat den Tribunen gar von der *lex Aelia et Fufia* befreite. Dieses Vorhaben konnte aber offenbar nicht mehr realisiert werden.

In den Bereich der *ambitus*-Gesetzgebung gehört auch die wohl tribunizische *lex Fabia* des Jahres 64, die die Zahl der bei Wahlbewerbungen angeheuerten Stimmenwerber (*sectatores*) beschränkte. Cicero erwähnt das Gesetz im Zusammenhang mit einem Senatsbeschluss mit gleichlautendem Ziel unter L. Iulius Caesar (Cos. 64) und berichtet vom Widerstand, den diese Verfügung bei Leuten niederen Standes gefunden hatte.[37] Möglicherweise stand mit der Funktion des *sectator* eine Verdienstmöglichkeit auf dem Spiel, die sich auch für kleinere Leute angeboten hatte.

Trotz weiteren Senatsbeschlüssen und konsularischen *ambitus*-Gesetzen nahm die Bestechung in jenen Jahren zu. [38] Die getroffenen Massnahmen erwiesen sich als inadäquate Mittel, um den Ansprüchen von einflussreichen Persönlichkeiten entgegenzutreten. Die römische Aristokratie war nicht mehr in der Lage, ihre Mitglieder unter Kontrolle zu halten.

29 Vgl. Dio 36,38,2.

30 Dazu Fascione (vgl. A. 2) 68. 76. 146f.

31 Vgl. Bleicken, Lex publica, 152; zum Verbot gegen Kollegien: 164, gegen *sodalitates*: 163 A. 88; zum *SC de sodaliciis* (56) und zu der *lex Licinia de sodaliciis* (55), die sich gegen Gefolgschaften, die eine Kandidatur nötigenfalls auch mit Gewalt unterstützten, wandte (Rotondi 407), vgl. J. Linderski, Hermes 89, 1961, 106ff.

32 Dio 36,38,4.

33 Asc. p. 59 St.; Rotondi 374; vgl. Schneider, Militärdiktatur, 175; Fascione (vgl. A. 2) 65ff.

34 Asc. p. 59 St.

35 Dio 36,39,1.

36 Vgl. A. 34.

37 Cic. Mur. 71; Stein 9; vgl. auch das bei Plutarch (Cat. min. 8,2) erwähnte Verbot für Wahlbewerber, *nomenclatores* (namenskundige Begleiter beim Stimmenwerbegang) zu führen. In den Bereich der *ambitus*-Bekämpfung gehörten auch die Massnahmen gegen die *collegia*, s. unten S. 184 (Bleicken, Lex publica, 152. 162f.).

38 Schneider, Wirtschaft, 156ff. 163ff.; vgl. die Gesetze des Cicero (63), des Crassus (55) und des Pompeius (52) (Rotondi 379. 407. 410f.; Bleicken, Lex publica, 152 mit A. 48f.); vgl. auch das Gesetz des Pr. Q. Fufius Calenus aus dem J. 59 über die getrennte Abstimmung der drei *ordines* (Senatoren, Ritter, Aerartribunen) (Broughton 2, 188f.).

Caesar nahm als Konsul des Jahres 59 nochmals eine Revision des Repetundenverfahrens vor.[39] In diesen Zusammenhang gehörten auch die Bestimmungen des Tribunen P. Vatinius über die Beweisaufnahme in den Provinzen und die Rückweisung von Richtern. Caesar hat hier nochmals von der tribunizischen Gesetzesinitiative Gebrauch gemacht.

Die letzte bekannte Bestimmung eines Volkstribunen im Zusammenhang mit einer *quaestio perpetua* brachte Clodius ein.[40] Sie stand offenbar im Interesse eines gewissen Menulla aus Anagnia und entschärfte die *lex Cornelia de iniuriis*.[41] Hier wurde die Änderung der Strafgesetzgebung dazu eingeleitet, um unter persönlichen Gesichtspunkten ein Vergehen zu decken. Clodius wollte damit möglicherweise Anhängerschaft in der Tribus Poblilia, aus der Menulla stammte, gewinnen. Sein Gesetz zeigt, dass die tribunizischen Rogationen nicht prinzipiell zur Ahndung von Straftaten geplant sein mussten, auch wenn es sich bei der *lex Clodia* wohl um einen Sonderfall handelte. Die Möglichkeit, solche Anträge durchzusetzen, verdeutlicht jedenfalls, dass wirksame Mechanismen zur konsequenten Strafverfolgung fehlten.

Die Betrachtung der Gesetze zur Konstituierung von *quaestiones perpetuae* zeigt, dass von den tribunizischen Massnahmen wichtige Impulse ausgingen. Die Repetundengesetze brachten aber nur beschränkte Verbesserungen für die Provinzialen. Sie verbesserten vielmehr die politische Stellung der Ritter, die jetzt ein Druckmittel gegenüber den senatorischen Beamten in der Hand hatten. Auch die *quaestio de maiestate* erlaubte Rechenschaftsprozesse gegen *nobiles* und stilisierte die Volkstribunen als Interessenvertreter des Volkes. Ab Sulla gerieten die tribunizischen Massnahmen gegenüber den konsularischen Gesetzen in die Minderzahl. Nach Clodius kam auf dem Gebiet der *quaestiones perpetuae* kein tribunizisches Gesetz mehr zustande. In den 50er Jahren verzichtete der Senat auf einen Einsatz der Volkstribunen, wie er zuvor vereinzelt vorgekommen war. Das Volkstribunat hatte sich nie zu einem permanenten Regulativ auf dem Gebiet der Gerichte entwickelt.

Die Konstituierung von *quaestiones perpetuae* brachte auch das Problem der Richterbestellung mit sich. Für die stehenden Gerichtshöfe waren die Senatoren als Richter zahlenmässig bald überfordert.[42] Die Gracchen stellten die ausschliesslich senatorische Besetzung der Gerichtshöfe wegen der in grossem Masse durchgeführten Bestechungen und den daraus resultierenden Freisprüchen in Frage. Mit der Übertragung der Repetundengerichte an die Ritter wurde dem Senat die von ihm selbst initiierte Regelung dieses Deliktes entwunden und dem als konkurrierend gedachten Ritterstand zur Überwachung der Magistrate übertragen. Dennoch hatte sich der Senat nach Appian gezwungen gesehen, wegen den vorangegangenen Gerichtsskandalen das gracchische Repetundengesetz zu akzeptieren.[43]

Der Streit um die Besetzung der Gerichtshöfe, der sich in der Folge in vorsullanischer Zeit zwischen Senat und Rittern abspielte, bezog sich offenbar stets auf die Repe-

39 Rotondi 389ff.

40 *Lex Clodia de iniuriis publicis*, Cic. dom. 81.

41 Zur *lex Cornelia*: Rotondi 359.

42 W. Kunkel, RE 24, 1963, 738.

43 App. BC. 1,22,91f.

tundengerichte.[44] Über die Zusammensetzung der andern Gerichte sind wir ausser im Falle der *quaestio de maiestate* nicht näher informiert.[45] Die gesetzlichen Massnahmen, in denen der Streit um die Richterbestellung resultierte, stammten vorwiegend von Volkstribunen. Endgültig abgeschlossen wurde er erst im Jahr 70 und zwar durch das Gesetz des Praetors L. Aurelius Cotta, des Bruders des Konsuls von 75. Cotta konnte nach der Rückkehr des Pompeius einen Kompromiss zustande bringen, der dann für alle Gerichtshöfe gelten sollte. Er beteiligte die Senatoren und Ritter mit je einem Drittel und sprach das letzte Drittel den nicht näher bekannten Aerartribunen zu.[46] Diese dürften zwar den Rittercensus erfüllt haben, bildeten aber einen eigenen *ordo* und konnten nach H. Bruhns durchaus andere Interessen vertreten als die das ritterliche Drittel beherrschenden Publicanen.[47] Den Volkstribunen ist es damit nach Sulla nicht selbst geglückt, die ausschliesslich senatorisch besetzten Gerichte zu beseitigen.[48] Die Tribunen waren Anfang 70 politisch noch eingeschränkt und ihre Gesetzesinitiative musste zuerst wieder restituiert werden. Pompeius verliess sich daher anscheinend auf die grössere Autorität des Praetors.

Neben Aurelius Cotta war nur noch der Konsul des Jahres 106, Q. Servilius Caepio, als Rogator eines Richtergesetzes nicht Tribun. Es gelang ihm im Anschluss an die *quaestio Mamilia* des Jahres 109, die Gerichte zumindest zur Hälfte wieder mit Senatoren zu besetzen, was allerdings nicht von langer Dauer war.[49] Der Volkstribun und Jurist Q. Mucius Scaevola hielt den Vorsitz auf den Rostra, als Crassus für das Gesetz sprach und dürfte damit als Befürworter des Antrages gelten.[50] Sowohl Caepio als auch Cotta agierten im Einverständnis mit dem Senat.[51] Dies trifft auch für die beiden Volkstribunen zu, die versuchten, das Monopol der Ritter in den Repetundengerichten zu beseitigen, nämlich M. Livius Drusus und M. Plautius Silvanus.[52]

44 Umstritten ist das Gesetz des Cos. Q. Servilius Caepio des J. 106 (s. unten). Nach Kunkel (96f.) schuf die Aufnahme der Ritter in die Geschworenengerichte, die sich seit C. Gracchus vollzog, die Voraussetzung, um ein System von permanenten Gerichtshöfen zu entwickeln.

45 In der ausserordentlichen *quaestio Mamilia* richteten *Gracchani iudices* (Cic. Brut. 128; dazu J.-L. Ferrary, MEFR 91, 1979, 90 A. 14). In der von Saturninus festgelegten *quaestio de maiestate* richteten Ritter (Cic. de or. 2,199; Rab. perd. 24). E. J. Weinrib (Historia 19, 1970, 433f.) nimmt für alle *quaestiones* neben dem Repetundengerichtshof Senatoren und Ritter gemeinsam als Richter an. L. Fascione (vgl. A. 2) 90ff. rechnet bei der *quaestio de ambitu* mit Senatoren.

46 Broughton 2, 127.

47 H. Bruhns, Chiron 10, 1980, 263–272 (gegen die in der Literatur vorherrschende Meinung von einer Zweidrittelsmehrheit der Ritter, vgl. etwa Jones 56. 87f.).

48 Aus dem Kommentar Schol. Gronov. p. 328 St.: *assentiente Quintio tribuno pl., vel Palicano* ist zu vermuten, dass sich der Tribun des J. 71, M. Lollius Palicanus, als Vorkämpfer der Restitution des Volkstribunats und der ritterlichen Gerichtsbarkeit, wohl als Pr. des. im J. 70 dem Praetor Cotta angeschlossen hat (H. Bruhns, Chiron 10, 1980, 272 A. 30; Broughton (2, 122) hält die Angabe des Scholiasten in bezug auf Palicanus für eine Verwechslung, was H. Gundel (RE 24, 1963, 1004) auch für L. Quinctius annimmt).

49 Broughton 1, 553; dazu E. Badian, CR 4, 1954, 101f.; Meier, RPA, 81 A. 102; Eder 140 A. 2; Jones 53; Gruen, RP, 159; J.-L. Ferrary, MEFR 91, 1979, 90f. Unwahrscheinlich ist, dass die Gerichte ganz an den Senat zurückgelangten, wie aus Tac. ann. 12,60 geschlossen werden könnte (dazu Gruen, RP, 158f. (A. 9), der meint, dass nicht nur der Repetundenhof betroffen war; dagegen Ferrary 85ff.).

50 Cic. Brut. 161; zu Scaevola: B. Kübler, RE 16, 1933, 437ff.

51 Zu Cotta vgl. H. Bruhns, Chiron 10, 1980, 266f.

52 Zu Silvanus vgl. Asc. p. 61 St.

Livius Drusus strebte nach dem Skandalprozess des Jahres 92 gegen P. Rutilius Rufus[53] einen Kompromiss zwischen Senat und Rittern an, den aber schliesslich beide Gruppen ablehnten. Mit der Aufnahme von 300 Rittern in den Senat hätten diese ihre alte Zugehörigkeit zum *ordo equester* eingebüsst und damit neue Interessen vertreten. Für den Ritterstand war daher von der *lex Livia* kaum ein Vorteil zu erwarten. Den Senatoren selbst ging andererseits die vorgeschlagene Öffnung des Senats zu weit. M. Plautius Silvanus gelang es im übernächsten Jahr, ein neues Prinzip der Richterbestellung einzuführen. Es liess auch Leute als Geschworene zu, die nicht aus dem Ritter- oder Senatorenstand stammten. Diese beschränkte Öffnung der Richterliste ging möglicherweise schon in die Richtung, wie sie dann mit der *lex Aurelia* und der Beiziehung der Aerartribunen realisiert wurde.

Der Senat fand zwar in der Zeit nach C. Gracchus Vorkämpfer, um gegen die ausschliesslich ritterliche Bestellung der Geschworenen anzutreten, konnte aber sein eigenes Monopol, wie es in der *lex Calpurnia* des Jahres 149 festgehalten war, bis zu Sulla nicht mehr zurückgewinnen. Sulla nahm nach dem Muster des Livius Drusus 300 Ritter in den Senat auf und übertrug diesem die Gerichtsbarkeit.[54] Schliesslich gab aber auch der Senat seine Zustimmung zu dem Kompromiss, wie er durch die *lex Aurelia* zustande kam.

Repetundenklagen wurden zwar durch die Massnahmen des C. Gracchus strenger gehandhabt und es kam im Gegensatz zu der Zeit vor 123 auch zu etlichen Verurteilungen; die Korruption an den Gerichten blieb aber trotzdem bestehen.[55] Die Ritter führten bis zu der *quaestio Mamilia* des Jahres 109 und der Verurteilung des P. Rutilius Rufus im Jahr 92 kaum eine „Klassenjustiz" gegen den Senatorenstand durch, wie dies antike Autoren glaubhaft machen wollen.[56] Der Senat konnte daher auch den Einsitz der Ritter in den Gerichten dulden, wollte sich dabei aber nicht grundsätzlich von ihnen diktieren lassen.

Die Übertragung der Repetundengerichte an die Ritter ist unter die popularen Anliegen zu reihen, da sie die Autorität des Senats beeinträchtigte und eine bessere Kontrolle der Gerichtsbarkeit zu gewährleisten versprach.[57] J. Martin hat jedoch festgehalten, dass „Richtergesetze ... aus sich heraus nicht populär" waren,[58] denn sie brachten dem Volk keine unmittelbaren Vorteile. Daher war es wohl auch nicht immer einfach, für die Übertragung der Gerichte an die Ritter die Mehrheit des Volkes zu gewinnen.[59] Caepio war es im Jahr 106 gar gelungen, eine Schmälerung des ritterlichen Einflusses durchzusetzen.[60]

Nach dem gracchischen Richtergesetz stammte noch die *lex* des C. Servilius Glaucia von popularer Seite. Es machte die Beteiligung der Senatoren an den Repetundengerichten,

53 Dazu GCG 125ff.; Meier, RPA, 77.

54 Broughton 2, 74f.

55 Schneider, Wirtschaft, 115f.

56 Dazu Meier, RPA, 70ff.; Eder 136 A. 1; zudem unten S. 151 A. 26.

57 Meier, Populares, 607f.

58 Martin 196 (mit A. 2).

59 Falls sich Diod. 34/35, 27 auf C. Gracchus' Richtergesetz bezieht (F. Münzer, RE 2 A, 1923, 1387f.; Wolf 83), so stimmten nur gerade 18 von 35 Tribus für den Antrag.

60 Meier (Populares, 608) hält es für „nicht ausgeschlossen, dass man auch die *lex Servilia* zur Aufhebung der Rittergerichte hat teilweise popular machen können". Zu beachten ist, dass es sich hier um einen Antrag im Sinne der Mehrheit des Senats handelte.

wie sie im Jahr 106 zustande gekommen war, wieder rückgängig. Falls das Gesetz des M. Plautius Silvanus des Jahres 89 nicht erst durch die sullanische Gerichtsreform abrogiert wurde, ist ein weiteres populares Gesetz in der Zeit des Cinna anzunehmen.[61] Dieses hätte dann wohl wiederum die Ritter als alleinige Richter eingesetzt. Die Ritter hielten offenbar an ihrem Monopol fest und waren in vorsullanischer Zeit zu keinem Kompromiss mit den Senatoren bereit. In den 70er Jahren gelang es einigen Volkstribunen, das Volk durch Agitation gegen die Korruption der senatorischen Geschworenen zu gewinnen.[62] Als sich der Druck der Ritter mit demjenigen der öffentlichen Meinung sowie der Unterstützung des Pompeius und einzelner *nobiles* vereinigte, konnte der Senat sein Monopol der sullanischen Zeit in den *quaestiones perpetuae* schliesslich nicht mehr beibehalten.

Die Volkstribunen zeigten in der Frage der Richterbestellung ein durchaus unterschiedliches Verhalten. Während im späteren 2. Jh. verschiedene populare Tribunen für die Ritter agierten, kam es kurz vor Sulla zu tribunizischen Massnahmen gegen das ritterliche Monopol. Livius Drusus und Plautius Silvanus suchten einen Ausgleich im Sinne des Senats. Unter Sulla nahmen verschiedene Tribunen im Sinne der Ritter den Kampf gegen die senatorischen Gerichte auf. Im Vordergrund stand nicht die Beseitigung von Ungerechtigkeit in den Gerichten, sondern die Einschränkung des Senatorenstandes durch Möglichkeiten des politischen Druckes gegen die Magistrate. Durch eine Allianz verschiedener politischer Kräfte wurde im Jahr 70 eine Lösung des Richterproblems möglich, die offenbar für beide Stände akzeptabel war. Dies geschah jetzt durch ein praetorisches Gesetz. Auch wenn die tribunizischen Bestimmungen bei der Besetzung der Gerichtshöfe vorherrschend waren, so konnten auf diesem Gebiet, wie schon im Jahr 106, auch von anderer Seite Rogationen erfolgen.

Folgende tribunizische Gesetze befassten sich mit Regelungen zu den Gerichtshöfen:[63]

– 133 Ti. Sempronius Gracchus soll nach Plutarch (T.G. 16,1) im Hinblick auf ein zweites Tribunat eine Teilung der Gerichte unter Senatoren und Rittern geplant haben, was jedoch nicht als gesichert gelten kann (vgl. Dio frg. 24,83,7; Ampel. 26, 1; Rotondi 301; Niccolini 145f.; dazu Meier, RPA, 71 A. 41; Bernstein 216. 218f.; Stockton 73f.; Macrob. 3,14,6, der eine *lex iudiciaria* erwähnt, bezieht sich auf die richterliche Kompetenz der Ackerkommission)

– 124 /123 (?) M. Iunius regelte durch ein nicht näher bekanntes Gesetz die Repetundengerichtsbarkeit und zwar in ähnlicher Weise wie die *lex Calpurnia* des J. 149; er forderte also im Falle der Verurteilung auch die einfache Rückerstattung der erpressten Summe (*lex Acilia* lin. 74; Broughton 1, 513. 3, 114; Eder 67 A. 2 mit weiterer Lit.). Falls man – wie allgemein üblich – M. Iunius mit dem Konsul des J. 109 identifiziert, ist ein spätes Datum aus Gründen der Ämterlaufbahn wahrscheinlich (Broughton reihte das Gesetz ins letztmögliche Jahr 123 ein)

– 123 /122 C. Sempronius Gracchus wollte die Richterlisten mit 300 Rittern ergänzen (Plut. C. G. 5, 2; vgl. Liv. per. 60, der 600 neue Senatoren aus dem Ritterstand annimmt; dazu Wolf 59f.), später wohl gar nur Ritter zulassen, wie die Mehrheit der Quellen nahelegt (vgl. Wolf 60 und 81f., der mit einer

61 Rotondi 342; Meier, Populares, 607.

62 Martin 8. 22; vgl. unten S. 176f.

63 Auf die Quaestionen bezogen sich auch die unten zu behandelnden Schutzrechte für Angeklagte. Q. Aelius Tubero, der kurz vor 129 möglicherweise Volkstribun war (vgl. Broughton 1, 502. 3, 5), entschied für die Wählbarkeit der Augurn als Richter; C. Gracchus wandte sich gegen ihn; ein Plebiszit ist hier nicht bezeugt (Cic. Brut. 117, der ihn als Triumvir bezeichnet; vgl. dagegen Mommsen, StR. 2, 600; Niccolini 414f.).

allgemeinen Richterliste von 600 Rittern rechnet). Dies erreichte er zumindest für den Repetundengerichtshof, der durch das Gesetz seines Kollegen M'. Acilius Glabrio genau definiert wurde (GCG 34f.; Mommsen, StR. 3, 530 A. 1; Niccolini 160f.; dazu Meier, RPA, 70 f.; Brunt, Equites, 141ff.; Wolf 57ff.; Gruen, RP, 87 ff.; Stockton 138ff.)

– 122 M'. Acilius Glabrio regelte in umfassender Form das Gerichtswesen der Repetundenquaestio, jetzt mit ritterlichen Geschworenen (*lex Acilia* lin. 12ff. 16f.; Eder 120ff., Text 153ff.; vgl. E. Badian, AJPh 75, 1954, 373ff.; Wolf 5ff.; Jones 49f.). Eine Verschärfung des Repetundendeliktes wurde dadurch erreicht, dass die erpressten Gelder um den doppelten Betrag zurückerstattet werden mussten (lin. 59), die geheime Abstimmung eingeführt wurde (lin. 49ff.) und der Praetor als Leiter des Gerichts von der Abstimmung ausgeschlossen wurde (lin. 3); zudem kam den Provinzialen jetzt selbständiges Anklagerecht zu (Eder 130f.; vgl. Martin 157)

– 103 L. Appuleius Saturninus führte wahrscheinlich in seinem ersten Tribunat eine permanente *quaestio* mit ritterlichen Geschworenen für *maiestas*-Klagen ein (Broughton 1, 563; Kunkel 62f.; J.-L. Ferrary (CRAI 1983, 556–572, bes. 566ff., vgl. MEFR 91, 1979, 101) plädiert für das Jahr 100)

– 104 /101 C. Servilius Glaucia teilte die Repetundengerichte wieder gänzlich den Rittern zu, nachdem sie der Konsul Q. Servilius Caepio im J. 106 zwischen Rittern und Senatoren aufgeteilt hatte (Broughton 1, 571f. 3, 196; J.-L. Ferrary (MEFR 91, 1979, 85–134) trat zuletzt wieder für das J. 104 ein, was jedoch die Annahme von zwei Tribunaten für Glaucia bedingt, wofür wir keine Anzeichen haben (dazu 101ff.); vgl. Gruen, RP, 166f. A. 53 mit weiterer Lit.). Ferrary hat gezeigt, dass das Gesetz die Repetundendelikte zwar verschärfte, indem Verurteilten sofortiger Senatsausschluss und ein Verbot für die Ausführung von öffentlichen Funktionen drohten, zugleich aber für die Angeklagten durch ein zweistufiges Gerichtsverfahren (*comperendinatio*) grössere Gerechtigkeit brachte, indem es das Verfahren für die Rückgewinnung der erlittenen Verluste nötigenfalls durch Forderungen an Dritte, die von dem Geld profitiert hatten, vervollständigte

– 91 M. Livius Drusus wollte 300 Ritter in den Senat aufnehmen und die Repetundengerichtsbarkeit wieder ausschliesslich den Senatoren zusprechen (App. BC. 1,35 (vgl. vir. ill. 66,10), mit dem sich die Aussagen von Liv. per. 71 (Richterrekrutierung aus dem Senatoren- und Ritterstand) und Vell. 2,13,2 (Richterbestellung ausschliesslich aus dem Senatorenstand) vereinbaren lassen) (Thomsen 18; E. J. Weinrib, Historia 19, 1970, 414–443, bes. 416ff.; A. Fuks/J. Geiger, in: Studi in onore di Ed. Volterra, Bd. 2, Milano 1971, 421–427; Gruen, RP, 208; zur Strafbestimmung für ritterliche Geschworene s. unten S. 121). Als Drusus mit seinen Reformanträgen in Gegensatz zur Senatsmehrheit geriet, hob diese den unangenehmen Kompromiss zusammen mit den andern Gesetzen wieder auf (Asc. p. 55 St.; dazu Thomsen 45f.)

– 89 M. Plautius Silvanus beseitigte das Monopol der Ritter in den Gerichten durch folgende Regelung: Jede Tribus hatte 15 Richter zu wählen, die theoretisch aus allen Gesellschaftsschichten stammen konnten (Asc. p. 61 St., nach dem das Gesetz *adiuvantibus nobilibus* eingebracht wurde; dazu Broughton 2, 34; Meier, RPA, 95 A. 184; Gruen, RP, 221). Die Bestimmung wurde unter Cinna (möglicherweise durch ein populares Gesetz; vgl. Meier, Populares, 607) oder später unter Sulla wieder aufgehoben (Rotondi 342)

– 70 Plautius war möglicherweise als Volkstribun Urheber der *lex Plautia de vi*. Das Gesetz gründete wahrscheinlich einen neuen Gerichtshof *de vi*, der diesen Deliktsbereich jetzt umfassend abdeckte, nachdem die konsularische *quaestio de vi* des Q. Lutatius Catulus vom J. 78 Gewalt gegen Private noch nicht eingeschlossen hatte (Rotondi 377f.; Broughton 2, 128; dazu Vitzthum 1–49; Lintott 110f.; Jones 57; Gruen, LG, 225 ff.; Hinard, proscriptions, 162ff. Lengle (Sulla, 40) schreibt das Gesetz M. Plautius Silvanus, tr. pl. 89, zu)

– 67 C. Cornelius erliess eine *lex de ambitu* mit Bestrafungsklausel gegen *divisores* (Asc. p. 59 St.; Rotondi 370; dazu Schneider, Wirtschaft, 157; Militärdiktatur, 175; Marshall 85. 92)

– 64 Ein Fabius begrenzte wohl als Volkstribun des J. 64 die Zahl der *sectatores*, die bei Wahlbewerbungen zur Stimmenwerbung angeheuert wurden (Cic. Mur. 71; Rotondi 378f.; Niccolini 266; vgl. Taylor, Party Politics, 68f. (A. 104); Gruen, LG, 216; Fascione (vgl. A. 2) 68ff. 132)

– 61 M. Aufidius Lurco wurde vom Senat von den Bestimmungen der *lex Aelia et Fufia* befreit, um noch vor den Wahlen ein *ambitus*-Gesetz rogieren zu können, was jedoch nicht glückte. Der Gesetzesentwurf hatte Straffreiheit für unbezahlte Geldversprechen vorgesehen; erfolgte aber eine Bezahlung, so musste sie auf Lebenszeit in der Höhe von 3000 Sesterzen jährlich pro Tribusgenosse vorgenommen werden (Cic. Att. 1,16,13. 18,3; Rotondi 384f.; vgl. dazu Fascione (vgl. A. 2) 74ff.; E. Badian, in: MNEMAI, Classical Studies in Memory of K. K. Hulley, Chico 1984, 97–101; zur *lex Aelia et Fufia* s. unten S. 242f.)

– 59 P. Vatinius brachte ein Gesetz ein, das die Bestimmungen über die Rückweisung von Richtern reformierte und damit dem Angeklagten Vorteile brachte (Cic. Vat. 27); zudem wurde die Zahl der Begleiter eines Anklägers bei der Beweisaufnahme in der Provinz begrenzt (Asc. p. 97 St.; Rotondi 391; dazu W. Liebenam, RE 1 A, 1914, 514; Gruen, LG, 243; vgl. Jones 47)

– 58 P. Clodius Pulcher entschärfte die Verordnungen der *lex Cornelia de iniuriis*, um damit offenbar einen gewissen Menulla zu schützen (Cic. dom. 81; vgl. Wiseman 141; Benner 60; zur *lex Cornelia*: Rotondi 359)

Schutzrechte für Angeklagte

Mit der Entwicklung des Quaestionenverfahrens im 2. Jh. tauchte die Frage nach dem Schutz der Angeklagten bei dieser Prozessform auf. Bei ihr war nämlich das für die Kapitalkoerzition übliche Provokationsrecht nicht berücksichtigt, welches dem Angeklagten im Falle eines Schuldspruches erlaubte, die Volksversammlung anzurufen, damit diese zum Entscheid über die Strafe beigezogen wurde.[64] Plutarch schreibt Ti. Gracchus den Antrag zu, das Provokationsrecht auch auf das Quaestionenverfahren auszudehnen (s. unten). C. Gracchus begegnete dem Problem, indem er durch seine *lex de capite civis* die Kapitalgerichtsbarkeit ausschliesslich den Comitien übertrug, die dafür auch einen Gerichtshof ernennen konnten. Dies stellte hauptsächlich eine Reaktion auf die *quaestio* des Jahres 132 dar, die erstmals in rechtswidriger Weise Gefolgsleute des Ti. Gracchus verurteilt hatte.[65] C. Gracchus erreichte damit eine Änderung in der Handhabung der *quaestiones extraordinariae*. Eine vom Senat eingesetzte *quaestio* ist uns in der Folge nach diesem Erlass nicht mehr bekannt.[66] C. Gracchus stellte zudem die Korruption von seiten der Senatoren in den Gerichten unter Kapitalstrafe. Neben der *lex de capite civis* und auch der Übertragung der Repetundengerichte an die Ritter, setzte er dem Senatorenstand damit eine weitere Einschränkung. Er schuf die Möglichkeit, Senatoren in öffentlichen Funktionen besser zu kontrollieren.

Das Provokationsrecht kam in diesen Jahren auch im Zusammenhang mit der Bundesgenossenfrage ins Spiel. Der mit den Gracchen verbündete Konsul des Jahres 125, M. Fulvius Flaccus, forderte für die Italiker nach Wahl das Bürgerrecht oder das Provokationsrecht, was er aber nicht durchsetzen konnte.[67] M. Livius Drusus, der optimatische Konkurrent des C. Gracchus, schlug im Sinne der Gegenpropaganda ein generelles Verbot der Geisselung von Latinern vor, das sich auch auf den Militärdienst erstrecken sollte.[68] Bei den

64 Zur Provokation vgl. J. Bleicken, ZRG 76, 1959, 324ff.; Kunkel 24ff. 131; J. Martin, Hermes 98, 1970, 72ff., bes. 81 und 86.

65 GCG 13; v. Ungern-Sternberg, Notstandsrecht, 42.

66 Kunkel 58. 89.

67 Oben S. 73 A. 15.

68 Oben S. 74 A. 19.

Bundesgenossen muss sich demnach der Wunsch nach Schutz vor römischen Magistraten bemerkbar gemacht haben. Möglicherweise ist von den Latinern im römischen Heer auch das Provokationsrecht gefordert worden, um nicht der feldherrlichen Kapitalstrafe ausgeliefert zu sein.

C. Gracchus' Massnahmen gegen senatorische Willkür in den Gerichten garantierten noch keinen ausreichenden Schutz für römische Bürger. Livius Drusus d. J. wollte im Jahr 91 auch gegen Korruption von seiten der Ritter vorgehen, was ihm aber nicht gelungen ist. Vorteile für den Angeklagten enthielten im weiteren auch die Gesetzesvorschriften des C. Cornelius über den Einhaltungszwang der praetorischen Edikte[69] und des P. Vatinius über die Rückweisung von Richtern.[70] Hier handelte es sich aber in erster Linie um Reformen zur Einschränkung von Magistraten und Senatsmitgliedern. Sie bezogen sich nicht wie die gracchischen Vorkehrungen unmittelbar auf den Schutz popularer Tribunen und deren Anhänger.

Das Provokationsrecht stand aber im Verlaufe der späten Republik weiterhin zur Debatte. Besonders im Rabiriusprozess, der Catilinarierfrage und der Verbannung Ciceros spielte es eine bedeutende Rolle in der popularen Ideologie.[71] Zusammen mit dem tribunizischen *ius auxilii* wurde es als Bestandteil der *libertas* propagiert,[72] auch wenn in der Praxis normalerweise nicht die Provokation, sondern der Hilferuf an die Volkstribunen vorgenommen wurde.[73] Ziel dieser Propaganda war es, das *senatus consultum ultimum* sowie die unter ihm vorgenommenen Exekutionen ohne vorherigen Prozess anzuprangern und damit ein vom Senat gegen populare Politik angewandtes Mittel auszuschalten. P. Clodius Pulcher rogierte schliesslich trotz der Bestimmung des C. Gracchus nochmals eine *lex de capite civis,* mit der er gegen Cicero vorgehen wollte und auf die auch der Ächtungsbeschluss des bereits aus Rom entwichenen Cicero erfolgte.

Auf dem Gebiet des Rechtsschutzes standen die Anträge der Volkstribunen im Vordergrund. Allerdings konnten auch hier Rogationen von anderer Seite erfolgen, wie das Gesetz des Praetors des Jahres 59, Q. Fufius Calenus, über die getrennte Abstimmung der drei *ordines* unter den Geschworenen zeigt.[74] Der Senat war nicht an Vorlagen auf dem Gebiet des Provokationsrechts interessiert, gab aber andererseits den Reformen des C. Cornelius und P. Vatinius wohl seine Zustimmung.[75] Deren Anträge blieben allerdings punktuelle Einzelmassnahmen. Abgesehen von den Vorstössen zur Einschränkung des Senatoren- und Ritterstandes, dienten die in diesem Abschnitt betrachteten tribunizischen Gesetze in erster Linie der Sicherung der popularen Politik. Es ging nicht um eine

69 Oben S. 91.

70 Oben S. 119.

71 Martin 216, vgl. 167; Hermes 98, 1970, 94f.; Kunkel 24. 131; J. Bleicken, RE 23, 1959, 2453f.; Lex publica, 475ff.; vgl. auch schon Cic. Verr. 2,5,163. Zu der Agitation des Tribunen Q. Caecilius Metellus Nepos im J. 62: Broughton 2, 174; vgl. Meyer, CM, 39.

72 Cic. de or. 2,199; rep. 3,44; Liv. 3,45,8. 3,55,4. 3,56,6; dazu Wirszubski 31ff.

73 Dazu unten S. 233ff.; vgl. Kunkel 29 A. 91. 131; J. Martin, Hermes 98, 1970, 92f.; M. Bianchini, Sui rapporti fra „provocatio" ed „intercessio", in: Studi in onore di G. Scherillo I, Milano 1972, 93–110; A. Magdelain, De la coercition capitale du magistrat supérieur au tribunal du peuple, Labeo 33, 1987, 139–166.

74 Vgl. A. 38.

75 Vgl. oben S. 89. 119.

grundsätzliche Verhinderung der Kapitalstrafe, wie etliche tribunizische Volksprozesse und die Drohungen mit dem Felssturz von popularer Seite nahelegen.[76] Die Volkstribunen haben somit ihre Schutzfunktion, die sie mit dem *ius auxilii* ausübten, im übertragenen Sinne nur bedingt für gesetzliche Regelungen eingesetzt.

Folgende tribunizische Anträge befassten sich mit Schutzrechten für Angeklagte:[77]

- 133 Ti. Sempronius Gracchus soll nach Plutarch einen Antrag entworfen haben, der das Provokationsrecht auch auf das Quaestionenverfahren ausgedehnt hätte (Plut. T.G. 16,1; dazu Bernstein 216ff.; J. Bleicken (RE 23, 1959, 2456) betrachtet dies als Irrtum Plutarchs, was jedoch in Anbetracht der für Tiberius drohenden Anklage vor einer *quaestio extraordinaria* nicht unbedingt berechtigt ist)
- 123 C. Sempronius Gracchus übertrug durch seine *lex de capite civis* die Kapitalgerichtsbarkeit ausschliesslich auf die Comitien, die dafür auch einen Gerichtshof ernennen konnten (Rotondi 309f.; dazu v. Ungern-Sternberg, Notstandsrecht, 53; Bernstein 216–218; Stockton 117ff.)
- 123 C. Sempronius Gracchus wandte sich mit seiner *lex ne quis iudicio circumveniatur* gegen die Korruption seitens der Senatoren bei Kapitalverhandlungen in den Quaestionenverfahren; sie sollte mittels Kapitalstrafe vor ungerechtfertigten Verurteilungen schützen (Cic. Cluent. 148.151; Wolf 42ff. 55; U. Ewins, JRS 50, 1960, 94–107, bes. 101f.; dagegen L. Fascione (AG 189, 1975, 29–52), der diesen Paragraphen zuletzt wieder der *lex Acilia repetundarum* zuweisen will). Sulla hat das Gesetz (nur) für die Bestimmungen über die Regelung *de sicariis et veneficiis* übernommen
- 122 M. Livius Drusus schlug ein generelles Verbot der Geisselung von Latinern vor, das auch für den Militärdienst gelten sollte (Plut. C. G. 9,3; oft wird dies als Verleihung des Provokationsrechts an die Latiner gedeutet; vgl. Rotondi 315; Sherwin-White, Citizenship, 136f.; H. C. Boren, CJ 52, 1956, 32; Badian, FC, 185ff.; P.A. Brunt, JRS 55, 1965, 91)
- 91 M. Livius Drusus hatte in seiner Neuordnung des Richterwesens auch für die Korruption von Rittern im Zusammenhang mit Strafverhandlungen das Quaestionenverfahren in Aussicht gestellt, was die Ritter missbilligten (Cic. Rab. Post. 16: *novam ... quaestionem*; Cluent. 153; App. BC. 1,35f.; vgl. U. Ewins, JRS 50, 1960, 104 ff.; Wolf 45ff.; L. Fascione, AG 189, 1975, 39ff.; E. J. Weinrib (Historia 19, 1970, 419ff.) hält die Bestimmung für einen Teil der *lex Livia iudiciaria*)
- 58 P. Clodius Pulcher erliess trotz der Bestimmungen des C. Gracchus nochmals eine *lex de capite civis*, mit der er gegen Cicero vorgehen wollte und auf die der Ächtungsbeschluss des bereits aus Rom entwichenen Cicero erfolgte (Rotondi 394f.; Broughton 2, 196; dazu v. Lübtow 347ff.; Martin 84f.; v. Ungern-Sternberg, Notstandsrecht, 126f.; vgl. Brecht 295f.)

Straferlass

Neben den *quaestiones perpetuae* konnte auch noch in der späten Republik die Volksversammlung zur Aburteilung von politischen Verbrechen eingesetzt werden.

76 Dazu unten S. 147ff. 187f.

77 Eine möglicherweise tribunizische *lex Remmia* stellte zu einem unbekannten Zeitpunkt vor dem J. 80 falsche Anklagen unter Bestrafung (*de calumniatoribus*) (Cic. S. Rosc. 55; Schol. Gronov. p. 309 St.; Rotondi 363f.; Niccolini 433f.; vgl. F. Münzer, RE 1 A, 1914, 595; H. F. Hitzig (RE 3, 1897, 1416) hält ein Datum aus dem letzten Jahrhundert der Republik für unwahrscheinlich; Lange (Röm. Alterthümer 3, 101) betrachtet Remmius als Konkurrenten im Tribunat des Livius Drusus; dazu auch J. G. Camiñas, La Lex Remmia de calumniatoribus, Santiago de Compostela 1984). Unsicher sind Datum und Autor der *lex Crepereia*, die die Höhe einer *sponsio* vor den *centumviri* festlegte (Gai. 4,95; Rotondi 479; Niccolini 447; Broughton 2, 469).

Traditionsgemäss waren für Kapitalklagen sogar ausschliesslich die Centuriatcomitien zuständig, während das *concilium plebis* Geldstrafen (*multae*) verhängen konnte.[78] Die Volkstribunen konnten sowohl im Multprozess als auch im Kapitalprozess als Leiter der Verfahren fungieren. Um eine Exekution zu verhindern, erfolgte dabei in der späten Republik im Zusammenhang mit Kapitalverfahren der Ausschluss vom Heimatort (*aquae et ignis interdictio,* die auch im Falle einer vom Angeklagten selbst gewählten Flucht ins Exil vorgenommen wurde).[79] Die Gewährung der Flucht war jedoch nur bei politischen Verbrechen und angesehenen Delinquenten üblich. Für sozial niedrigere Strassenverbrecher kam sie nicht in Frage.[80]

Im gleichen Masse wie die Comitien für die Verhängung der offiziellen *aquae et ignis interdictio* zuständig waren,[81] so waren sie es auch für die Aufhebung des Exils. Die tribunizischen Rogationen sind hier, wie bei allen strafprozessualen Beschlüssen der Comitien,[82] in der Mehrzahl. Das Volk fungierte aber nicht als Gnadeninstanz, sondern führte lediglich einen Kassationsbeschluss durch.[83] Bürgerliche Restitutionen wurden ferner erst mit den politischen Prozessen der späten Republik aktuell, bei denen die Volkstribunen zum Teil ja massgeblich beteiligt waren.[84] Der Exilspraxis entsprechend kamen sie nur bei politischen Verbrechen zur Anwendung.[85] Die auf tribunizischen Beschluss erfolgten Restitutionen sind im Folgenden näher zu betrachten.

Die uns überlieferten Rückberufungen in den römischen Bürgerverband richteten sich im Falle des Popillius Laenas (120), des Caecilius Metellus Numidicus (100/98) und des Cicero (58/57) an optimatische Opfer der popularen Politik.[86] Im Jahr 88 war erstmals keine Einzelperson, sondern eine Gruppe von Verbannten Anlass eines Restitutionsantrages. Im Jahr 87 waren Opfer von *hostis*-Erklärungen betroffen, wie sie im Jahr zuvor zum ersten Mal vorgenommen worden waren.[87] Im Zuge der Wahlbestechungen der ausgehenden Republik, die zu einigen *ambitus*-Verurteilungen führten, kam es in den Jahren 64/63 und 50 zu offenbar erfolglosen Versuchen, diese Strafen rückgängig zu machen. Erfolgreicher auf diesem Gebiete waren dann die tribunizischen Anträge unter Caesar (s. unten).

78 Dazu unten S. 149.

79 Das Bürgerrecht ging dabei nicht verloren; Mommsen, Strafr., 73; L. M. Hartmann, RE 2, 1895, 308ff.; G. Kleinfeller, RE 6, 1909, 1683ff.; Bleicken, Volkstribunat 1955, 111 A. 7; Grasmück 77f.; zur Frage der *aquae et ignis interdictio* als selbständige Strafe vgl. Grasmück 102ff.; Mommsen (Strafr., 592. 967. 971f.; StR. 3, 140) sah ihren Ursprung in der Zeit Sullas; vgl. auch G. Crifò, Ricerche sull' „exilium" nel periodo repubblicano, Milano 1961, 247ff.

80 Kunkel 67 A. 253. 78.

81 Bleicken, Lex publica, 113ff.

82 Darunter fallen Exilsbeschlüsse, *quaestiones extraordinariae* und Volksgerichte; vgl. Bleicken, Lex publica, bes. 115; Bleicken führt die Beteiligung der Comitien in dieser Angelegenheit auf die Tradition des Ständekampfes zurück.

83 Ebenda 114f.

84 Vgl. unten S. 151ff.

85 Vgl. A. 83.

86 Zum Jahr 100 vgl. besonders App. BC. 1,23. Umstritten ist der Fall des J. 88 (s. unten). Zum Fall des J. 87 s. A. 101.

87 Zur *hostis*-Erklärung v. Ungern-Sternberg, Notstandsrecht, 41. 74.

Die Bestrebungen des Caecilius Rufus (64/63) und des Scribonius Curio (50) erfolgten im Dienste von Verwandten. Hinter der *restitutio damnatorum* standen aber auch übergeordnete politische Interessen. Caesar setzte sich allgemein für vom Senatsregime ausgeschlossene Personen und Personengruppen ein. So war er schon Urheber der Amnestie für die Lepidus-Anhänger gewesen und veranlasste im Jahr 63 eine tribunizische Rogation (mit unbekanntem Rogator) zur Wiederherstellung der Amtsfähigkeit der Abkömmlinge von Vorfahren, die von Sulla proskribiert worden waren.[88] Der Senat widersetzte sich dieser Restitution aus Angst, dass die betreffenden Leute Racheakte vornehmen könnten, sobald sie wieder in einflussreichen Positionen anzutreffen wären.[89] Lepidus hatte das Anliegen schon als Konsul des Jahres 78 vorgebracht, jedoch ohne Erfolg.[90] Caesar setzte es dann im Jahr 49 durch, wohl über den Tribunen M. Antonius. Er schuf sich damit neue, ihm loyale Amtsanwärter, die dem alten Regime nicht verpflichtet waren. Gleichzeitig restituierte er einen Teil derjenigen, die unter der *lex Pompeia de ambitu* des Jahres 52 verurteilt worden waren. In den 40er Jahren fand somit auf diesem Gebiet nochmals eine beachtliche Zusammenarbeit zwischen Caesar und den Volkstribunen statt. Möglicherweise vermied der Diktator damit, sich durch eigene Anträge unnötig unbeliebt zu machen.

Die *restitutio damnatorum* ist nach einem Zeugnis Ciceros aus dem Jahr 63 als populare Materie anzusprechen,[91] obwohl sie nicht eigentlich die Interessen des Volkes berührte und diesem keine Vorteile versprach.[92] Im Jahr 63 stand sowohl die Restitution der Nachkommen der von Sulla Proskribierten als auch derjenigen der im Jahr 66 wegen *ambitus* Verurteilten zur Debatte, die danach zu Mitgliedern der ersten catilinarischen Verschwörung wurden; zudem schwebte im Hintergrund noch die Amnestie der Lepidus-Anhänger vom Jahr 70. Cicero wandte sich mit seiner Warnung, die *restitutio damnatorum* nicht als popular zu erachten, jedenfalls gegen Caesar.[93] Als popular galten die Restitutionen nach J. Martin, da sie „in den 60er Jahren agitatorisch von den Popularen vertreten wurden".[94] Andererseits geht Cicero im Falle des Caecilius Rufus (64/63), den er als senatstreuen Tribunen schätzt, soweit, den Restitutionsantrag als Milderung der Strafe darzustellen und damit die Verurteilung als grundsätzlich unangetastet zu betrachten.[95] Ziel des Caecilius Rufus war trotzdem eine möglichst baldige Wiederaufnahme des P. Cornelius Sulla sowie seines Schicksalsgenossen P. Autronius Paetus in den Senat und die Rückerstattung des Ämterrechts, womit die Verurteilung faktisch aufgehoben gewesen wäre. Das Urteil Ciceros war also davon abhängig, wer die *restitutio* beantragte und wen sie betraf.

88 Meyer, CM, 15. Zu den *liberi proscriptorum* V. Vedaldi Iasbez, Labeo 27, 1981, 163–213; F. Hinard, in: Sodalitas, Scritti in onore di A. Guarino, Bd. 4, Napoli 1984, 1889–1907; proscriptions, 87ff.

89 Vgl. die Befürchtungen Ciceros: Pis. 4.

90 Gran. Licin. p. 28 Criniti.

91 Cic. leg. agr. 2,10.

92 Martin 31. 45. 212.

93 Gelzer, Caesar, 38 A. 58.

94 Martin 212.

95 Cic. Sull. 62ff.

Cicero zufolge kam dem Senat bei den Rückrufungen nur bei seiner eigenen Person eine aktive Rolle zu.[96] Die Restitution des P. Popillius Laenas (121/120)[97] und des Q. Caecilius Metellus Numidicus (100/98)[98] erfolgte nach seinem Zeugnis offenbar ohne Senatsbeschluss.[99] Nach Appian und Valerius Maximus[100] befürwortete der Senat jedenfalls die Rückrufung des Metellus Numidicus und es besteht kein Grund anzunehmen, dass die betreffenden Rogationen nicht durch ein entsprechendes *senatus consultum* gestützt waren. Ein Senatsbeschluss muss auch bei der Amnestie für die Lepidus-Anhänger vorgelegen haben. Der Senat stimmte hier wohl, wie schon im Falle des Marius und seiner Begleiter im Jahr 87, als er unter Druck gestanden hatte,[101] nur mit Missmut zu. Im Sinne des Senats waren demnach nur gerade die Rückrufungen des Popillius Laenas, des Metellus Numidicus und des Cicero. Die übrigen Restitutionen erwiesen sich als Affront von popularer Seite gegen den Senat.

Doch beide Seiten konnten sich bei den Rückrufungen jeweils auf Volkstribunen stützen, die hier die aktivsten Magistrate waren. Aber auch die *restitutio* kann nicht als ausschliesslich tribunizische Materie betrachtet werden. Bei der Rückrufung des Cicero setzten sich auch Praetoren und Konsuln ein, und dem konsularischen Antrag kam in diesem Falle die grösste Autorität zu. Auffälligerweise waren bei den tribunizischen Restitutionsanträgen öfters mehrere Volkstribunen beteiligt, was den Rogationen wohl grösseres Gewicht verleihen sollte. Da es sich bei den Rückrufungen um Einzelpersonen und Personengruppen handelte, spielten persönliche Beziehungen und Klientel eine besondere Rolle. (Im Falle des Cicero kam es auch ausserhalb der Gesetzesinitiativen zu einem tribunizischen Auftritt im Sinne der *restitutio*: Im Jahr 56 ging Cicero mit Milo und einigen Volkstribunen auf das Capitol und entfernte die von Clodius in Erinnerung ans Exil aufgestellten Stelen, was Clodius vorerst verhindern konnte).[102] Eine regelmässige Aufgabe in der bürgerlichen Restituierung übernahmen die Volkstribunen allerdings nicht.

Es begegnen folgende Fälle, in denen Volkstribunen Straferlasse vornahmen oder planten:[103]

– 121 /120 L. Calpurnius Bestia restituierte P. Popillius Laenas, der vor der gerichtlichen Verfolgung durch C. Gracchus ins Exil geflohen war (Rotondi 317; Broughton 1, 524 mit A. 3)

– 100 /99 Q. Pompeius Rufus und M. Porcius Cato wollten Q. Caecilius Metellus Numidicus, der die Bestimmungen des Saturninus nicht beschworen hatte, restituieren, was aber an der Interzession des P. Furius scheiterte (Niccolini (204) und Broughton (2, 2f. mit A. 5f. 3, 170) setzen die beiden Tribunen ins J. 99; vgl. dagegen E. Badian (Chiron 14, 1984, 130ff.), der das J. 100 propagiert)

– 99 /98 Q. Calidius liess Q. Caecilius Metellus Numidicus in die römische Bürgerschaft zurückrufen, was frühestens gegen Ende des J. 99 geschehen sein kann (Rotondi (334), Niccolini (206f.) und

96 Cic. Mil. 39 u.a.

97 Cic. p. red. in sen. 38; p. red. ad Q.10.

98 Cic. p. red. ad Q.10.

99 Zur Restitution des Marius und seiner Anhänger vgl. A. 101.

100 App. BC. 1,33,147; Val. Max. 4,1,13: *maximo senatus et populi consensu.*

101 App. BC. 1,70; vgl. dagegen Cic. p. red. ad Q.10: *oppresso senatu est restitutus.* Hinausgezögert werden konnte demgegenüber die Restitution der Nachkommen der von Sulla Proskribierten sowie derjenigen, die wegen *ambitus* verurteilt waren.

102 Dio 39,21,1f.

103 Strafminderung bezweckte auch die *lex Clodia de iniuriis* (s. oben S. 119). Zur Verhinderung von Anklageverfahren s. unten S. 234ff.

Broughton (2, 5f. mit A. 4) setzen Calidius ins J. 98; vgl. dagegen E. Badian (Chiron 14, 1984, 133. 137ff., bes. 138 A. 82), der für das J. 99 plädiert)

– 88 Eine *rogatio ut exules quibus causam dicere non licuisset reducerentur* zog die Interzession des P. Sulpicius (Rufus) nach sich (Auct. ad Her. 2,45). Die Identifikation dieser Verbannten bietet einige Schwierigkeiten. Traditionell wird angenommen, dass es sich um die unter der *lex Varia* des J. 90 Verurteilten handelt (so zuletzt A. Keaveney, Latomus 38, 1979, 455ff.). E. Badian (Historia 18, 1969, 488ff.) identifiziert die *exules* nach einer Idee von E.S. Gruen (JRS 55, 1965, 71ff.) mit den Opfern der *lex Licinia Mucia* des J. 95. Wie schon Gruen sah, können ausgewiesene Italiker kaum als *exules* bezeichnet worden sein (vgl. auch Keaveney, a.a.O., 456). A.W. Lintott (CQ 21, 1971, 453) hat als *exules* die im J. 100 verbannten Saturninus-Anhänger in Erwägung gezogen, was nicht zu überzeugen vermag

– 88 P. Sulpicius (Rufus) brachte anschliessend – wohl nachdem er sich in der Auseinandersetzung um das Neubürgergesetz Marius angeschlossen hatte – selbst ein Gesetz für die Restituierung Exilierter ein, das nach Auct. ad Her. 2,45 den gleichen Inhalt hatte, wie die von ihm zuvor abgelehnte Rogation, wobei Sulpicius jedoch vorgab *non exules, sed vi eiectos se reducere*. Das Gesetz kam nach Liv. per. 77 auf Veranlassung des Marius zustande und wird zu den verderblichen Gesetzen (*perniciosas leges*) gerechnet (zum Seitenwechsel des Sulpicius vgl. Martin 200ff.; E. Badian, Historia 18, 1969, 484ff.; A. Keaveney, Latomus 38, 1979, 459 f.)

– 87 Einige Volkstribunen restituierten nach Appian (BC. 1,70,324) Ende des Jahres Marius und die andern durch Sulla im Vorjahr Verbannten, als diese nach Rom zurückkehrten. Demgegenüber hatte die Mehrzahl der Volkstribunen noch gegen den gleichlautenden Plan interzediert, den Cinna vor seinem Abgang ins Exil gehegt hatte (s. unten S. 231). Nach Plutarch (Mar. 43,3) betrat Marius die Stadt ohne das Ergebnis der Abstimmung abzuwarten. Niccolini (234) denkt bei den rogierenden Tribunen bereits an die neuen Amtsträger für das J. 86, was wegen der vorgeschriebenen Promulgationsfrist kaum möglich ist

– 70 Plautius gewährte auf Veranlassung Caesars und unter Zustimmung des Senats (Suet. Iul. 5; Sall. hist. 3,47; Cic. Verr. 2,5,151f.) möglicherweise in diesem Jahr den Teilnehmern des Lepidus-Aufstandes von 78, die danach zu Sertorius geflohen waren, straflose Rückkehr (Broughton 2, 128; vgl. Gelzer, Caesar, 26; F. Münzer, RE 21, 1951, 5f.; R. Syme, JRS 53, 1963, 57f.; Martin 31; Gruen, LG, 37. 78f.; Hinard, proscriptions, 166)

– 64 /63 L. Caecilius Rufus brachte Ende Dezember mit der Unterstützung des Konsuls Antonius für seinen Halbbruder P. Cornelius Sulla sowie für P. Autronius Paetus einen Antrag zur Milderung ihrer *ambitus*-Strafen (auf Grund der *lex Calpurnia* des J. 67), zu denen sie als Cos. des. 66 verurteilt worden waren, ein, um ihnen die Wiederaufnahme in den Senat zu ermöglichen und das Ämterrecht zurückzuerstatten (Rotondi 377; Niccolini 269f.; vgl. F. Münzer, RE 3, 1897, 1232). Caecilius zog den Antrag allerdings wieder zurück, als er am 1. Jan. im Senat behandelt wurde und sich herausstellte, dass sich Sulla selbst davon distanzierte und die Sache auf grossen Unwillen stiess (Cic. Sull. 65). Cicero nimmt Caecilius Rufus als senatstreuen Tribunen in Schutz, der sich hier in einer familiären Angelegenheit engagiert habe (Cic. Sull. 62–66) (vgl. allgemein E. Klebs, RE 2, 1896, 2612; F. Münzer, RE 4, 1900, 1519)

– 63 Eine tribunizische Rogation beantragte auf Caesars Veranlassung die Wiederherstellung der Amtsfähigkeit von Abkömmlingen, deren Eltern von Sulla proskribiert worden waren. Cicero hielt gegen die Rogation eine Rede und das Projekt scheiterte (Cic. Att. 2,1,3; Pis. 4; Quintil. Inst. Or. 11,1,85; vgl. Plin. NH. 7,117; Rotondi 380f.). Dio (37,25,3) spricht in dieser Angelegenheit allgemein von den Volkstribunen, die mit dem Konsul Antonius vereinigt gewesen waren, so dass die Rogation von mehreren Tribunen vorgetragen worden sein könnte

– 58 /57 An der Rückrufung des Cicero waren sowohl der Senat als auch Volkstribunen, Praetoren und die Konsuln beteiligt (Cic. Mil. 39; Pis. 35; p. red. in sen. 18; p. red. ad Q. 16 u. passim). Andererseits nennt Cicero besonders Pompeius als Urheber (Cic. Planc. 93; p. red. in sen. 29 u. passim; vgl. auch Dio 38,30,1. 39,6,1), dem Livius (per. 104) den Volkstribunen Milo zur Seite stellt; von diesem sind jedoch keine konkreten Aktivitäten bekannt. – Am 1. Juni 58 erfolgte als Auftakt im Senat das Referat des L. Ninnius Quadratus, der nach Dio (38,30,3) von Pompeius eingesetzt war.

Im Juli erklärte sich der Praetor L. Domitius Ahenobarbus zu einer *relatio* bereit (Cic. Att. 3,15,6), die aber offenbar nicht zustande kam. Am 29. Oktober rogierten acht Volkstribunen gemeinsam einen Rückrufungsantrag und referierten ihn im Senat (Cic. Att. 3,23,1; Sest. 69; Niccolini 293); dies geschah nach Cicero (p. red. in sen. 29) auf Veranlassung des Pompeius; der Antrag scheiterte jedoch am Widerspruch des Aelius Ligus und war auch von Cicero kritisiert worden (Att.). Im Herbst bereiteten die für das nächste Jahr gewählten Volkstribunen auf Bitten des Pompeius (Cic. p. red. in sen. 29) neue Anträge vor, wobei Cicero jedoch den Vorschlag des P. Sestius kritisierte (Cic. Att. 3,19,2. 20,3. 23,4). Cicero setzte seine Hoffnungen Ende Jahr trotzdem besonders in die neuen Volkstribunen (Cic. Att. 3,24,1; fam. 14,3,3), wobei er ihre Chancen aber von Pompeius, Caesar und dem Konsul Lentulus abhängig machte (Cic. fam. 14,1,2. 2,2). Für das J. 57 schienen alle Tribunen Cicero günstig gesinnt, wobei sich dann aber zwei als abtrünnig erwiesen (Numerius und Serranus; Cic. Sest. 72; vgl. Mil. 39; Pis. 35). C. Messius promulgierte zu Beginn seiner Amtszeit in alleiniger Regie eine Rogation (Cic. p. red. in sen. 21). Am 1. Jan. scheiterte ein Antrag des Konsuls Lentulus am Widerspruch des Serranus (s. unten S. 214). Am 23. Januar beantragten acht Tribunen unter der Leitung des Q. Fabricius die Restitution, wurden aber trotz eigenem Gardeeinsatz durch Clodius vom Forum vertrieben (Niccolini 300; Nowak 129f.). Der Praetor L. Caecilius Rufus promulgierte einen analogen Antrag und wurde dabei von sechs der sieben Kollegen unterstützt (Cic. p. red. in sen. 22; Pis. 35; Mil. 39). Schliesslich fasste der Senat mit 416 Stimmen gegen die eine des Clodius den Rückführungsbeschluss, den Lentulus im Einverständnis mit seinem Kollegen (Cic. Pis. 35) am 4. August vor die Centuriatcomitien trug (Dio 39,8,2; vgl. Rotondi 400 ff.)

– 50 C. Scribonius Curio hatte die Absicht, den wahrscheinlich mit ihm verwandten C. Memmius wieder in seine Bürgerrechte einzusetzen (Cic. Att. 6,1,23). Dieser war wegen *ambitus* bei der Konsulatsbewerbung für das J. 53 verurteilt worden (vgl. F. Münzer, RE 15, 1931, 609 ff., bes. 614f.; zudem RE 2 A, 1921, 870). Ob ein entsprechender Antrag eingereicht wurde, bleibt unklar (Rotondi 413f.; Niccolini 324)

– 49 M. Antonius erarbeitete für Caesar ein Gesetz, das einen Teil derjenigen, die unter der *lex Pompeia de ambitu* verurteilt worden waren, restituierte. Dasselbe ist auch für die Restitution der Kinder der von Sulla Proskribierten zu vermuten (Dio 41,17,3; Rotondi 416; Niccolini 330; Broughton 2, 258; vgl. Yavetz 65ff.). Nach Caes. BC. 3,1,4 nahm Caesar die *restitutio damnatorum* über praetorische und tribunizische Gesetze vor (vgl. allgemein Hinard, proscriptions, 217ff.)

– 46 Caesar führte durch einige Volkstribunen weitere wegen *ambitus* Verurteilte aus dem Exil zurück und erteilte ihnen das Aufenthaltsrecht in Italien (Dio 43,27,2; vgl. Cic. fam.6,6,11; dazu Yavetz 68)

Zusammenfassung

Die Volkstribunen hatten über ihre Gesetzgebung bedeutenden Anteil an der Regelung des Strafwesens.[104] Dies zeigte sich in der späten Republik besonders in der Frage der Richterbestellung, des Provokationsrechts und den weiteren Schutzrechten gegen richterliche Korruption sowie bei der bürgerlichen Restitution. Schon E.S. Gruen hat aber festgehalten, dass die tribunizischen Anträge im Gerichts- wie auch im Administrativbereich im Vergleich mit den *leges* der andern Magistrate und den Senatsbeschlüssen nicht als „principal source of reform" betrachtet werden können.[105] Bei den Bestimmungen zu

104 Vgl. dazu auch Bleicken, Lex publica, 146ff.

105 Gruen, LG, 257; vgl. 212: „In fact, reform measures initiated in the senate were more than twice as numerous as tribunician proposals"; 257: „Nearly fifty leges and decrees are recorded in these fields, and fewer than a third are ascribable to tribunes".

den *quaestiones perpetuae* sind die Gesetze der Tribunen in der Tat in der Minderzahl, wobei aber ein guter Teil der nichttribunizischen *leges* von Sulla stammte. Zu beachten ist zudem, dass besonders in der Anfangsphase der Einrichtung ständiger Geschworenenhöfe tribunizische Massnahmen sowohl von popularer als auch von senatstreuer Seite wichtige Impulse gaben.

Populare Volkstribunen versuchten, den Einfluss der Ritter zu erhöhen, um ein Kontrollorgan gegenüber den Senatoren zu erhalten.[106] Daneben gab es senatstreue Gesetze, die die Position der Senatoren wieder stärken wollten. In den 50er Jahren kam aber die Zusammenarbeit zwischen Senat und Volkstribunat, die auf dem Gebiet der *quaestiones perpetuae* in einigen Fällen stattgefunden hatte, zum Erliegen. Das Volkstribunat fungierte in dem Bereich des Gerichtswesens nie als ein dauerndes Regulativ. Die Tribunen übernahmen auch in den gesetzlichen Bestimmungen zum Schutze von Angeklagten keine regelmässige Aufgabe. Im Vordergrund stand die Sicherung der *popularis ratio*, wobei populare Politiker und deren Anhänger vor willkürlichen Verurteilungen geschützt werden sollten. Das Volkstribunat fungierte auch nicht als Gnadeninstanz bei politischen Vergehen. Straferlass kam nur zustande, um vermeintliche Anhänger wieder am politischen Geschehen teilnehmen zu lassen. Zu berücksichtigen ist ferner, dass die Volkstribunen über die Gesetzgebung auch Bestrafungen vornehmen konnten,[107] wie sich im Zusammenhang mit dem Volksgericht und der *aquae et ignis interdictio* zeigt.

In bezug auf Sulla ist vorerst festzuhalten, dass er persönlich sowohl von der Abrogation als auch von einer Rückführung (derjenigen seines Konkurrenten Marius und eventuell der Anhänger des Livius Drusus) betroffen war, so dass ihm die tribunizische Gesetzgebung ein Dorn im Auge sein musste.

3. Zusammenfassende Überlegungen zu dem Charakter und Stellenwert der tribunizischen Gesetzgebung

Die Gesetze der späten Republik sind allgemein als Anpassung an veränderte gesellschaftliche und politische Umstände zu betrachten, die sich mit dem Wachstum der Stadt und ihres Reiches ergaben.[1] Eine planmässige, umfassende Gesetzeskodifikation wurde nie angestrebt. Auch bei den tribunizischen Gesetzen handelte es sich meist um Einzelmassnahmen, die nicht in den Kontext einer grösseren Reform der Res publica gehörten. Nur bei wenigen Tribunen resultierten die Gesetze aus einem mehrteiligen politischen Programm. Diese stammten durchweg von popularer Seite. Im Gegensatz zur mittleren Republik wurde in der späten Republik ein Grossteil der Gesetze gegen den Willen der Senatsmehrheit eingebracht. Gesetze, die die Zustimmung des Senats hatten, versuchten, an den traditionellen Zuständen festzuhalten und insbesondere das Gleichgewicht in der Nobilität zu bewahren.[2] Obwohl dies gewisse Konzessionen und einzelne

106 Vgl. dazu Meier, Populares, 557; zu C. Gracchus: Martin 162.
107 Zur Abrogation vgl. Mommsen, StR. 2, 319 A. 4; zur Verbannung Ciceros vgl. Lengle, Strafr., 24.

1 Vgl. dazu Bleicken, Lex publica, 181. 326; zum republikanischen Gesetzesverständnis vgl. allgemein 396ff.; ferner Grziwotz 43ff.
2 Dazu Bleicken, Lex publica, 405.

Neuerungen nicht ausschloss, so reichten die betreffenden Massnahmen aber bei weitem nicht aus, die vielfältigen Probleme der späten Republik zu bewältigen.

Populare Politiker versuchten, mittels Volksabstimmung Anliegen durchzusetzen, die von der Mehrheit des Senats abgelehnt wurden. Auch wenn sie damit beabsichtigten, ihre persönliche politische Stellung auszubauen, darf ihr Bemühen um die Lösung dringlicher Aufgaben nicht übergangen werden. Allerdings gelang es auch popularen Tribunen nur vereinzelt, gewisse Anliegen über längere Zeit durchzusetzen.[3] Wiederholt setzten sich Tribunen für den Einsitz der Ritter in den (Repetunden-)Gerichten ein, brachten Acker- und Getreidegesetze vor, rogierten die Tabellargesetze und sorgten für die Beteiligung der Tribus bei den Priesterwahlen. H. Schneider hat die Ansicht vertreten, dass es mit den Gesetzen des Clodius und Caesar gelungen sei, „wesentliche Programmpunkte der Popularen" zu verwirklichen.[4] Zudem trat nach J. Martin seit Clodius die populare Materie in den Hintergrund.[5] Dabei ist aber zu berücksichtigen, dass unter den Popularen nie ein festes Programm bestanden hatte. Die grundsätzlichen Probleme wurden auch im Jahr 58 nicht gelöst. Es kam in der Folge zu weiteren Reformbestrebungen, die aber erst von Caesar als Diktator konsequent und erfolgreich umgesetzt werden konnten. Grundlegend neue Strukturen in der Res publica oder in dem römischen Herrschaftssystem wurden durch die popularen tribunizischen Rogationen nicht angestrebt. Die programmatische Benützung der Volksversammlung und die Präsentation popularer Gesetzesvorschläge trugen allerdings dazu bei, dass sich die Konkurrenz unter den *nobiles* vergrösserte. In der Auseinandersetzung um politische Vormacht wurden die Gesetze vermehrt als Kampfmittel eingesetzt.[6] Sie dienten damit nicht mehr unbedingt dem Ausgleich in der Aristokratie, sondern förderten Machtverschiebungen zugunsten von Einzelnen. Dies hatte schliesslich zur Folge, dass unter Caesar Massnahmen gegen den Willen des Diktators keine Aussicht auf Erfolg mehr hatten.

Die Betrachtung der gesamten spätrepublikanischen Gesetze zeigt, dass es keine ausschliesslich tribunizischen (Gesetzes-)Themen gab. Nur die Tabellargesetze und die Priesterwahl sind allein auf tribunizische Vorlagen zurückzuführen. Selbst hier wären aber grundsätzlich Rogationen von anderer Seite denkbar gewesen. Ansonsten kamen in allen andern Gebieten, in denen sich Tribunen mit Gesetzesanträgen beteiligten, auch konsularische oder praetorische Rogationen zustande. Insofern gab es keine eigenständige tribunizische Politik, die sich von derjenigen der andern Magistrate bzw. der Senatoren im allgemeinen unterschied. Zudem haben wir nur relativ wenige Zeugnisse von gemeinsamen

3 Die Schrift des Auctor ad Herennium zeigt, dass die beiden Gracchen, Saturninus, Livius Drusus und Sulpicius schon in den 80er Jahren als Vorkämpfer der popularen Politik in eine Reihe gestellt wurden (vgl. J. v. Ungern-Sternberg, Chiron 3, 1973, 153). Die populare Traditionsbildung kann jedoch nicht als bewusste Kontinuität in der tribunizischen Politik gewertet werden.

4 Schneider, Sozialer Konflikt, 605; vgl. Wirtschaft, 383f.

5 Martin 105f. 110. Nach Martin hing dies auch damit zusammen, dass die Veteranen jetzt teilweise die politische Rolle der *plebs urbana* ersetzten und das Werben um die Volksgunst entfallen konnte. Andererseits war die Plebs zur Zeit des Clodius aber besonders aktionsfähig; vgl. Nippel (oben S.12 A. 38).

6 Dazu Bleicken, Lex publica, 440ff.; Grziwotz 204ff.

Aktionen mehrerer oder aller Tribunen.[7] Beschränkt aussagekräftig ist dabei die Tatsache, dass die meisten tribunizischen Gesetze nur unter dem Namen eines einzigen Antragstellers bekannt sind, da sie die Mitarbeit der andern Volkstribunen nicht ausschliesst.[8] Trotzdem konnten sich die Tribunen, der politischen Aufsplitterung in der späten Republik entsprechend, offenbar eher selten zu gemeinsamer Politik entschliessen. Geschlossene tribunizische Politik, die von der Haltung der übrigen politischen Kräfte und Gruppierungen differierte, ist jedenfalls nicht zu beobachten.

Zieht man alle spätrepublikanischen Gesetze in Erwägung, so dürften die Plebiszite nur wenig mehr als die Hälfte aller Gesetzesanträge ausgemacht haben. Entgegen der in der Forschung üblichen Meinung[9] ist nicht zu beobachten, dass sich der Anteil der tribunizischen Gesetze in der späten Republik gesteigert hat. Nicht völlig auszuschliessen ist gar, dass die Plebiszite prozentual leicht zurückgingen, wie sich insbesondere für senatstreue Gesetze vermuten lässt. Wichtige Themen, die von Volkstribunen vorgetragen worden waren, konnten erst durch konsularische Massnahmen erledigt werden. Sulla setzte als Konsul und Diktator die Vorschläge des Livius Drusus auf dem Gebiete der Landversorgung und Richterbestellung in die Tat um. Caesar nahm sämtliche Probleme in Angriff, die von den Volkstribunen im Verlaufe der späten Republik nie befriedigend gelöst werden konnten. – Hier zeigt sich ein Machtproblem: Die Tribunen konnten trotz ihrer vielfältigen rechtlichen Kompetenzen in der Praxis nicht unbedingt mit Erfolg rechnen. Ihre Forderungen waren zu inhomogen und unterschiedlich, als dass sie gewisse soziale oder politische Gruppen längerfristig hätten an sich binden können.[10] Der Senat fand Mittel, um tribunizische Rogationen unwirksam zu machen. Um grössere Reformen herbeizuführen, fehlten den Tribunen die Grundlagen sowie auch die Einstellung, da sie selbst Mitglieder der regierenden Oberschicht waren und damit keine grundsätzlichen Machtveränderungen befürworteten. Die tribunizischen Gesetze waren ungeeignet, die strukturellen Probleme der Res publica zu lösen.

Abschliessend stellt sich die Frage, wer von den tribunizischen Gesetzen profitierte. Die Beschränkung der tribunizischen Gesetzesinitiative durch Sulla, die eine Lücke tribunizischer *leges* in den 70 Jahren zur Folge hatte, liess sich nicht aufrechterhalten. Es gab offenbar Interessen, die für eine uneingeschränkte tribunizische Gesetzgebung eintraten. Den Initiatoren und Nutzniessern der tribunizischen Gesetze ist im Folgenden näher nachzugehen.

7 Alle zehn Tribunen waren bei der *lex Antonia de Termessibus* (Broughton 2, 138f.; oben S. 109) und bei der Bewilligung für Caesars Konsulatsbewerbung *in absentia* (oben S.104) beteiligt. Tribunizische Zusammenarbeit finden wir zudem bei der *lex Maria quae pontes fecit angustos* (oben S. 85), der *lex Varia* (unten S.162), dem Münzedikt des J. 85 (unten S. 170), den Volkstribunen des J. 78 (Gran. Licin. p. 27 Criniti), der *lex Servilia agraria* (oben S.54f.), der Rückführung Ciceros (oben S. 125f.) sowie bei den drei Tribunen des J. 52, Munatius Plancus, Pompeius Rufus und Sallustius Crispus (vgl. unten S. 158. 178); gemeinsame Restitutionen nahmen Q. Pompeius Rufus und M.? Porcius Cato (100/98) sowie Tribunen der J. 87, 67 und 46 vor (vgl. oben S. 124ff.). Überspitzt ist S. Borsacchi, LSRR 1, 1981, 455ff., bes. 461 A. 72 und 460: „in un certo senso ... tutti i plebisciti ... sono da considerarsi collegiali".

8 Vgl. die *rogatio Servilia agraria* oben S. 54f.

9 Vgl. Gelzer, Caesar, 90f.; R. Syme, JRS 34, 1944, 98; Martin 73; Taylor, Assemblies, 16f.; C. Nicolet, Rome et la conquête du monde méditerranéen, Bd. 1, Paris 1977, 408; dazu F. Serrao, Classi, partiti e legge nella Repubblica Romana, Pisa 1974, 70ff. (bzw. 197ff.).

10 Dazu unten S. 179ff.

4. Initiatoren und Nutzniesser der tribunizischen Gesetzgebung

a) Gesetzgebung im Dienste des Senats

In der mittleren Republik war es üblich, dass die Volkstribunen im Auftrag des Senats handelten, der damit zum Hauptnutzniesser der tribunizischen Gesetzgebung wurde.[1] Auch in der mittleren Republik profitierten jedoch nicht nur die Senatsmehrheit, sondern auch Minderheiten in der Oberschicht sowie Einzelpersonen von den Gesetzen der Tribunen. Es ist also bei der tribunizischen Gesetzgebung stets mit verschiedenen Nutzniessern zu rechnen und die Überschneidung mehrerer Interessen zu beachten. Trotz dieser Schwierigkeit soll im Folgenden versucht werden, die Interessenten an der tribunizischen Gesetzgebung näher zu umschreiben und in der Frage der Nutzniesser Gewichtungen vorzunehmen.

Auffallend ist, dass die Gesetzgebung, für die eine befürwortende Mehrheit im Senat anzunehmen ist, in der Zeit nach den Gracchen vorerst fast nur noch zur Beseitigung der gracchischen Reformen eingesetzt wurde. Auf die Bürgerrechtspläne reagierte der Senat erfolgreich mit tribunizischen Gegenaktionen (*quaestio* des M. Iunius Pennus im J. 126; Bundesgenossengesetz des M. Livius Drusus im J. 122). M. Livius Drusus d. Ae. konkurrenzierte hier, wie auch bei der Landverteilung, das Programm des C. Gracchus. Nach dem Amtsjahr des C. Gracchus promulgierte der tr. pl. 121 M.? Minucius Rufus sein Gesetz zur Aufhebung der Kolonie Karthago, wozu ihn der Senat veranlasst hatte.[2] Gleichzeitig strebte er offenbar auch gegen verschiedene Gesetze von C. Gracchus die Abrogation an.[3] Die Ackergesetze wurden nach dem Tode des Gaius innerhalb weniger Jahre durch neue Bestimmungen rückgängig gemacht. Die Landverteilung kam damit auf demselben Wege über das *concilium plebis* wieder zum Erliegen, auf dem sie von popularer Seite eingeleitet worden war. Der entscheidende Schlag gegen die Neuverteilung des *ager publicus* im Jahr 129 war jedoch nicht über das Volkstribunat vorgenommen worden. Schon hier zeigte sich, dass auch andere Mittel und Wege möglich waren, um tribunizische Gesetze zu annullieren. Länger als die gracchischen Agrarverordnungen war C. Gracchus' Getreidegesetz in Kraft. Es wurde erst durch die *lex Octavia*, die wahrscheinlich in die 90er Jahre gehört, abrogiert. Ebenfalls durch Volkstribunen wurden Optimaten, die wegen ihrer Opposition gegen die populare Politik des C. Gracchus und des Saturninus ins Exil verbannt waren, zurückgerufen (P. Popillius Laenas im J. 120 und Q. Caecilius Metellus Numidicus im J. 99/98). Das Volkstribunat war am Anfang des 1. Jh.'s weiterhin für die Aufhebung popularer Massnahmen verwendbar.

Etwas anders verhält es sich bei dem Bestreben des Senats, die Repetundengerichte zurückzugewinnen. Dieses Anliegen wurde im Jahr 106 von dem Konsul Q. Servilius Caepio in die Hand genommen. Auch hier kam also der erste Angriff gegen ein gracchisches Gesetz von konsularischer Seite. Tribunizische Beteiligung in dieser Angelegenheit kennen wir nur insoweit, als der Tribun Q. Mucius Scaevola einer *contio* präsidierte, in der

1 Bleicken, Volkstribunat 1955, 46ff.
2 App. BC. 1,24,105.
3 Rotondi 316f.; Niccolini 171f.; Broughton 1, 521.

Crassus für die *lex Servilia iudiciaria* Werbung machte.[4] Der Senat konnte den Rittern den Einsitz in den Gerichten jedoch nicht mehr gänzlich verwehren. M. Livius Drusus hatte sich als Vertreter der Nobilität *pro senatus auctoritate*[5] um eine Lösung in dem Streit um die Gerichte bemüht. Ausgangspunkt seiner Handlungen war aber nicht ein Auftrag des Senats, sondern persönlicher Einsatz und die Einsicht einer reformwilligen Gruppe von Senatoren.[6] Livius Drusus griff auch das Agrar- und Bundesgenossenproblem auf. Auf dem Gebiet der Landversorgung kam gleichzeitig die *lex Saufeia agraria* zustande, die eine Ackerkommission mit Drusus als Mitglied ins Leben berief und daher wohl die Zustimmung der Senatsmehrheit hatte. Die Bundesgenossenfrage brachte Drusus schliesslich aber in Konflikt mit den Rittern[7] *und* der zuvor gewonnenen Senatsmehrheit. Kollegen des Drusus setzten ihm nach Velleius durch einige schlechte Anträge (*malefacta*) Widerstand entgegen, denen der Senat mehr zugestimmt haben soll (*probaret magis*).[8] Diese fruchteten aber offenbar nichts und konnten Drusus auch keine Konkurrenz machen, da sie möglicherweise gegenüber den Rittern zu restriktiv waren und damit als senatorische Willkür ausgelegt werden konnten. Als der Senat die Gesetze des Drusus wieder aufhob, fügte er sich dieser Entscheidung.[9] J. Martin hat ihn als den „letzte(n) der grossen Tribunen, in dem sich noch einmal die Bindung des Tribunats an den Senat darstellte“, bezeichnet.[10] Bei dieser Charakterisierung dürfen allerdings die senatstreuen Aktionen nach Drusus nicht übersehen werden, und es ist auch die Art der Zusammenarbeit zwischen Volkstribunat und Senat genauer zu betrachten.

Noch vor dem Marsch Sullas auf Rom trat M. Plautius Silvanus (89) für eine Lösung in der Frage der Gerichte und der Bundesgenossen ein. Unbekannt bleibt, ob ihn ein Senatsbeschluss zu den Rogationen veranlasst hatte. Der Senat kann jedenfalls als Nutzniesser seiner Aktionen gelten. Neben den Gesetzen des Plautius Silvanus profitierte der Senat von den *leges Calpurniae* des Jahres 90/89 im Zusammenhang mit dem Bürgerrecht. Die Gründung zweier neuer Tribus kam dabei *ex senati consulto* zustande.[11]

Demnach haben wir auch in der Zeit zwischen den Gracchen und Sulla Anzeichen für senatstreue Gesetze, die nicht in unmittelbarem Zusammenhang mit der gracchischen Gesetzgebung standen. Aus diesem Grund ist es nicht unbedingt einsichtig, dass Sulla die tribunizische Gesetzesinitiative aufgehoben haben soll. Nach Appian erliess Sulla im Jahr 88 für Anträge der Tribunen eine obligatorische Vorberatung im Senat und erlaubte Rogationen nur noch vor den Centuriatcomitien,[12] während er nach Livius im Jahr 81 die tribunizische Gesetzgebung gänzlich unterband.[13] Möglicherweise erneuerte er aber

4 Cic. Brut. 161.

5 Cic. de or. 1,24; vgl. Cic. Mil. 16: *senatus propugnator atque ... paene patronus*; Schol. Bob. p. 177 St.: *defensor senatus*; Liv. per. 71: *senatus causam susceptam tueretur*; Vell. 2,13,2: *pro senatu*; Diod. 37,10,1: προστάτης τῆς συγκλήτου.

6 Dazu Meier, RPA, 213. Zu Livius Drusus jetzt ausführlich Burckhardt (vgl. S. 42 A. 3) 256ff.

7 Cic. Cluent. 153.

8 Vell. 2,13,3.

9 Diod. 37,10,3; dazu Thomsen 45f.

10 Martin 198.

11 Sisenna frg. 17 Peter.

12 App. BC. 1,59,266.

13 Liv. per. 89.

adäquaterweise nur die obligatorische Vorberatung,[14] wodurch weiterhin die Möglichkeit für senatstreue Initiativen erhalten geblieben wäre. Unter Cinna zeigte sich, dass der Senat zwar ein paar tribunizischen Vorlagen zustimmte (Rückrufung des Marius; Abrogation des Ap. Claudius Pulcher), dabei aber unter starkem Druck stand. Eine obligatorische Vorberatung wäre hier also unwirksam gewesen. Trotzdem muss fraglich bleiben, ob Sulla im Jahr 81 zu weiterführenden Massnahmen gegen tribunizische Rogationen griff und die damit verbundenen Nachteile in Kauf nahm. Jedenfalls ist in den 70er Jahren kein einziges tribunizisches Gesetz zu belegen,[15] so dass die Gesetzgebung in dieser Phase offenbar unter Kontrolle des Senats stand.

Auch wenn der Senat noch einige seiner Anliegen über das Volkstribunat durchsetzen konnte, hatte er gleichwohl in der Zeit seit den Gracchen seine Dominanz über die tribunizische Gesetzesinitiative verloren und war kaum noch direkter Auftraggeber der Volkstribunen. Für U. Hackl hat der Senat bis zu Sulla im Ganzen die „gewohnheitsmässige Herrschaft" über das Volkstribunat verloren.[16] Auch bei dieser Feststellung darf der prinzipielle Nutzen, den das Tribunat weiterhin für den Senat hatte, nicht ausser acht gelassen werden. Innerhalb des Senatorenstandes müssen sich Vertreter gefunden haben, die von den Vorteilen eines uneingeschränkten Volkstribunats überzeugt waren, wie auch der Auftritt des C. Aurelius Cotta zeigt.[17] Die Restitution des Tribunats im Jahr 70 verlief zudem ohne Aufruhr.[18] Es ist daher zu vermuten, dass die Aufhebung der sullanischen Beschränkungen letztlich die Zustimmung einer Mehrheit im Senat hatte.[19]

Zu fragen ist im Folgenden, inwieweit der Senat bei der Aufhebung der gracchischen Reformen, aber auch bei anderen Gesetzen, die Konsuln oder Praetoren beauftragen und damit auch hier auf die tribunizische Mitarbeit verzichten konnte. Wir haben gesehen, dass sich bei der Beseitigung der Acker- und Richtergesetze Konsuln eingeschaltet hatten. Dies war auch bei der Abrogation der Militärgesetze, wie sie im Anschluss an die gracchischen Vorschläge zustande gekommen sein müssen, der Fall. Hier trat der Konsul M. Iunius Silanus im Jahr 109 vor die Volksversammlung. Bei der Abrogation der gracchischen

14 Dazu Herzog 1, 511f.; Lengle, Sulla, 10ff., bes. 13.

15 Mommsen (StR. 2, 312 A. 1) datierte die *lex Antonia de Termessibus* (vgl. oben S. 109) ins J. 72 und betrachtete sie, wie viele nach ihm, als Beleg für das Rogationsrecht unter Sulla. Die mit dem Gesetz verbundene Formel *de s(enatus) s(ententia)* stellt jedoch kein sicheres Indiz für die Datierung dar. Der Inhalt des Gesetzes spricht eher für ein Datum nach 70, wie zuletzt J.-L. Ferrary gezeigt hat (s. oben S. 109). Dies geht auch aus C. Antonius' Weihung der Güter des Censors Cn. Cornelius Lentulus hervor, die eine Reaktion auf die Entlassung aus dem Senat im J. 70 dargestellt haben dürfte und die er nur als Volkstribun (in einem späteren Jahr, also wohl 68) vorgenommen haben kann (vgl. unten S. 188 A. 95). In die Zeit der sullanischen Restriktionen könnten auch die *lex Antia sumptuaria* (vgl. oben S. 70) und die nicht näher bekannte *lex Visellia* über die *cura viarum* (Rotondi 367; vgl. Mommsen, StR. 2, 668f.; Broughton 2, 132. 136 A. 6; H. E. Herzig, in: ANRW II 1, 1974, 643) fallen. L. Volcacius war als Mitautor der *lex Antonia de Termessibus* auf Grund der *lex Visellia curator viarum*. Broughton (2, 136 A. 6. 3, 22) datiert die *lex Visellia* in die J. 70/69, Niccolini (422f.) vor das J. 81. Zu den Gesetzen des Plautius, tr. pl. 70, vgl. Broughton 2, 128. 130 A. 4; ferner Last, CAH 9, 896 n. 3.

16 Hackl, Senat, 13; Gymnasium 94, 1987, 127.

17 Vgl. oben S. 26f.

18 Gruen, LG, 27.

19 Vgl. Cic. leg. 3,26; dazu Martin 18.

Bestimmungen war der Senat also keineswegs auf das Volkstribunat angewiesen, auch wenn es ihm in manchem zur Seite stand. Dies galt offenbar auch für Gesetze, die nicht unmittelbar mit den *leges Semproniae* zusammenhingen und die vom Senat befürwortet wurden. Dass der Senat beispielsweise in der Zwangslage des Bundesgenossenkrieges im Jahr 90 mit einer konsularischen *lex (Iulia)* reagieren konnte, zeigt, dass er nicht unbedingt von der tribunizischen Gesetzesinitiative abhängig war, um Rogationen schnell durchzusetzen. Dies dürfte den Wert der tribunizischen Legislative für den Senat zusätzlich geschmälert haben. Der konkrete Nutzen des Senats an den tribunizischen Gesetzen war im Gegensatz zu den Unannehmlichkeiten, die ihm von popularer Seite bereitet wurden, eher gering, so dass sich Sulla veranlasst sah, Einschränkungen vorzunehmen.

Nach dem Jahr 70 begegnen im Verlaufe der ausgehenden Republik weitere Zeugnisse für tribunizische Gesetzesinitiativen im Sinne der Senatsmehrheit. Im Vergleich zur vorsullanischen Zeit nehmen sie aber eher noch ab, da populare Gesetze nicht mehr durch neue Bestimmungen rückgängig gemacht und auch nur noch beschränkt durch senatstreue Plebiszite konkurrenziert werden konnten. Als Reaktion auf die populare Politik beteiligten sich die Tribunen aktiv an der Rückberufung Ciceros, die aber schliesslich durch ein konsularisches Gesetz zustande kam.[20] Neue Initiativen im Sinne des Senats entwickelte das Tribunat durch Massnahmen gegen *ambitus* (*lex Fabia de numero sectatorum* des J. 64; *rogatio Aufidia de ambitu* des J. 61) und andere Vergehen innerhalb der politischen Elite (*lex Antia sumptuaria* des J. 68 (?); *lex Maria Porcia de triumphis* des J. 62). Im Falle der *rogatio Aufidia* wollte der Senat unter Missachtung der vorgeschriebenen Fristen ein *ambitus*-Gesetz durchsetzen. Dazu beauftragte er einen Volkstribunen, um die Obermagistrate von allfälligen Vorwürfen zu befreien. Amtserschleichung wurde aber ansonsten genauso durch konsularische Gesetze bekämpft. Gesetzliche Einschränkungen gegen (populare) tribunizische Rogationen wurden ebenfalls von Konsuln beschlossen (*lex Caecilia Didia* des J. 98; *lex Iunia Licinia* des J. 62).[21] Auch hier zeigt sich, dass der Senat nicht unbedingt auf die Mitarbeit der Volkstribunen angewiesen war, um Gesetze verabschieden zu lassen. Im weiteren gelang es dem Senat, die Befugnis für Gesetzesexemption zu bewahren, nachdem sie C. Cornelius (67) zuerst dem Volke zuteilen wollte. In diesem Falle konnte der Senat also einen reformwilligen Tribunen dazu bringen, einen für den Senat akzeptablen Kompromiss zu schliessen. Trotz dieser Einschränkungen konnte aber nicht verhindert werden, dass die tribunizischen Rogationen weiterhin zu Eigenzwecken bzw. für die Anliegen herausragender Politiker und Feldherrn benutzt wurde.

Konkurrenzvorschläge gegen populare Rogationen blieben in der ausgehenden Republik meist aussichtslos:[22] Als im Jahr 67 L. Roscius Otho in der Frage des Seeräuberkommandos den Vorschlag machen wollte, die Kompetenz des Pompeius kollegial zu beschränken, zeigten er und seine Kollegen sich ohnmächtig, obwohl sie vom Senat zur Opposition angehalten waren.[23] Im Jahr 59 veröffentlichten alle Volkstribunen

20 Dio 39,8,2.

21 Rotondi 335. 383f.

22 Die im J. 47 gegen P. Cornelius Dolabella gerichteten Gegenedikte des L. Trebellius gingen wohl auf persönliche Feindschaft zwischen den beiden Tribunen und nicht auf Senatsauftrag zurück (Broughton 2, 287; vgl. unten S. 171).

23 Dio 36,24,3f. 30,3–5.

(wohl in Konkurrenz zu P. Vatinius) Rogationen, von denen viele auf C. Cosconius zurückgingen und Ciceros Einverständnis hatten.[24] Diese Anträge fanden in der Überlieferung keinen Eingang und ihre Auswirkungen dürften nicht von grosser Tragweite gewesen sein. M. Porcius Cato (62) hatte sich wählen lassen, um Q. Caecilius Metellus Nepos, dem Beauftragten des Pompeius, entgegenzutreten.[25] Um das Volk nach der catilinarischen Verschwörung für den Senat zu gewinnen, setzte er sich erfolgreich für eine Vergünstigung in der Getreideversorgung ein. Damit kam er einem möglichen popularen Antrag zuvor.

Der Senat profitierte somit auch noch in nachsullanischer Zeit von einzelnen tribunizischen Gesetzesinitiativen, auch wenn er sie nicht unbedingt selbst veranlasste. Dies dürfte für Cicero – neben dem *mos maiorum* – ein Grund gewesen sein, für die Gesetzgebung der Tribunen keine Einschränkung zu fordern.[26] Konkurrenzmassnahmen und Abrogationen als Reaktion auf populare Gesetze wurden jedoch immer mehr in Frage gestellt. Die Interessen einflussreicher Persönlichkeiten liessen sich durch Gesetzesvorschriften nicht mehr in Schranken halten.[27] In der Zeit nach Sulla kommen vermehrt Fälle vor, in denen sich der Senat mehr oder weniger zwangsweise mit Volkstribunen arrangierte, indem er deren Anträgen eher widerwillig zustimmte. Die Machtverhältnisse brachten es mit sich, dass zum Teil auf Anliegen von Einzelpersönlichkeiten, die sich mit Tribunen in Verbindung gesetzt hatten, eingetreten werden musste. Dies war im Jahr 70 bei der *lex Plotia de reditu Lepidanorum* und der *lex Plotia agraria*, mit denen auf Forderungen des Caesar und Pompeius eingegangen wurde, der Fall; die Durchführung der Ackerverteilung wurde dann allerdings behindert. Im Jahr 61 sollte die Untersuchung des Clodius-Skandals von den Konsuln vor das Volk gebracht werden. Aus Furcht vor dem Veto des Tribunen Q. Fufius setzte der Optimat Hortensius schliesslich denselben Tribunen für diese Aufgabe ein.[28] Hortensius sah sich hier gezwungen, im Interesse der Senatsherrschaft mit dem Tribunen einen Kompromiss einzugehen. Im Jahr 52 wurde die Prorogation des Kommandos des Pompeius im Anschluss an den Senatsbeschluss möglicherweise durch ein Plebiszit bekräftigt. Andererseits waren aber auch für die Imperiumsvergabe an die Feldherrn konsularische Gesetze möglich; Caesars Kommando wurde im Jahr 55 durch die Konsuln verlängert. Nach dem Einzug Caesars in Italien kamen in den Jahren 48 bis 44 viele vom Senat getroffene Ehrenbeschlüsse mittels tribunizischer Anträge vor das Volk. Auch die Abrogation der beiden unliebsamen Tribunen Caesetius Flavus und Epidius Marullus im Jahr 44 kam in Zusammenarbeit zwischen Senat und Volkstribunat zustande. Caesar wusste sich als Diktator beide Gremien dienstbar zu machen.

24 Cic. Vat. 16, nach dem Vatinius neun tüchtige Kollegen hatte. Zumindest letzteres ist in Anbetracht der Zusammensetzung des Tribunenkollegiums des J. 59 (vgl. Broughton 2, 189f.) sehr übertreibend.

25 Plut. Cat. min. 20,3; vgl. Cic. Mur. 81; zudem unten S. 222. Mit seiner Rede im Senat bewirkte er als tr. pl. des., dass die Catilinarier zum Tode verurteilt wurden (vgl. v. Ungern-Sternberg, Notstandsrecht, 92ff.).

26 Cic. leg. 3,19ff.

27 Ausserhalb der institutionellen Ebene ist zu beachten, dass Q. Terentius Culleo, mit dem sich Pompeius in der Frage der Rückführung Ciceros in Verbindung gesetzt hatte, versuchte, Pompeius zur Trennung von Iulia zu bewegen, um ihn damit Caesar zu entfremden und dem Senat näher zu bringen (Plut. Pomp. 49,3; vgl. Cic. Att. 3,15,5; dazu Gelzer, Caesar, 102; Pompeius, 143).

28 Cic. Att. 1,16,2.

Ein Überblick über die tribunizischen Anträge zeigt, dass der Senat seine Vorherrschaft über die Gesetzgebung der Tribunen seit der Mitte des 2. Jh.'s eingebüsst hatte.[29] Der Senat war kaum noch Initiator tribunizischer Gesetze.[30] Er wich jetzt vermehrt auf konsularische (und praetorische) Gesetze aus und liess die in der mittleren Republik geübte Zusammenarbeit mit den Tribunen in den Hintergrund treten. Massnahmen mittels der Centuriatcomitien bzw. der patrizisch-plebejischen Tributcomitien erschienen im Zweifelsfalle offenbar zuverlässiger. Direkte Aufträge an die Tribunen kamen zur Hauptsache nur zustande, um populare Gesetze zu bekämpfen und Massnahmen gegen *ambitus*-Vergehen zu verabschieden. Im Kern war die Mehrheit im Senat jeweils nicht zu Konzessionen gegenüber den traditionellen Verhältnissen bereit, wie sich auch im Falle des Livius Drusus d. J. gezeigt hatte. Die Ursachen für die reduzierte Zusammenarbeit lagen möglicherweise auch in der Struktur des Senats selbst, in dem man sich ausser in Notsituationen nur noch bedingt zu gemeinsamer Politik entschliessen konnte. Andererseits begegnet aber in der späten Republik eine ganze Reihe senatstreuer Gesetze, für die die Zustimmung des Senats anzunehmen ist. Die Initiative dazu ging jedoch nicht vom Senatsplenum, sondern von einzelnen Senatsmitgliedern, Adelsgruppen oder auch von persönlichem Antrieb der betreffenden Tribunen aus. Ein deutlicher Wandel in der Zusammenarbeit zwischen Volkstribunat und Senat zeichnete sich erst unter der Herrschaft Caesars ab. Der Senat fasste jetzt zugunsten Caesars Beschlüsse, die von den Volkstribunen vor der Volksversammlung zum Gesetz erhoben wurden.

Dass das Volkstribunat „seit Sulla fast kontinuierlich im Gegensatz zur Senatsmehrheit" stand, wie J. Martin formuliert hat,[31] lässt sich keinesfalls aufrechterhalten. Dies zeigen auch die Zeugnisse Ciceros, in denen er verschiedene Volkstribunen der 60er und 50er Jahre lobt.[32] Dabei handelt es sich allerdings ausschliesslich um solche, die für die Anliegen Ciceros eingetreten sind. Konkret gehören sie fast alle in die Auseinandersetzung Ciceros mit Clodius und waren vorwiegend an der Rückrufung Ciceros beteiligt. Für Cicero war dies gleichbedeutend mit dem Nutzen für das Senatsregime. Allgemein betrachtete Cicero die Gesetze immer noch als *fundamentum libertatis*.[33] Trotz der vielen popularen Anträge galten die Gesetze weiterhin als Garant für das Funktionieren der Res publica. Diese Aufgabe konnten sie allerdings nur noch beschränkt erfüllen.

29 Dazu Taylor, Forerunners, 22ff.
30 Dies wird sich im Kapitel über das *ius agendi cum senatu* weiter bestätigen lassen, s. S. 196ff.
31 Martin 56.
32 L. Caecilius Rufus 63 (Sull. 65); M. Porcius Cato 62 (Sest. 12; Mur. 81); die Volkstribunen des J. 61 ausser Q. Fufius Calenus (Att. 1,14,6: *boni*); P. Vatinius 59 (Vat. 16); Cn. Domitius Calvinus und Q. Ancharius 59 (Sest. 113; vgl. Vat. 16f.); L. Ninnius Quadratus 58 (p. red. in sen. 3; dom. 125); T. Annius Milo 57 (Sest. 87.89; p. red. in sen. 19f., vgl. 30; Mil. 6, vgl. 94) und sieben Kollegen (p. red. in sen. 5.18.21): C. Cestilius, M. Cispius (Sest. 76), M. Curtius Peducaeanus, Q. Fabricius (p. red. in sen. 22; Sest. 78), T. Fadius, C. Messius, P. Sestius (p. red. in sen. 20, vgl. 30; Sest. 5.15); L. Racilius 56 (Q. fr. 2,5,3. 2,1,3); Cn. Plancius 56 (Q. fr. 2,1,3; auch zu Antistius Vetus); M. Caelius Rufus 52 (Brut. 273; Mil. 91). Ansonsten folgt erst im J. 43 wieder eine positive Bemerkung über Volkstribunen (Phil. 1, 25).
33 Cic. Cluent. 146.

b) Gesetzgebung im Dienste der Ritter

Rund ein Drittel der uns bekannten Volkstribunen sind als Vertreter nichtsenatorischer Familien ihrer Herkunft nach dem Ritterstand zuzurechnen.[34] Auch wenn der Grossteil der Tribunen spätestens nach dem Amtsjahr dem Senat und dem *ordo senatorius* angehörte, liegt es bei den vielfältigen Verflechtungen der beiden Stände[35] auf der Hand, dass das Tribunat auch im Sinne des Ritterstandes genutzt wurde. Zudem strebten verschiedene tribunizische Anträge der gracchischen Zeit eine politische Aufwertung der Ritter an, um mit ihnen ein Gegengewicht zu der Senatsmehrheit zu schaffen. Nutzniesser waren in erster Linie die Steuerpächter (*publicani*), die aus wirtschaftlichen Gründen in einzelnen Situationen in die Politik eingriffen, jedoch selbst nicht an einer politischen Laufbahn interessiert waren.[36] Daneben müssen aber auch ritterliche Grosskaufleute und Geldverleiher, die mit den Geschäften der Stadt Rom in Verbindung standen, in Betracht gezogen werden.[37] Bei den Rittern handelte es sich somit nicht um eine einheitlich strukturierte Gruppe.

Die grösste Bedeutung für die Ritter hatte das Volkstribunat seit C. Gracchus in der Besetzung der Gerichtshöfe. Die Funktion als Richter gab ihnen den antiken Schriftstellern zufolge eine Position, von der aus sie die senatorischen Statthalter in den Provinzen für die ritterlichen Geschäfte gefügig machen und günstig stimmen konnten.[38] Die *equites* nutzten ihre Richtertätigkeit aber nur beschränkt zur Verteidigung ihrer Steuergeschäfte. Sie verhielten sich gegenüber den Senatoren eher versöhnlich, so dass die beabsichtigte ritterliche Kontrolle über die Senatoren nicht funktionierte.[39] Im weiteren eröffnete C. Gracchus den Rittern die Möglichkeit, auch die direkten Steuern in Asien einzuziehen.[40] Zu vermuten ist, dass die Ritter jetzt gesonderte Sitze im Theater erhielten, wie es dann sicher im Jahr 67 geschah, nachdem Sulla dieses Recht möglicherweise wieder aufgehoben hatte.[41] Das *plebiscitum reddendorum equorum*, das ebenfalls in die Zeit der Gracchen gehört, brachte eine Aufwertung des Ritterstandes mit sich.[42] Da jetzt Senatoren aus den Rittercenturien ausgeschlossen wurden und neue Leute nachrücken konnten, wurde der senatorische Einfluss bei Abstimmungen geschmälert. In ähnliche Richtung zielten die *lex Maria quae*

34 Vgl. oben S. 23.

35 Meier, RPA, 74f.; Nicolet 1, 253ff.; T. R. S. Broughton, Comment (zu P. A. Brunt, The Equites in the Late Republic), Deuxième conférence d'histoire économique 1962, Bd. 1, Aix-en-Provence 1965, 150.

36 Meier, RPA, 75f.; vgl. J. Martin, Gnomon 39, 1967, 795ff., gegen C. Nicolet, der die Ritter auf die Angehörigen der 18 Reitercenturien (*equites equo publico*) beschränkt wissen will (dazu auch Bleicken (vgl. S. 217 A. 41) 165ff.).

37 Vgl. Meier, RPA, 67.

38 Vgl. Cic. Verr. 2,3,94; App. BC.1,22,94 ff.; Flor. 2,5,(3,17).

39 Meier, RPA, 77ff.

40 Broughton 1, 514; Meier, RPA, 70. Durch das *SC de agro Pergameno* nahm der Senat die Pergamener vor den *publicani* in Schutz (Sherk Nr. 12; vgl. A. Passerini, Athenaeum 15, 1937, 252–283; Badian, Publicans, 60; ferner Perelli 107).

41 Vgl. oben S. 70.

42 Vgl. oben S. 68f.

pontes fecit angustos[43] und die *lex Coelia tabellaria*, die sich gegen senatorische Abstimmungsmanipulationen richteten.

Ch. Meier hat festgehalten, dass die Ritter im letzten Jahrzehnt des 2. Jh.'s Hauptträger der popularen Aktionen gegen den Senat waren.[44] Bei den tribunizischen Anklagen gegen erfolglose Feldherrn jener Zeit ist mit ritterlicher Einflussnahme zu rechnen.[45] Die *equites* forderten zudem für Marius das Imperium gegen Iugurtha, wie es T. Manlius Mancinus im Jahr 107 rogierte, denn sie erhofften sich von ihm eine schnelle Beendigung des Krieges und damit bessere wirtschaftliche Bedingungen.[46] In den Jahren 104 und 103 unterstützten sie die tribunizischen Aktionen gegen den Feldherrn Q. Servilius Caepio.[47] Saturninus begünstigte andererseits im Jahr 103 die Ritter, indem er sie im Gerichtshof für Majestätsdelikte als Richter einsetzte.[48] Sie profitierten kurz darauf auch von dem inschriftlich erhaltenen Piratengesetz, das die Seewege sichern sollte.[49] C. Servilius Glaucia gewann im Jahr 104 oder 101 die Ritter, als er ihnen wieder alleinigen Einsitz in die Gerichte verschaffen wollte.[50]

Vor dem Bundesgenossenkrieg sträubten sich die Ritter gegen die Aufnahme der *socii* ins römische Bürgerrecht, da unter dem Einfluss der Neubürger die Beseitigung des ritterlichen Richtermonopols und eine Konkurrenz um die Staatspacht zu befürchten war.[51] Sie wandten sich daher gegen den Bürgerrechtsantrag des M. Livius Drusus.[52] Dagegen förderten sie im Jahr 90 die *lex de maiestate* des Q. Varius Severus Hibrida, auf Grund derer verschiedene Senatoren als Sündenböcke für den Bundesgenossenkrieg vor Gericht gestellt wurden.[53] Auf seiten der ritterlichen *creditores* sahen wir den tr. pl. 89 L. Cassius, der die Geldverleiher gegen den auf dem Zinsverbot beharrenden Praetor A. Sempronius Asellio aufhetzte.[54] Im Jahr 88 erhielt P. Sulpicius (Rufus) – möglicherweise über die Verbindung mit Marius – offenbar Unterstützung von ritterlichen Kreisen.[55] Die Nachricht, dass sich 600 Ritter in seinem Gefolge, das als „Gegensenat" (ἀντισύγκλητος) bezeichnet wird, befunden haben, dürfte allerdings übertrieben sein.[56] Nachdem die Ritter sich gegen die Zuteilung des Bürgerrechts ausgesprochen hatten, setzten sie sich jetzt für die Verteilung der Neubürger auf alle 35 Tribus ein, um so gegenüber dem Senat den ritterlichen Einfluss in

43 E. Badian, JRS 46, 1956, 94; Martin 170.
44 Meier, Populares, 586; RPA, 79ff. 135ff.
45 Ebenda. Ferner Hackl, Senat, 157ff.
46 Vgl. Sall. Iug. 64, 5f. 65, 4; dazu Martin 174f.; Hackl, Senat, 150f.; Perelli 121ff.
47 Im J. 104 verlor Caepio infolge der *lex* des L. Cassius Longinus den Senatssitz, wobei die Abrogation wohl im Sinne des Senats war (Asc. p. 61 St.; vgl. Hackl, Senat, 163ff.); im J. 103 wurde er von C. Norbanus angeklagt (Broughton 1, 563f.; vgl. Meier, RPA, 81; Hackl, a.a.O.; Näheres unten S. 155f.), wobei Cicero (de or. 2,199) die Ritter als Richter nennt.
48 Oben S. 115 A.45; ferner Schneider, Militärdiktatur, 88f.
49 Oben S. 57.
50 Cic. Brut. 224: *nam et plebem tenebat et equestrem ordinem beneficio legis devinxerat.*
51 Gabba, Republican Rome, 86f.; Meier, RPA, 210.
52 Martin 197; Meier, RPA, 82. 213f.; vgl. Gabba, Republican Rome, 132.
53 S. unten S. 162. Die Ritter umzingelten die Interzedenten.
54 Broughton 2, 33f.
55 Meier, RPA, 83. 217f.; Martin 203.
56 Plut. Sull. 8,2; Mar. 35,2; vgl. Martin 203, anders hierin Meier (vgl. A. 55).

der Politik wahren zu können.[57] Zur Zeit Cinnas kam ihnen im Jahr 85 das Münzedikt der Volkstribunen und Praetoren zugute, das die Geldschwankungen eindämmen sollte.[58]

Die Ritter erreichten im Verbande mit dem Volkstribunat in der vorsullanischen Zeit gesteigerte politische Bedeutung, die sie gegenüber dem Senat in eine günstigere Position versetzte.[59] Ch. Meier hat gezeigt, dass ihre Möglichkeiten aber beschränkt waren und die richterliche Stellung nur begrenzt für Angriffe gegen Senatoren ausgenutzt wurde.[60] Es handelte sich nicht um einen allgemeinen Gegensatz zwischen den beiden Ständen.[61] Die Ritter verstanden es lediglich, ihre Interessen in bestimmten Momenten gegenüber den Senatoren zu verteidigen. Sie haben aber den Senat in entscheidenden Situationen immer wieder unterstützt.[62] Die *equites* bildeten damit für die Volkstribunen keine dauernde Anhängerschaft, wie sich schon bei C. Gracchus und Saturninus gezeigt hatte. Das Volkstribunat seinerseits war für die Ritter eine unzuverlässige Institution, da durch tribunizische Massnahmen Errungenschaften des Ritterstandes wieder rückgängig gemacht werden konnten. Die Tribunen verbanden sich nur vereinzelt und beschränkt mit den *equites*, um sich gegen die Senatsmehrheit durchzusetzen.[63] Bei den die Ritter favorisierenden Gesetzen, insbesondere auch den Richtergesetzen, haben wir keine Anzeichen, dass sie von ritterlicher Seite initiiert wurden. Wir wissen lediglich von der Unterstützung der Ritter.[64] Diese verdankten der tribunizischen Gesetzgebung jedoch wesentliche Stützen ihrer politischen und wirtschaftlichen Position, so dass es Sulla an der Beschneidung der Legislative der Tribunen liegen musste.

Die Gerichtsreform Sullas hatte zur Folge, dass die Ritter ihre Monopolstellung in den Gerichten endgültig einbüssten. Pseudo-Asconius (p. 220 St.) erwähnt den *equester ordo* unter denjenigen, die die Wiederherstellung des Volkstribunats wünschten. Ansonsten treten die Ritter in den Quellen zum Kampf um die uneingeschränkte *tribunicia potestas* jedoch nicht in Erscheinung. Trotzdem sind sie als wesentliches Element in der Auseinandersetzung um das Tribunat zu betrachten. Auch wenn die Ritter nicht als direkte Auftraggeber der Volkstribunen bezeugt sind, so hatten sie in vorsullanischer Zeit doch von etlichen tribunizischen Gesetzen profitiert. Die *equites* hatten Grund, aus Interesse an den Gerichten die Restauration des Volkstribunats zu unterstützen.[65]

57 Martin 201ff.; Meier, RPA, 83. 219.

58 Broughton 2, 57; Brunt, Equites, 128 (= WdF 413, 1976, 196). Nach Meier (RPA, 83) erlebten die Ritter unter Cinna eine Blüte.

59 Vgl. dazu die übertriebene Auffassung Appians (BC. 1, 22, 95): ταχύ τε περιῆν ἀνεστράφθαι τὸ κράτος τῆς πολιτείας, τὴν μὲν ἀξίωσιν μόνην ἔτι τῆς βουλῆς ἐχούσης, τὴν δὲ δύναμι τῶν ἱππέων.

60 Meier, RPA, 76ff.; vgl. Eder 136 A. 1; Badian, Publicans, 86f. 90.

61 Brunt, Equites, 118ff. (= WdF 413, 1976, 176ff.).

62 Meier, RPA, 75f. (gegen C. Gracchus). 81 (gegen Saturninus). 90 und 92 (gegen Catilina); Brunt, Equites, 118 (= WdF 413, 1976, 177); vgl. etwa Cic. Cat. 4,15, wobei die Propaganda des J. 63 zu berücksichtigen ist; Perelli 115. 242f. (vgl. 138. 243: gegen Saturninus). Im J. 58 unterstützten sie Cicero, als Clodius sein *maiestas*-Gesetz vorbrachte, indem sie Trauergewänder angezogen (Plut. Cic. 31,1). Die Ritter waren auch Ti. Gracchus feindlich gesinnt (Liv. per. 58; Vell. 2,3,2).

63 Die Verbindung war auch bei C. Gracchus begrenzt, vgl. Meier, RPA, 76. 132 A. 426; Perelli 115. 242f.; zu Saturninus vgl. Perelli 138. 243, zu Sulpicius (Rufus) Martin 203.

64 Cic. Brut. 224 zur *lex Servilia*; eine Ausnahme bildet die *lex Varia*, s. unten S. 159.

65 Vgl. Meier, RPA, 84; Perelli 243; ferner U. Laffi, Athenaeum 45, 1967, 191f.

Mit der Aufhebung der sullanischen Beschränkungen im Jahr 70 kam gleichzeitig die *lex Aurelia* zustande, die die Ritter in Zukunft mit einem Drittel an der Gesamtrichterzahl beteiligte.[66] Der Kampf um die Gerichte war damit auch für sie beendet. Die Auseinandersetzungen zwischen Rittern und Senat schwächten sich in der Folge nach dem Jahr 70 ab.[67] Der Senat konnte daher auch der *lex Roscia theatralis* zustimmen.[68] In nachsullanischer Zeit traten die spektakulären Aktionen, die das Volkstribunat zur und mit Unterstützung der Ritter vorgenommen hatte, zurück. Die Ritter kooperierten jedoch weiterhin mit den Volkstribunen, wenn es um die Verteidigung ihrer wirtschaftlichen Interessen ging. Steuerpächter und Händler mussten daran interessiert sein, Pompeius im Jahr 67 durch das Gesetz des A. Gabinius gegen die Piraten einzusetzen.[69] Ebenso lag es in ihrem Interesse, das Kommando im Osten an Pompeius, anstelle des ihnen unliebsamen Lucullus, zu übertragen, wie es C. Manilius im Jahr 66 beantragte, denn sie hatten durch das Vordringen des Mithridates und Tigranes Einbussen zu befürchten und hofften möglicherweise auch auf die Annexion Kilikiens und Syriens.[70] Nur wenige *creditores*, die Ptolemaios Auletes Geld für Bestechungen ausgeliehen hatten, kaum aber die Mehrheit der Ritter, traten schliesslich für die Restauration des aegyptischen Königs ein, die A. Plautius und L. Caninius Gallus im Jahr 56 propagierten.[71]

Die Initiative zu diesen Vorlagen kam aber nicht von den Rittern, sondern die Rogationen hatten nur ritterliche Unterstützung.[72] In der Zeit nach Sulla betrieben die *equites* insofern Politik über die Volkstribunen, als sie durch tribunizische Gesetzesanträge den Feldherrn Pompeius in einzelnen Belangen unterstützten, die in ritterlichem Interesse lagen. Die betreffenden Rogationen waren also identisch mit Anträgen im Dienste von Einzelpersönlichkeiten. Die Ritter versuchten auf diesem Wege, die ihnen wichtigen Anliegen gegen die Senatsmehrheit durchzusetzen. Eine Veränderung der politischen Grundstrukturen wurde dabei nicht angestrebt. Es ging ihnen um die Sicherung der römischen Herrschaft und des römischen Territoriums. Das Mittelmeer sollte von Piraten befreit sowie die Pachtinteressen in Asien gesichert werden. Diese Anliegen mussten auch Händler ausserhalb des Ritterstandes ansprechen,[73] die sich hier möglicherweise den *equites* in der Förderung der betreffenden tribunizischen Gesetze anschlossen. Einheitliches ritterliches Interesse an der Gesetzgebung der Tribunen konnte sich, der unterschiedlichen Zusammensetzung des Ritterstandes entsprechend, nicht herausbilden. Die

66 Vgl. oben S. 115. Das Gesetz war bis zur *lex Iulia* des J. 46 in Kraft (vgl. Rotondi 422).

67 Brunt, Equites, 134 (= WdF 413, 1976, 206); Meier, RPA, 86.

68 Dazu oben S. 68.

69 Vgl. Cic. imp. Pomp. 32; dazu Brunt, Equites, 133 (= WdF 413, 1976, 204f.); Meier, RPA, 86; zu Gabinius: Broughton 2, 144f.; das Anleiheverbot erwies sich für die Publicanen allerdings als ungünstig (Nicolet 1, 384).

70 Vgl. Cic. imp. Pomp. 4.16ff.; Broughton 2, 153; dazu Heuss, RG, 195f.; Brunt, Equites, 132f. 148f. (= WdF 413, 1976, 202ff.); Meier, RPA, 86; vgl. schon die Agitation der δημαγωγοί, bei denen es sich wohl um Volkstribunen handelte, gegen Lucullus Ende des J. 69, an der vermutlich auch die *publicani* beteiligt waren (M. Gelzer, RE 13, 1926, 400; Niccolini 253).

71 Vgl. Cic. fam. 1,1,1; Broughton 2, 209; ferner Brunt, Equites, 133 (= WdF 413, 1976, 203).

72 S. dazu App. BC. 1,22,95; vgl. Meier, RPA, 86 A. 134 zu Brunt, Equites, 132ff. (= WdF 413, 1976, 202ff.).

73 Diese waren schon bei den Kolonien des C. Gracchus berücksichtigt worden, vgl. oben S. 44.

Ritter hatten in den Volkstribunen auch in nachsullanischer Zeit keine permanente Stütze. Bei den Forderungen nach Pachtnachlass, die die Publicanen in den 60er Jahren für Asien erhoben, treten die Volkstribunen in unseren Quellen nicht in Erscheinung. Zusammenarbeit zwischen Volkstribunat und Rittern kam nur sporadisch zustande. Die *equites* und Händler sind jedoch zu den grundsätzlichen Befürwortern einer uneingeschränkten tribunizischen Gesetzesinitiative zu rechnen, die sich gegen die sullanischen Massnahmen wandten.

c) Gesetzgebung im Dienste von Einzelpersönlichkeiten und selbständige populare Politik

Schon in der mittleren Republik hatte sich gezeigt, dass sich die tribunizische Legislative für Anliegen von Einzelpersönlichkeiten einsetzen liess, um damit die Mehrheit im Senat zu umgehen.[74] In der Forschung zur späten Republik wird die Politik gegen die Senatsmehrheit und der instrumentale Charakter im Dienste einzelner Adliger oder Adelsgruppen für die Zeit nach den Gracchen geradezu als Konstitutivum des Volkstribunats gesehen.[75] Es bleibt in diesem Kapitel näher zu prüfen, inwieweit Einzelpersonen von tribunizischen Gesetzen profitierten und auf wen die Initiative zu popularen Gesetzen zurückzuführen ist. Andererseits fragt es sich, inwieweit die Triumvirn und dann insbesondere Caesar in dieser Beziehung überhaupt noch der Volkstribunen bedurften.

Wie Ch. Meier festgehalten hat, bedienten sich in der späten Republik in erster Linie Marius, Pompeius, Caesar und in geringerem Masse auch Crassus popularer Volkstribunen und erreichten damit Popularität, auch wenn sie sich oft an den Aktionen selbst nicht beteiligten.[76] Der Nutzen der Einzelpersönlichkeiten an der tribunizischen Gesetzgebung lag hauptsächlich in der Zuteilung von Imperien, durch die sie sich eine stärkere Stellung gegenüber dem Senat schaffen konnten. Die Funktion der Imperiumszuteilung hatte das *concilium plebis* schon im zweiten punischen Krieg übernommen, damals allerdings in Zusammenarbeit mit dem Senat.[77] Dabei hatte der Senat jedoch stets die Oberhand über die Imperiumsträger behalten. Im Jahr 107 übertrug T. Manlius Mancinus ein konsularisches Imperium erstmals offenkundig gegen den Willen des Senats, nachdem das Volk schon bei den Kommandovergaben der Jahre 147 und 134 beigezogen worden war. Diese Art der Imperiumsvergabe sollte im Verlaufe der späten Republik noch des öfteren praktiziert werden. – Die zweite bedeutende Frage im Zusammenhang mit der Gesetzgebung im Dienste von Einzelpersönlichkeiten bzw. Feldherrn war die Landversorgung der Veteranen, wie sie in der späten Republik erstmals durch Saturninus zustande kam. Tribunizische Gesetze konnten damit seit Marius zu einem wichtigen Faktor in der Politik der Feldherrn werden. Ausser bei der Gesetzesinitiative war es den Volkstribunen ferner

74 Bleicken, Volkstribunat 1955, vgl. oben S. 10 A. 11; prominente Vorläufer in der mittleren Republik waren C. Flaminius (tr. pl. 232), M. Minucius Rufus/C. Terentius Varro und die Scipionen (27ff. 37ff. 68ff.); vgl. 54, wo Bleicken bei Tribunen auch Eigeninitiative für möglich hält.

75 Martin 14 A. 2. 142. 213f.; Weiteres oben S. 10f.

76 Meier, Populares, 582.

77 Dazu oben S. 96 A. 51.

möglich, den Mächtigen auch bei andern Gelegenheiten hilfreich zu sein. Die Verbindung mit einem Tribunen konnte für die Konsulatsbewerbung eines Feldherrn nützlich sein,[78] die sich wegen deren Abwesenheit oft als schwierig erwies. Marius und Saturninus machten hier wiederum den Anfang.

Im Gegensatz zu den Gracchen erscheinen die Pläne des Saturninus nirgends als von einer reformwilligen Gruppe von Senatoren getragen. Andererseits begegnet auch Marius im Zusammenhang mit den Gesetzesanträgen nicht als direkter Auftraggeber des Tribunen, obwohl er Saturninus das Acker- und Koloniegesetz mit Sicherheit nahegelegt hatte.[79] Auch Saturninus kann jedoch innerhalb des Senats nicht völlig isoliert gewesen sein, wie seine Verbindung mit Glaucia und Sex. Titius, der seine Ansiedlungspläne weiterverfolgte, zeigt.[80] Die Unterstützung einer reformwilligen Senatsgruppe ist in der Folge wieder bei Livius Drusus gegeben, in dessen Nachfolge Sulpicius (Rufus) auftrat. Nicht zu klären ist, inwieweit die Tribunen ihre Reformprojekte selbst bearbeiteten. Jedenfalls handelte Sulpicius (Rufus) bei seinen Reformanträgen nicht im Auftrag des Marius, auch wenn ihn die Quellen als Werkzeug des Feldherrn charakterisieren.[81] Wegen seines Antrags, die Neubürger auf alle Tribus zu verteilen, fürchtete die Mehrheit der Führungsschicht das Aufkommen neuer politischer Elemente. Zudem wollte Sulpicius mit seiner Begrenzung der Senatorenschulden auf die Zusammensetzung des Senats Einfluss nehmen. Als er damit auf Widerstand stiess, suchte er bei Marius Unterstützung, für den er mittels Plebiszit den vom Senat beauftragten Sulla im Kommando gegen Mithridates ersetzte. Damit war Sulla persönlich sowohl von der Abrogation als später auch von der Rückführung seines Konkurrenten Marius und eventuell der Anhänger des Livius Drusus betroffen. Gegen derartige Anmassungen der tribunizischen Gesetzgebung schritt Sulla nach der Eroberung Roms ein.

Ausser bei der Veteranenversorgung und der Kommandozuteilung zeigten sich die popularen Tribunen in vorsullanischer Zeit kaum von der Initiative der Feldherrn abhängig. In verschiedenen Fällen ist daher mit Eigeninitiative der Tribunen und Zuspruch einer Gruppe gleichgesinnter Senatoren zu rechnen. Dies lässt sich insbesondere für den Antrag des Cn. Domitius Ahenobarbus, tr. pl. 104, über die Priesterwahl vermuten, der mit persönlichen Motiven verbunden war. Der Wille des Tribunen allein wird aber auch hier nicht ausgereicht haben, um Rogationen erfolgreich durchzusetzen. Damit finden wir spätestens seit den Gracchen eine Zunahme von Anträgen, die nicht von der Senatsmehrheit initiiert wurden. Aufträge des Senats traten proportional in den Hintergrund, so dass sich Sulla veranlasst sah, gegen die tribunizische Gesetzesinitiative einzuschreiten.

Durch die Verbindung mit einem Feldherrn und dessen Veteranen konnten die Tribunen zu grösserer Bedeutung gelangen.[82] Trotzdem war es sowohl Saturninus als auch Sulpicius (Rufus) möglich, eigenständige Gesetze einzubringen und nicht als reines Werkzeug der Feldherrn zu fungieren. Förderlich konnte im weiteren eine Bindung an einen

78 Marius benutzte die Verbindung mit Saturninus, um das vierte Konsulat (102 v. Chr.) zu erlangen (Plut. Mar. 14,7f.); dazu Hackl, Senat, 174, vgl. 184.

79 Dazu Martin 179ff.; Hackl, Senat, 197f.

80 Vgl. Martin 183.

81 Martin 200 A. 6.

82 Hackl, Senat, 13.

Konsul sein, wie sie bei den Gracchen bestand und auch im Falle des Marius für Saturninus gegeben war.[83] Die Verbindung mit grösseren Autoritäten erwies sich aber für populare Volkstribunen als unsichere Sache. Der Konsul P. Mucius Scaevola, der am Programm des Ti. Gracchus beteiligt gewesen war und sich im Senat gegen Gewaltanwendung an den Tribunen ausgesprochen hatte, verteidigte nachträglich dessen Ermordung.[84] Der Konsul C. Fannius wandte sich gegen C. Gracchus, obwohl Gaius dessen Wahl unterstützt hatte.[85] Auch Saturninus musste erleben, dass sich Marius als Konsul schliesslich gegen ihn wandte.[86] Seine Dienste für den Feldherrn brachten ihm keine dauerhafte Absicherung.

Die instrumentalen Möglichkeiten des Volkstribunats mussten den Feldherrn und Adligen, die sich gegen die Senatsmehrheit stellten, aber bewusst sein und diese dürften daher in den 70er Jahren auch am Kampf um die Restituierung der *tribunicia potestas* beteiligt gewesen sein. Pompeius hat in diesem Sinne selbst die nötigen gesetzlichen Verfügungen eingeleitet. Die Betrachtung der tribunizischen Gesetzgebung hat andererseits gezeigt, dass populare Gesetze nicht ausschliesslich als politische Methode im Interesse von Einzelnen gewertet werden können. Angesichts der Reformen, die über das Volkstribunat zugunsten der Bevölkerung zustande gekommen waren, muss auch in der Plebs Zuspruch für die Wiederherstellung der vollen tribunizischen Rechte vorhanden gewesen sein,[87] obwohl in dieser Sache kein besonderer Druck von seiten des Volkes nachzuweisen ist.[88] Zumindest haben auch die Volkstribunen selbst versucht, das Volk vom Wert der Restitution zu überzeugen.[89]

In nachsullanischer Zeit blieb die Kommandoübertragung durch tribunizische Gesetze weiterhin das Hauptanliegen der Feldherrn. Im Folgenden gilt es, weitere Materien, von denen Einzelpersönlichkeiten profitierten, aufzuzählen. Als Pompeius im Jahr 70 das Tribunat restituierte, konnte er selbst daraus Gewinn ziehen. Er erliess als Konsul des Jahres 70 kein eigenes Ackergesetz zur Versorgung seiner Veteranen, sondern nutzte möglicherweise die tribunizische *lex Plotia agraria*. In diesem Jahr dürfte aber auch die von Caesar unterstützte Restituierung der Lepidus-Anhänger zustande gekommen sein. Pompeius und Caesar profitierten seit den 60er Jahren am meisten von der tribunizischen Gesetzgebung. Dabei brachten C. Cornelius und A. Gabinius als Tribunen des Jahres 67 trotz der Kommandogesetze und Verbindungen zu Pompeius selbständige Reformen zustande, die nicht auf den Feldherrn zurückgeführt werden können.[90] Während seiner

83 Vgl. Ti. Gracchus und P. Mucius Scaevola im J. 133 (Cic. acad. 2,13; Plut. T. G. 9,1); Saturninus und C. Marius (Plut. Mar. 14,7f. 28,5. 29,1. 30,1; Liv. per. 69; dazu Martin 180; Hackl, Senat, 174. 199f.; Perelli 131f.); vgl. auch die Ermordung des gegnerischen Konsulkandidaten im J. 100 (GCG 108f.; v. Ungern-Sternberg, Notstandsrecht, 71ff.).

84 Broughton 1, 492.

85 Broughton 1, 516.

86 Broughton 1, 574; Hackl, Senat, 189ff.; v. Ungern-Sternberg, Notstandsrecht, 71ff.

87 Asc. p. 220 St.; nach Cic. Verr. 1,44 forderte der *populus* die uneingeschränkte *tribunicia potestas*, um die vorsullanische Gerichtsbarkeit mit ritterlichen Geschworenen zurückzugewinnen; das Ämterverbot war im J. 75 nach Asc. p. 53 St. *magno populi studio* aufgehoben worden.

88 Vgl. Cic. Verr. 1,45.

89 Dazu Martin 22, der die Rolle des Volkes wohl unterschätzt.

90 Martin 41. Zu der Verbindung zwischen den Tribunen und Pompeius vgl. Gruen, LG, 64. 186. 213. 262f.; ferner Taylor, Party Politics, 74; Meier, Populares, 577.

Abwesenheit im Osten behielt dann Pompeius über die Volkstribunen Kontakt zur römischen Innenpolitik, in die er durch tribunizische Aktionen eingriff (Anklage des C. Memmius gegen Lucullus im J. 66;[91] Verzögerung des im J. 62 geplanten Triumphes des Metellus Creticus[92]). Er schickte im Frühjahr 63 seinen Legaten und Schwager Q. Caecilius Metellus Nepos zur Tribunatskandidatur nach Rom, um die Bewerbung ums Konsulat für das Jahr 61 einzuleiten sowie die Anerkennung seiner Regelungen im Osten und die Versorgung der Veteranen vorzubereiten.[93] Dieser agierte nach der Verhandlung gegen die Catilinarier – allerdings vergeblich – zusammen mit L. Calpurnius Bestia gegen Cicero[94] und forderte, dass Pompeius gegen die Catilinarier eingesetzt werde. Die Ratifizierung der Bestimmungen über den Osten glückte allerdings erst im Jahr 59, als Caesar Konsul war, wobei P. Vatinius von der Volksversammlung einzelne Verträge gegen den Willen der Senatsmehrheit verabschieden liess. Caesar profitierte neben dem Imperiumsgesetz von weiteren Anträgen des Vatinius (Gerichtsgesetz; Bestimmungen über die Kolonie Novum Comum) sowie später auch von der wohl tribunizischen *lex Mamilia Roscia Peducaea Alliena Fabia*. Diese Gesetze ergänzten Projekte, die er als Konsul zur Hauptsache selbst in die Hand genommen hatte.

Eine grosse Zahl der Rogationen stand damit in den 50er Jahren im Dienste der Triumvirn,[95] die diese Anträge wohl selbst initiiert hatten. Dies kündigte sich zum Teil bereits in der Besetzung der Ämter an, indem von den Triumvirn nach dem Zeugnis Ciceros Einflussnahme auf die Wahl der Volkstribunen zu erwarten war.[96] Für das Jahr 55 ist ausdrücklich bezeugt, dass Pompeius und Crassus mit den meisten Tribunen befreundet waren.[97] Trotzdem gelang es Clodius im Jahr 58, eine eigene Position zwischen den Machthabern einzunehmen.[98] Auf ihn waren die Triumvirn bis zu einem gewissen Grade angewiesen, weil er die konsularischen Verfügungen Caesars schützen sollte.[99] Dabei hatte er Caesars Unterstützung, dessen Heer vor der Stadt lag.[100] Clodius konnte zudem die Konsuln durch eine *pactio* für sich gewinnen, indem er ihnen die gewünschten Provinzen zusicherte.[101] Als er sich auf diese Weise abgesichert hatte und seine Gesetze durchgebracht waren, drohte er schliesslich selbst mit Angriffen auf Caesars Massnahmen.[102] Dies darf

91 S. unten S. 157.

92 S. unten S. 231; dazu Taylor, Party Politics, 121.

93 Cic. Mur. 81; Plut. Cat. min. 20,2; vgl. Gelzer, Pompeius, 115; Meier, RPA, 270f.

94 Cic. Sest. 11; Plut. Cic. 23.

95 Vgl. Martin 105f. Zugunsten von Caesar wurden im März 56 Anträge promulgiert, die Cicero als *monstra* bezeichnete, die aber vom Konsul Marcellinus verhindert werden konnte (Cic. Q. fr. 2,5,3). M. Gelzer (Caesar, 109) denkt an ein Gesetz zur Sicherung von Caesars Statthalterschaft; Ch. Meier (Caesar, 328) an die Übernahme der Finanzierung der eigenmächtig ausgehobenen Legionen; ferner dazu J. P. V. D. Balsdon, JRS 52, 1962, 137.

96 Cic. Att. 2,9,2; zur Massnahme gegen *ambitus* im J. 54 vgl. Att. 4,15,7: Die Kandidaten für das Volkstribunat haben sich eidlich verpflichtet, sie würden sich bei der Bewerbung dem Urteil des Praetors M. Porcius Cato unterwerfen und haben bei ihm 500'000 Sesterzen hinterlegt; wer von Cato verurteilt würde, sollte sein Geld zugunsten der Mitbewerber verlieren.

97 Ausgenommen sind P. Aquillius Gallus und C. Ateius Capito (Dio 39,32,3).

98 Martin 82. 88; Perelli 203ff. (204 A. 33 mit Lit.).

99 Cic. Sest. 40.

100 Vgl. Martin 83. 88.

101 Cic. dom. 23; Sest. 55, vgl. 18f. 24; Pis. 56.

102 Vgl. Meyer, CM, 106f.

jedoch nicht darüber hinwegtäuschen, dass seiner Position Schranken gesetzt waren.[103] Auch C. Scribonius Curio, der in Caesars Dienste trat, entwickelte nochmals in eigener Initiative Pläne zur Versorgung der Bevölkerung. Im Vorfeld von Caesars Rückkehr gelang es ihm aber nicht mehr, die Rogationen durchzusetzen. Insgesamt zeigt sich auch bei den popularen Volkstribunen der nachsullanischen Zeit, dass sie trotz der Zusammenarbeit mit Feldherrn zu eigenen Rogationen in der Lage waren.

Die Feldherrn gingen in der ausgehenden Republik dazu über, ihre Rivalitäten zum Teil über das Volkstribunat auszutragen bzw. durch die Tribunen einen unliebsamen Gegner auszuschalten.[104] Dabei konnten die Volkstribunen den Feldherrn wiederum auch ausserhalb des Gesetzgebungsrechts beistehen und bei Konsulatsbewerbungen Hilfe leisten.[105] Zudem hatten sie die Möglichkeit, die Wahlen in deren Sinn zu beeinflussen und bestimmte Leute zu fördern.[106] Die enge Verbindung einzelner Volkstribunen mit einem Feldherrn äusserte sich ferner darin, dass diese seit Sulla in bedrängten Situationen teilweise die Flucht *zu* oder *mit* dem Feldherrn wählten.[107] Die zunehmende Macht der

103 Dazu unten S. 185f.

104 Vgl. die Entsendung Catos nach Zypern; die Abrogation der beiden Volkstribunen Caesetius Flavus und Epidius Marullus; für Crassus und Caesar war möglicherweise ein Auftrag in einer Kommission zur Annexion Aegyptens und in der Ackerkommission der *rogatio Servilia* vorgesehen, was beides scheiterte (Taylor, Party Politics, 121, vgl. 14); zu Crassus vgl. Gruen, LG, 67f., der die Beziehung zu Cn. Sicinius, tr. pl. 76 (Plut. Crass. 7,9), und zu C. Manilius, tr. pl. 66 (Dio 36,42,2f.), erwähnt sowie den Widerstand des L. Roscius Otho und L. Trebellius gegen das Piratengesetz anführt (187); C. Porcius Cato, tr. pl. 56, kam in den Verdacht, in Crassus' Diensten zu stehen, da er gegen Pompeius, der den von Clodius angeklagten Milo unterstützte, auftrat (Cic. Q. fr. 2,3,4; dazu Gelzer, Pompeius, 149); vgl. auch die Attacken gegen Cicero Ende 63/Anfang 62 und im J. 58 (unten S. 157); Curio wurde im J. 51 von Pompeius angestiftet, Volkstribun zu werden, da er mit Caesar verfeindet war (Dio 40,59,4; vgl. Cic. fam. 8,5,3, der von Curio in der Frage von Caesars Abberufung eine Handlung erwartete sowie (fam. 2,7,4) die Verhinderung seines eigenen Provinzialkommandos erhoffte).

105 M. Lollius Palicanus unterstützte im J. 71 Pompeius, um unter dessen Konsulat die Wiederherstellung des Volkstribunats zu erreichen (vgl. unten S. 177); im J. 62 versuchte Q. Caecilius Metellus Nepos für Pompeius die Konsulatsbewerbung *in absentia* zu ermöglichen (Schol. Bob. p. 134 St.; Broughton 2, 174; vgl. Suet. Iul. 16,1: auf Caesars Veranlassung); im J. 52 erlaubten alle zehn Tribunen die Konsulatsbewerbung Caesars *in absentia* (Niccolini 320f.; vgl. Dio 40,51,1f., Cic. Att. 8,3,3, fam. 6,6,5f., Att. 7,1,4: auf Veranlassung des Cicero und Pompeius).

106 Zur Wahlbehinderung der J. 56 und 54/53 unten S. 248; T. Munatius Plancus versuchte im J. 52 für Pompeius die Wahl eines Interrex zu vermeiden (Asc. p. 30f. St.); C. Herennius propagierte im J. 60 die *transitio ad plebem* des Clodius, damit dieser sich um das Volkstribunat bewerben konnte (Broughton 2, 184).

107 Schon im J. 103 war **L. Antistius Reginus** mit Q. Servilius Caepio geflohen, als er diesen aus dem Gefängnis befreit hatte (Val. Max. 4,7,3; dazu F. Münzer, RE 2 A, 1923, 1785); im J. 87 flohen in der gewaltsamen Auseinandersetzung mit dem Konsul Cn. Octavius um das Tribus-Gesetz **sechs Volkstribunen** (Liv. per. 79; Gran. Licin. p. 13 Criniti), darunter wahrscheinlich M. Marius Gratidianus und C. Milonius (vgl. Niccolini 233), mit Cinna (dazu B. R. Katz, AC 45, 1976, 502ff.); im J. 86 **die Kollegen des Sex. Lucilius** (tr. pl. 87) (E. J. Weinrib, Phoenix 22, 1968, 43 A. 45 denkt an die drei im J. 87 nicht geflohenen Volkstribunen neben Lucilius) zu Sulla, da ihnen eine Gerichtsverhandlung durch P. Popillius Laenas drohte, der ja den Lucilius vom Tarpeischen Felsen gestürzt hatte (Vell. 2,24,2; vgl. S. 187 A. 89); im J. 62 **Q. Caecilius Metellus** nach dem SCU und der Amtssuspension anlässlich der Auseinandersetzung um die Berufung des Pompeius nach Italien zu Pompeius (Plut. Cic. 26,7; Dio 37,43,4); im J. 49 **M. Antonius** und **Q. Cassius Longinus** mit Curio und Caelius nach dem SCU des 7. Jan. zu Caesar (Cic. fam. 16,11,2; Caes. BC. 1,5,5; Dio 41,3,2;

Feldherrn liess umgekehrt die Stellung der Tribunen allmählich verblassen. Caesar konnte im Jahr 59 das Volkstribunat bis zu einem gewissen Grade umgehen, indem er insbesondere das Landgesetz selbst vor das Volk brachte, war aber auf Vatinius angewiesen, um das gallische Kommando zu erhalten.[108] Er verpflichtete die Senatoren durch Schwur auf seine Gesetze, was etwa Cato und zumindest einige der Volkstribunen erst unter Androhung der vorgesehenen Kapitalstrafe taten.[109] Im Jahr 55 wurde sein Provinzialkommando durch ein konsularisches Gesetz verlängert. Hier zeichnete sich schon ab, dass Caesar unter gewissen Bedingungen auch den Senat dienstbar machen konnte und daher nicht mehr unbedingt auf die Volkstribunen angewiesen war. Auch Pompeius konnte als Konsul des Jahres 55 und 52 seine Anträge selbst einbringen.[110] Ende der 50er Jahre spielten sich die wichtigen Entscheidungen nicht mehr in den Comitien, sondern im Senat ab, so dass Caesar jetzt eher auf die tribunizische Interzession als auf die Gesetzgebung zählen musste.[111]

Neben der Zusammenarbeit mit den Feldherrn sind einzelne Tribunen auch in der nachsullanischen Zeit mit Konsuln in Kontakt getreten.[112] Abgesehen von den Provinzzuteilungen fallen die auf Grund solcher Beziehungen entstandenen Aktionen kaum ins Gewicht. Der von Dio (37,25,3) erwähnte Zusammenhang zwischen dem Konsul 63 C. Antonius und verschiedenen sozialpolitischen Rogationen von tribunizischer Seite geht möglicherweise auf eine Catilina feindliche Verleumdungskampagne zurück. Längerfristige Zusammenarbeit zwischen einem Tribunen und den Konsuln ist auch bei Clodius nicht zu beobachten.[113] Clodius suchte bei den Konsuln nicht Unterstützung, sondern wollte sich gegen die zu erwartende Opposition absichern. Die Bindungen zwischen Volkstribunat und Konsulat beschränkten sich damit jeweils auf Einzelpunkte. Die Feststellung von H. Schneider: „Normalerweise gingen die popularen Volkstribunen nach 133 ein enges Bünd-

App. BC. 2,33,133; Plut. Ant. 5,4–6,2; Liv. per. 109; Oros. 6,15,2; vgl. Cic. Att. 7,9,2, der dies erahnte); **C. Cassius Longinus** (wohl zusammen mit L. Caecilius Metellus, vgl. Cic. Att. 9,6,3), der mit den Pompeianern Rom verlassen hatte, ging für Pompeius nach Capua, um die aus Rom geflohenen Konsuln anzuweisen, die Gelder aus dem *aerarium sanctius* zu bergen (Cic. Att. 7,21,2; vgl. Gelzer, Pompeius, 203); am 17. März gingen **einige Tribunen** mit Pompeius, seinen Soldaten und den Konsuln über das Meer (Cic. Att. 9,6,3).
Etliche Tribunen kamen unmittelbar nach dem Amtsjahr (in Klammern) als Legaten in den Dienst eines Feldherrn: Cn. Cornelius Lentulus (68?), Q. Caecilius Metellus (68?), Q. Coelius Latiniensis (vor 66), C. Falcidius (vor 66), A. Gabinius (67), L. Marius (62), P. Vatinius (59), C. Fabius (55), L. Roscius Fabatus (55), C. Trebonius (55), C. Scribonius Curio (50), M. Antonius (49), C. Asinius Pollio (47), L. Pontius Aquila (45), L. Antonius (44), (D.) Carfulenus (44), P. Servilius Casca Longus (43), M. Servilius (43); vgl. auch M. Marius Gratidianus und C. Milonius (87); dazu Gruen, LG, 187; U. Maier, Caesars Feldzüge in Gallien (58–51 v. Chr.) in ihrem Zusammenhang mit der stadtrömischen Politik, SBA 29, Bonn 1978, 90f. Bruhns (48ff.) zählte von 43 Tribuniziern neun bei Pompeius und 21 bei Caesar.

108 Dazu Martin 73ff.

109 App. BC. 2,12,42.

110 Vgl. Rotondi 404ff. und 410ff.

111 Vgl. unten S. 211f.; zum J. 51 auch Raaflaub, DC, 25ff.; zum J. 50 (C. Scribonius Curio) Martin 113.

112 Einige Volkstribunen des J. 63 und Antonius (Dio 37,25,3); zu Q. Fufius Calenus und Piso im J. 61 vgl. unten S. 177 (Cic. Att. 1,14,1); P. Clodius Pulcher und die Konsuln des J. 58 (vgl. A. 100); Volkstribunen des J. 51 und Ser. Sulpicius Rufus vereinigten sich, um die Abberufung Caesars zu verhindern (Dio 40,59,1).

113 Clodius weihte die Güter des Konsuls A. Gabinius, vgl. unten S. 188 A. 95.

nis mit einem der beiden Consuln ein",[114] ist daher zu pauschal gefasst.

Neben den Feldherrn und Konsuln konnten auch weitere Einzelpersonen Nutzniesser tribunizischer Rogationen werden, wie sich besonders bei Rückführungsanträgen zeigte. Durch Kreierung von Sonderaufgaben konnten sowohl Verwandte als auch die eigene Person gefördert werden, wogegen die *leges Licinia et Aebutia* ankämpften. Bei der Rückführung des Cicero setzte Pompeius den Tribunen L. Ninnius Quadratus ein.[115] Hier zeigt sich besonders deutlich, dass sich verschiedene Interessen, die zudem nicht im Widerspruch zur Senatsmehrheit stehen mussten, überschneiden konnten. Dies ist auch bei den Rückrufungen der vorsullanischen Zeit zu erkennen.

Neben ausserordentlichen Kommandos verschafften die Tribunen den Feldherrn zusätzliche Vollmachten oder Ehrenrechte. Im Jahr 63 erhielt Pompeius durch Volksbeschluss besondere Ehrenabzeichen, die ihm aber kaum von Vorteil waren, so dass er sie nur einmal verwendete.[116] Für Caesar wurden erst ab 48 besondere Ehrenbeschlüsse gefasst und diese erfolgten jetzt wohl jeweils auf Grund eines Senatsbeschlusses. Nach Caesars Einzug in Italien gerieten die Volkstribunen unter seiner Diktatur in die Abhängigkeit des Feldherrn. Schon Ende 50 stand eine Reihe von Volkstribunen in Caesars Diensten.[117] Durch Beeinflussung der Wahlen versuchte er in der Folge, illoyale Amtsträger möglichst fernzuhalten und der Senat unterstützte ihn dabei.[118] Im Jahr 47 zeigte sich, dass die *rogatio Cornelia* über Schuldennachlass als selbständige Initiative keine Chance mehr hatte. Caesars Diktatur lähmte die eigenständigen Aktionen der Tribunen. Nachdem der Senat bereits in den Jahren 46 und 45 Caesar das Ernennungsrecht für die Magistrate angeboten hatte, erteilte ihm L. Antonius im Jahr 44, wahrscheinlich auf Senatsbeschluss, das Recht, die Hälfte der Magistrate ausser den Konsuln selbst zu bestimmen.[119]

Das Volkstribunat spielte in der caesarischen Politik eine wichtige propagandistische Rolle.[120] Seinen Einmarsch nach Italien begründete Caesar insbesondere auch damit, dass das Interzessionsrecht der Tribunen übergangen worden sei; sein Handeln habe damit für die Aufrechterhaltung des Staates und für die Restituierung der Würde der (zwei) zu ihm geflohenen Volkstribunen gesorgt.[121] Als Caesar im Jahr 48 auf ein Jahr zum Diktator ernannt wurde, eignete er sich Tribunenwürden an, die mit dem *ius subselli* zusammenhingen. Diese liess er sich im Jahr 44 erweitern und erwarb gleichzeitig auch die *sacrosanc-*

114 Schneider, Wirtschaft, 262.

115 Dio 38,30,3; zum J. 57 vgl. Cic. p. red. in sen. 29; zu Ciceros Verbindung mit Volkstribunen vgl. S. 18 A. 22 und S. 125f. zum J. 58/57, ferner Q. fr. 1,4,3; (zu L. Caninius Gallus: fam. 7,27,1); L. Novius, tr. pl. 58, berichtete, dass er von Anhängern des Clodius verwundet worden sei und Pompeius belagert würde (Asc. p. 40. St.; Gruen (LG, 109) verlegt diese Aussage irrtümlich in den Senat).

116 Vell. 2,40,4.

117 Cic. Att. 7,7,6: *tot tribuni pl.*, vgl. 7,3,5 (Ende 50); zu Q. Cassius, tr. pl. des. für das J. 49: Att. 6,8,2; zu M. Antonius: Att. 10,8,A; Curio soll nach Dio 40,59,4 von Pompeius zur Bekleidung des Volkstribunats veranlasst worden sein.

118 Frei-Stolba 38ff.

119 Frei-Stolba 43. 48ff. 58ff. 72ff. Magistrate des J. 44 mussten schwören, dass sie sich Caesars Bestimmungen nicht widersetzen würden (App. BC. 2,106,442; vgl. H. Kloft, Historia 29, 1980, 321). Eine wohl tribunizische *lex* (*Caecilia* oder *Pomponia*?) lieferte die gesetzliche Grundlage für Caesars Unternehmungen zum Ausbau der Stadt Rom (Niccolini 344f.; Broughton 2, 307, vgl. aber 3, 35).

120 Zum J. 49 ausführlich Raaflaub, DC, bes. 152ff. 174ff.; zudem Raaflaub, Volkstribunen, 294. 321ff.

121 Caes. BC. 1,7,2. 8. 22,5; vgl. Cic. Phil. 2,53; zu M. Antonius und Q. Cassius Longinus vgl. Broughton 2, 258f.

titas, so dass seine Stellung aus der Sicht der Volkstribunen und der Plebs zusätzlich legitimiert wurde. Caesar wurde damit einerseits zu einer Art Kollege der Tribunen und behielt andererseits das Tribunenkollegium unter seiner Kontrolle, auch wenn er nicht in den Besitz der *tribunicia potestas* kam.

Ein Überblick über die Gesetze im Dienste der grossen Einzelnen zeigt, dass diese neben Kommandoübertragungen und Veteranensiedlungen einige weitere Anträge initiierten, die aber keine grösseren Reformen einleiteten. Die tribunizischen Anträge waren in dieser Hinsicht in nachsullanischer Zeit nur Ergänzungen zu denjenigen Gesetzen, die die Imperiumsträger selbst einbrachten. Trotzdem wussten die Feldherrn in der späten Republik und besonders in der Zeit nach Sulla die tribunizische Gesetzgebung am besten zu nutzen.

Populare Reformanträge waren in der Regel auch nach den Gracchen von einer Gruppe von Senatoren gestützt, denn sie reagierten auf dringliche Probleme ihrer Zeit. Politik im Alleingang war für die Volkstribunen kaum möglich. Die Verbindung mit einem Feldherrn oder Konsul konnte entscheidende Vorteile bringen, sich andererseits jedoch auch als unzuverlässig erweisen. Die Volkstribunen können daher nicht generell als fremdbestimmt bezeichnet werden, auch wenn in nachsullanischer Zeit die popularen Vertreter meist in Zusammenarbeit mit einzelnen bedeutenden *nobiles*, die in Konflikt zu der Senatsmehrheit geraten waren, handelten.[122] Die Volkstribunen der späten Republik konnten bei den Imperiumsträgern nur bedingt Unterstützung finden. Gegenüber der mittleren Republik fallen diese Bindungen aber viel mehr ins Gewicht, da die tribunizische Gesetzgebung jetzt gehäuft dazu verwendet wurde, die Senatsmehrheit zu umgehen. Populare Vorlagen machten damit seit den Gracchen den Hauptanteil der tribunizischen Rogationen aus.[123] Für Sulla drängte sich daher eine Einschränkung dieser Praxis auf, während Caesar die Tribunen anderweitig unter Kontrolle halten konnte. Caesar verzichtete auf eine Beschränkung der tribunizischen Gesetzesinitiative, da ihm die Rogationen der Tribunen im Gegensatz zu Sulla nicht mehr gefährlich werden konnten und er teilweise immer noch von ihnen profitierte. Das Betätigungsfeld der Tribunen wurde jedoch stark eingeschränkt und erlaubte kaum noch, selbständige Politik zu betreiben.

5. Tribunizische Strafverfolgungen

a) Tribunizische Comitialprozesse

J. Bleicken hat festgehalten, dass die Kompetenzen der Volkstribunen auf dem Gebiet des Strafrechts keine Koerzitionsgewalt mit eigenständigem Bestrafungsrecht, sondern ausschliesslich das Prozessrecht im Anklageverfahren vor den Comitien umfasste.[1] Diese Praxis galt auch für die späte Republik. In der Stellung des Volksgerichtes zeichnete sich jedoch eine deutliche Veränderung ab, da dieses weitgehend durch feste Geschwo-

122 Martin 214.
123 Vgl. die Zusammenstellung von Meier, Populares, 598ff. Nach Martin (210) werden allerdings nur 24 Gesetze in den Quellen ausdrücklich als „popular“ bezeichnet.

1 Bleicken, Volkstribunat 1955, 108. 124. 138. 148f.

renenhöfe (*quaestiones perpetuae*) ersetzt wurde. Wenn wir im Folgenden die Rolle der Volkstribunen als Ankläger untersuchen, sind somit auch deren Auftritte im Zusammenhang mit den Quaestionen zu berücksichtigen. Dabei handelt es sich einerseits um die Einsetzung von *quaestiones extraordinariae*, wie sie die Tribunen vor dem *concilium plebis* beantragten, andererseits aber auch um Anklagen vor den *quaestiones perpetuae*, die an sich nichts mit dem *ius agendi cum plebe* zu tun hatten. Die Betrachtung der tribunizischen Strafverfolgungen soll ergeben, ob die Tribunen noch im Sinne des Senats zur „Kontrolle der Standesgenossen", die J. Bleicken allgemein zur politischen Funktion des Volkstribunats gezählt hat, beitrugen.[2] Zu fragen ist, wer in der späten Republik die Initiatoren und Nutzniesser der tribunizischen Verfahren waren. Wie kam es dazu, dass Sulla die Volksgerichtsbarkeit unterband?

Bevor wir uns der Entwicklung der Gerichtsbarkeit in der späten Republik zuwenden, soll zunächst der Ablauf eines Volksprozesses, wie er von Ch. Brecht 1939 grundlegend erforscht wurde,[3] rekapituliert werden. Dabei ist auch zu der jüngst an dieser Auffassung geäusserten Kritik von A. Giovannini[4] Stellung zu nehmen.

Ein Volksprozess (*iudicium populi*) fand in zwei Phasen statt: Zuerst legte der anklagende Magistrat (in unserem Fall der Volkstribun) an drei Tagen mit mindestens je einem Tag Zwischenraum seine Anschuldigungen der Volksversammlung vor und fasste am Ende des dritten Termins die endgültige Anklage ab (*anquisitio*). Drei *nundinae* später liess er an einem vierten und letzten Termin die Volksversammlung über die Anklage abstimmen. Demgegenüber vertritt Giovannini die Meinung, dass die Abstimmung selbst nie von einem Tribunen geleitet wurde. Die Urteilsfindung durch die Comitien anlässlich des vierten Termins kann er sich nur unter der Leitung eines Praetors und ausschliesslich vor dem Gesamtvolk (*populus*) – und demnach nie vor dem *concilium plebis* – vorstellen.[5] Als Indiz für diese These dient die richtige Beobachtung, dass der Ausdruck *iudicia plebis* nicht existiert (ebenso keine *provocatio ad plebem*) und die römischen Historiker stets von *iudicia populi* berichten.[6] Giovannini deutet daher die überlieferten und zum Zwecke der Anklage vorgenommenen Auftritte der Tribunen vor dem Volk als Anquisitionsverfahren.[7] Dabei übersieht er jedoch, dass die Vorbereitung der Anklage durch die Tribunen vor der uneingeteilten, nicht beschlussfähigen Bürgerschaft (*contio*) stattfand,[8] also (noch) nicht vor dem *concilium plebis*.[9] Da in den von Giovannini aufgeführten Fällen tribunizischer Gerichtsbarkeit das *concilium plebis* zusammentrat[10] und Plebiszite gefasst wurden, können sie nicht als Anquisitionsverfahren gedeutet werden. Sie sprechen vielmehr

2 Bleicken, Volkstribunat 1981, 96.

3 Ch. Brecht, Zum römischen Komitialverfahren, ZRG 59, 1939, bes. 271–280; vgl. Kunkel 21ff.

4 A. Giovannini, Volkstribunat und Volksgericht, Chiron 13, 1983, 545–566.

5 A. Giovannini, Chiron 13, 1983, bes. 555. 559. 563ff.; vgl. schon Niccolini, processo capitale, 1, der aber für die späte Republik zu neuen Ergebnissen gekommen war (s. S. 149f.), sowie Taylor, Assemblies, 102.

6 A. Giovannini, Chiron 13, 1983, 550f. 559 (vgl. entsprechend: *diem dicere/accusare/multam dicere ad populum*); vgl. schon Lengle, Strafr., 15.

7 A. Giovannini, Chiron 13, 1983, 556ff.

8 Mommsen, StR. 3, 357; Strafr., 164 ff.; Lange, Röm. Alterthümer 2, 720f.; Brecht (vgl. A. 3) 271ff.; Kunkel 36 (A. 123).

9 A. Giovannini, Chiron 13, 1983, bes. 559. 566.

10 Vgl. Liv. 25,3,14. 19. 4,1, vgl. 4,9. 38,53,6 (A. Giovannini, Chiron 13, 1983, 557f.).

dafür, dass auch die endgültige Beschlussfassung am vierten Termin von den Volkstribunen selbst durchgeführt wurde. Zudem ist der Ausdruck *iudicium populi* auch im Zusammenhang mit dem Multprozess überliefert, der vor dem *concilium plebis* stattfand.[11] Aus der Verwendung des Begriffs *iudicium populi* können daher keine Rückschlüsse auf die Prozessleitung gezogen werden. Ein historischer Beleg für die These von Giovannini existiert nicht.

Nach den Zeugnissen bei Gellius (13,12,4ff.) stand die gerichtliche Vorladung durch einen Gehilfen (*vocatio*) den Volkstribunen im Prinzip nicht zu, war aber in der Praxis üblich. Verfehlt ist es, aus diesen Angaben mangelnde Prozessleitungsbefugnis seitens der Volkstribunen abzuleiten, wie dies Giovannini tut. [12] Die Gellius-Stelle zeigt lediglich, dass die Volkstribunen dazu angehalten waren, die von ihnen angeklagten Personen eigenhändig vor das Volksgericht zu führen und hierfür keinen Amtsdiener zu delegieren. Giovannini, der sich gegen den dem modernen Rechtsempfinden zuwiderlaufenden Gedanken einer „Union von Ankläger und Richter in einer Person" wehrt,[13] beachtet zu wenig, dass ein Volkstribun als Ankläger nicht selbst, sondern die von ihm präsidierte Volksversammlung das Urteil fällte. Dass die Volkstribunen auf die Prozessleitung verzichten konnten, zeigt sich in der Tendenz, die Anklageverfahren an die *quaestiones* zu delegieren. Im Volksprozess konnte ein Tribun ferner nur während der Zeugenbefragung im Anquisitionsverfahren einseitigen Einfluss ausüben (womit er freilich auch Sympathien verlieren konnte). Es ist daher an der herkömmlichen Auffassung des Volksgerichtes, bei dem der anklagende Volkstribun Anquisition und Abstimmung selbst durchführte, festzuhalten.

Im Gegensatz zu den Multklagen fand bei den Kapitalklagen die Beschlussfassung am vierten Vorladungstermin nicht vor dem nach Tribus eingeteilten *concilium plebis*, sondern vor den Centuriatcomitien statt.[14] Damit durften die Tribunen Kapitalfälle im Prinzip nur vor dem Gesamtvolk aburteilen lassen. Zu solchen Kapitalverhandlungen vor den Centurien waren die Volkstribunen aber nur befugt, wenn sie von dem Stadtpraetor einen Comitialtag und damit wohl die erforderliche Kompetenz zur Auspikation erhalten hatten.[15] Quellenmässig lassen sich Fälle, in denen ein Gerichtstag beim Praetor erbeten wurde, in der späten Republik nicht mehr nachweisen.[16] G. Niccolini kam daher zu dem Schluss, dass die tribunizischen Kapitalverhandlungen seit der *lex Coelia tabellaria* des Jahres 107 vor dem *concilium plebis* abgehalten wurden, was er für die Prozesse gegen die Feldherrn im Krieg gegen die Kimbern und Teutonen C. Popillius, M. Iunius Silanus, Cn. Mallius Maximus und Q. Servilius Caepio geltend machte.[17] Kapitalverhandlungen vor

11 Vgl. die Anklage gegen M. Aemilius Scaurus im J. 104; Asc. p. 24 St.: *diem ei dixit apud populum et multam irrogavit.*

12 A. Giovannini, Chiron 13, 1983, 555.

13 A. Giovannini, Chiron 13, 1983, 547.

14 XII-Tafel-Gesetz 9,1.2; Cic. Sest. 65; rep. 2,61; vgl. leg. 3,44: *maximo comitiatu*; Mommsen, Strafr., 168 (A. 5); Lengle, Strafr., 16ff.; Siber 228; Bleicken, Volkstribunat 1955, 112f. 117f.; dazu zuletzt A. Magdelain, De la coercition capitale du magistrat supérieur au tribunal du peuple, Labeo 33, 1987, 139–166.

15 Dagegen A. Giovannini, Chiron 13, 1983, 554f. 564 A. 54.

16 Niccolini (processo capitale, 1f.) bezeichnet den vom Volkstribunen P. Rutilius eingeleiteten Prozess gegen die Censoren C. Claudius Pulcher und Ti. Sempronius Gracchus im J. 169 als den letzten Kapitalprozess vor den Centuriatcomitien mit gesichertem Datum.

17 Niccolini, processo capitale, 7ff. 12f.; dazu Bleicken, Volkstribunat 1955, 146 A. 3, vgl. 112f.

dem *concilium plebis* stellten möglicherweise einen Rückgriff auf eine Praxis aus dem Beginn der Republik dar.[18] Auf Grund unserer Quellen lassen sich solche Kapitalverhandlungen in der späten Republik jedoch nicht eindeutig belegen. Im Falle des Prozesses gegen M. Iunius Silanus vom Jahr 104 spricht zwar Asconius dafür, dass die Verhandlung vor den Tribus stattfand (p. 62 St.: *duae solae tribus eum ... damnaverunt*), wobei aber unsicher bleibt, ob die Anklage kapital war. Im Falle des Caepio und des Mallius Maximus hören wir von dem vom *concilium plebis* getroffenen Ächtungsbeschluss,[19] der jedoch nicht unbedingt von der gleichen Versammlung, wie sie zuvor für das Gerichtsurteil zuständig gewesen war, gefasst worden sein muss. Trotz dieser Schwierigkeiten kann aber in Anbetracht der tribunizischen Anmassungen (Felssturz, *prensiones*) die Möglichkeit, dass im späteren 2. Jh. Kapitalprozesse vor dem *concilium plebis* ausgetragen wurden, nicht ausgeschlossen werden.

Die gerichtlichen Verfolgungen durch die Volkstribunen richteten sich ausschliesslich gegen politische Vergehen.[20] Nach W. Kunkel ging es bei den tribunizischen Anklagen vor den Comitien „hauptsächlich um Hochverrat (*perduellio*) und um Amtsvergehen gewesener Magistrate".[21] Der hergebrachte Begriff der Perduellion wurde allerdings seit dem ausgehenden 2. Jh. durch den Begriff der *maiestas* abgelöst.[22] Politische Straftaten erhielten dadurch eine neue Wertung. Sie wurden jetzt propagandistisch als Vergehen gegen das römische Volk dargestellt. Dies konnte in der Folge auch bei Fällen von Behinderung der (popularen) tribunizischen Politik vorgebracht werden, wie sich bei den Anklagen gegen Metellus Numidicus (100), P. Furius (99/98) und später auch bei den Tribunen des Jahres 87 und Rabirius (63) zeigte. Für die Verfolgung der *maiestas*-Vergehen richtete Saturninus im Jahr 103 eine *quaestio perpetua* ein,[23] wodurch der Volksprozess für

18 Vgl. Mommsen, StR. 2, 301; A. Rosenberg, Untersuchungen zur römischen Zenturienverfassung, Berlin 1911, 83f.; Polyb. 6,14,7 spricht im Zusammenhang mit kapitalen Volksgerichten von φυλη (= Tribus) als abstimmender Einheit (dazu Rosenberg).

19 Gran. Licin. p. 12 Criniti.

20 Mommsen, StR. 2, 318. 324f.; Strafr., 156 A. 2; Lange, Röm. Alterthümer 1, 836; Siber 228; Bleicken, Volkstribunat 1955, 110; Kunkel 34. Eine Ausnahme bildet der Fall des C. Titius aus dem J. 89 (Dio frg. 100, Boissevain I, p. 344), der im Feldzug gegen die Marser eine Meuterei gegen den Konsul L. Porcius Cato angestiftet hatte. Der Feldherr schickte ihn zu den Volkstribunen nach Rom, wo er jedoch nicht belangt wurde und straffrei blieb. Die Überweisung nach Rom wird in der Forschung auf die Provokation zurückgeführt (Mommsen, Strafr., 31f. A. 3; Niccolini 229; Brecht 86ff.). Brecht vermutet als Grund für die Überweisung, dass der Feldherr als in diesem Fall selbst angegriffene Person nicht als Ankläger in dem von Titius offenbar geforderten Provokationsprozess auftreten konnte (gegen eine Provokation im Felde wendet sich allgemein J. Bleicken, RE 23, 1959, 2450). Nach Brecht (90) war bei militärischen Vergehen der Feldherr auch im Falle der Provokation normalerweise der Ankläger. Nach L. Schumacher (Servus Index, Wiesbaden 1982, 62 A. 99) ist der vorliegende Fall das einzige überlieferte Beispiel, in dem die Volkstribunen mit der Verfolgung einer *seditio* beschäftigt waren; vgl. aber die Bestrafung politischer *seditiones* unten S. 220.

21 Kunkel 34.

22 Bleicken, Volkstribunat 1955, 127ff., bes. 130. 146f.; Bauman, Crimen, 23ff., bes. 37f. Bei der *quaestio Mamilia* des J. 109 wurde der *maiestas*-Begriff erstmals vor einem Geschworenenhof angewandt.

23 Vgl. oben S. 118.

diese Deliktskategorie im Prinzip überflüssig wurde. Die tribunizische Gerichtsbarkeit hatte damit ihren Hauptinhalt verloren bzw. an eine andere Institution übertragen. Die Tribunen erachteten dies offenbar nicht als Machteinbusse, denn Saturninus als Rogator hätte kaum eine Massnahme getroffen, die für das Volkstribunat abträglich gehalten wurde. Es gilt im Folgenden, die Geschichte der tribunizischen Volksprozesse näher zu betrachten.

Die tribunizischen Volksprozesse der späten Republik zeigen, dass die Anklagen gegen ehemalige Beamte jetzt, im Gegensatz zu der mittleren Republik,[24] mehrheitlich ohne Zustimmung und Auftrag des Senats vorgetragen wurden. Nach den popularen Anklagen im Zusammenhang mit den Gracchen, stammten auch die Anklagen am Ende des 2. Jh.'s durchweg von popularer Seite und richteten sich gegen Vertreter der Nobilität. Die erfolglosen Feldherrn im Krieg gegen Iugurtha und gegen die Kimbern und Teutonen waren trotz teilweise massiver Fehler vom Senat nicht belangt worden.[25] Die Angriffe erfolgten jetzt von seiten einzelner Volkstribunen, die sich hier von den Comitialverfahren offenbar mehr Erfolg versprachen als von Anklagen vor dem Geschworenengericht. Gestützt wurden sie von den Rittern, die in jener Zeit Hauptträger der popularen Aktionen waren.[26] Wenn C. Memmius im Jahr 112 die Entscheidung zum Krieg gegen Iugurtha vorantrieb, so können neben der Agitation gegen führende Senatoren als Motiv – wenn auch spekulativ – wirtschaftliche Interessen für ritterliche *publicani* sowie für *negotiatores* in Erwägung gezogen werden.[27] Memmius war der erste, der nach C. Gracchus wieder schwere Angriffe gegen Optimaten richtete.[28] Er agitierte im Jahr 111 gegen die Bestechungen, mit denen sich Iugurtha einen günstigen Frieden erhandelt hatte.[29] Dabei liess er Iugurtha zu einem Verhör nach Rom schaffen, um Auskunft über den Konsul L. Calpurnius Bestia und seinen Legaten, den *princeps senatus* M. Aemilius Scaurus, die für den Friedensvertrag verantwortlich waren, sowie über weitere der Bestechung Verdächtige, zu erhalten.[30] Das Vorhaben scheiterte, doch wurde die Angelegenheit von C. Mamilius Limetanus im Jahr 109 vor eine *quaestio extraordinaria* weitergezogen.[31] Erfolgreich waren die Anklagen gegen die Feldherrn aus dem Krieg gegen die Kimbern und Teutonen, ausser im Falle des Tribunen Cn. Domitius Ahenobarbus, bei dem die Beschuldigungen von persönlichen Ressentiments getragen waren. Vergeblich war zudem die Anklage des Q. Varius, der in seinem Tribunat des Jahres 90 von den Rittern gestützt wurde, gegen den *princeps senatus* M. Aemilius Scaurus.

Auch unter der Herrschaft des Cinna profitierten die Ritter von tribunizischen Aktionen, wie wir schon bei dem Münzedikt des Jahres 85 gesehen haben. B. R. Katz hat dargelegt, dass M. Vergilius, tr. pl. 87, mit den *publicani* in Verbindung stand.[32] Dessen Vor-

24 Vgl. Bleicken, Volkstribunat 1955, 131ff.

25 Hackl, Senat, 136ff. (bes. 141) 157ff.; eine Ausnahme bildete die Abrogation Caepios (Hackl, Senat, 164).

26 Zur Rolle der Ritter: Meier, Populares, 586; RPA, 79ff. 135ff.; Hackl, Senat, 150f.

27 Brunt, Equites, 131 (= WdF 413, 1976, 200f., vgl. aber 190f.: Die *negotiatores* waren meist nicht römische Ritter); Hackl, Senat, 134f.; Perelli 121ff.

28 Sall. Iug. 5,1; dazu J. von Ungern-Sternberg, Chiron 3, 1973, 160.

29 Broughton 1, 541.

30 Dazu unten S. 176.

31 Vgl. unten S. 161f.; ferner Nicolet 1, 530.

32 B. R. Katz, AC 45, 1976, 515ff. 549.

gehen gegen Sulla war somit auch im Interesse der Ritter, die grösstenteils mit Cinna sympathisierten.[33] Bevor Sulla gegen die tribunizische Volksgerichtsbarkeit einschritt, war diese in der Anfangsphase von Cinnas Regierung (87/86) noch mehrmals zur Anwendung gelangt, wie E. J. Weinrib dargestellt hat.[34] Die Anklagen boten ein Gegenbeispiel zur Ermordung des Tribunen Sulpicius, auch wenn unter der Herrschaft Cinnas zum Teil ebenfalls *hostis*-Erklärungen und Exekutionen ohne Prozess vorgenommen wurden.[35] Zu dieser Zeit kamen auch erstmals tribunizische Klagen gegen Promagistrate zustande.[36] Weinrib vertrat die These, dass die *lex Memmia, quae eorum, qui rei publicae causa abessent, recipi nomina vetabat*, die Valerius Maximus (3,7,9) anlässlich der Anklage gegen M. Antonius vor der *quaestio de incestu* erwähnt, den abwesenden Magistraten und Promagistraten nicht vor einem Volksgericht schützte.[37] Ein Überblick über die tribunizischen Volksprozesse ergibt (besonders für die vorsullanische Zeit), dass de facto auch in Rom anwesende Magistrate nicht gegen eine gerichtliche Verfolgung abgesichert waren, auch wenn die Anklage in der Regel erst nach Ablauf des Amtsjahres zu erfolgen hatte.[38] Dies ändert nichts an der grundsätzlichen Existenz einer generellen Schutzbestimmung, die sowohl für Magistrate als auch für Leute, die sich in einer öffentlichen Funktion ausserhalb der Stadt aufhielten, galt.

Die tribunizischen Volksprozesse hatten in der vorsullanischen Zeit den Charakter eines Kampfmittels. Dabei wurde wahrscheinlich sogar die Regel, dass Kapitalprozesse vor den Centuriatcomitien stattzufinden hatten, übergangen und auf das *concilium plebis* zurückgegriffen. Möglicherweise nur in einem Fall fand ein tribunizischer Prozess mit Zustimmung der Senatsmehrheit statt, nämlich bei der Anklage gegen P. Furius, tr. pl. 100/99. Ansonsten sind in vorsullanischer Zeit keine Anklagen im Sinne oder im Auftrag des Senats bekannt. Dazu kam, dass der tribunizische Prozess in den Jahren 87/86 wiederholt angewandt wurde, um gegen Anhänger Sullas und sogar gegen den Feldherrn selbst vorzugehen. Diese Praxis des Volksprozesses musste Sulla dazu veranlassen, gegen die tribunizische Comitialgerichtsbarkeit einzuschreiten. Sulla hob daher im Jahr 81 die Möglichkeit der comitialen Prozesstätigkeit auf.[39] Mit dieser Massnahme erreichte er, dass über die Volksversammlung keine missbräuchlichen politischen Verfolgungen mehr vorgenommen werden konnten.

33 Ebenda; ferner Meier, RPA, 83f.; Brunt, Equites, 128 (= WdF 413, 1976, 196f.); E. J. Weinrib (vgl. A. 34) 41ff.; Perelli 151f.

34 E. J. Weinrib, The Prosecution of Roman Magistrates, Phoenix 22, 1968, 32–56.

35 Vgl. F. Münzer, RE 13, 1927, 2079; ferner zu Catulus Ch. M. Bulst, Historia 13, 1964, 317f.

36 E. J. Weinrib, Phoenix 22, 1968, 42; vgl. unten die Anklage gegen Sulla (87) und Ap. Claudius Pulcher (87/86) sowie später gegen Caesar (58/56).

37 E. J. Weinrib, Phoenix 22, 1968, 37ff., bes. 39ff.; ablehnend ist E. S. Gruen, Athenaeum 49, 1971, 64; zur *quaestio de incestu* vgl. unten S. 161.

38 Mommsen, StR. 2, 319; Herzog 1, 285f.; Siber 189; vgl. auch Bleicken, Volkstribunat 1955, 123f. (A. 5); Beispiele sind der Prozess, der gegen die Konsuln des J. 111 geplant war, sowie der Prozess gegen den Censor M. Antonius im J. 97; häufiger waren die niedrigeren Magistrate betroffen: im J. 99 der curulische Aedil L. Valerius Flaccus, um 90 der Triumvir Capitalis M. Terentius Varro, im J. 61 Clodius als Quaestor.

39 Cic. Verr. 1, 38.

Die Beseitigung der tribunizischen Gerichtsbarkeit erwies sich aber als untragbar, auch wenn der Volksprozess aufs Ganze gesehen in vorsullanischer Zeit rückläufig gewesen und durch Geschworenenprozesse abgelöst worden war. Neben den Tribunen selbst, mussten insbesondere die Ritter, die von den tribunizischen Anklagen profitiert hatten, an der Aufhebung der sullanischen Schranken interessiert sein. Diese ermöglichte dann im Jahr 70, dass die Tribunen künftig wieder ihre eigene Gerichtsbarkeit ausüben konnten. Da Sulla das Gerichtswesen aber auf umfassende Weise mit festen Geschworenenhöfen ausgestattet hatte, wurden nach gängiger Meinung die tribunizischen Volksprozesse in der ausgehenden Republik fast vollständig verdrängt.[40] Der einzige gesicherte Fall eines Comitialprozesses in nachsullanischer Zeit ist das Verfahren gegen Rabirius im Jahr 63,[41] bei dem ein Volksprozess allerdings erst nach dem gescheiterten Duoviralprozess eingeleitet wurde.

Bei manchen tribunizischen Anklagen der ausgehenden Republik bleibt es unklar, ob sie vor dem Volksgericht oder vor einer *quaestio perpetua* ausgetragen wurden. Ich habe diese Fälle im Anschluss an die Liste mit den tribunizischen Comitialprozessen separat aufgeführt.[42] Sie zeigen, dass im Falle der Anklagen gegen Lucullus und Caesar Angriffe gegen Imperiumsträger gerichtet wurden, wie sie ähnlich am Ende des 2. Jh.'s vor dem Volksgericht stattgefunden hatten. Gegen Cicero richteten sich Angriffe wegen prozessloser Tötung, wie sie in den Jahren 120 (Opimius) und 63 (Rabirius) ebenfalls vor den Comitien abgeurteilt worden waren. Es ist daher nicht auszuschliessen, dass in wichtigen politischen Auseinandersetzungen auch noch in nachsullanischer Zeit auf den Volksprozess zurückgegriffen wurde. (Cicero legte in De legibus (3,6. 11. 27) möglicherweise in diesem Sinne weiterhin Wert auf die *iudicia populi*). Das Volksgericht hätte damit stets dazu gedient, Taten zu verfolgen, die unter einem SCU begangen worden waren, sowie das SCU selbst in Frage zu stellen. Die Popularen wandten sich anlässlich dieser Ereignisse unter der Parole der *libertas* gegen die Tötung ohne gerichtliches Verfahren.[43] Die Anklagen gegen Opimius und gegen Rabirius waren jedoch erfolglos. Das Volk hatte schon im Jahr 120, mit dem Freispruch des Opimius, darauf verzichtet, den Verstoss gegen die *lex Sempronia de capite civis* zu bestrafen.[44] Der Volksprozess hatte damit seine Wirkung zur Ahndung von Vergehen an Volkstribunen verloren.[45] Auch die vermutbaren tribunizischen Volksprozesse der ausgehenden Republik waren – abgesehen vom vorzeitigen Abgang Ciceros ins Exil – sämtliche erfolglos und konnten wichtigen Persönlichkeiten nicht

40 Lengle, Sulla, 46ff., bes. 53; Bleicken, Volkstribunat 1955, 146f.; anders A. Giovannini, Chiron 13, 1983, 562; zu den Gründen für die Ablösung der Comitialprozesse durch die Quaestionen vgl. auch Kunkel 60f.

41 Lengle, Sulla, 46; Das Comitialverfahren nach dem Duoviralprozess wurde von Ed. Meyer (CM, 549ff., bes. 561) zu Unrecht als Provokationsprozess aufgefasst, denn ein solcher fände nicht vor den Centuriatcomitien statt (vgl. Martin, Provokation, 85f.). Labienus brachte ein Bild des Saturninus mit in die Contionen (Cic. Rab. perd. 25) und prangerte damit das SCU an (Rab. perd. 2.34); zur sullanischen Gerichtsreform vgl. A. 78.

42 Allgemein kann der Ausdruck *diem dicere* als Hinweis auf einen Comitialprozess gelten (vgl. Mommsen, StR. 3, 355; Strafr., 163ff.).

43 Wirszubski 69ff. Zur Agitation des Q. Caecilius Metellus vgl. Broughton 2, 174.

44 Martin 169.

45 Brecht 170f.

mehr gefährlich werden. Populare Angriffe gegen das Verhalten des Senats waren in der ausgehenden Republik über das Volksgericht kaum noch durchführbar, auch wenn die Anklagen von grossen Einzelnen gestützt wurden. Pompeius und Caesar hatten daher nur beschränkt Nutzen an diesen Verfahren.

In einigen Fällen wurde versucht, die tribunizische Strafverfolgung im Sinne des Senats nutzbar zu machen. Die Volkstribunen des Jahres 54 erklärten, dass sie sich an den kommenden Comitialtagen mit der Sache des A. Gabinius befassen würden.[46] Es kam zu einer Auseinandersetzung vor der *contio*,[47] die Anklage fand dann allerdings vor dem Schwurgericht statt.[48] Ohne Chance war die Opposition gegen die politischen Anmassungen Caesars. Gegen die Macht der Triumvirn war das strafrechtliche Vorgehen über die Volkstribunen nicht mehr geeignet. Im Gegensatz zur mittleren Republik ist kaum noch zu erkennen, dass der Senat Initiator tribunizischer Anklagen war. Die Anklagen der Volkstribunen richteten sich nie konsequent gegen Vergehen von ehemaligen Magistraten bzw. Angehörigen des Senatorenstandes, sondern kamen oft nur aus tagespolitischen Gründen und als Mittel zum politischen Machtgewinn zustande. Dies zeigte sich auch darin, dass die Vergehen manchmal erst Jahre später geahndet wurden. Anklagen vor dem Volksgericht gegen ehemalige Tribunen trafen neben P. Furius (tr. pl. 100/99) nur einige Tribunen des Jahres 87 (in der Auseinandersetzung zwischen Cinna und Sulla) und möglicherweise auch C. Appuleius Decianus (tr. pl. 99/98), den Ankläger des P. Furius.[49] Die Volkstribunen richteten also eher selten über ihre Vorgänger, wie auch die Anklagen vor den Quaestionen zeigen.[50] Die Funktion eines Kontrollorgans übte das Volkstribunat auch in diesem Bereich nie aus.

Der tribunizische Volksprozess wurde in der ausgehenden Republik weitgehend durch Verhandlungen vor den *quaestiones perpetuae* abgelöst. Das Comitialverfahren wurde den Volkstribunen offenbar zu aufwendig. Die Abhängigkeit von Praetor und Centuriatcomitien erwies sich wohl als zu umständlich und unsicher. Zudem war der Volksprozess durch die Interzession der Kollegen leichter auszuschalten als ein Quaestionenprozess,[51] so dass sich die Volkstribunen im Normalfall von den *iudicia populi* eher den gewünschten Erfolg versprachen. Daher wurde im Falle des Rabiriusprozesses anstatt eines Comitialverfahrens ein Duoviralprozess eingeleitet, der provokationsfrei war und keine Chance zur Flucht gewährte.[52] Der Volksprozess war in der ausgehenden Republik

46 Cic. Q. fr. 2,12,3.

47 Vgl. unten S. 239.

48 Unten S. 166.

49 Nach E. S. Gruen (Historia 15, 1966, 38) wurden Sex. Titius und Decianus vor der *quaestio de maiestate* angeklagt. Nach Mommsen (StR. 2, 323 mit A. 1) kamen Rechenschaftsprozesse gegen Volkstribunen nur in der „Revolutionszeit“ vor.

50 Je eine Anklage fand vor einer *quaestio extraordinaria* und vor einer *quaestio perpetua* statt; vgl. unten S. 162. 166. Nur ca. jeder fünfte Volkstribun, der im Verlauf der späten Republik zur Rechenschaft gezogen wurde, wurde von einem Tribunen angeklagt.

51 Vgl. die Interzession im Prozess gegen die Konsuln des J. 111, gegen Q. Servilius Caepio (103) und gegen Caesar (58/56). Die tribunizische *vocatio* missachteten M. Terentius Varro (um 90), Sulla (87) und Ap. Claudius Pulcher (87/86). Im Rabiriusprozess kam es zum Abbruch der Comitien. Zum Verfahren vor den Centuriatcomitien vgl. allgemein Kunkel 36.

52 J. Lengle, Hermes 68, 1933, 332f.; J. Bleicken, ZRG 76, 1959, 338f.; W. B. Tyrrell, Latomus 32, 1973, 285–300.

kaum noch durchführbar und hatte daher von seiner Wirksamkeit verloren. Kapitalprozesse, wie sie die Tribunen am Ende des 2. Jh.'s möglicherweise auch vor dem *concilium plebis* auszutragen begonnen hatten, liessen sich nach den sullanischen Reformen nicht mehr weiterverfolgen. Die Delegation der Anklagen an die *quaestiones perpetuae* brachte es mit sich, dass sowohl eine Kompetenz der Volkstribunen als auch eine der Volksversammlung ihren Inhalt verloren. Das Tribunat büsste damit eine seiner politischen Funktionen ein.

Wir kennen folgende durchgeführte oder geplante Anklageverfahren:[53]

– 133 Ti. Sempronius Gracchus hatte gegen T. Annius Luscus eine Anklage (wohl *de perduellione* bzw. *de maiestate*) im Sinne, da dieser sein Verhalten gegen M. Octavius in Frage gestellt bzw. Tiberius in dieser Sache zu einer *sponsio* herausgefordert hatte; Tiberius hob die dazu berufene *contio* wegen der Schlagfertigkeit des Luscus auf (Plut. T. G. 14,4–15,1; vgl. Gruen, RP, 55f.)

– 120 P. Decius (Subulo) erhob Kapitalklage gegen L. Opimius *apud populum* (wegen der Inhaftierung von römischen Bürgern ohne Prozess: Liv. per. 61; nach Cic. de or. 2,106 (eher) wegen Verschuldung des Todes von C. Gracchus, wohl auf Grund der *lex Sempronia de capite civis*); freigesprochen (vgl. auch Brecht 293ff.)

– 111 C. Memmius plante eine Anklage gegen die Konsuln P. Cornelius Scipio Nasica und L. Calpurnius Bestia wie auch gegen andere Senatoren, die von Iugurtha bestochen worden waren (*pecuniae captae* bzw. *perduellio*; vgl. Gruen, RP, 140ff.: Volksprozess); der Prozess wurde durch die Interzession des Kollegen C. Baebius gegen die Befragung des Iugurtha auf einer wohl zum Anquisitionsverfahren gehörenden *contio* verhindert (Sall. Iug. 31,18.26. 32,1. 34,2; vgl. Liv. per. 64). C. Memmius hatte zuvor ein Gesetz durchgebracht, das den Praetor zu der Herbeischaffung Iugurthas verpflichtet hatte (Sall. Iug. 32,5)

– 107 C. Coelius Caldus erhob Kapitalklage gegen den Legaten C. Popillius Laenas (wegen der Kapitulation vor den Tigurinern = *maiestas*: Auct. ad Her. 1,25; Cic. inv. 2,72; bzw. *perduellio*: Cic. leg. 3,36; vgl. Oros. 5,15,24: *die dicta*); wohl verurteilt, da er ins Exil geflohen (Broughton 1, 552)

– 104 Cn. Domitius Ahenobarbus klagte gegen M. Aemilius Scaurus (Pontifex) vor dem *iudicium populi* (*sacrilegium*); die Anklage hatte persönliche Gründe, da er selbst nicht Pontifex geworden war (Asc. p. 24 St.: *diem ei dixit apud populum et multam irrogavit*); mit grossem Mehr freigesprochen (Broughton 1, 559). Als ein Sklave des M. Aemilius in dieser Sache bei Cn. Domitius gegen seinen Herrn aussagen wollte, liess ihn der Tribun verhaften und nach Hause zurückführen (Cic. Deiot. 31; dazu L. Schumacher, Servus Index, Wiesbaden 1982, 38f.)

– 104 Cn. Domitius Ahenobarbus erhob wohl eine Kapitalklage gegen M. Iunius Silanus (Cos. 109) *apud populum* (wegen illegaler Kriegseröffnung gegen die Kimbern = *iniussu populi*: Asc. p. 62 St.; möglicherweise als *maiestas* formuliert, vgl. Bauman, Crimen, 38; zu den persönlichen Gründen E. S. Gruen, TAPhA 95, 1964, 108f.; Hackl, Senat, 160); mit grossem Mehr von den Tribus freigesprochen (Broughton 1, 559)

– 103 C. Norbanus richtete eine Kapitalklage gegen Q. Servilius Caepio (wegen des Verlustes des Heeres von Arausio = *maiestas minuta*: Cic. de or. 2, 107; bzw. *perduellio*, vgl. Brecht 292; Gruen, RP, 164f.); trotz der Interzession der Tribunen L. (Aurelius) Cotta und T. Didius verurteilt; nach Val. Max. 4,7,3 wurde Caepio von dem Volkstribunen L. Reginus aus dem Gefängnis befreit und

53 Nicht immer genau bestimmbar ist, welche Anklagen als Multprozess ausgetragen wurden und welche kapital waren; zur Möglichkeit der Abänderung der Verfahren während der *anquisitio* vgl. Lengle, Tribunus, 2477f.; Strafr., 15ff.; A. Giovannini, Chiron 13, 1983, 557f.; in der späten Republik ist hierzu kein Fall bekannt. Als Spezialfall erscheint die Aktion des Tribunen M. Caelius Rufus im J. 52, der von Milo bestochen worden war; er sollte diesen nach der Ermordung des Clodius unverzüglich von der Volksversammlung aburteilen lassen, damit er einem *iudicium* entginge, was rechtlich aber nicht zulässig war (App. BC. 2,22,79ff.).

floh mit ihm ins Exil, das in einem Plebiszit festgehalten wurde (Gran. Licin. p. 12 Criniti: *Caepio L. Saturnini rogatione e civitate plebiscito eiectus*; Volksgericht: Lengle, Strafr., 18f.; Sulla, 24ff.; Verurteilung, 306; Gruen, RP, 164f.; anders F. Münzer, RE 2 A, 1923, 1785)

– 103 L. Appuleius Saturninus erhob Kapitalklage gegen Cn. Mallius Maximus (Cos. 105) (ebenfalls wegen der Niederlage von Arausio = *perduellio*: Brecht 292; bzw. *maiestas*: Bauman, Crimen, 44); verurteilt und Exil (Gran. Licin. p. 12 Criniti: *plebiscito eiectus*; Volksgericht: Lengle, Strafr., 18f.; Verurteilung, 306; Bauman, a.a.O.)

– 100 L. Appuleius Saturninus erhob Kapitalklage gegen Q. Caecilius Metellus Numidicus (wohl wegen Missachtung des Senatsausschlusses und der Busse, die er wegen der Schwurverweigerung gegenüber den Bestimmungen des Saturninus hätte in Kauf nehmen sollen = *perduellio* (?)) (Brecht 297ff.; Gruen, RP, 181; Latomus 24, 1965, 576–580); (wohl) verurteilt und Exil (GCG 105ff.)

– 99 /98 C. Appuleius Decianus klagte gegen L. Valerius Flaccus (curulischer Aedil) (Anklagegrund und Ergebnis unbekannt; *ambitus* (?); vgl. F. Münzer, RE 8 A, 1955, 25f.); freigesprochen (Cic. Flacc. 77: *diem dixerit*; vgl. Gruen, RP, 189; E. Badian (Chiron 14, 1984, 130ff.) plädiert für das J. 99)

– 99 /98 C. Appuleius Decianus klagte als Saturninus-Anhänger gegen P. Furius (wegen ehrlosem Lebenswandel: Val. Max. 8,1 damn. 2; bzw. Verrat an den Popularen durch Consecration der Güter des Saturninus: Brecht 301; = *perduellio*?); freigesprochen (Broughton 2, 4f. 6 A. 5; vgl. Ziegler 15; Von der Mühll 94ff.; F. Münzer, RE 7, 1910, 317; Gruen, RP, 188; Historia 15, 1966, 36: Volksprozess). Da Appuleius dabei den Tod des Saturninus bedauert hatte, wurde er später möglicherweise auch von einem Volkstribunen angeklagt und verurteilt (Cic. Rab. perd. 24; Schol. Bob. p. 95 St.; vgl. Mommsen, StR. 2, 323 A. 1)

– 99 /98 C. Canuleius klagte als Optimat gegen P. Furius (wegen Widerstandes bei der Rückrufung des Metellus Numidicus); Furius wurde vor dem Schlussverfahren von dem Volke gelyncht (App. BC. 1,33,148; Dio 28 frg. 95,3; vgl. Ziegler 15; Von der Mühll 94ff.; F. Münzer, RE 7, 1910, 317: Volksprozess). Niccolini (205ff.) setzt Canuleius mit C. Appuleius Decianus gleich und nimmt nur eine Anklage an; vgl. dagegen Broughton 2, 6 A. 5; E. S. Gruen, Historia 15, 1966, 34f.; E. Badian, Chiron 14, 1984, 130ff., der für das Jahr 99 plädiert)

– um 90 (P.?) Porcius (Laeca?) liess den Triumvir Capitalis M. Terentius Varro aufbieten, der jedoch nicht Folge leistete, da den Volkstribunen die *vocatio* nicht zustehe (Gell. 13,12,6; Niccolini 428; Broughton 3, 171); der Zweck der *vocatio* ist allerdings unbekannt, so dass es sich auch um einen Privatprozess gehandelt haben könnte

– 90 Q. Varius Severus Hibrida klagte (noch vor der Rogation seines Quaestionengesetzes?) auf Veranlassung des Q. Servilius Caepio, dessen Anklage auf Grund der *lex Servilia Glauciae de repetundis* zuvor gescheitert war, gegen den Optimaten und *princeps senatus* M. Aemilius Scaurus (wegen Bestechung durch Mithridates: Val. Max. 3,7,8 = *proditio*; bzw. *belli concitati crimine*: Asc. p. 24f. St.; Bauman, Crimen, 60 ff.: Volksgericht; dagegen Lengle, Strafr., 45: auf Grund der *lex Varia*; Gruen, RP, 218: vor der *quaestio Variana*; vgl. jedoch Asc. p. 25 St.: *apud se iuberet* und Val. Max. 3,7,8: *pro rostris accusaretur*, was auf einen Volksprozess deutet). Als Scaurus die Stimmung für sich gewann, wurde er von Varius entlassen, worauf dieser die *lex Varia* einbrachte und ihn Caepio erneut anklagte

– 87 M. Vergilius erhob auf Cinnas Veranlassung Kapitalklage gegen Sulla (Prokonsul) (Cic. Brut. 179: *diem dixit*; Plut. Sull. 10, 4; vgl. E. J. Weinrib, Phoenix 22, 1968, 41f.; Gruen, RP, 229; v. Ungern-Sternberg, Notstandsrecht, 75f.: evtl. wegen Verletzung der *lex de capite civis*; Broughton 3, 218)

– 87 Ein Volkstribun (M. Marius Gratidianus ?) erhob Kapitalklage gegen den zurückgetretenen Cos. suff. L. Cornelius Merula, da dieser Sulla im Konsulat unterstützt hatte; Merula beging Selbstmord (Broughton 2, 47; App. BC. 1,74,341f. schildert das Anquisitionsverfahren, womit der Volksprozess gesichert ist; vgl. Brecht 301; E. J. Weinrib, Phoenix 22, 1968, 43; Gruen, RP, 232f.)

– 87 M. Marius Gratidianus richtete eine Kapitalklage gegen Q. Lutatius Catulus wegen des Triumphes, den dieser zusammen mit Marius beging; Catulus verübte Selbstmord (Schol. Bern. p. 62

U: *dies dicta*; Diod. 38/39,4,2; App. BC. 1,74,341f. berichtet vom Anquisitionsverfahren; vgl. Brecht 301; F. Münzer RE 13, 1927, 2079; E. J. Weinrib, Phoenix 22, 1968, 43; Gruen, RP, 232f.; Fabbrini 809)

– 87 /86 Ein Volkstribun erhob Kapitalklage gegen Ap. Claudius Pulcher, Promagistrat unter Sulla, der der Vorladung nicht Folge leistete, worauf er abrogiert und verbannt wurde (Cic. dom. 83: *de eo ... promulgasset*; Niccolini 236f.; vgl. E. J. Weinrib, Phoenix 22, 1968, 42)

– 86 P. Popillius Laenas richtete eine Kapitalklage gegen mehrere Volkstribunen des Vorjahres (vgl. E. J. Weinrib, Phoenix 22, 1968, 43 A. 45, der an die drei im J. 87 nicht zu Cinna abgegangenen Tribunen neben Sex. Lucilius denkt), die in der Folge zu Sulla flohen und der *aquae et ignis interdictio* unterlagen (Vell. 2,24,2: *diem dixerat*)

– 63 T. Labienus hat gegen Rabirius, nachdem das von ihm durch Plebiszit eingesetzte Duoviralverfahren gescheitert war, wegen verschiedener kleinerer Delikte (vgl. Cic. Rab. perd. 8; dazu Lengle, Strafr., 22f.) wohl in Verbindung mit einer Anklage wegen der Aufhebung des Duoviralprozesses, zuerst eine Mult beantragt, dann möglicherweise aber wegen der Beteiligung an der Ermordung des Saturninus die Todesstrafe gefordert (Cic. Rab. perd. 9; *caedes civis indemnati* = *perduellio*, vgl. Brecht 170ff. 295; Gruen, LG, 277ff.; bzw. *maiestas*, vgl. Bauman, Crimen, 32f.); die Verhandlung vor den Centuriatcomitien (Cic. Rab. perd. 11) wurde schliesslich verhindert (Broughton 2, 167f.; Lengle, Strafr., 19ff.; Hermes 68, 1933, 328–340; J. Bleicken, ZRG 76, 1959, 337–340; Martin 57; Jones 5)

– 44 C. Epidius Marullus (und L. Caesetius Flavus) wollten denjenigen, der bei der Rückkehr Caesars vom Latinerfest am 26. Jan. zuerst *rex* gerufen hatte, verhaften und planten eine Anklage (Dio 44,10,1; App. BC. 2,108,451: ἐς δίκην ἐπὶ τὸ ἀρχεῖον αὐτῶν; vgl. Lengle, Strafr., 24; H. Kloft, Historia 29, 1980, 318 (A. 14))

Bei folgenden Fällen ist nicht sicher bestimmbar, ob sie vor dem Volksgericht oder vor einer *quaestio perpetua* eingebracht wurden:[54]

– 66 C. Memmius erhob Anklage gegen M. Lucullus, wegen dessen Handlungen als Quaestor unter Sulla; Lucullus wurde freigesprochen (Plut. Luc. 37,1; Broughton 2, 153; dazu Gruen, LG, 266; Athenaeum 49, 1971, 57f.; B. A. Marshall, Historia 33, 1984, 203ff.; vgl. Lange, Röm. Alterthümer 3, 221: Volksprozess; Lengle, Sulla, 46 (allerdings unter falscher Auslegung des griechischen Textes): Quaestio)

– 66 (oder danach) C. Memmius klagte auf Betreiben des Pompeius wohl auch gegen L. Lucullus, wegen Beuteunterschlagung und unnötiger Kriegsverlängerung, wobei er schliesslich wegen der Intervention Catos (als Volkstribun 62?, vgl. Plut. Cat. min. 29, 3) den Prozess fallen liess; Lucullus erhielt seinen Triumph jedenfalls erst im J. 63 (Plut. Cat. min. 29,4; Luc. 37,1; dazu M. Gelzer, RE 13, 1926, 405f.; E. S. Gruen, Athenaeum 49, 1971, 58; B. A. Marshall, Historia 33, 1984, 204)

– 62 Q. Caecilius Metellus Nepos wollte im J. 62 Cicero anklagen, scheiterte jedoch am Widerstand des Senats, der die *hostis*-Erklärung androhte (Dio 37,42; vgl. Plut. Cic. 23; dazu Lange, Röm. Alterthümer 3, 257; Meyer, CM, 39; vgl. Mommsen, Strafr., 174 A. 6: Volksgericht)

– 58 P. Clodius Pulcher plante gegen Cicero eine Anklage, der sich dieser durch Flucht entzog, worauf er auf Grund der *lex Clodia de capite civis* geächtet wurde (Cic. Mil. 36: *diem ... dixerat*, wogegen nach dom. 95 kein *iudicium populi* geplant war; Gelzer, Cicero, 139f.; Gruen, LG, 293; Ph. Moreau, Athenaeum 65, 1987, 465–492; vgl. Brecht 175 (A. 2): Perduellionsverfahren; Mommsen, Strafr., 174 (A. 6): Ein Volksgericht war geplant (vgl. 168 A. 5))

54 Geplante Anklageverfahren können zudem auch bei den *vocationes* der Kollegen des M. Terentius Varro (s. unten S. 239) sowie allgemein bei einzelnen Verhaftungen und *productiones* vor die Volksversammlung (dazu S. 172ff.) vermutet werden. Unsicher sind die von Dio 39,39,2 angeführten Anklagen gegen die aushebenden Unterfeldherrn des Pompeius und Crassus im J. 55. Zu den Anklagen des L. Cornificius und M. Vipsanius Agrippa s. unten A. 90.

– 58 /56 L. Antistius, dessen Tribunat normalerweise ins J. 58 gesetzt wird, der möglicherweise aber mit Antistius Vetus, tr. pl. 56, identisch ist (E. Badian, CQ 19, 1969, 200ff.; Polis and Imperium. Studies in Honour of E. T. Salmon, Toronto 1974, 145ff., bes. 153f.; Broughton 3, 17), erhob Anklage gegen den Prokonsul Caesar, wegen dessen Taten als Konsul. Für einen Volksprozess könnte die Interzession der andern Tribunen, durch die das Verfahren verhindert wurde, sprechen. Da Caesar an die Tribunen appellierte, musste er in Rom anwesend sein, womit das J. 58 wahrscheinlicher ist (Volksprozess: Bauman, Crimen, 103; E. J. Weinrib, Phoenix 22, 1968, 43ff.; Jones 5. Quaestio: Eigenbrodt 98; Lengle, Sulla, 46; E. S. Gruen, Athenaeum 49, 1971, 62ff.). Bei der vorangehenden Anklage des J. 58 gegen Caesars Quaestor (bzw. Ex-Quaestor des J. 59, vgl. Badian, a.a.O., 147) kennen wir weder den Ankläger noch die Art des Gerichtsverfahrens (Suet. Iul. 23; dazu Jones 5; Fabbrini 809; vgl. Mommsen, StR. 2, 323 A. 3: Volksprozess; Lengle, Sulla, 46: Quaestio)

– 52 T. Munatius Plancus und Q. Pompeius Rufus drohten nach der Ermordung des Clodius Cicero eine Anklage an (Cic. Mil. 47; Asc. p. 35 St.; dazu Meyer, CM, 223; Gruen, LG, 339; Malitz 43)

b) *Quaestiones extraordinariae*

Im Verlaufe des 2. Jh.'s war vom Senat an Stelle des Volksprozesses ein gerichtliches Verfahren gefördert worden, bei dem ein *quaesitor* mit der Leitung des Prozesses vor dem Geschworenenkollegium betraut wurde.[55] Im Zuge dieser Entwicklung wurden bald auch permanente Gerichtshöfe eingerichtet. Sowohl bei der Konstituierung von *quaestiones extraordinariae* als auch von *quaestiones perpetuae* standen dem Senat Volkstribunen zur Verfügung, die die nötigen Vorlagen vor die Volksversammlung brachten. Senatorische Geschworenengerichte konnten aber auch ohne Volksbeschluss eingesetzt werden, wie sich beim Bacchanalienprozess im Jahr 186 und dann auch bei dem Vorgehen gegen die Anhänger des Ti. Gracchus zeigte.[56] Der Senat besass in den Sondergerichten eine Waffe gegen populare Politik, gegen die sich C. Gracchus absichern wollte. Verurteilungen ohne Volksbeschluss, wie sie P. Popillius Laenas im Jahr 132 über ein senatorisches Gericht gegen die Gracchaner vorgenommen hatte, sollten in Zukunft vermieden werden. Mit der *lex Sempronia de capite civis* kam die Kapitalgerichtsbarkeit ausschliesslich an das Volk bzw. an einen vom Volk ernannten Gerichtshof.[57] Damit war die Einberufung von *quaestiones extraordinariae* dem Senat als bisher zuständiges Gremium entrungen. Die Sondergerichte wurden jetzt zu einer fast ausschliesslich von Tribunen rogierten Materie.[58] Die Massnahmen des C. Gracchus konnten jedoch nicht verhindern, dass es im Verlaufe der Auseinandersetzung um dessen Rogationen im Jahr 121 zu angeblich 3000 Exekutionen kam, die jetzt unter dem Deckmantel des SCU vorgenommen wurden.[59] Der Senat hatte neue Wege gefunden, um gegen politische Gegner vorzugehen.

55 Bleicken, Volkstribunat 1955, 140ff.; Kunkel 45ff. (zur Besetzung der *quaestiones extraordinariae*: 59f.; zum Quaestionenverfahren allgemein: Kl. Schr., 33ff.).

56 GCG 13; dazu v. Ungern-Sternberg, Notstandsrecht, 38ff.

57 Dazu oben S. 119 und 121.

58 Nicht von tribunizischer Seite stammten die *quaestio Pompeia* des J. 52 (dazu Gelzer, Pompeius, 174ff.) und die *quaestio Pedia* des J. 43 (Rotondi 435; vgl. A. 90); zum *tacitum iudicium* des J. 54 s. S. 237.

59 v. Ungern-Sternberg, Notstandsrecht, 66 (A. 53).

Die *lex de capite civis* und die *lex ne quis iudicio circumveniatur* des C. Gracchus sahen nach G. Wolf bei Übertretungen eine Verhandlung vor einer *quaestio extraordinaria* vor.[60] Im Falle des L. Opimius, der für die Exekutionen des Jahres 121 verantwortlich zeichnete, wurde die wahrscheinlich auf Grund der *lex Sempronia de capite civis* erhobene Anklage allerdings vor dem Volksgericht verhandelt.[61] Auch der Rabiriusprozess wurde nicht vor einer *quaestio extraordinaria* ausgetragen. Damit wäre eher anzunehmen, dass der Ort der Anklage bzw. die Art der gerichtlichen Verfolgung offenstand.

In den Jahren 109 und 103 richteten sich die tribunizischen Sondergerichte mit ritterlicher Unterstützung gegen die Nobilität. Die durch die *quaestio Mamilia* getroffenen Verurteilungen von Senatoren, die von Iugurtha (in üblicher Praxis) Geldgeschenke angenommen hatten,[62] waren von den Rittern als Angriff auf die Senatsaristokratie eingeleitet. Die *equites* kamen dabei auch als Richter zum Zuge.[63] Dass die Tribunen Entscheidungen an *quaestiones* delegierten, hängt wohl damit zusammen, dass diese weniger störbar waren und einen sichereren Ablauf versprachen als ein Volksgericht, wie es im Jahr 111 angestrebt worden war. Die Geschworenen waren im Ganzen jedoch nicht unbedingt leichter gegen einzelne *nobiles* zu mobilisieren als die Bürgerschaft. Im Falle des Q. Servilius Caepio (103) kam die Verurteilung schliesslich vor dem Volksgericht zustande. Ähnlich verhielt es sich im Jahr 90, als Anhänger des Livius Drusus vor der *quaestio Variana* verurteilt wurden. Die Anklage gegen M. Aemilius Scaurus vor dem Volksgericht war zuvor gescheitert. Der Tribun Varius war nach Appian von den Rittern zur Rogierung eines Sondergerichts überredet worden, und als Kollegen gegen ihn interzedierten, drohten ihnen die Ritter mit Gewalt.[64] Hier handelten die *equites* wiederum im Verbunde mit den Volkstribunen, um die Bestrafung unliebsamer Senatoren zu erreichen.[65] Die *quaestio Variana* wurde wohl auch von konservativen Teilen des Senats gestützt. Eine senatorische *quaestio* wie im Jahr 132 war jedoch nicht mehr möglich.

Die Senatsmehrheit hatte allein von der *quaestio* des M. Iunius Pennus profitiert.[66] Seit der *lex de capite civis* des C. Gracchus entsprachen die *quaestiones extraordinariae* nicht mehr dem Willen der Senatsmehrheit. Damit hatte sich im Vergleich zur mittleren Republik, in der die Konstituierung der Sondergerichte vom Senat beherrscht worden war, ein Wandel vollzogen. Es dominierten jetzt Anklagen von popularer Seite, die sich gegen Nobilitätsvertreter bzw. politische Konkurrenten richteten. Gegen diese popularen Angriffe schritt Sulla ein. Da *quaestiones extraordinariae* über das Rogationsverfahren vor der Volksversammlung beantragt wurden, kamen sie mit den sullanischen Einschränkungen der Gesetzesinitiative in die Abhängigkeit des Senats. Mit der Beschränkung der tribuni-

60 Wolf 55f.; vgl. Cic. Cluent. 148: *deque eius capite quaerito*. M. Livius Drusus hatte in seiner Neuordnung des Richterwesens im J. 91 auch für Korruption von Rittern im Zusammenhang mit Strafverhandlungen das Quaestionenverfahren in Aussicht gestellt (Cic. Rab. Post. 16: *novam ... quaestionem*; dazu Wolf 43ff.; Weiteres oben S. 121).

61 S. oben S. 155.

62 Badian, FC, 193f.

63 Cic. Brut. 128: *Gracchani iudices*, was wohl den Einsitz von Rittern impliziert.

64 App. BC. 1,37,165f.

65 Meier, RPA, 215f.; Gabba, Republican Rome, 133f.

66 C. Gracchus sprach gegen das Gesetz (Fest. p. 362 L = ORF^4, p. 180, frg. 22; vgl. Badian, FC, 177) und Cicero kritisierte es später (off. 3,47).

zischen Legislative konnte Sulla ungewollte Sondergerichte vermeiden. Falls die tribunizischen Gesetzesanträge nicht ganz verboten, sondern nur der senatorischen Vorberatung unterstellt wurden, bestand andererseits für den Senat weiterhin die Möglichkeit, einen Tribunen mit der Festlegung eines Sondergerichtes zu beauftragen. Hierzu ist der Fall des L. Quinctius vom Jahr 74 zu erwägen, der möglicherweise eine *quaestio extraordinaria* gegen den *iudex quaestionis* C. Iunius beantragte, worüber ein Senatsbeschluss gefasst wurde, der die Konsuln für die Durchführung vorsah, von diesen aber fallengelassen wurde.[67] L. Quinctius erhob daraufhin wohl Anklage vor der *quaestio perpetua*. Der Senat war hier aber offenbar nicht an einem Einsatz des Tribunen interessiert und konnte auf andere Magistrate ausweichen, die der Agitation gegen die senatorischen Gerichte weniger verdächtig waren.

Nach Aufhebung der sullanischen Beschränkungen kamen die Sondergerichte weiterhin zur Anwendung, obwohl jetzt ein umfassendes System von stehenden Gerichtshöfen zur Verfügung stand. Einzelne Volkstribunen versuchten in wenigen Fällen bis in die 50er Jahre, Quaestionen einzusetzen.[68] Die Sondergerichte standen jetzt ausser im Falle der *quaestio Papia* des Jahres 65 im Dienste des Clodius und Caesar, die sich gegen die Optimaten zur Wehr setzten. Die Verfolgung der von dem Strohmann L. Vettius im Jahr 59 der Verschwörung bezichtigten Senatoren musste jedoch fallengelassen werden und die Verurteilung des Milo kam nicht zustande. Populare Sonderquaestionen erwiesen sich damit, wie die tribunizischen Volksgerichte, als untauglich. Mehr Erfolg war wohl der *quaestio Papia* beschieden, die Anmassungen des Bürgerrechts ahndete und für die als einziges Sondergericht das Interesse einer Mehrheit im Senat angenommen werden kann.[69] *Quaestiones extraordinariae* liessen sich damit weiterhin sowohl für als auch gegen den Willen der Senatsmehrheit einsetzen. Eigeninitiativen mit persönlichem Hintergrund, wie sie C. Gracchus, Sex. Peducaeus und L. Quinctius entwickelt hatten, kamen jetzt allerdings nicht mehr zustande. Die popularen Angriffe, die in der späten Republik über *quaestiones extraordinariae* gegen Senatoren und ehemalige Beamte vorgenommen wurden, richteten ihrerseits nie konsequent Vergehen im Staate. Nur in einem Falle wandte sich die tribunizische Anklage vor einem Sondergericht gegen einen ehemaligen Volkstribunen (T. Annius Milo, tr. pl. 57). Regelmässige Kontrolle über die Beamten wurde mit den *quaestiones extra ordinem* nie ausgeübt.

Die Vergehen, die an Sondergerichte delegiert wurden, konnten auf völlig unterschiedliche Anklagen lauten. Entscheidend war, dass die Volkstribunen die Überweisungen an *quaestiones extraordinariae* offenbar stets in Kapitalfällen vornahmen, die sie in eigener Regie im Prinzip nur vor den schwerfälligen Centuriatcomitien aburteilen lassen durften. Die Kapitalprozesse konnten so über einen Umweg vor das *concilium plebis*

67 J.-L. Ferrary (Athenaeum 63, 1985, 441) führt dieses Geschehen als Argument für ein Gesetzesverbot Sullas hinsichtlich der Tribunen an.

68 Vgl. auch Lengle, Strafr., 30.

69 Die *lex Papia* wurde erlassen, als die Censoren M. Crassus und Q. Catulus über die Aufnahme der Transpadaner debattierten und Crassus sich wohl neue Klienten schaffen wollte (Dio 37,9,3; dazu Gelzer, Caesar, 85; Gruen, LG, 409ff.).

gebracht werden.[70] Während ursprünglich bei den ad hoc eingesetzten Geschworenenhöfen der leitende Praetor bzw. *iudex quaestionis* die Anklage übernommen hatte,[71] konnte in der Zeit nach den Gracchen jeder beliebige Bürger Anklage vor einer *quaestio* erheben.[72] Der das Gericht konstituierende Tribun musste also nicht selbst als Ankläger auftreten, sondern es konnten auch beliebige andere Personen eine Anklage einbringen. Zudem wandten sich die Sondergerichte ausser im Falle des Q. Fufius Calenus im Jahr 61 jeweils gegen mehrere Personen. Die Anklage gegen ganze Personengruppen liess sich vor dem Volksgericht kaum bewerkstelligen. Die *quaestiones extraordinariae* boten den Tribunen damit eine Entlastung. Im Falle des Caepio (103) zitierte Norbanus den Feldherrn erst vor das Volksgericht, als die *quaestio* scheiterte.

Das System der Sondergerichte hat sich aber seit der sullanischen Gerichtsreform verschlissen, so dass die Volkstribunen auf diesem Gebiete nur noch ausnahmsweise in Aktion traten. Schon in vorsullanischer Zeit hatte sich gezeigt, dass die *quaestiones extra ordinem* durch die Einrichtung von permanenten Gerichtshöfen allmählich überflüssig wurden. Nur in Einzelfällen wurde noch versucht, der gerichtlichen Untersuchung besondere Bedeutung zukommen zu lassen, indem die bereits bestehenden Gerichte mittels anderer Verfahren umgangen wurden.

Ein Antrag für eine *quaestio extraordinaria* ist für folgende Volkstribunen bezeugt oder zu erwägen:

- 126 M. Iunius Pennus gegen *socii* in Rom (Anmassung des Bürgerrechts); eine *quaestio* ist nicht bezeugt, jedoch in Analogie zum J. 95 (Rotondi 335) und 65 (Rotondi 376) anzunehmen (Rotondi 304; vgl. Mommsen, StR. 3, 200 A. 1; Strafr., 858; Lange, Röm. Alterthümer 2, 696; R. W. Husband, CPh 11, 1916, 319f. 324; Badian, FC, 177); M. Perperna, Vater des Konuls 130, wurde eventuell auf Grund dieses Gesetzes verurteilt (Val. Max. 3,4,5; vgl. dazu M. Gelzer, Kleine Schriften, Bd. 1, Wiesbaden 1962, 59f. A. 457)
- 123 C. Sempronius Gracchus gegen P. Popillius Laenas, Cos. 132 (eigenmächtige Verhängung der Kapitalstrafe gegen Anhänger des Ti. Gracchus: *iniussu populi*); für eine *quaestio* spricht Vell. 2,7,4: *iudiciorum publicorum*; vgl. Kunkel 28 A. 89. 52 A. 197); nach Plutarch (C. G. 4, 2) floh Laenas vor der Verhandlung
- 113 Sex. Peducaeus gegen die am Vestalinnenprozess vom Dez. 114 Beteiligten, da er mit dem Freispruch der zwei von insgesamt drei Vestalinnen unzufrieden war (*de incestu*) (Niccolini 175ff.; Broughton 1, 534ff.; Bleicken, Lex publica, 125: Suspendierung des pontifikalen Hausgerichts und Übertragung des Verfahrens auf eine „nach Herkommen nicht kompetente Behörde"; Kunkel 60 A. 225: Ein Ankläger fehlte wohl! Zur Anklage gegen M. Antonius vgl. E. S. Gruen, RhM 111, 1968, 59–63)
- 109 C. Mamilius Limetanus gegen diejenigen Senatoren, die sich von Iugurtha bestechen liessen (*maiestas*: Bauman, Crimen, 37f.). Vier führende Konsulare: L. Calpurnius Bestia, C. Porcius Cato, Sp. Postumius Albinus und L. Opimius sowie der Priester C. Sulpicius Galba wurden nach

70 Dazu Bleicken, Volkstribunat 1955, 146 A. 3. Nach Lengle (Strafr., 30) handelte es sich bei der Einsetzung einer *quaestio extraordinaria* an Stelle einer Verhandlung vor einem ordentlichen Gericht „um eine Verschärfung des Verfahrens und eine grössere Sicherung der Bestrafung, indem der Quäsitor, der Vorsitzende, besonders vom Volke bestellt wurde".

71 Kunkel 59f. 93, vgl. 60 A. 225: Der das Sondergericht rogierende Volkstribun wurde, soweit bekannt, nie als Quaesitor eingesetzt.

72 Kunkel 59; RE 24, 1963, 724. 736. 755; Bauman, Crimen, 63 (A. 9). Nur im Falle des Repetundenprozesses ist die Popularklage möglicherweise erst ab Sulla eingeführt worden (Kunkel 62).

Cicero (Brut. 128) verurteilt und gingen ins Exil (Broughton 1, 546; dazu Meier, RPA, 79ff.; Galsterer 184; Schneider, Militärdiktatur, 86. 90; Hackl, Senat, 131ff., bes. 135)

– 103 C. Norbanus gegen Q. Servilius Caepio (Entführung des Tempelschatzes von Tolosa = *peculatus*) (Dio 27,90; Broughton 1, 563f.; dazu Gruen, RP, 162ff.); die Verurteilung erfolgte in einem Verfahren vor den Comitien (s. oben)

– 90 Q. Varius Severus Hibrida *de iis quorum ope consiliove socii contra populum R(omanum) arma sumpsissent* (Asc. p. 24 St.; *maiestas*: Bauman, Crimen, 59. 68). Die Anklagen richteten sich gegen Freunde des M. Livius Drusus; verurteilt wurden: C. Aurelius Cotta (der als tr. pl. des. abgesetzt wurde und in die Verbannung ging; Cic. de or. 3,11: *depulsus tribunatu; eiectus e civitate*; Brut. 303: *pulsus*, 305: *expulsus*, vgl. 205; dagegen App. BC. 1,37,167, nach dem Cotta die Stadt vor der Entscheidung verlassen hatte; dazu E. Klebs, RE 2, 1896, 2483), L. Memmius, L. Calpurnius Bestia und im J. 89 Q. Varius selbst (anders Lengle, Strafr., 45, der bei Varius einen Volksprozess annimmt); weitere Angeklagte waren: M. Aemilius Scaurus (Cic. Scaur. 1,3), Q. Pompeius Rufus, M. Antonius (Broughton 2, 27) sowie Cn. Pompeius Strabo (Asc. p. 61 St.; dazu E. S. Gruen, JRS 55, 1965, 70f.) bzw. Cn. Pomponius (Broughton 3, 166). Der Gerichtshof wird meist als *quaestio extraordinaria* bezeichnet, wobei es sich allerdings auch um eine permanente *quaestio* handeln könnte (Bauman, Crimen, 67f.). Jedenfalls waren während der Verfahren unter der *lex Varia* keine andern Gerichtshöfe tätig (vgl. Gruen, RP, 217 A. 11)

– 74 L. Quinctius plante möglicherweise ein Sondergericht gegen den *iudex quaestionis* C. Iunius (richterliche Korruption); ein Senatsbeschluss beauftragte die Konsuln mit der Durchführung, was diese aber vernachlässigten (Cic. Cluent. 137; dazu D. H. Kelly, in: Auckland Classical Essays Presented to E. M. Blaiklock, Auckland 1970, 137f.; J.-L. Ferrary, Athenaeum 63, 1985, 441)

– 65 C. Papius gegen *socii* (Anmassung des Bürgerrechts) (Rotondi 376; vgl. Mommsen, StR. 3, 200 A. 1; Gelzer, Caesar, 85; G. Luraschi, Foedus ius latii civitas, Padova 1979, 87. 349; anders R. W. Husband, CPh 11, 1916, 323ff. 331, der eine *quaestio perpetua* annimmt)

– 61 Q. Fufius Calenus auf Veranlassung des Optimaten Q. Hortensius gegen P. Clodius Pulcher, Quaestor, wegen des Bona-Dea-Frevels (*sacrilegium*). Da Hortensius eine Verurteilung des Clodius für sicher hielt, liess er Calenus ein für Clodius günstigeres Verfahren beantragen, als es vom Senat beschlossen worden war, um eine Interzession zu vermeiden: Die Richter sollten wie üblich gelost, anstatt – wie zuerst vorgesehen – vom Praetor bestimmt werden (Cic. Att. 1,16,2; vgl. Niccolini 275f.; Stein 20; Gruen, LG, 248f.)

– 59 P. Vatinius beabsichtigte eine *quaestio* gegen die von L. Vettius angeschuldigten Optimaten (Verschwörung gegen Pompeius), womit er jedoch nicht durchdringen konnte (Cic. Vat. 26; dazu Gruen, LG, 249 A. 156)

– 56 C. Porcius Cato plante möglicherweise ein Sondergericht gegen T. Annius Milo, der schon von Clodius als Aedil *de vi* angeklagt war (Cic. Q. fr. 2,3,1. 4: *rogationibus de Milone*; vgl. Rotondi 404; Niccolini 305; Broughton 2, 209; Lange, Röm. Alterthümer 3, 323f.; Martin 103; Gruen, LG, 298f.). Ein Gericht kam aber nicht zustande, da Cato die Comitialtage genommen wurden (Cic. Q. fr. 2,5,2f.)

c) Anklagen vor *quaestiones perpetuae*

Die Volkstribunen waren trotz ihres eigenen Prozessrechtes wesentlich an der Entwicklung der vorsullanischen Quaestionenverfahren beteiligt. Durch das Quaestionenverfahren ergaben sich ihnen einige Vorteile,[73] ohne dass sie dabei gänzlich auf den Volksprozess verzichten mussten. Wie wir bereits gesehen haben, übten die Tribunen

73 Dazu auch Lengle, Tribunus, 2479; Bleicken, Lex publica, 114.

mittels Comitialprozess und Sondergericht keine konsequente Verfolgung von Vergehen im Staate. Es bleibt jetzt noch nach ihrer Rolle als Ankläger vor den *quaestiones perpetuae* zu fragen. Inwieweit trugen Volkstribunen über die Anklagen vor den permanenten Gerichtshöfen zur Kontrolle über die *nobiles* bei?

Als Ankläger vor einer *quaestio* hatten die Volkstribunen keine grösseren Befugnisse als jeder private Bürger. Wenn Tribunen vor einem Geschworenengericht Anklage erhoben, so verlief dies also im Prinzip losgelöst von ihrer tribunizischen Position, d. h. sie klagten als Privatpersonen. Dennoch liess sich in der Praxis kaum gänzlich von dem Status des Volkstribunen abstrahieren. Als im Jahr 66 ein Tribun als Ankläger vor der *quaestio de peculatu* auftrat, verweigerten die Richter einen Termin, da sie eine Verhandlung unter ungleichen Vorzeichen befürchteten.[74] Auch L. Quinctius, bei dem eine Anklage vor der *quaestio perpetua* allerdings angezweifelt werden kann, legte Wert darauf, den Prozess gegen C. Iunius noch vor Ablauf seines Tribunats zustande zu bringen.[75] Im Zweifelsfalle konnte ein Tribun offenbar mit seinem Verbietungsrecht auch die Arbeit einer *quaestio* behindern, wie wir es etwa aus dem Gerichtsverfahren gegen Oppianicus im Jahr 74 und auch aus dem Strafprozess gegen P. Vatinius im Jahr 58 kennen.[76]

Fälle, in denen Volkstribunen ihre Anklagen an *quaestiones perpetuae* überwiesen, sind in unseren Quellen nicht besonders zahlreich. Dies mag einerseits daran liegen, dass sie weniger spektakulär waren und somit nicht in die Überlieferung Eingang fanden. Andererseits konnte bei diesen Verfahren auch kein Einfluss auf die Besetzung des Gerichtshofes und das Zeugenverhör genommen werden, so dass sich die Tribunen vor allem in vorsullanischer Zeit in besonders Aufsehen erregenden Anklagefällen von eigenen Verfahren bzw. von den *quaestiones extraordinariae* noch mehr Erfolg versprochen hatten. Vor den 70er Jahren haben wir kein einziges sicheres Beispiel einer tribunizischen Anklage vor einer *quaestio perpetua*. Da aber bereits für die Zeit vor Sulla ein Gerichtshof für *ambitus*-Klagen zu erschliessen ist,[77] sind die Prozesse gegen M. Antonius (im J. 97) und gegen P. Sextius (um 90) vor der *quaestio perpetua* zu vermuten.

Für Sulla waren die Quaestionen offenbar die einzige akzeptierbare Gerichtsform, da diese nicht so leicht missbraucht werden konnte. Er hob daher im Jahr 81 die Volksgerichtsbarkeit auf und konstituierte ein umfassendes System permanenter senatorischer Gerichtshöfe.[78] Die Volkstribunen waren jetzt gezwungen, ihre Anklagen vor den *quaestiones perpetuae* zu erheben. Tribunizische Anklagen vor Geschworenenhöfen kennen wir zur Zeit der sullanischen Beschränkungen für C. Licinius Macer (73) und möglicherweise für L. Quinctius (74). Die beiden Tribunen betrieben mit ihren Anklagen populare Agitation für die Wiederherstellung der vollen tribunizischen Rechte.

L. Quinctius machte im Jahr 74 den Missstand im Gerichtswesen zum Ausgangspunkt der Forderung nach der Restitution der *tribunicia potestas* und prozessierte erfolg-

74 Cic. Cluent. 94. Als tatsächlichen Grund bezeichnet Asconius (p. 58 St.; vgl. Lengle, Sulla, 41) die noch zu grosse Macht der sullanischen Partei; Cicero lobt den Tribunen.

75 Cic. Cluent. 90.

76 Vgl. unten S. 234.

77 Vgl. oben S. 111 A. 10.

78 Cic. Verr. 1,38; vgl. F. Fröhlich, RE 4, 1900, 1561; Lengle, Sulla, 13; Siber 230; W. Kunkel, RE 24, 1963, 740ff.

reich gegen den *iudex quaestionis* C. Iunius.[79] Als erfolgloser Verteidiger seines im Giftmordprozess verurteilten Mandanten war er persönlich mit einem Fall der Korruption an den Gerichtshöfen konfrontiert, bei dem sein Klient offenbar selbst aktiv beteiligt war.[80] Quinctius erinnerte mit seiner Anklage einerseits an die tribunizischen Volksprozesse, andererseits an die mit Rittern besetzten Geschworenenhöfe, die in vorsullanischer Zeit stets auf Antrag von Volkstribunen eingerichtet worden waren. Beide Arten des Gerichts garantierten kaum eine gerechtere Rechtssprechung als die senatorischen Gerichte. Sie zeigen aber, welche Interessen sich hinter den Forderungen des Quinctius verbargen: zum einen die Aufwertung der politischen Stellung des Volkstribunats (durch die Möglichkeit des Volksgerichts) und zum andern eine erneute Etablierung des Ritterstandes als Gegengewicht zum Senatorenstand.

C. Licinius Macer, der im Jahr 73 ebenfalls für die Restitution des Volkstribunats eintrat, klagte C. Rabirius an, der später wegen Beteiligung an der Ermordung des Saturninus (100) gerichtlich verfolgt wurde. Auch wenn die Anklage auf *sacrilegium* lautete, so nahm Macer damit möglicherweise schon den Mordprozess des Jahres 63 voraus.[81] Macer war ja durch die sullanischen Einschränkungen in seinem Anklagerecht vor dem Volk behindert, was er mit dieser abgeschwächten Anklage möglicherweise vor Augen stellen wollte. Die Volksgerichtsbarkeit hätte damit wiederum als Argument für die Wiederherstellung des Volkstribunats gedient.

M. Lollius Palicanus, der im Jahr 71 als letzter Volkstribun im Kampf um die tribunizischen Rechte auftrat,[82] führte einen von Verres Geschlagenen vor die Volksversammlung, um damit vielleicht die ungenügenden Handlungsmöglichkeiten der Volkstribunen zu demonstrieren.[83] Da die Tribunen von der Volksgerichtsbarkeit ausgeschlossen waren, konnten sie wahrscheinlich auch nicht als Leiter eines Provokationsprozesses fungieren. Damit wurde die Volksgerichtsbarkeit möglicherweise mit dem Provokationsrecht in Verbindung gebracht, was ein weiteres Argument zur Restitution der tribunizischen Rechte dargestellt hätte.

Auch Pompeius machte die Befreiung der Gerichte von Korruption von der Wiederherstellung der vollen tribunizischen Rechte abhängig.[84] Als er im Jahr 70 die sullanischen Beschränkungen des Tribunats aufhob, erreichten die Volkstribunen wieder die Möglichkeit zu eigenständiger Gerichtsbarkeit vor dem *concilium plebis*. Die *quaestiones perpetuae*, deren Besetzung durch ein Gesetz des Praetors L. Aurelius Cotta gleichzeitig neu geregelt wurde,[85] blieben jetzt aber der feste Kern des Justizwesens.

In nachsullanischer Zeit musste die Anklage gegen A. Gabinius und dessen Gehilfen C. Rabirius Postumus (54), wie möglicherweise schon die Anklage gegen Faustus Corne-

79 Broughton 2, 103. Nach Ablauf des Tribunats prozessierte Quinctius gegen den Richter C. Fidiculanius Falcula, wobei der erste Anlauf noch erfolglos war (Cic. Cluent. 103f.108.112.114; Asc. p. 219 St.).

80 Zur Vermittlerrolle des Richters Staienus vgl. Cic. Cluent. 65. 75f.

81 Martin 17 A. 2.

82 Ps.-Asc. p. 189 St.

83 Cic. Verr. 2,1,122; vgl. 2,2,100 zu Sthenius; ferner F. Münzer, RE 13, 1927, 1391. Der Senatsbeschluss, dass die Anklage gegen Sthenius ungültig sei, erfolgte auf einen konsularischen Antrag.

84 Cic. Verr. 1,45.

85 Broughton 2, 127.

lius Sulla (66), auch Pompeius als Verbündeten treffen.[86] Um einen offenen Konflikt mit dem Triumvir zu vermeiden, wurde er auf indirektem Wege angegriffen und sollte an einem allzu eigensinnigen Auftreten gehindert werden. Gabinius, der sich beim Senat unbeliebt gemacht hatte, sollte für seine Provinzausbeutung und Massnahmen gegen die *publicani* zur Rechenschaft gezogen werden, so dass sein Ankläger C. Memmius wohl auch Unterstützung von den Rittern hatte.[87] Die Anklage gegen Gabinius war in nachsullanischer Zeit die einzige erfolgreiche Strafverfolgung, die von einem Tribunen vor den Geschworenenhöfen beantragt wurde. Es war zugleich der einzige Fall, in dem auf diese Weise ein Repetundendelikt geahndet wurde. Auch nur in einem bekannten Fall betraf eine tribunizische Klage vor einer *quaestio perpetua* die Taten eines ehemaligen Volkstribunen. Es handelt sich dabei um die vergebliche Anklage des T. Annius Milo (57) gegen Clodius, die in die längere Reihe der gegenseitigen Anschuldigungen zwischen den beiden Kontrahenten gehört. Da ein Erfolg vor den Geschworenengerichten Unsicherheiten unterlag, hielten sich die Volkstribunen auch in nachsullanischer Zeit noch die Möglichkeit des Volksprozesses offen, obwohl dieser kaum noch wunschgemäss durchgeführt werden konnte.

Die Volkstribunen verfolgten aufs Ganze gesehen nie konsequent bestimmte Delikte, sondern traten eher sporadisch vor die Gerichte. Sie erhoben offenbar nicht öfter Anklage vor den *quaestiones* als andere Magistrate und Senatoren. Zudem betrieben sie ausser zur Zeit der sullanischen Einschränkungen mit ihren Anklagen vor den Geschworenenhöfen keine agitatorische Propaganda gegen den Willen der Senatsmehrheit. Auch das *ambitus*-Delikt, das die häufigste Ursache für Klagen war, wurde von den Volkstribunen nicht aus prinzipiellen Erwägungen, sondern aus persönlichen Gründen bzw. politischer Feindschaft verfolgt, wie sich schon bei M. Duronius (97) gezeigt hatte. Das Volkstribunat konnte wiederum in den Dienst von Einzelpersonen treten.[88] Kontrolle über die *nobiles* garantierten die tribunizischen Anklagen vor den *quaestiones perpetuae* nicht, auch wenn sie in wenigen Fällen für die Senatsmehrheit nutzbar zu machen waren.

In Anbetracht des Nebeneinanders von *quaestiones* und Volksgericht kann die von den Tribunen gewählte Prozessform nicht in allen Fällen mit Sicherheit festgestellt werden, wie oben schon erwähnt wurde.[89] Hier bleiben noch diejenigen Fälle aufzuführen, für die eine Anklage vor einer *quaestio perpetua* belegt oder zu vermuten ist:[90]

86 Gruen, LG, 276f. 322ff.; ferner Meyer, CM, 203ff.; Taylor, Party Politics, 86; anders B. A. Marshall, Historia 33, 1984, 204, der Faustus Sullas Beziehung zu Pompeius nicht so eng sieht; zu der Anklage gegen A. Gabinius vgl. auch Cic. Q. fr. 2,12,3 (oben S. 154; ferner E. Fantham, Historia 24, 1975, 425–443, bes. 413f.).

87 Dazu Brunt, Equites, 119 A. 8 (= WdF 413, 1976, 179 mit A. 20).

88 E. S. Gruen (RP, 299f.; Historia 15, 1966, 40ff.) meint, dass die beiden *ambitus*-Anklagen des frühen 1. Jh.'s gegen die Meteller gerichtet waren, die sich in jenen Jahren neuen Einfluss verschafft hatten.

89 Vgl. S. 153. 157f.

90 Die Anklage des C. Papirius Carbo (tr. pl. ca. 67) gegen M. Aurelius Cotta, Procos. in Bithynien und Pontos 73–70, (wegen *peculatus* oder *repetundae*), für die er konsularische Insignien erhielt, fand wohl erst nach seinem Tribunatsjahr statt (Dio 36,40,3f.; vgl. Gruen, LG, 269). P. Nigidius Figulus drohte möglicherweise als Volkstribun in einer *contio* vom Dez. 60, jeden Geschworenen, der im bevorstehenden Prozess gegen C. Antonius fehlen werden, anzuklagen (Cic. Att. 2,2,3: *compellare*; Broughton 2, 193 A. 5 (anders 3, 147); Gruen, LG, 287ff.: im Dienste der Triumvirn). Wehrmann (17)

– 97 (?) M. Duronius, wohl als Volkstribun des J. 97, gegen den Censor M. Antonius, der ihn wegen der Abrogation der *lex (Licinia) sumptuaria* aus dem Senat gestossen hatte; unwahrscheinlich ist, dass die Anklage nach dem Tribunat erfolgte und Antonius den Duronius erst infolge dieses Prozesses aus dem Senat ausschloss (*ambitus*; Val. Max. 2,9,5; Cic. de or. 2,274: *de ambitu postulatum*; *quaestio perpetua*: Zumpt 476 A. 1; Lengle, Sulla, 22; Gruen, RP, 260f.; zu M. Duronius vgl. E. Badian, CQ 19, 1969, 198ff., gegen E. S. Gruen, Historia 15, 1966, 40f.; zu Antonius: D. R. Shackleton Bailey, Phoenix 24, 1970, 163)

– um 90 T. Iunius sicherte die Verurteilung des Pr. des. P. Sextius (*ambitus*); Cicero bezeichnet T. Iunius als *tribunicius*, so dass der Prozess auch nach dem Tribunat stattgefunden haben könnte (Cic. Brut. 180; vgl. F. Münzer, RE 10, 1918, 965; Broughton 3, 111; *quaestio perpetua*: Lengle, Sulla, 22; Gruen, RP, 299f.)

– 74 L. Quinctius gegen den *iudex quaestionis* C. Iunius, auf Grund der *lex de sicariis et veneficiis* (passive Bestechung); zu einer Multstrafe verurteilt (Cic. Cluent. 89: *ad quaestionem*; Broughton 2, 103; vgl. Lengle, Sulla, 44; Lefèvre 106ff.). Nach Ablauf seines Tribunats klagte L. Quinctius auch gegen den Richter C. Fidiculanius Falcula (wegen passiver Bestechung); vom Repetundengericht zunächst freigesprochen, dann aber auf Grund der *lex de sicariis et veneficiis* wegen seiner rechtswidrigen Nachwahl und Amtsführung zu einer Mult verurteilt (Cic. Cluent. 103f. 108. 112ff.; Caec. 28ff.; Ps.-Asc. p. 219 St.; vgl. Lengle, Sulla, 44; A. W. Lintott (Hermes 106, 1978, 125f.) glaubt im Falle des Iunius und des Falcula an einen tribunizischen Multprozess, der durch eine Sanktionsklausel gegen fehlbare Richter in der *lex Cornelia de sicariis et veneficiis* ermöglicht wurde)

– 73 C. Licinius Macer gegen C. Rabirius (*sacrilegium*); freigesprochen (Broughton 2, 110; dazu Lengle, Sulla, 45, vgl. Strafr., 22f.)

– 66 Ein Volkstribun wollte Faustus Cornelius Sulla, den Sohn des Diktators, wegen unterschlagener Gelder vor der *quaestio de peculatu* (unter der Leitung des Pr. C. Orchivius) anklagen; die Richter verweigerten jedoch den Termin (Cic. Cluent. 94; vgl. Asc. p. 57f. St.; dazu Lengle, Sulla, 41; E. S. Gruen, Athenaeum 49, 1971, 56ff.; LG, 276f.; B. A. Marshall, Historia 33, 1984, 202f.)

– 57 T. Annius Milo erhob gegen Clodius zweimal Anklage, im zweiten Falle auf Grund der *lex Plautia de vi*; es kam aber nicht zum Prozess (vgl. E. Klebs, RE 1, 1894, 2271f.; Meyer, CM, 109 A. 3; Vitzthum 12ff.; P. A. Brunt, Iudicia sublata (58–57 B. C.), LCM 6, 1981, 227–231; Zumpt (514) nimmt bei der ersten Anklage einen Volksprozess an)

– 54 C. Memmius gegen Cn. Domitius Calvinus (*ambitus*); freigesprochen (Cic. Att. 4,17,5. 18,3; Q. fr. 3,2,3, vgl. 3,2)

– 54 C. Memmius gegen A. Gabinius, Prokonsul in Syrien 57–55 (*de repetundis*: Provinzausbeutung und Bestechung durch den König Ptolemaios, den er auf den Thron zurückgeführt hatte); verurteilt. Der Verhandlung wegen *ambitus*, bei der Memmius Mitkläger war, fiel daher aus (Broughton 2, 218. 223; F. Von der Mühll, RE 7, 1910, 429f.; Meyer, CM, 203ff.; F. Münzer, RE 15, 1931, 616ff.; Taylor, Party Politics, 86; Gruen, LG, 322ff.; D. Laelius nahm A. Gabinius auf einer *contio* gegen Memmius in Schutz: Val. Max. 8,1 abs. 3). Der Senat hatte schon vor der Rückkehr des Gabinius dessen Bestrafung beschlossen (Dio 39,61,4; Stein 47f.; vgl. auch das Auftreten der Tribunen bei den Beschwerden gegen Gabinius im Februar dieses Jahres: Cic. Q. fr. 2,12,3; oben S. 154). Unter den drei Parteien, die sich um die Repetundenklage bewarben, wurde diejenige des Memmius ausgewählt (Cic. Q. fr. 3,1,15); doch kam zuerst der von L. Cornelius Lentulus angestrengte Prozess (wegen Rückführung des Ptolemaios Auletes = *maiestas*) zur Ausführung, in dem Gabinius freigesprochen wurde

erwägt anhand von Asc. p. 63 St. auch eine Klage des M. Terpolius, tr. pl. 77, gegen den Optimaten Q. Lutatius Catulus (Cos. 78). Die Anklagen des L. Cornificius gegen Brutus und des M. Vipsanius Agrippa gegen Cassius fanden vor der durch die *lex Pedia* des J. 43 gegen die Caesarmörder konstituierten *quaestio extraordinaria* statt, so dass die beiden Ankläger nicht unbedingt Volkstribunen sein mussten, wie Niccolini (355f.) angenommen hatte (Broughton 3, 76. 222; vgl. zudem Kunkel 128).

– 54 C. Memmius gegen C. Rabirius Postumus, Bankier und Gehilfe des A. Gabinius, der sich ebenfalls bereichert hatte (*de repetundis*); Ausgang ungewiss (F. Von der Mühll, RE 1 A, 1914, 25ff.)

Zusammenfassung

Die Rolle des tribunizischen Volksprozesses war in der späten Republik einem deutlichen Wandel unterzogen. Im Gegensatz zur mittleren Republik wurden die Comitialverfahren der Tribunen jetzt mehrheitlich ohne Senatszustimmung eingeleitet. Im ausgehenden 2. Jh. dienten sie zu popularen Angriffen, die von den Rittern gestützt wurden und sich gegen Vertreter der Nobilität bzw. die senatorische Kriegspolitik wandten. Mit der Einrichtung der *quaestio perpetua* für *maiestas*-Klagen im Jahr 103 wurde in der Folge eine wichtige Funktion des Volksgerichts an ein festes Richterkollegium delegiert. Vergehen, von denen das Gemeinwesen betroffen war, konnten jetzt vor dem Geschworenenhof abgeurteilt werden. Die festen Gerichte ersetzten auch die ad hoc gebildeten *quaestiones extraordinariae*, die im späteren 2. Jh. ebenfalls von popularer Seite gleichzeitig mit dem Volksprozess genutzt worden waren. Die Einrichtung von Sondergerichtshöfen war mit der *lex de capite civis* des C. Gracchus in der späten Republik zu einer fast ausschliesslich tribunizischen Materie geworden. Einzelne Volkstribunen nutzten sie, um Kapitalfälle, insbesondere wenn mehrere Personen gleichzeitig von der Anklage betroffen waren, zu verfolgen. Im Gegensatz zur mittleren Republik wurde aber auch von den *quaestiones extraordinariae* nur noch eine Minderzahl im Sinne der Senatsmehrheit eingesetzt. Da Volksgericht und Sonderquaestionen mehrheitlich von popularer Seite benutzt worden waren, schritt Sulla gegen diese Verfahren ein und trieb die Einrichtung der festen Geschworenengerichte konsequent voran.

Dennoch wurde das tribunizische Comitialverfahren in nachsullanischer Zeit möglicherweise nicht nur im Falle des Rabirius-Prozesses angestrebt. Vermutlich sollten insbesondere auch andere Taten, die unter dem SCU vollzogen worden waren, vor dem Volksgericht abgeurteilt werden. Der Volksprozess konnte sich jetzt aber nicht mehr durchsetzen, auch wenn sich einzelne Tribunen hier von eigenen Verfahren eventuell noch grösseren Erfolg versprochen hatten. Ähnlich verhielt es sich mit den wenigen *quaestiones extraordinariae*, die in den politischen Auseinandersetzungen der ausgehenden Republik nicht mehr zum Erfolg kamen. Sonderquaestionen und Volksprozesse hatten sich angesichts der festen Geschworenengerichte verschlissen. Der Volksprozess hatte sich als zu kompliziert erwiesen und war meist vielfältigen Angriffen der jeweiligen Gegner ausgesetzt gewesen. Das Comitialverfahren zeigte sich damit einerseits als zu anfällig, andererseits mögen aber auch die Mobilisierungschancen der Tribunen ungenügend geworden sein, so dass diese Gerichtsbarkeit kaum noch mit Erfolg angewandt werden konnte. Verhandlungen mit der Volksversammlung waren in diesem Bereich untauglich geworden. Das Prozessrecht, als wichtiger Teil der *tribunicia potestas*, erfuhr dadurch eine gewisse Aushöhlung; der Zuständigkeitsbereich der Volksversammlung wurde eingeengt. Die Volksprozesse wurden durch die Tätigkeit der Geschworenenhöfe fast vollständig abgelöst. Die Tribunen hatten ihre Aufgabe als Leiter von Verfahren gegen politische Verbrechen verloren und traten als Ankläger in die Reihe der andern Vertreter der Oberschicht zurück. Anklagen von Tribunen vor *quaestiones perpetuae* sind uns nur wenige überliefert, so dass ihnen auf diesem Gebiet keine grössere Rolle zuzuschreiben ist als den andern Magistraten und Senatoren. Senatstreue Anklagen blieben zudem auch hier in der Minderheit. Fälle von direkter Zusammenarbeit zwischen Senat und Volkstribunat sind nicht zu beobachten. Eine Kontrolle der Nobilität und insbesondere der mächtigen Einzelpersönlichkeiten konnte von den Tribunen nicht gewährleistet werden. Auch gegen ihre Vorgänger gingen die Tribunen nur selten ins Gericht. Die Anklagen verfolgten kein Delikt konsequent, sondern kamen nur sporadisch zustande und waren jeweils durch politische Auseinandersetzungen motiviert. Eine allgemeine Aufgabe als Ankläger und Überwachungsorgan für politische Vergehen kam den Volkstribunen in der späten Republik nicht zu.

6. Artikulationsformen der tribunizischen Politik

a) Das *ius edicendi*

Für die Beantragung von Gesetzen sowie für die Durchführung von Comitialprozessen traten die Volkstribunen jeweils in Kontakt mit der Volksversammlung. Im Folgenden soll näher untersucht werden, wie dieser Kontakt hergestellt wurde und welche informellen Mittel den Tribunen dabei zur Verfügung standen. Zu fragen ist auch, wie sich das Publikum der Tribunen zusammensetzte bzw. welche Teile der Bevölkerung sie für ihre Versammlungen mobilisieren konnten und welche Rolle die persönlichen Gefolgschaften spielten. Abschliessend soll dargestellt werden, welche Gewaltmittel den Volkstribunen zur Verfügung standen, falls sie an der Ausübung ihrer Rechte gehindert wurden. Wie äusserten sich diese Gewaltmassnahmen und auf welchen Grundlagen beruhten sie?

Die Ankündigung von Comitien wie auch die Einberufung des Senats erfolgten jeweils durch ein Edikt[1] (edictum bzw. (διά-)γραμμα, (προ-)γραφή u. ä.). Allgemein handelte es sich bei den Edikten um die öffentliche Bekanntgabe von Ansichten und Willen einzelner oder mehrerer Magistrate. Neben den bereits erwähnten Ankündigungen von späteren Amtshandlungen konnten sie auch allgemeinere Entscheide und Richtlinien in der Amtsführung vorbringen.[2] Sie waren jedoch im Gegensatz zu den Gesetzen nur bis zum Ende der Amtszeit der betreffenden Magistrate gültig. Die Edikte richteten sich nicht an Einzelpersonen, sondern allgemein an die Bürgerschaft oder an eine bestimmte Personengruppe, wie etwa die Magistrate und die Senatoren. Sie wurden jeweils auf einer informellen Versammlung des Volkes (*contio*) vorgebracht und gleichzeitig meist schriftlich festgehalten.[3] Die Erlasse sollten für beide Seiten bindend sein.[4] In Anbetracht

1 Mommsen, StR. 1, 202ff. 3, 918; Herzog 1, 632f. 1163; Stella Maranca 109ff.; Th. Kipp, RE 5, 1905, 1940ff.; Niccolini, tribunato, 96. 130; Meyer, Staatsgedanke, 128; Lengle (Tribunus, 2482) weist darauf hin, dass die Edikte gleichzeitig der Ankündigung des Gesetzesinhaltes dienten; zur Einberufung des Senats durch Volkstribunen s. unten S. 194.

2 Hierzu ist bei den tribunizischen Edikten der späten Republik am ehesten an den Fall des J. 71 zu denken.

3 Mitteilungen ausserhalb Roms konnten durch Amtsdiener erfolgen (vgl. Saturninus im J. 100: App. BC. 1,29,132).

4 C. Cornelius verbot im J. 67 den Praetoren Zuwiderhandlungen gegen ihre eigenen Edikte (s. oben S. 91).

der vielen tribunizischen Gesetze wie auch der Volksgerichte, darf man bei den Volkstribunen mit einer grossen Zahl von Edikten rechnen, auch wenn nur wenige direkt bezeugt sind.[5] Die überlieferten tribunizischen Edikte der späten Republik betrafen meist Sondermassnahmen und nicht routinemässige Einberufungen.[6] Erstere sollen im Folgenden kurz charakterisiert werden.

In einigen (wenigen) Fällen dienten die Edikte den Tribunen als Mittel der Autorität, mit dem ohne Befragung und Sanktionierung der Comitien Anweisungen erteilt wurden. Dabei konnten Verwaltungsmassnahmen angeordnet werden, wie im Jahr 57 das Verbot einer gerichtlichen Untersuchung (während des *iustitium*?) gegen Clodius oder die geplante Münzreform im Jahr 85. Clodius hatte seinerseits vor der Entscheidung über seine Gesetzespläne mittels Edikt die Läden schliessen lassen, um die *tabernarii* für die Abstimmung freizustellen. Er wusste auch hier, die Mittel des Volkstribunats für seine eigene Politik einzusetzen. Im Falle der Münzreform und des Gerichtsverbots erfolgten die Edikte in Zusammenarbeit mit andern Magistraten. Das Ansehen der Tribunen reichte hier offenbar nicht aus, um im Alleingang bindende Anordnungen für die Res publica zu treffen. Die Möglichkeit, ohne Volksbeschluss verpflichtende Erlasse zu fällen, war demnach für die Tribunen nur gering. Ein Ersatz für gesetzliche Bestimmungen war damit nicht zu erreichen.

Andererseits dienten die Edikte den Volkstribunen des öftern als Möglichkeit zum Protest, wenn sie von Oberbeamten oder dem Senat übergangen worden waren. C. Gracchus, der offenbar auf eine Interzession gegen die von den Konsuln verfügte Ausweisung der Bundesgenossen verzichtete, rief mittels Edikt zur Nichtbeachtung der konsularischen Anordnung auf. Caecilius Metellus Nepos agierte im Jahr 62 öffentlich zugunsten des Pompeius gegen das SCU, das die geplante Gesetzesrogation (Berufung des Pompeius gegen Catilina) verunmöglicht hatte. Milo gab seine Opposition gegen die Aedilenwahl im Jahr 57, bei der Clodius kandidierte, ebenfalls schriftlich kund, da ihre Wirkung in Frage gestellt war. M. Antonius, der sich Ende 50 gegen die Bevollmächtigung des Pompeius zur Wehr setzte, wollte durch ein Edikt für Caesar erreichen, dass die Stellungsbefehle des Pompeius nicht befolgt wurden. Caesetius Flavus und Epidius Marullus versuchten im Jahr 44 trotz Unterstützung in der Bevölkerung vergeblich, mittels öffentlichen Aushangs gegen Caesar aufzutreten.

Die angeführten Fälle zeigen, dass die Edikte hier im Prinzip der Beschränkung der tribunizischen Autorität Ausdruck gaben. Massnahmen, die gegen tribunizische Politik angeordnet worden waren, wurden auf diesem Wege angeprangert. Die Edikte dienten damit als Kampfmittel in den politischen Auseinandersetzungen der späten Republik, wie sich auch bei den Erlassen gegen den Aedilen Clodius (56) und gegen die Vorschläge zur Schuldentilgung des Dolabella (47) zeigt. Sie konnten sowohl im Sinne von Einzelpersönlichkeiten als auch im Sinne der Senatsmehrheit eingesetzt werden. Jedoch gibt es in keinem Fall Anzeichen für einen direkten Auftrag des Senats.

5 Herzog (1, 1163) meint, dass das *ius edicendi* nie förmlich auf die Volkstribunen übertragen worden war und ihre Edikte im Prinzip nie verpflichtend waren. Ein *ius edicendi* ist aber schon wegen des Rogations- und Judikationsrechts der Volkstribunen anzunehmen (vgl. Mommsen, StR. 1, 202f.).

6 Unter den überlieferten spätrepublikanischen Edikten der Volkstribunen betrafen möglicherweise nur diejenigen des L. Trebellius im J. 47 Gesetzesabstimmungen und nur dasjenige der Volkstribunen des J. 44 eine Einberufung des Senats.

Die Edikte betrafen die unterschiedlichsten Bereiche, ohne nach einem übergeordneten Prinzip eingesetzt zu werden. Grundlegende Bedeutung kam auch den nichtalltäglichen Edikten der Tribunen kaum zu, und nur im Falle der Münzrevision des Jahres 85 wissen wir von einer weitreichenden Wirkung der Anordnungen. Im allgemeinen fehlte ihnen die nötige Autorität. Senatsbeschlüsse konnten durch Edikte von popularer Seite nicht wirklich gefährdet werden. Die Aushänge blieben ein Benachrichtigungsmittel mit beschränktem Wirkungskreis. Ihr Wert lag darin, dass gewisse Sachverhalte und Probleme schriftlich festgehalten und damit in der Öffentlichkeit bekannt gemacht werden konnten.

Folgende tribunizische Edikte der späten Republik finden in den Quellen Erwähnung:[7]

– 122 C. Sempronius Gracchus richtete in einem Edikt Vorwürfe gegen die Konsuln, die die Ausweisung aller Bundesgenossen für die Zeit der Abstimmung über die Bürgerrechtsverleihung angeordnet hatten, und versprach den anwesenden Bundesgenossen Hilfe, falls sie in Rom blieben, woran er sich aber nicht gehalten haben soll (Plut. C. G. 12,2: διάγραμμα; dazu E. Badian, DArch 4–5, 1970–71, 393f.)

– 85 Die Volkstribunen zogen die Praetoren bei, um gemeinsam ein Edikt gegen die Geldschwankungen (Münzverschlechterung) und die damit verbundene Wirtschaftskrise zu erlassen. Um den Umrechnungskurs zwischen Silber- und Bronzewährung zu stabilisieren, sollten die von M. Livius Drusus eingeführten Silberstücke mit Kupferbeimischung eingezogen werden und zu diesem Zweck Münzprüfstellen eröffnet werden. Der Praetor M. Marius Gratidianus gab trotz der vereinbarten gemeinsamen Verkündigung den Beschluss alleine bekannt und erlangte grossen Ruhm (Cic. off. 3,80: *edictum*; dazu Mommsen, RG 2, 399; StR. 2, 328 A. 3; Geschichte des römischen Münzwesens, Berlin 1860, 388; Stella Maranca 110f.; F. Münzer, RE 14, 1930, 1826f.; M. Crawford, JRS 60, 1970, 42 (= WdF 552, 1981, 263); Roman Republican Coinage, Bd. 2, Cambridge 1974, 614. 620; E. Nuber, KJ 14, 1974, 81)

– 71 Die Volkstribunen des J. 70 verboten (wohl bei Amtsantritt im Dez. 71, vgl. Niccolini 246) Cicero gemäss in einem gemeinsamen Edikt kapital Verurteilten den Aufenthalt in Rom. Cicero erreichte, dass die Volkstribunen verkündeten, Sthenius, der vom sizilischen Statthalter Verres *in absentia* verurteilt worden war, werde durch das Edikt nicht betroffen und dürfe sich somit in Rom aufhalten (Cic. Verr. 2,2,100: *edicto*). Ausweisungen lagen allerdings in der Kompetenz der Konsuln, so dass das Edikt möglicherweise nur verkündete, dass die Volkstribunen den betroffenen Personen keinen Rechtsschutz bieten würden (Mommsen, StR. 2, 328 A. 2; Herzog 1, 1166 A. 4)

– 62 Q. Caecilius Metellus Nepos erliess ein Edikt gegen den Senat, nachdem dieser in den Auseinandersetzungen um die Forderungen des Metellus, Pompeius nach Italien zu rufen, das SCU erlassen hatte (Dio 37,43,4: γραφὴν ἐκθείς)

– 58 P. Clodius Pulcher liess vor der Abstimmung über die Massnahmen in bezug auf Cicero durch Edikte die Läden schliessen (Cic. dom. 54: *edictis*)

7 Nach Plutarch (T. G. 10,5f.) wäre auch die Anordnung des Ti. Gracchus, die alle Amtshandlungen bis zur Abstimmungen über sein Ackergesetz verbot, als Edikt (διάγραμμα) aufzufassen (dazu unten S. 227). Folgende zwei Fälle werden z.T. als Edikte aufgeführt (vgl. H. Kloft, Historia 29, 1980, 319 A. 20), ohne dass dies durch die Quellen gestützt wird: In den Jahren um 75 beschlossen die Volkstribunen nach Plutarch, eine Säule der Basilica Porcia zu entfernen, was Cato vereitelte (Plut. Cat. min. 5,1: δήμαρχοι ... ἔγνωσαν; vgl. Niccolini 434f.; Fabbrini 809; F. Coarelli (Il foro romano, Bd. 2, Rom 1985, 42ff. 49ff.) denkt an die *columna Maenia* zwischen dem Forum und dem Comitium, die bei Gladiatorenspielen zum Aufbau der Tribünen verwendet wurde); L. Ninnius Quadratus liess verlauten (ἐξέθηκε), dass er die Rückberufung Ciceros vor das Volk tragen werde, nachdem ein anderer Volkstribun (Aelius Ligus) gegen seinen Antrag im Senat interzediert hatte (Dio 38,30,4; s. unten S. 203).

– 57 T. Annius Milo teilte in einem öffentlichen Anschlag mit, dass er an allen Comitialtagen den Himmel beobachten werde (Cic. Att. 4,3,3: *proscripsit*), um damit die Wahl des Clodius zum Aedilen zu verhindern. Mommsen (StR. 1, 203 A. 1) vermisst den „Charakter der Weisung für das Publicum ... und es ist dieselbe vielleicht nicht als *edictum* im technischen Sinne zu betrachten, sondern lediglich als private Benachrichtigung"

– 57 Ein Volkstribun (Sex. Atilius Serranus Gavianus oder Q. Numerius Rufus) beteiligte sich Anfang des Jahres, als Milo den Clodius auf Grund der *lex Plautia de vi* anklagen wollte, zusammen mit dem Konsul Q. Caecilius Metellus Nepos und dem Praetor Ap. Claudius Pulcher an den Edikten, die festlegten, dass kein Prozess gegen Clodius stattfinden sollte (Cic. Sest. 89: *consul, praetor, tribunus pl. nova novi generis edicta proponunt*). Die Edikte verwiesen möglicherweise auf das vom Senat beschlossene *iudicium* (vgl. Cic. Sest. 95; dazu Meyer, CM, 109–112 A. 3; P. A. Brunt, LCM 6, 1981, 227–231; P. Stein (37 mit A. 198) und E. S. Gruen (LG, 294ff.) weisen das betreffende SC der zweiten Anklage zu, die Milo gegen Ende des Jahres anstrengte; Mommsen (StR. 3, 1069 A. 2) bezog die Edikte auf die zweite Anklage und vermutete, dass es die Auslosung der Geschworenen verbot, da die dafür zuständigen Quaestoren wegen der Wahlverzögerungen noch nicht gewählt waren; vgl. dagegen Brunt, a.a.O.)

– 56 Cicero erliess unter dem Namen des L. Racilius ein Edikt gegen Clodius (Schol. Bob. p. 166 St.: *edictum*; vgl. F. Münzer, RE 1 A, 1914, 30)

– 50 M. Antonius begegnete Ende des Jahres dem Konsul C. Claudius Marcellus mit einer Anordnung, die die Verfügung über die neu ausgehobenen Truppen zuungunsten des Pompeius festlegte (Plut. Ant. 5,2: διάταγμα γράψας), womit die Befolgung der nach der Schwertübergabe an Pompeius von diesem erlassenen Stellungsbefehle verboten werden sollte (Edikt: Meyer, CM, 280; Niccolini 331; Raaflaub, DC, 30f.)

– 47 L. Trebellius, der sich den Schuldentilgungsplänen des Kollegen P. Cornelius Dolabella entgegenstellte, soll nach Dio selbst und in ähnlicher Weise wie Trebellius Edikte erlassen haben (Dio 42,29,2: γράμματα ἐξετίθει)

– 44 L. Caesetius Flavus und C. Epidius Marullus erliessen ein Edikt, in dem sie bekanntgaben, „dass ihnen eine ungehinderte und gefahrlose Redefreiheit zum Nutzen des Gemeinwesens nicht mehr gegeben sei" (H. Kloft, Historia 29, 1980, 319 = Dio 44,10,2: προγραφὴν ἐκθέντων; vgl. G. Dobesch, in: Antidosis, Festschrift W. Kraus, Wien/Köln/Graz 1972, 82 A. 13)

– 44 C. (Servilius) Casca gab vorsichtshalber schriftlich bekannt, dass er von dem Caesarmörder P. Servilius Casca zu unterscheiden sei (Dio 44,52,2f.: γράμματα ἐξέθηκε)

– 44 Die Volkstribunen legten eine Senatssitzung für den 20.12. fest, um über den Schutz der designierten Konsuln zu beraten (Cic. fam. 11,6a,1: *edixissent*; dazu unten S. 194. 205)

b) Das *ius contionandi*

Jeder beschliessenden Volksversammlung gingen beratende Zusammenkünfte voraus, in der das Volk ungegliedert, also ohne Einteilung in Tribus oder Centurien und unabhängig vom Bürgerrecht teilnahm.[8] Für die Volkstribunen, die für einen guten Teil der spätrepublikanischen Gesetze sowie der Comitialprozesse verantwortlich zeichneten, ist daher eine grosse Zahl von *contiones* anzunehmen. Jedoch ist wiederum nur ein kleiner Teil dieser Zusammenkünfte in den Quellen belegt.

Die *contiones* waren ein geeignetes Mittel der Agitation und konnten auch für Ziele eingesetzt werden, die nicht in direktem Zusammenhang mit der Gesetzgebung standen. Im Verlaufe der späten Republik kam ihnen in Anbetracht der verschärften politischen

8 Zu den *contiones* vgl. allgemein Rubino 32ff.; Mommsen, StR. 1, 197 ff.; Lange, Röm. Alterthümer 2, 715ff.; Herzog 1, 634ff.; W. Liebenam, RE 4, 1900, 1149ff.; Stella Maranca 93ff.; Botsford 139ff.

Auseinandersetzungen besondere Bedeutung zu.[9] Die Volkstribunen waren in der Lage, über die Contionen zumindest mit jener Gruppe der Bevölkerung, die sich einen Teil des Tages auf dem Forum aufhalten konnte, in engem Kontakt zu bleiben und auf die politische Stimmung einzuwirken. Wie sich dieses Publikum zusammensetzte, ist im nächsten Abschnitt zu behandeln. Hier geht es vorerst darum, die verschiedenen Anwendungsbereiche und den Stellenwert der spätrepublikanischen *contiones* näher zu beschreiben.

Eine Änderung in der Verhandlung mit dem Volk ereignete sich schon im Jahr 145, als der Volkstribun C. Licinius Crassus das Volk vom Comitium auf das Forum führte.[10] Auch wenn es sich hier möglicherweise nicht um eine informelle Versammlung, sondern um die Abstimmungscomitien selbst handelte, so hatte dies allgemeinere Bedeutung. Die Neuerung hatte einerseits zur Folge, dass sich der Tribun von den wohl vor dem Senatsgebäude versammelten Senatoren abdrehte und andererseits einem grösseren Publikum ausserhalb des beschränkten Comitiumplatzes zuwandte. Nach Plutarch soll C. Gracchus sich als erster auf den Rostra umgewandt und in Richtung Forum gesprochen haben.[11] Neu dürfte jetzt allerdings nur gewesen sein, dass C. Gracchus diese Methode nicht nur in einem Falle, sondern regelmässig anwandte.[12] Spätere Popularen dürften es ihm gleichgetan haben. Sie erweiterten sich damit den Kreis der Adressaten und demonstrierten zumindest symbolisch eine Aufwertung der politischen Stellung des Volkes. Der Forumsplatz wurde zu einem politischen Zentrum, auf dem sowohl *contiones* als auch Abstimmungen abgewandt von der Curia stattfanden.

Die Volkstribunen konnten die Contionen aber nicht nur dazu benutzen, das Volk selbst anzureden, sondern auch um Privatpersonen, Priester[13] und Magistrate zu Worte kommen zu lassen. Auf diese Weise gelang es, gewisse Anliegen wirkungsvoller publik zu machen. Bei der Vorberatung von politischen Vorlagen wurden auch Stellungnahmen von Gegnern zugelassen und damit Diskussionen in Gang gebracht. Zudem konnte jeder beliebige Bürger gezwungen werden, eine Aussage vor der Volksversammlung zu machen. Contionen, in denen der leitende Tribun anderen Personen das Wort erteilte, sind besonders zahlreich überliefert, wobei die Fälle von freiwilligen und von erzwungenen Aussagen etwa ausgewogen sind.[14] Sie sind im Anhang zu diesem Abschnitt zusammengestellt und sollen im Folgenden genauer charakterisiert werden.

9 Herzog 1, 461 betont die Verselbständigung der Contionen; vgl. auch Liebenam, a.a.O., 1153.

10 Varr. r. r. 1,2,9; Cic. de amic. 96; dazu Bleicken, Volkstribunat 1955, 101.

11 Plut. C. G. 5,3; dazu Taylor, Assemblies, 24f. 108; zur Topographie s. unten S. 182.

12 Von Regelmässigkeit spricht Plut. C. G. 5,3.

13 Vgl. unten die Vorladung der Augurn (58) und der *XVviri s. f.* (56).

14 Die technischen Ausdrücke sind: *contionem habere/advocare* für die Veranstaltung einer *contio*; *contionem dare* für die Einberufung zum Zwecke eines Referats von seiten einer Privatperson; *in contionem producere* sowohl für die freiwillige als auch die erzwungene Vorladung vor die Volksversammlung (vgl. Rubino 32ff.). *Contionem dare* lag bezeugtermassen im Falle der Magistrate des J. 57 und des M. Caelius Rufus im J. 52 sowie wohl auch im Falle des T. Manlius Mancinus im J. 107 vor. In den Quellen bezeugte tribunizische Contionen, für die wir keine Vorladung kennen und in denen die betreffenden Tribunen selbst sprachen, lagen in folgenden Fällen vor: 133 Ti. Gracchus (Auct. ad Her. 4,68; Plut. T. G. 9f.); 121 M.? Minucius Rufus (vir. ill. 65,5); 90 C. Scribonius Curio, Q. Caecilius Metellus Celer, Q. Varius Severus Hibrida, C. Papirius Carbo, Cn. Pomponius (Cic. Brut, 305; vgl. or. 213); 76 Cn. Sicinius (Sall. hist. 3,48,8); 75 Q. Opimius (vgl. Sall. hist. 2,44f.48); 74 L. Quinctius (Cic. Cluent. 77.79.103.110; Brut. 223; Quintil. Inst. Or. 5,13,39; Plut. Luc. 5,4); 73 C. Licinius Macer (Sall. hist. 3,48); 71 M. Lollius Palicanus (Cic. Verr. 2,2,100); 63/62 Q. Caecilius Metellus Nepos (Cic. fam.

Der leitende Tribun konnte eine Vorladung dazu nutzen, beweiskräftige Zeugenaussagen vorzulegen, die die beabsichtigten politischen Ziele und Handlungen rechtfertigten. Des weiteren wurden Gegner vor der Volksversammlung zur Rechenschaft gezogen bzw. zu gewissen Aussagen bewogen. Die Volkstribunen mussten ihrerseits dabei in Kauf nehmen, dass die vorgeführten Persönlichkeiten in einzelnen Fällen das Volk für sich gewinnen konnten.[15] Im Normalfall waren daher durchaus auch bedeutende Persönlichkeiten der Oberschicht bereit, auf die Fragen der Tribunen vor der *contio* zu antworten, um damit vor der Öffentlichkeit zu bestehen.[16] Die Befragung der *principes* war geradezu institutionalisiert und war sicher auch im Sinne aristokratischer Politik.[17]

Verhindern konnte eine Aufforderung zur Aussage vor der Volksversammlung nur die Interzession eines Kollegen des vorladenden Tribunen. Bei den uns bekannten *productiones* traf dies aber nur im Falle des Iugurtha (111) und später bei der Anklage des C. Memmius gegen A. Gabinius (54) ein.[18] Abgesehen von der Möglichkeit der kollegialen Interzession galt das Prinzip, dass die Contionen der Tribunen nicht gestört werden durften.[19] Um den Veranstaltungen zusätzliche Autorität zu verleihen, wurden die Versammlungen zum Teil von mehreren Tribunen gemeinsam einberufen.[20] Übergriffe von gegnerischen Tribunatskollegen sind in der Folge auf der Ebene der *contiones* kaum bekannt. Nur im Falle von Ciceros Rückberufung und den Contionen nach Clodius' Tod sind wir bei solchen Veranstaltungen über Störungen von tribunizischer Seite unterrichtet. Auch von lautstarken Contionen mit Sprechchören erfahren wir nur im Falle des Clodius.[21]

5,2,8); 60 P. Nigidius Figulus (Cic. Att. 2,2,3); 58 P. Clodius Pulcher (Cic. Sest. 106); 56 C. Porcius Cato (Cic. Q. fr. 2,5,4); 52 Q. Pompeius Rufus, C. Sallustius Crispus, T. Munatius Plancus (Asc. p. 32.34f. 39.42f. St.); 50 C. Scribonius Curio (?) (Cic. fam. 2,12,1; vgl. Martin 112), M. Antonius (dazu Raaflaub, Volkstribunen, 309 A. 88); 43 P. Appuleius (Cic. Phil. 14,16).

15 Vgl. dazu besonders die Vorladung der Konsuln in den J. 138 und 78 sowie des Cicero im J. 63.

16 Scipio verspielte in der *contio* des C. Papirius Carbo (131) sein Ansehen beim Volk. Misserfolg vor der *contio* hatte auch C. Scribonius Curio als tr. pl. 90, der sich daraufhin ruhig verhielt (Cic. Brut. 305); vgl. auch den Auftritt des Antonius im J. 45.

17 Val. Max. 3,8,6: *ubi principum civitatis perturbari frons solebat*; vgl. Cic. Vat. 24 (als Vorwurf gegen die Vorführung des Vettius): *auctoritatis exquirendae causa ceteri tribuni pl. principes civitatis producere censuerunt*. Vorladungen von Senatoren waren aber offenbar eher selten (Botsford 146 A. 2; vgl. die Tribunen des J. 133 sowie Saturninus im J. 100, der den Senatoren vor der *contio* den Schwur zu einem Ackergesetz abnahm).

18 D. Laelius befahl C. Memmius, den von ihm angeklagten A. Gabinius zu entlassen (Val. Max. 8,1, abs.3).

19 Auch öffentliche Amtsgeschäfte wie Gerichtsverhandlungen mussten während der Contionen offenbar ruhen: Saturninus zerbrach die *sella curulis* des Praetors Glaucia, da dieser während einer *contio* seinen Gerichtsgeschäften nachgehen wollte (vir. ill. 73,2; Broughton 1, 565 A. 2); M. Livius Drusus misshandelte und verhaftete den Konsul L. Marcius Philippus, da dieser die *contio* störte (Val. Max. 9,5,2); vgl. allgemein Mommsen, StR. 2, 289; Lange, Röm. Alterthümer 1, 844. Weitere Störungen von *contiones* kamen in den J. 121 und 56 zustande: C. Gracchus und Fulvius Flaccus drangen in die *contio* des Minucius Rufus vor (vir. ill. 65,5; als Gracchus die Vorladung des Senats nicht befolgte, kam es zum SCU; vgl. v. Ungern-Sternberg, Notstandsrecht, 57f.); Clodius störte die Anklage gegen Milo (Cic. Q. fr. 2,3,2).

20 Vgl. die Vorführung der Senatoren (133), des Piso (67), des Cicero (66, 57 und 44, wobei die Tribunen im J. 57 im Verbande mit andern Magistraten handelten), des Pompeius (52) und eines Triumvir Capitalis (52).

21 Dazu Meier, Populares, 613; Nowak 115; F. Metaxaki-Mitrou, AC 54, 1985, 180–187.

In der späten Republik muss es jedoch angesichts der jetzt häufiger angewandten kollegialen Interzession vermehrt zu Unruhe und Aufruhr gekommen sein, da im Jahr 92 ein Senatsbeschluss den Versammlungsleiter für allfällige *seditiones* verantwortlich machte.[22] Der Grossteil der spätrepublikanischen *contiones* dürfte weiterhin unspektakulär verlaufen sein. Jener Teil des Publikums, der nicht in persönlicher Abhängigkeit von dem Versammlungsleiter stand, liess sich offenbar nicht zu aussergewöhnlichen Handlungen hinreissen. Tribunen, die zu besonderen Protestbewegungen aufrufen wollten, mussten auf anderem Wege Leute mobilisieren.

Im ausgehenden 2. Jh. wurden die Vorladungen hauptsächlich im Sinne popularer Politik genutzt. Die Kriegsführung des Senats wurde in Versammlungen des Volkes angeprangert. Im Interesse der Senatsmehrheit war nur die Veranstaltung zugunsten der *lex Servilia iudiciaria.* Ansonsten fehlen Zeugnisse über vorberatende Versammlungen bei senatstreuen Gesetzen, da sie wohl ohne besondere Vorkommnisse verliefen. Nach den Agitationen des Saturninus sind bis in die 70er Jahre keine Vorladungen mehr bekannt. Unter Sulla blieb den Tribunen nach gängiger Meinung das Recht, *contiones* einzuberufen.[23] Nach Cicero (Cluent. 110) soll jedoch L. Quinctius im Jahr 74 als erster wieder auf die Rostra gestiegen sein. J. Rubino (34ff.) möchte daraus ein Verbot des *ius contionandi* ableiten, das seiner Meinung nach im Jahr 75 wieder aufgehoben wurde. Nach Sallust (hist. 3,48,8) hat aber schon Cn. Sicinius im Jahr 76 als erster über die tribunizische Gewalt zu sprechen gewagt und in seiner Agitation für ein uneingeschränktes Volkstribunat die Konsuln vor das Volk geführt, wie es vor ihm auch die Tribunen des Jahres 78 getan hatten. Beides weist eindeutig auf *contiones* hin, die demnach auch nach dem Jahr 81 praktiziert wurden. Sulla hatte somit das *ius contionandi* offenbar nicht eingeschränkt, obwohl ihm der Missbrauch von popularer Seite bewusst sein musste. Die Verhandlung mit dem Volk gehörte zu den Grundelementen des Tribunats und konnte als solches nicht ohne weiteres abgeschafft werden. Andererseits waren die tribunizischen *contiones* nicht immer von Erfolg geprägt und hatten auch keine bindenden Erlasse zur Folge. Versammlungen der Tribunen mussten als Diskussionsforum und im Sinne der Volksbeteiligung in der Mischverfassung beibehalten werden. Für den Fall, dass Sulla für die Tribunen kein umfassendes Gesetzesverbot erlassen hatte, war die Beibehaltung des *ius contionandi* geradezu zwingend, da dieses für die Vorbereitung von Gesetzesabstimmungen benötigt wurde. In der Folge bestätigte sich dann, dass die tribunizischen Vorladungen allein noch keine erfolgreiche Politik garantierten. Die beiden *productiones* vom Jahr 78 und 76 zum Zwecke der Wiederherstellung der vollen tribunizischen Rechte verfehlten vorerst ihr Ziel. Trotzdem spielten die Versammlungen der Tribunen in den 70er Jahren eine wichtige Rolle im Kampf gegen die sullanischen Restriktionen.[24] Auch die Vorladung vor die Volksversammlung wurde nochmals benutzt, indem M. Lollius Palicanus (71) zu propagandistischen Zwecken einen von Verres Geschlagenen vorführte. Pompeius konnte bei seiner Rückkehr aus Spanien in einer *contio* desselben Tribunen ankündigen, dass er die Volkstribunen wieder in ihre alten Rechte einsetzen werde.

22 Cic. leg. 3,42; zur *contio* des J. 111 s. unten S. 229f.

23 Mommsen, StR. 2, 313 (A. 3); Lengle, Sulla, 13 (A. 1); Tribunus, 2485f.; Niccolini, tribunato, 150.

24 Vgl. dazu auch A. 14 und Lengle, Sulla, 13 A. 1; Tribunus, 2485f.; vgl. allgemein Martin 7ff.; Gruen, LG, 23ff.

Für sich selbst forderte Pompeius dabei, wie schon vor ihm Marius bei der Rückkehr aus Afrika, das Konsulat.[25] Wegen ihrer Abwesenheit von Rom war die Konsulatsbewerbung für die Feldherrn oft schwierig, da nur wenig Zeit für Wahlpropaganda blieb bzw. die nötigen Bewerbungsfristen nicht eingehalten werden konnten. Den Volkstribunen war es möglich, einen nach Rom zurückkehrenden Feldherrn vor die *contio* zu führen und ihm so Gelegenheit zu geben, seine Anliegen zu verkünden. In nachsullanischer Zeit konnten die Feldherrn verschiedentlich auch Vorladungen von andern Personen für ihre Politik nutzbar machen. Neben Reden für einzelne Gesetze, die insbesondere die Imperiumszuteilung betrafen,[26] kam es in den Jahren 67 und 66 zu Versuchen, Widerstand von Senatoren gegen populare Politiker zu brechen. Hier wurden die betreffenden Contionen von mehreren Tribunen gemeinsam, kaum jedoch von allen einberufen.

Die grossen Einzelnen mussten sich jedoch auch Angriffe gefallen lassen. Clodius nutzte das Vorladungsrecht nicht nur um die Verbannung Ciceros einzuleiten, sondern auch um gegen Caesar aufzutreten. Caesar wurde hier, wie Pompeius in den Jahren 61 und 55, vor der Volksversammlung kompromittiert. Im Jahr 56 wurde durch einen Auftritt Catos gar versucht, Pompeius von dem gewünschten Rückführungsauftrag für Ptolemaios Auletes abzubringen. In der Auseinandersetzung zwischen Caesar und Pompeius trat M. Antonius Ende 50 in der Volksversammlung gegen Pompeius an. Nach dem Tode Caesars wurde auf tribunizischen *contiones* Octavius gefördert und gleichzeitig Antonius denunziert. Das tribunizische Vorladungsrecht wurde somit in den Auseinandersetzungen mit einzelnen Heerführern nochmals im Sinne des Senats nutzbar gemacht. Cicero konnte dabei gleichzeitig persönliche politische Ziele verfolgen. Dies war auch bei Cato im Jahr 55 und bei Milo im Jahr 52 der Fall. Konservative Politik im Sinne der Senatsmehrheit konnte auf diese Weise aber kaum durchgesetzt werden. Durch die Versammlungen der Tribunen war es nicht gelungen, eigenwillige Imperiumsträger von ihrer Politik abzubringen. Die *contiones* blieben ein wichtiges Forum an der Oberfläche der politischen Konflikte, die letztlich jedoch an andern Orten und mit andern Mitteln entschieden wurden. Unter Caesars Diktatur sind uns keine Zeugnisse für Contionen mehr bekannt, obwohl sie im Sinne der Gesetzesankündigung immer noch vorgekommen sein müssen. Agitation war jetzt nur noch in beschränktem Masse möglich.

Abschliessend ist festzuhalten, dass sich die mit den *contiones* und Vorladungen verfolgten Ziele kaum von denjenigen der tribunizischen Gesetze unterschieden. Auch in der direkten Konfrontation mit dem Volk forderten die Tribunen nie grundlegende Änderungen in den politischen Strukturen. Das Volk wurde nie aktiv in die Diskussionen einbezogen, sondern sollte jeweils im Hinblick auf nachfolgende Abstimmungen zu einer bestimmten Haltung geführt werden. Trotzdem waren die Contionen ein wichtiger Ort für die Kundgabe der öffentlichen Meinung, dem sich kein Politiker entziehen konnte. Die Volkstribunen nahmen hier eine bedeutende Rolle für den Kontakt zwischen der politischen Führungsschicht und dem Volk ein. Allerdings können die Teilnehmer an den Volksver-

25 Zuvor hatten offenbar Volkstribunen, die Sallust als *seditiosi magistratus* bezeichnet, für Marius Propaganda gemacht (Sall. Iug. 73,5; vgl. Hackl, Senat, 151).

26 Als Q. Caecilius Metellus Nepos im J. 62 sein Gesetz zur Berufung des Pompeius nach Italien vortrug, sass Caesar neben ihm auf den Rostra (Plut. Cat. min. 27).

sammlungen nicht als ,Volk' schlechthin bezeichnet werden, und es ist zu fragen, wie sich dieser Personenkreis zusammensetzte.

In folgenden Fällen führten Volkstribunen Personen vor die Volksversammlung oder liessen sie dort zu Worte kommen:

– 138 C. Curiatius führte (vergeblich) die Konsuln vor die Volksversammlung, um sie zu Massnahmen für die Getreideversorgung zu bewegen (Val. Max. 3,7,3: *productos in contionem consules conpellabat*)

– 133 Ti. Sempronius Gracchus liess T. Annius Luscus, der Tiberius wegen der Absetzung des M. Octavius zu einer *sponsio* herausgefordert hatte, mit der Absicht einer Anklage vor die Volksversammlung bringen, was allerdings fehlschlug (Plut. T. G. 14,4–15,1)

– 133 Ti. Sempronius Gracchus brachte seine Mutter und Kinder vor die Volksversammlung, damit sie in die Bitten bezüglich seiner Zukunft einstimmten (Dio 24,83,8: ἐσ τὸ πλῆθος παρῆγε συνδεόμενα; Sempr. Asellio apud Gell. 2,13,5: *produci iussit*; vgl. Botsford 147)

– 133 Die Volkstribunen luden Senatoren einzeln auf die Rostra und befragten sie nach dem Mörder des Ti. Gracchus, wobei sich einzig Scipio Nasica zu der Tat bekannte (Diod. 34/35,33,7)

– 131 C. Papirius Carbo brachte P. Cornelius Scipio Aemilianus vor die Volksversammlung, um ihn nach seiner Ansicht über den Tod des Ti. Gracchus zu fragen (und ihn so vor dem Volk zu kompromittieren) (Val. Max. 6,2,3: *in rostra perductum*; Vell. 2,4,4: *interrogante tribuno Carbone*; vgl. Astin, Scipio, 233f.)

– 123 C. Sempronius Gracchus liess L. Calpurnius Piso Frugi (Cos. 133) durch einen *viator* vor die *contio* laden, da dieser die *lex frumentaria* und wohl auch andere Massnahmen des Gaius angriff (Cic. Font. 39: *in contionem ... vocari iuberet*; vgl. Gruen, RP, 94f.)

– 111 C. Memmius liess Iugurtha vor die Volksversammlung schaffen. Eine Antwort des Iugurtha wurde jedoch durch die Interzession des C. Baebius verhindert (Sall. Iug. 32–34: *C. Memmius advocata concione ... producto Iugurtha verba facit* (33,3f.))

– 108 Ein Volkstribun führte C. Marius nach dessen Ankunft aus Afrika vor die Volksversammlung. Marius machte Vorwürfe an Q. Caecilius Metellus und verlangte das Konsulat, indem er versprach, Iugurtha zu töten oder lebendig gefangen zu nehmen (Plut. Mar. 8,5: προαχθεὶς ὑπό τινος τῶν δημάρχων εἰς τὸ πλῆθος)

– 107 T. Manlius Mancinus diffamierte in einer *contio* Q. Caecilius Metellus, als dieser aus Numidien zurückkehrte und einen Triumph forderte. Metellus gab eine verächtliche Antwort (Broughton 1, 551; Gell. 7,11,2: *a quo apud populum in contione lacessitus iactatusque fuerat*; Prisc. 8, 17: *Metellus Numidicus in oratione, qua apud populum C. Manilio tribuno plebis respondit*)

– 106 Q. Mucius Scaevola praesidierte ein Treffen, an dem Crassus für die *lex Servilia iudiciaria* sprach (Cic. Brut. 161: *in rostris sedente*; vgl. Rubino 36)

– 103 L. Appuleius Saturninus führte Sempronia, die Schwester der beiden Gracchen, vor die Volksversammlung, damit sie die Abkunft des L. Equitius von Ti. Gracchus bestätige, was sie jedoch verweigerte (vir. ill. 73,4: *Sempronia ... producta*; Val. Max. 3,8,6: *producta ad populum*; Niccolini 193f.)

– 102 Ein Volkstribun führte den Priester Batakes aus Pessinus, der den Sieg des Marius verkünden wollte, auf die Rednerbühne zurück und fragte ihn nach den von der Göttin geforderten Sühneopfern; A. Pompeius, der Batakes zuvor das Reden verboten und ihn von der Rostra vertrieben hatte, intervenierte aufs neue (Diod. 36,13,2; vgl. Plut. Mar. 17,5)

– 100 L. Appuleius Saturninus rief die Senatoren zur Rednerbühne und wollte sie zu dem Schwur auf sein Ackergesetz nötigen, was alle bis auf Metellus Numidicus taten (Plut. Mar. 29,4: πρὸς τὸ βῆμα τοὺς συγκλητικοὺς ἀνακαλουμένου; App. BC. 1,29ff.)

– 78 Die Volkstribunen kamen überein, dass die Konsuln die *tribunicia potestas* restituieren sollten, was der Konsul M. Aemilius Lepidus ablehnte. Ein grosser Teil der *contio* soll mit ihm übereingestimmt haben, dass die Restitution nicht nötig sei (Gran. Licin. p. 27 Criniti)

– 76 Cn. Sicinius führte die Konsuln vor die Volksversammlung, wobei sich C. Scribonius Curio gegen die Wiederherstellung der tribunizischen Rechte zur Wehr setzte. Curio hielt eine lange Rede, während Cn. Octavius schwieg, worauf ihn Sicinius verspottete (Cic. Brut. 217: *consules produxisset*)

– 71 Ein Volkstribun (M. Lollius Palicanus, tr. pl. 71, vgl. Ps.-Asc. p. 250 St.; anders Niccolini 244f., der an L. Quinctius, tr. pl. 74, denkt) brachte einen Mann vor die Volksversammlung, der von dem Praetor Verres (74) mit der Rute geschlagen worden war (Cic. Verr. 2,1,122: *Quam rem ... in contione egit, cum eum ... in prospectum populi Romani produxit*)

– 71 M. Lollius Palicanus führte Pompeius bei der Rückkehr aus Spanien vor den Toren der Stadt in die Volksversammlung, wo dieser, wie vom Volk erwartet, für sein Konsulat die Wiederherstellung des Volkstribunats ankündigte und zudem die Ausplünderung der Provinzen sowie die schändliche Verwaltung des Gerichtswesens anprangerte und Abhilfe in Aussicht stellte (Ps.-Asc. p. 220 St.: *Pompeius ... habuerat contionem*; Cic. Verr. 1, 45: *Pompeius ... contionem ... habuit*; vgl. Gelzer, Pompeius, 58f.; B. Marshall/J. L. Beness, Athenaeum 65, 1987, 376)

– 67 A. Gabinius erteilte dem Konsular Q. Lutatius Catulus, von dem er (vergeblich) Beschwichtigung der Nobilität in bezug auf das Piratengesetz erhofft hatte, das Wort (Dio 36,30,5: λόγου τε ἔτυχεν)

– 67 Die Volkstribunen führten den Konsul C. Calpurnius Piso vor die Volksversammlung, um ihn wegen seiner Ankündigung, er werde eine allfällige Wahl des M. Lollius Palicanus zum Konsul nicht renuntiieren, zur Rechenschaft zu ziehen, was diesen aber nicht von seiner Absicht abbrachte (Val. Max. 3,8,3: *manibus tribunorum pro rostris Piso conlocatus*)

– 66 C. Manilius erteilte auf einer *contio*, die für die *lex de imperio Cn. Pompei* abgehalten wurde, Cicero das Wort, der den Antrag des Manilius unterstützte (Cic. imp. Pomp. 69; vgl. Gelzer, Pompeius, 80f.: Cicero machte mit dieser Rede Eigenpropaganda, da schon klar war, dass der Vorschlag angenommen würde)

– 66 Die Volkstribunen führten Ende 66 den Praetor Cicero vor die Volksversammlung, da er den Prozess gegen C. Manilius (tr. pl. 66) kurzfristig noch auf den letzten Tag seines Amtes (29. Dez.) legen wollte, möglicherweise um sich im nächsten Jahr nicht als Verteidiger des Komplizen des Pompeius annehmen zu müssen. Cicero gewann die Gunst der Menge, indem er erklärte, im Sinne des Manilius zu handeln (Dio 36,44,1f.: ἀναγκασθεὶς δῆθεν ὑπὸ τῶν δημάρχων; Plut. Cic. 9,5: τῶν δὲ δημάρχων αὐτὸν διαγαγόντων ἐπὶ τὸ βῆμα καὶ κατηγορούντων; vgl. Gelzer, Cicero, 60; Gruen, LG, 261f.; E. J. Phillips, Latomus 29, 1970, 595–607; anders: A. M. Ward, TAPhA 101, 1970, 545–556; J. T. Ramsey, Phoenix 34, 1980, 323–336)

– 63 P. Servilius Rullus (und gleichgesinnte Kollegen) führten nach Plutarch die Konsuln vor die Volksversammlung, wobei Cicero durch seine – in eigenen *contiones* – gehaltenen Reden (2. und 3. Rede gegen das Ackergesetz) das Ackergesetz verhindert haben soll (Plut. Cic. 12,5: προεκαλοῦντο τοὺς ὑπάτους ἐπὶ τὸν δῆμον). In der 3. Rede *lege agraria* bemängelte Cicero, dass die Volkstribunen bis anhin ohne seine Anwesenheit agiert (3,1) und damit sein Auftreten vor der *contio* provoziert hätten (3,16, – was Plutarch möglicherweise mit προεκαλοῦντο wiedergab)

– 61 Q. Fufius Calenus führte auf Veranlassung des Konsuls Piso Pompeius vor die Volksversammlung und fragte ihn, ob er damit einverstanden sei, dass die Richter im Prozess gegen Clodius – gemäss Senatsbeschluss – eigens vom Praetor gewählt würden. Pompeius gab die ausweichende Antwort, dass ihm die Ansichten des Senats wie immer von grosser Bedeutung seien, womit er sich für das vom Senat beschlossene Verfahren aussprach (Cic. Att. 1,14,1f.: *in contionem producit*; vgl. Meyer, CM, 45; Gelzer, Pompeius, 119)

– 59 P. Vatinius führte L. Vettius nach der Vorladung durch Caesar nochmals in die Volksversammlung zurück, um weitere Namen in der behaupteten Verschwörung gegen Pompeius zu erfahren. Vettius nannte daraufhin C. Calpurnius Frugi, den Schwiegersohn Ciceros, und M. Iuventius Laterensis (Cic. Vat. 24: *L. Vettium ... in contionem produxeris*; *L. Vettius in contione tua rogatus a te*; 26: *eum repente revoceras ... deinde interrogares, ecquosnam alios posset nominare?*; Att. 2,24,3: *revocatus a Vatinio*; vgl. Meyer, CM, 85f.; Gelzer, Pompeius, 139f.; H. Gundel, RE 8 A, 1955/58, 502f. 1847f.)

– 58 P. Clodius Pulcher führte in der Frage der Verbannung Ciceros neben den Konsuln auch Caesar im Circus Flaminius vor die Volksversammlung. Caesar verurteilte die Illegalität der Hinrichtung der Catilinarier, befürwortete aber kein rückwirkendes Strafgesetz. Als Piso von Clodius um seine Meinung gefragt wurde, gab er im Hinblick auf die Verurteilung der Catilinarier die Antwort, dass er stets für Barmherzigkeit gewesen sei und ihm Grausamkeit missfiele. Gabinius verhielt sich ähnlich und trat ebenfalls nicht für Cicero ein (Cic. p. red. in sen. 13: *in contionem ... productus* (Gabinius), 17: *productus* (Piso); Sest. 33: *producti ... in contionem* (die Konsuln); Pis. 14: *productus in contionem* (Gabinius); Dio 38,16,6–17,2; vgl. F. Von der Mühll, RE 7, 1910, 426f.; Gelzer, Caesar, 88f.; Cicero, 138)

– 58 P. Clodius Pulcher brachte Q. Hortensius Hortalus und C. Scribonius Curio, die eine für den bedrohten Cicero eintretende Ritterdelegation hatten vor den Senat führen wollen, vor die Volksversammlung, wo er sie verprügeln liess (Dio 38,16,5: ἐς τὸ πλῆθος ἐσαγαγῶν)

– 58 P. Clodius Pulcher führte gegen Ende seines Tribunats M. Bibulus und die Augurn vor die Volksversammlung, um das Unrecht Caesars bei der Promulgierung des Ackergesetzes (Missachtung der Auspizien) offenzulegen. Die Augurn antworteten, dass es nicht zulässig sei, mit dem Volk zu verhandeln, während der Himmel beobachtet würde. Bibulus bestätigte, dass er den Himmel beobachtet hatte (Cic. dom. 40: *in contionem ... produxisti*)

– 57 Die Volkstribunen (mit Ausnahme von Sex. Atilius Serranus Gavianus und Q. Numerius Rufus) sowie die Praetoren (mit Ausnahme von Ap. Claudius Pulcher) gewährten Cicero zusammen mit den andern Magistraten eine *contio*. Cicero gab seine Meinung zu dem von ihm herbeigeführten Senatsbeschluss ab, der eine Verhandlung mit Pompeius über die Übernahme der *cura annonae* einleiten sollte (Cic. Att. 4,1,6: *(contionem) dederunt; habui contionem*; vgl. Gelzer, Cicero, 153)

– 56 C. Porcius Cato führte zu Beginn seines Tribunats die *XVviri s. f.* vor die Volksversammlung und zwang sie ohne die vorgeschriebene Zustimmung des Senats, die Antwort der Sibyllinischen Bücher mitzuteilen, die sagte, man solle Ptolemaios Auletes nicht durch eine grosse Schar zurückführen (Dio 39,15,4: ἔς τε τὸν ὅμιλον τοὺς ἱερέας ἐσήγαγε)

– 55 Ein Volkstribun (wohl P. Aquillius Gallus oder C. Ateius Capito) berief eine Volksversammlung, nachdem P. Vatinius statt M. Porcius Cato zum Praetor gewählt worden war. Cato sprach sich gegen Pompeius und Crassus aus, die seine Praetur gewaltsam verhindert hatten, und sagte eine düstere Zukunft voraus (Plut. Cat. min. 42,4f.; vgl. Meyer, CM, 154 A. 3)

– 55 C. Trebonius gab bei der Verhandlung über die *lex de provinciis consularibus* seinen Gegnern M. Porcius Cato und M. Favonius zwei bzw. eine Stunde Redezeit. Cato wurde nach Ablauf der Zeit zum Schweigen angehalten und vom Forum entfernt; als er zurückkehrte, wurde er verhaftet (Dio 39,34,2–4)

– 52 M. Caelius Rufus gab Milo, als er nach der Ermordung des Clodius nach Rom zurückkehrte, eine *contio*, da er weiterhin das Konsulat anstrebte und sich einer bestochenen Menge gerichtlich stellen wollte, um mit einem Freispruch anderweitige Gerichtsverfahren zu vermeiden. Milo lehnte vor der Versammlung die Ansicht ab, dass der Mord beabsichtigt war. Auch Cicero sprach und beide sagten, Clodius habe Milo einen Hinterhalt gelegt (Asc. p. 32 St.: *Contionem ei post aliquot dies dedit M. Caelius tr. pl. ac Cicero ipse etiam causam egit ad populum*; App. BC. 2,22,79ff.; vgl. F. Münzer, RE 3, 1897, 1268: Caelius sprach möglicherweise selbst (*atque* statt: *ac Cicero*)). Die andern Volkstribunen und das bestochene Volk machten einen bewaffneten Angriff, so dass es zum SCU kam

– 52 Q. Pompeius Rufus, C. Sallustius Crispus und T. Munatius Plancus führten Pompeius nach der Ermordung des Clodius vor die Volksversammlung, um etwas über die Mordabsichten Milos gegen Pompeius zu erfahren. Die Tribunen fragten Pompeius, ob er Anzeichen hätte, dass Milo nach seinem Leben trachte, was dieser bestätigte (Asc. p. 43 St.: *produxerant ad populum Cn. Pompeium et ab eo quaesierant* ...; vgl. Malitz 41f.)

– 52 T. Munatius Plancus führte in der Agitation gegen Milo einen Freigelassenen des M. Aemilius Lepidus, M. Aemilius Philemon, der zusammen mit vier andern Freien von Milo zwei Monate lang gefangen gehalten worden war, als Zeuge des Mordes an Clodius vor die Volksversammlung (Asc. p. 34 St.: *produxerat in contionem*; vgl. Malitz 43f.)

– 52 T. Munatius Plancus und Q. Pompeius Rufus führten einen Triumvir Capitalis, der einen des Mordes verdächtigen Sklaven Milos (Galata) in Bewahrung hatte, vor die Volksversammlung und fragten ihn, ob er den Sklaven beim Totschlag angetroffen habe; dieser sagte nur, dass Galata als Entlaufener in einer *taberna* gefasst worden sei (Asc. p. 34 St.: *in Rostra produxerant*; vgl. Malitz 44; L. Schumacher, Servus Index, Wiesbaden 1982, 73 A. 160)

– 50 M. Antonius hielt am 21.12.50 eine Rede gegen Pompeius, in der er die Entsendung von dessen beiden Legionen nach Syrien gegen die Parther forderte; Pompeius verteidigte seine Rüstung gegen Caesar (Cic. Att. 7,8,5; dazu Meyer, CM, 280; Gelzer, Pompeius, 195f.; Raaflaub, Volkstribunen, 309 A. 88)

- 45 Ein Volkstribun führte M. Antonius vor eine *contio*, als er zur Konsulatsbewerbung nach Rom zurückkehrte. Antonius antwortete, er sei in persönlicher Angelegenheit gekommen, worauf sich das Volk zu Witzen über ihn hinreissen liess (Cic. Phil. 2,78: *productus autem in contionem a tribuno pl. cum respondisses ...*)
- 44 L. Antonius führte kurz vor dem 9. Mai Octavian vor die Volksversammlung, wo sich dieser als Erbe Caesars vorstellte (Cic. Att. 14,20,5: *L. Antonius produxit Octavium*; vgl. K. Fitzler/O. Seeck, RE 10, 1918, 281)
- 44 Ti. Cannutius führte am 2. Okt. M. Antonius vor die Volksversammlung und griff ihn an. Antonius attackierte seinerseits Cannutius, Cicero und die Verschwörer (Cic. fam. 12,3,2: *productus in contionem a Cannutio*; 12,23,3; vgl. Phil. 3,23)
- 44 Ti. Cannutius führte Octavian Ende Oktober vor eine *contio*, um sich dabei gegen Antonius auszusprechen. Cannutius sagte dem Volk, dass Octavian gegen Antonius vorgehen werde und es sich ihm anschliessen solle. Octavian bestätigte dies (Dio 45,6,3: ἀναπείσας ἔς τε τὸν ὅμιλον; App. BC. 3,41,168: ἐσῆγε τὸν Καίσαρα; Dio 48,14,4)
- 44 M. Servilius (und Kollegen) ermöglichte Cicero nach der Senatssitzung vom 20.12.44 in einer *contio*, die *hostis*-Erklärung an Antonius voranzutreiben (Cic. Phil. 4,16; vgl. Gelzer, Cicero, 372)
- 43 P. Appuleius hielt für Cicero am 4. Jan. eine *contio*, damit sich dieser über die momentane Lage äussern konnte. Da Cicero auf einen Kriegsentschluss drängte, war er mit dem Entscheid auf eine Gesandtschaft an Antonius unzufrieden (Cic. Phil. 6,1; vgl. Gelzer, Cicero, 376)
- 43 M. Servilius führte Anfang März Cicero vor die Volksversammlung, um die Übertragung des Kommandos im Osten auf Cassius zu propagieren (Cic. fam. 12,7,1: *productus sum in contionem a tr. pl. M. Servilio*; vgl. Gelzer, Cicero, 383f.)

c) Anhängerschaft und persönliche Gefolgschaften der Volkstribunen

In der ausgehenden Republik bestanden bekanntlich keine festen politischen Gruppen, während andererseits Abstimmungen (abgesehen von Wahlen) ohne vorherbestimmten Geschäftsplan ad hoc einberufen wurden. Dies hatte besondere Bedingungen des Stimmengewinns zur Folge und liess die persönlichen Gefolgschaften, die die führenden Leute in der Öffentlichkeit begleiteten sowie Einfluss auf die Volksversammlungen nahmen, zu einem entscheidenden Element politischer Durchsetzungsfähigkeit werden. Besonders im Kampf um die popularen Rogationen kam es nicht nur auf momentane, sich situationsgebunden formierende Anhängerschaft beim Volk (als Stimmpotential) an, sondern auch auf feste Begleitmannschaften, mit denen versucht wurde, über gegnerische Stimmen zu dominieren. Wenn in diesem Abschnitt nach dem Publikum, den Mobilisierungschancen und der Anhängerschaft der Volkstribunen gefragt wird, gilt es daher speziell, deren persönliche Gefolgschaften zu berücksichtigen.

Mit dem popularen Handeln verband sich nicht nur die Missachtung der Senatsautorität, sondern oft auch die Bereitschaft, die gestellten Forderungen nötigenfalls unter Verletzung rechtsstaatlicher Normen gewaltsam durchzusetzen. Neben den hergebrachten Gefolgschaften der persönlichen Klientel entwickelten sich private Kampfgarden, die bei politischen Handlungen Druck auf den Gegner ausübten oder gar Gewalt anwandten. Auch die Optimaten scheuten ihrerseits nicht davor zurück, die populare Politik mit Gewalt zu bekämpfen. Gewalt wurde in der späten Republik zu einem verbreiteten Mittel der Politik, das sich keineswegs nur auf die Tribunen beschränkte.[27] Im Folgenden sollen nur die

27 Grundlegend dazu A. W. Lintott, Violence in Republican Rome, Oxford 1968; weitere Literatur: R.

wichtigsten Stationen der Gewaltanwendung im Zusammenhang mit den persönlichen Gefolgschaften der Tribunen aufgeführt sowie auf deren Auswirkungen verwiesen werden.[28] Auszugehen ist dabei von einigen allgemeinen Überlegungen zu dem Problem der Anhängerschaft der Volkstribunen.

In vorsullanischer Zeit war es dem Senat im Endeffekt noch weitgehend gelungen, gewaltsamen Aktionen und Missachtungen der Rechtsnormen seitens der Volkstribunen wirksam entgegenzutreten. Dies wurde von W. Nippel so erklärt, dass die Anhängerschaft der popularen Tribunen „im wesentlichen" aus der *plebs rustica* bestand, die nicht dauernd präsent sein konnte.[29] Bei Ti. Gracchus zeigte sich, dass er grossen Anhang bei der *plebs rustica* hatte, die aber wegen der Erntezeit nicht zur Unterstützung von Tiberius' Wiederwahl nach Rom kommen konnte.[30] Entscheidend war, dass er mit seinem Reformprogramm die hergebrachten Klientelverhältnisse zu durchbrechen vermochte[31] und somit neue Anhänger fand, die für seine Gesetze stimmten. Tiberius und die weiteren popularen Volkstribunen nach ihm hatten aber mit der *plebs rustica* nur ungenügenden Anhang, um sich längerfristig gegen die Senatsmehrheit durchzusetzen. Die betreffenden Tribunen mussten deshalb versuchen, auch in der *plebs urbana* Stimmen zu gewinnen. C. Gracchus und Saturninus gelang es in der Folge, mit ihren Getreidegesetzen Anhängerschaft bei dem Stadtvolk zu finden.[32] C. Gracchus verlegte seine Wohnung auf das Forum, um grössere Verbundenheit mit dem Volk zu demonstrieren.[33] Trotzdem erwiesen sich die Mobilisierungschancen der Tribunen als unzulänglich, so dass sie jeweils aufs neue um Unterstützung werben mussten. Die Gegner gewannen dadurch Zeit und waren in der Lage, genügend Klienten auf ihrer Seite zu halten, um wichtige populare Unternehmungen zu vereiteln bzw. wieder zu neutralisieren:[34] C. Gracchus konnte die Abrogation der Kolonie Iunonia nicht verhindern und auch Saturninus' Kolonieprojekte wurden fallengelassen.

Seit dem ausgehenden 2. Jh. ergab sich für populare Volkstribunen die Möglichkeit, in Verbindung mit einem Feldherrn die Veteranen bei Abstimmungen einzusetzen. Sa-

E. Smith, The Anatomy of Force in Late Republican Politics, in: Ancient Society and Institutions, Studies presented to V. Ehrenberg, Oxford 1966, 257–273; K.-J. Nowak, Der Einsatz privater Garden in der späten römischen Republik, Diss. München 1973; W. Schuller, Die Rolle der Gewalt im politischen Denken der späten römischen Republik, Index 5, 1974/75, 140–154; R. E. Smith, The Use of Force in Passing Legislation in the Late Republic, Athenaeum 55, 1977, 150–177; W. Nippel, Policing Rome, JRS 74, 1984, 20–29 sowie jetzt: Aufruhr und „Polizei" in der römischen Republik, Stuttgart 1988; vgl. auch Martin 218; zu den Methoden der Popularen im Zusammenhang mit Volksversammlungen vgl. Meier, Populares, 612 ff. sowie jetzt die systematische Aufstellung bei Vanderbroeck 220ff. (dazu meine Rez. im Gnomon).

28 Sofern es sich um Massnahmen gegen tribunizische Interzessionen handelte, sind die Gewalttaten im entsprechenden Kapitel unten S. 217ff. aufgeführt.

29 Nippel, plebs urbana, 77; vgl. P. A. Brunt, WdF 413, 1976, 298. 301.

30 App. BC. 1,14,58f.; dazu P. A. Brunt, WdF 413, 1976, 297.

31 Martin 132f. 134; Alföldi, Caesar in 44 v. Chr., 12.

32 Zu C. Gracchus vgl. Nippel, plebs urbana, 77f. und P.A. Brunt, WdF 413, 1976, 297; zu Saturninus: H. Schneider, Die politische Rolle der plebs urbana während der Tribunate des L. Appuleius Saturninus, AS 13/14, 1982/83, 193–221.

33 Plut. C. G. 12,1. Gaius hatte, wie später auch Livius Drusus, seine Klienten nach Manier östlicher Herrscher in drei Klassen eingeteilt (Sen. benef. 6,34,2).

34 P.A. Brunt, WdF 413, 1976, 301ff.; Nippel, plebs urbana, 78; vgl. Meier, RPA, 112; zu C. Gracchus, der jedoch erst nach seinem Tribunat entmachtet wurde: Plut. C. G. 16.

turninus und Sulpicius sahen sich gezwungen, bei ihren Gesetzesvorlagen die Veteranen beizuziehen.[35] Da die Veteranen aber nicht dauernd in Rom anwesend und hauptsächlich an der Zuteilung eines Stück Landes interessiert waren, war von ihnen keine längerfristige Unterstützung zu erwarten. Vor der *lex Plautia Papiria* sind bei C. Gracchus[36] und Livius Drusus[37] auch die Bundesgenossen als Anhänger der Tribunen aufgetreten, da sie sich für die Zuteilung des Bürgerrechts eingesetzt hatten. Die *socii* bildeten allerdings nur ein geringes Stimmpotential. Latiner durften nur in einer einzigen Tribus abstimmen.[38] Sulpicius entschloss sich daher, für die Einteilung der Neubürger in alle Tribus die Verbindung mit Marius und dessen Veteranen sowie die Unterstützung der Ritter zu suchen, was auch schon C. Gracchus getan hatte. Er versuchte möglicherweise sogar, Ritter fest in seine persönliche Gefolgschaft einzubeziehen (s. unten).

Die ungenügenden Möglichkeiten, spontanen Zulauf aus der Bevölkerung zu erhalten, zwang populare Volkstribunen, feste Begleitmannschaften aufzustellen, die für die nötige Unterstützung sorgten und auch Druck ausüben konnten. Ti. Gracchus soll nach Sempronius Asellio (frg. 6, apud Gell. 2,13,4) nie weniger als 3–4000 Begleiter bei sich gehabt haben, wenn er sein Haus verliess. Als sich sein Gegner Octavius gegen das Ackergesetz zur Wehr setzte, liess er diesen von seinen Gefolgsleuten umringen, um ihn von der Interzession abzubringen.[39] Zu Tätlichkeiten wollte er es dann allerdings nicht kommen lassen. Vor der letzten Abstimmung, die Tiberius noch durchführen konnte, besetzte er den Capitolstempel, um den Abstimmungsplatz von gegnerischen Störungen freizuhalten.[40] Der Senat hatte sich in dieser Situation nicht zu einem Beschluss durchringen können, der Gewaltmassnahmen gegen den Tribunen offiziell sanktioniert hätte.[41] Jedoch griff der Pontifex Maximus P. Cornelius Scipio Nasica als Privatmann ohne rechtliche Grundlage zu den Waffen und forderte all diejenigen, die den Staat retten wollten, auf, ihm zu folgen.[42] Nach Appian hatte Ti. Gracchus schon zuvor für seine Anhänger das Zeichen gegeben, auf die Gegner loszuschlagen.[43] Von den Gegnern drang als erster der Volkstribun P. Satureius auf Ti. Gracchus ein,[44] so dass auch Gewalt im Tribunenkollegium einen Präzedenzfall erhielt. Es kam zu blutigen Ausschreitungen, wie sie in dieser Form in der mittleren Republik nicht bekannt gewesen waren.[45] Staatliche Massnahmen hatte dies vorerst keine zur Folge. Nasica wurde nach der Ermordung des Ti. Gracchus von der Senatsmehrheit gedeckt.[46]

35 Dazu oben S. 140ff.
36 Plut. C. G. 12,2; vgl. auch oben S. 74.
37 Diod. 37,11; vgl. Val. Max. 3,1,2; Plut. Cat. min. 2,1; dazu Martin 195 A. 5.
38 Meyer, Staatsgedanke, 227.
39 App. BC. 1,12,49.
40 App. BC. 1,15,63f.; dazu Meier, RPA, 119; Nowak 9.
41 Plut. T. G. 19, 3; dazu v. Ungern-Sternberg, Notstandsrecht, 7ff.
42 App. BC. 1,16,68f.; Plut. T. G. 19,3; dazu v. Ungern-Sternberg, Notstandsrecht, 12.
43 App. BC. 1,15,65.
44 Plut. T. G. 19,6.
45 Plut. T. G. 20,1; vgl. App. BC. 1,2,4; dazu Lintott 68f.
46 Cic. Planc. 88; dom. 91; vgl. v. Ungern-Sternberg, Notstandsrecht, 21ff.

Als C. Gracchus nach Ablauf seines zweiten Tribunats mit einer bewaffneten Truppe[47] gewaltsam zu verhindern suchte, dass ein Teil seiner Gesetze aufgehoben wurde, kam es zum ersten *senatus consultum ultimum*, das den Konsul L. Opimius mit dem Staatsschutz beauftragte und die nötige Handlungsfreiheit gewährte. Das SCU wurde zu einer neuen Waffe des Senats gegen populare Politik. Diese Einrichtung gab in der Folge Anlass zu neuem Streit und führte zu einer Verhärtung im Kampf um die Res publica.

L. Appuleius Saturninus setzte seine Rogationen gewaltsam gegen die Interzession und Obnuntiation durch, indem er die Gegner vom Forum vertreiben liess. Dazu soll er Unterstützung von der *plebs*, insbesondere von der *plebs rustica* erhalten haben,[48] jedoch stand im Kern eine bewaffnete Bande, die für die Gewalttaten verantwortlich zeichnete.[49] J. Martin meint, dass Gewalt bei Saturninus erstmals „als normales Mittel der Politik“ verwendet wurde.[50] Gegen dessen Aktionen wurde im Jahr 100 schliesslich wie bei C. Gracchus das SCU verhängt und Saturninus wurde in den Wirren gelyncht.[51]

Als Höhepunkt der Zeit vor Sulla ist die Gefolgschaft des P. Sulpicius (Rufus) zu verzeichnen.[52] Sulpicius führte ein privates Corps von angeblich 600 Rittern, das als ἀντισύγκλητος bezeichnet wird,[53] sowie eine Kampftruppe von 3000 Bewaffneten.[54] Mit ihnen gelang es ihm auch, das von den Konsuln verhängte *iustitium* aufheben und seine Gesetze von der Volksversammlung verabschieden zu lassen.[55] Sulla reagierte auf die Machenschaften des Sulpicius, der ihn im Kommando gegen Mithridates durch Marius ersetzen wollte, mit dem militärischen Marsch auf Rom. Dies bedeutete den Anfang des Bürgerkrieges. Sullas Aktion machte deutlich, dass der Republik wirkliche Gefahr nicht von den Volkstribunen, sondern von der militärischen Macht der Feldherrn drohte.

Bei Sulpicius und seinem grossen persönlichen Anhang ergibt sich die Vermutung, dass seine Gefolgschaft ein genügend grosses Wählerpotential bildete, um mögliche andere Wähler zu überstimmen. Mit einer Präsenz von wenigen tausend Leuten wäre der Abstimmungsplatz auf dem Forum (geschweige denn auf dem Comitium)[56] räumlich gefüllt gewesen. Eine repräsentative Bürgerversammlung liess sich unter diesen Umständen bei den Volksversammlungen nicht mehr bilden.[57] Schon in vorsullanischer Zeit ist somit versucht worden, die Konkurrenz auf dem Forum durch persönliche Gefolgschaften auszuschalten und den Unsicherheitsfaktor der gegnerischen Klientel in der abstimmenden *plebs* auszumanövrieren.

47 Nowak 11ff.; vgl. auch v. Ungern-Sternberg, Notstandsrecht, 55ff.; nach dem Sieg des Opimius sollen angeblich 3000 Anhänger des C. Gracchus umgebracht worden sein (66 A. 53).

48 Vgl. vir. ill. 73,1 zum Ackergesetz des J. 103 und App. BC. 1,30,133f. zum Ackergesetz des J. 100; dazu Schneider, s. A. 32.

49 Nowak 16ff.

50 Martin 182.

51 GCG 108f.; v. Ungern-Sternberg, Notstandsrecht, 71ff.

52 Nowak 23ff.

53 Plut. Mar. 35,2; Sull. 8,2.

54 Plut. Sull. 8,2.

55 Plut. Mar. 35,3; Sull. 8,3; App. BC. 1,56,245ff.; dazu Nowak 27.

56 Vgl. dazu den Plan bei F. Coarelli, Il foro romano, Bd. 2, Rom 1985, 23.

57 Dazu auch Bleicken, Lex publica, 275f.; Nippel, plebs urbana, 89.

Nach der Restituierung des Volkstribunats im Jahr 70 verhielt sich das Volk nach der These von W. Nippel politisch passiv, so dass die Tribunen auf anderweitige Unterstützung zählen mussten.[58] Dies schliesst nicht aus, dass weiterhin Teile der *plebs* für politische Ziele mobilisiert werden konnten. Es ist im Folgenden genauer zu fragen, wie sich das Publikum der Volkstribunen in nachsullanischer Zeit zusammensetzte, um dann wiederum den Einsatz von persönlichen Gefolgschaften zu betrachten.

Den mehr oder weniger regelmässig zu den Verhandlungen erscheinenden Teil der Bevölkerung bezeichnete Ch. Meier als *plebs contionalis*, die sich für ihn aus *tabernarii* und Freigelassenen rekrutiert hat.[59] Die Händler und Handwerker gehörten wohl allgemein zu der Rekrutierungsbasis für populare Politiker.[60] Bei der *plebs contionalis* ist jedoch besonders auch mit Tagelöhnern und Arbeitslosen zu rechnen. Es fragt sich nun, inwieweit diese Plebs der Gefolgschaft einzelner Adliger angeschlossen war und damit als potentielles Gegengewicht gegen einzelne Rogationen entfallen musste. Inwieweit konnte ein möglicherweise andersgestimmtes Publikum auf dem Forum von der persönlichen Anhängerschaft eines Rogators überstimmt werden?

Im Falle der *lex Servilia* zeigte sich, dass die konservative Gegnerschaft mit Hilfe ihrer Klientel das Ackergesetz zum Scheitern bringen konnte.[61] Bei senatstreuen Gesetzen gibt es zudem keine Anzeichen für Schwierigkeiten, eine genügend grosse Wählerschaft zu mobilisieren. Traditionelle Klientelverhältnisse konnten sich hier offenbar weiterhin bewähren. Bei den Abstimmungen über populare Vorlagen kamen jetzt aber neue Voraussetzungen ins Spiel. Nach Cicero war zumindest im Falle des Clodius und insbesondere bei der Frage der Verbannung jeweils nur ein unrepräsentativer Teil der Bevölkerung zugegen.[62] Trotzdem muss sich bei wichtigen Entscheidungen über populare Anträge eine ganz beachtliche Zahl von Leuten eingefunden haben. Cicero spricht in bezug auf die Betrauung des Pompeius mit dem Seeräuberkommando von einem vollen Forum.[63] Als sich im Senat Opposition erhob, stürmte zumindest ein Teil der anwesenden *plebs* die Curia und vertrieb die Senatoren. Dies ist jedoch der einzige Fall, in dem anlässlich einer Rogation in der Volksversammlung ein Aufstand dieser Art ausbrach.[64] Inwieweit die beteiligten Leute der persönlichen Gefolgschaft des A. Gabinius angehörten bzw. mit den Veteranen des Pompeius identisch waren, entzieht sich unserer Kenntnis. Mit einer Beteiligung der Ritter, die Gabinius unterstützten, kann kaum gerechnet werden. Die Veteranen bildeten jedenfalls

58 Nippel, plebs urbana, 79, vgl. 89; Martin (95) hält fest, dass das Landvolk nur zu den Wahlen in die Stadt kam.

59 Meier, Populares, 614. Der Begriff ist in den Quellen nicht belegt, vgl. Cic. Q. fr. 2,3,4 (*contionario illo populo*), der ihm am nächsten kommt (vgl. auch Cic. Att. 1,16,11); gegen Meier vgl. Benner 78f.; ferner jetzt Vanderbroeck 86ff.

60 Sall. Cat. 50,1; App. BC. 2,5,17 (zum J. 63); Cic. Flacc. 17f.; dom. 13; vgl. Meier, Populares, 614; P. A. Brunt, WdF 413, 1976, 306; Nippel, plebs urbana, 83.

61 Plut. Cic. 12,5; vgl. A. 34.

62 Cic. Sest. 104–106, (bes.) 109.125.127; ihm folgte allgemein für *contiones* und Volksversammlungen Lange, Röm. Alterthümer 2, 717, vgl. 723f.

63 Cic. imp. Pomp. 44.

64 Dazu P. A. Brunt, WdF 413, 1976, 299. 301. 309.

für die popularen Tribunen der ausgehenden Republik keine genügende Anhängerschaft[65] und es mussten anderweitig Gefolgsleute mobilisiert werden.

Nach Sulla wurden in den 60er und 50er Jahren professionell organisierte Banden aufgestellt, so dass es jetzt zu verstärkten Formen der Gewaltanwendung kam.[66] C. Manilius setzte im Jahr 66 Freigelassene und Sklaven ein, um das Gesetz über die Tribuseinteilung der *liberti* durchzusetzen.[67] Durch *duces operarum* liess er die Ankläger des C. Cornelius bedrohen und in die Flucht schlagen.[68] Mit Clodius erreichte das Bandenwesen dann seinen Höhepunkt.[69] Dieser mobilisierte nach den Schätzungen von K.-J. Nowak zwischen 6000 und 10000 Mann für seine Kampfgarde.[70] Die Kampfgarden waren aber kein rein tribunizisches oder populares Phänomen, sondern ein verbreitetes Mittel in den politischen Auseinandersetzungen der ausgehenden Republik. Auch Konsuln, Praetoren und Feldherrn machten von Banden Gebrauch,[71] und Clodius benützte sie nicht nur während seines Tribunats.[72]

Erst mit Clodius zeigte sich jedoch nochmals grössere Anhängerschaft für einen Volkstribunen in den unteren Schichten des Volkes.[73] Die an der Rekrutierung der Banden massgeblich beteiligten *collegia* (Kultgenossenschaften, Begräbnisvereine und Handwerksvereinigungen) waren schon im Jahr 64 – sofern sie als staatsfeindlich betrachtet wurden – verboten worden.[74] Hauptelement dieser Vereinigungen waren Freigelassene, wobei aber auch Sklaven beteiligt waren.[75] Clodius liess diese Verordnung im Jahr 58 wieder aufheben und benutzte die Collegien für die Mitwirkung in seiner Gefolgschaft.[76] Durch die Massnahme des Clodius wurde auch die Abhaltung der von den Collegien veranstalteten Compitalien, die vor allem von der städtischen Unterschicht gefeiert wurden, wieder legalisiert. Die Durchführung der Compitalien hatte ein anderer Volkstribun schon im Jahr 61 angestrebt, und Sex. Clodius liess sie am 1. Jan. 58 wohl im Hinblick auf das

65 Dies gilt auch für die 50er Jahre, als nach Martin (105f. 110) die Veteranen die Rolle der *plebs urbana* ersetzten.

66 Cic. Sest. 105 erwähnt die Verwendung von *operae conductae* als Hauptunterschied zwischen den vor- und nachsullanischen Popularen; dazu Meier, Populares, 614; Lintott 74; anders Nowak (26.30.168), der schon für Sulpicius (Rufus) eine professionell organisierte Gladiatorenbande in Betracht zieht. Nippel (Clodius, 13) spricht von der „Erprobung neuer Weisen der Artikulation des politischen Willens der städtischen *plebs*“ (vgl. Nippel, plebs urbana, 81ff.; zudem Schneider, Militärdiktatur, 198ff.).

67 Asc. p. 39 St.; dazu Martin 36.

68 Asc. p. 49 St.

69 Lintott 82; Nowak 102 ff.

70 Nowak 121, vgl. 126.

71 Nowak 32ff. 86ff.

72 Nowak 129ff. Für Clodius' Gesetze war nach Nippel (plebs urbana, 84) keine Gewalt nötig; anders Nowak 111.

73 Nowak 108ff.; Nippel, plebs urbana, 81ff.; Clodius, 10ff.; übertreibend: Schneider, Sozialer Konflikt, 605f.; ausführlich dazu jetzt Benner, bes. 85f.

74 Asc. p. 15 St.; vgl. Lintott 77ff.

75 Treggiari 168ff.

76 Rotondi 393; F. Fröhlich, RE 4, 1900, 84; vgl. dazu J.-M. Flambard, Clodius, les collèges, la plèbe et les esclaves. Recherches sur la politique populaire au milieu du Ier siècle, MEFR 89, 1977, 117ff.; F. M. Ausbüttel, Untersuchungen zu den Vereinen im Westen des römischen Reiches, FAS 11, Kallmünz 1982, 87ff.; Alföldi, Caesar in 44 v. Chr., 74ff.; Benner 65ff.

Gesetz des Clodius wieder veranstalten.[77] Für Clodius ist überliefert, dass er zu verschiedenen Gelegenheiten die Läden schliessen liess, um die *tabernarii* für sich zu mobilisieren.[78] Händler und Handwerker sahen offenbar durch diesen ihre Interessen vertreten und brachten an den entscheidenden Tagen gleichzeitig ihre Ware vor möglichem Aufruhr in Schutz.

Eine bedeutende Rolle in der Anhängerschaft des Clodius spielten die Freigelassenen,[79] zu denen neben Handwerkern auch Tagelöhner zu rechnen sind, die sich in Zeiten der Unterbeschäftigung auf dem Forum aufhalten konnten. Die Freigelassenen konnten wegen ihrer Einteilung in nur vier Tribus jedoch keinen entscheidenden Einfluss bei Abstimmungen nehmen, so dass stets auch freigeborene Bürger für die Gesetzesvorlagen gewonnen werden mussten. Clodius gelang es, mit seinen Vorlagen Wünschen der freien Bevölkerung zu entsprechen, womit er sich weitere Zustimmung sichern konnte. Eher untergeordnete Bedeutung dürften entgegen Ciceros Zeugnis die Sklaven eingenommen haben.[80] Für diese stand kaum Besserung in Aussicht. Sie dürften vorwiegend aus Clodius' eigenem Besitz gestammt[81] und ihre Zukunft in der Freilassung gesehen haben.[82] Clodius versuchte dennoch, über die Collegien weitere Sklaven zu mobilisieren.[83] Auch wenn es Clodius gelang, eine grosse Anhängerschaft um sich zu versammeln, so war diese doch zu inhomogen und nicht auf ein bestimmtes Ziel ausgerichtet, als dass sich daraus längerfristig eine neue politische Kraft hätte entwickeln können. Clodius nutzte den Freiraum, der ihm durch Caesars Abwesenheit, Ciceros Verbannung und Catos Provinzaufenthalt zuteil

77 Asc. p. 15 St.: Er forderte die Führer der Kultvereine auf, die Compitalien trotz des Verbotes durch das SC mit seiner Hilfe durchzuführen, was der Cos. des. Q. Caecilius Metellus Celer jedoch durch seine *auctoritas* verhinderte. – Der Konsul Piso erlaubte Sex. Clodius, das Gassenfest am 1.1.58 zu leiten (dazu Nippel, plebs urbana, 82f.; K.-W. Welwei, Das Sklavenproblem als politischer Faktor in der Krise der römischen Republik, in: Vom Elend der Handarbeit, Stuttgart 1981, 64ff.). Im J. 56 wurde ein SC gegen *sodalitates*, *decuriati* und wohl auch *sequestres* getroffen, das sich über die Vereine gegen *ambitus* richtete (Cic. Q. fr. 2,3,5) und das zu der *lex Licinia de sodaliciis* des J. 55 führte (Rotondi 407; vgl. Meyer, CM, 133. 160f.; J. Linderski, Hermes 89, 1961, 106–119; P. Grimal, in: Ciceroniana, Hommages à K. Kumaniecki, Leiden 1975, 107–115; Perelli 214f.; Ausbüttel (vgl. A. 76) 91f.).

78 Cic. Cat. 4,17; dom. 54.89.90; acad. 2,144; vgl. Asc. p. 36.44 St. (T. Munatius Plancus im J. 52, am Tage des Gerichtsentscheides gegen Milo); Alföldi (Caesar in 44 v. Chr., 25) hält die *tabernae* für Gasthäuser.

79 Lintott 77f., vgl. 85ff.; Benner 75ff.

80 Nowak 118ff.; Nippel, plebs urbana, 83; T. Łopszko, Clodio e gli schiavi, ACD 21, 1985, 43–72; höher bewertet wird die Mobilisierung der Sklaven bei Štaerman (vgl. S. 66 A. 171) 250ff. Wenn Clodius die Freilassung von Sklaven plante (Cic. Att. 4,3,2), so darf dies nicht überbewertet werden, da Freilassungen die allgemeine Regel waren (vgl. Treggiari 12ff.; Alföldy, Sozialgeschichte, 81, vgl. 120).

81 Nowak 118.

82 Vgl. Cic. Att. 4,3,2.

83 Die Sklaven werden bei Clodius in folgenden Zusammenhängen erwähnt: Clodius warb Leute an und teilte sie in Decurien ein; zudem heuerte er die Truppen Catilinas an (Cic. p. red. ad Q. 13); Clodius warb Freie und Sklaven an, die er aus allen Gassen zusammentrommelte (Cic. dom. 54); Clodius trug Sklaven unter dem Deckmantel der Kultvereine in Listen ein und übernahm die Truppen Catilinas (Cic. p. red. in sen. 33); vgl. zudem Cic. Att. 4,3,2 (Nov. 57): Clodius läuft durch die Gassen und zeigt den Sklaven das Lockbild der Freiheit.

wurde. Gegen die mit militärischer Macht ausgestatteten Triumvirn war er jedoch nicht gewappnet, so dass die Politik mittels privater Garden schliesslich scheitern musste.[84] Erst mit der Verwendung des Heeres konnte es einem Einzelnen gelingen, sich an die Spitze der Res publica zu setzen.

Die Volkstribunen konnten in der Bevölkerung keine dauerhafte Anhängerschaft aufbauen, auch wenn sie einzelne Anliegen aufgriffen, die auf bestimmte Missstände reagierten. Tiefere Bemühungen für eine Politisierung der *plebs* gab es nicht. Besondere Aufmerksamkeit wurde darauf verwendet, eine möglichst grosse persönliche Gefolgschaft, begleitet von Kampf- und Schutzgarden, um sich zu versammeln. Die Anwendung von Gewalt trug in der Folge weiter zur Desintegration der Senatsherrschaft bei.

Wie bereits erwähnt, beantwortete der Senat die Anwendung von Gewalt mit Gegengewalt. Prinzipielle Massnahmen zur Verhinderung von Gewalt bzw. zur Bekämpfung von deren Ursachen wurden nicht ergriffen. Trotz der vielfältigen Gewaltanwendungen im Zusammenhang mit Gesetzesrogationen existierte nie ein Gesetz, das die Aufhebung eines Beschlusses, der gewaltsam durchgebracht worden war (*per vim lata*) erlaubt hätte.[85] Einzig die Bestimmungen für das Rogationsverfahren wurden etwas verschärft, was aber nicht zur Abwehr von Gewalt beitragen konnte.[86] Wie R. E. Smith festgehalten hat, war nie Gewalt an sich, sondern stets die Verletzung von Promulgationsvorschriften bzw. die Missachtung von Auspizien der Grund, um ein Gesetz wieder abzusetzen.[87] Die Tribunen mussten jedoch damit rechnen, dass ihnen im Falle von Gewaltanwendung und Missachtung des Willens des Senats nach dem Amtsjahr der Prozess gemacht wurde.[88] Dies ist für ein Drittel der überlebenden popularen Volkstribunen bezeugt. Aber auch Milo und P. Sestius wurden als optimatische Volkstribunen (des J. 57) später vor Gericht gezogen. Jedoch nicht alle Tribunen, die Gewalt angewandt hatten, wurden *de vi* angeklagt, wie dies bei Clodius, Milo, P. Sestius, T. Munatius Plancus und Q. Pompeius Rufus der Fall war. Die Anklage konnte wie im Falle des C. Norbanus, Sex. Titius, Q. Varius und C. Cornelius auch *de maiestate* erfolgen. Einige Tribunen wurden

84 Nowak 103. 141.

85 Bleicken, Lex publica, 463ff.; Smith 150.

86 Zur *lex Caecilia Didia*: Lintott 141. 148; zur *lex Iunia Licinia* des J. 62: Rotondi 383.

87 Smith 154. 158. 167; vgl. dazu die Aufstellung von kassierten Gesetzen, die mit Gewalt durchgebracht worden waren, bei Lintott 134f.

88 Anklagen im Anschluss an das Volkstribunat wurden gegen folgende Tribunen angestrebt (nach den Jahren ihres Tribunats geordnet): Ti. Sempronius Gracchus (133), P. Decius (120), C. Norbanus (103), L. Appuleius Saturninus (103), P. Furius (99), Sex. Titius (99), C. Appuleius Decianus (98), Q. Varius Severus (90), Kollegen des Sex. Lucilius (87) (vgl. Vell. 2,24,2), Q. Opimius (75), C. Cornelius (67), C. Manilius (66), P. Vatinius (59), P. Clodius Pulcher (58), T. Annius Milo (57), P. Sestius (57), C. Porcius Cato (56), L. Procilius (56), M. Nonius Sufenas (56), T. Munatius Plancus (52), Q. Pompeius Rufus (52), C. Scribonius Curio (50); zu Cn. Pomponius (90) vgl. Broughton 3, 166; zu L. Calpurnius Bestia (62) vgl. E. S. Gruen, Athenaeum 49, 1971, 67–69; zu den Anklagen *de vi* vgl. Lintott 217ff.; Ressentiments wegen der Amtsführung als Volkstribun lagen wohl auch in den Prozessen gegen C. Licinius Macer (73) (vgl. Gruen, LG, 273) und C. Messius (57) (vgl. Gruen, LG, 316) vor; zu den Prozessen der J. 66/65 vgl. Schneider, Militärdiktatur, 177; zu den Prozessen der 50er Jahre ebenda 209f. 219f.

während des Amtsjahres selbst Opfer der Gewalt.[89] Es waren gerade diejenigen, die als grosse Vorbilder der popularen Politik in die Tradition eingingen. Ihr Untergang hatte jedoch keine besonderen Reaktionen im Volk zur Folge. Ein Publikum, das zur Vergeltung bereit war, fehlte den Tribunen. Gewalt wurde zu einem integrierten Teil der Politik. Zu fragen bleibt, welche Gewaltrechte dem Tribunat zukamen und welche Gewaltmassnahmen die Tribunen ausserhalb des Rahmens der persönlichen Gefolgschaften und Kampfgarden anwandten.

d) Tribunizische Gewaltmassnahmen und das *ius prensionis*

Der Charakter des Volkstribunats erforderte, dass die Tribunen Möglichkeiten hatten, ihre *sacrosanctitas* und ihre Rechte gegen Angriffe und Missachtungen zu verteidigen. Wie bereits erwähnt, war die Anklage vor der Volksversammlung auch in diesem Falle der übliche Weg der tribunizischen Strafverfolgung, sofern sie in der späten Republik nicht durch das Quaestionen-Verfahren ersetzt wurde. In dieser Zeit treten seitens der Tribunen aber auch einzelne selbständig praktizierte Gewaltmassnahmen auf, die unabhängig von den persönlichen Gefolgschaften und Banden geübt wurden. Diese Massnahmen dienten als Mittel in den politischen Auseinandersetzungen und kamen vor allem im Streit um tribunizische Gesetzesvorlagen zur Anwendung. Damit sollen sie hier abschliessend im Rahmen des *ius agendi cum plebe* behandelt werden, auch wenn sie mit diesem an sich nichts gemein haben.

Als erste Gewaltmassnahme, die zur Bekämpfung eines politischen Gegners diente, begegnet die eigenmächtig verhängte bzw. angeordnete Kapitalstrafe mittels Sturz vom Tarpeischen Felsen. In der Zeit von den Gracchen bis zu Sulla drohten C. Atinius Labeo Macerio, tr. pl. 131, und M. Livius Drusus, tr. pl. 91, ihren politischen Widersachern mit diesem Akt.[90] Zur Durchführung kam der Felssturz im Jahr 86 gegen den Tribunen des Vorjahres, Sex. Lucilius, der möglicherweise an der Interzession gegen die Gesetzes-

89 So Ti. Sempronius Gracchus (GCG 8 f.), L. Appuleius Saturninus (GCG 108f.), L. Equitius (App. BC. 1,33,146), M. Livius Drusus (GCG 135f.), P. Sulpicius (Rufus) (GCG 164f.); zu C. Sempronius Gracchus vgl. GCG 44ff.; ferner J. v. Ungern-Sternberg, Chiron 3, 1973, 153. Nach Dio (30–35,102, 12) tötete Marius' Sohn einen Volkstribunen und sandte den Kopf den Konsuln, während er einen andern Tribunen (Caelius?, vgl. Broughton 3, 43) vom Tarpeischen Felsen stürzte; nach andern Berichten wurde Sex. Lucilius nach seinem Amtsjahr von dem Tribunen P. Popillius Laenas (Vell. 2,24,2) bzw. von Marius selbst (Liv. per. 80; Plut. Mar. 45,1) von dem Tarpeischen Felsen gestürzt (vgl. Lange, Röm. Alterthümer 3,133f.; Ziegler 19; F. Münzer, RE 13, 1927, 1639; Niccolini 235f.). Q. Valerius Soranus flüchtete eventuell als tr. pl. 82 vor Sulla nach Sizilien, wo er von Pompeius getötet wurde (Niccolini 430f.; Broughton 2, 68); C. Helvius Cinna wurde im J. 44 bei dem Leichenbegräbnis Caesars vom Volk zerrissen, da er mit dem Pr. L. Cornelius Cinna verwechselt wurde (Broughton 2, 324). Salvius war im J. 43 das erste Opfer der Proskriptionen (Vell. 2,64,4; App. BC. 4,17). A. Gabinius wurde im Senat fast umgebracht, als er das Piratengesetz vorschlug (Dio 36,24,1).

90 C. Atinius Labeo Macerio bedrohte im J. 131 den Censor Q. Caecilius Metellus, der ihm seine Senatszugehörigkeit vereitelt hatte, wurde jedoch durch die Interzession seiner Kollegen an der Durchführung gehindert (Broughton 1, 500f.); M. Livius Drusus bedrohte im J. 91 den Praetor Q. Servilius Caepio, da dieser sich gegen das Richtergesetz aufgelehnt hatte (vir. ill. 66,8; Broughton 2, 24 A. 5).

anträge Cinnas beteiligt gewesen war.[91] Er wurde Opfer des Tribunen P. Popillius Laenas, der auf Veranlassung des Marius handelte. Dies sollte jedoch das einzige Beispiel einer tribunizischen Kapitalexekution bleiben. Bei dem prozesslosen und provokationsfreien Felssturz handelte es sich nicht um ein anerkanntes Recht, sondern um eine Wiederbelebung alter Praktiken, wie sie zu Beginn der Republik vorgekommen sein sollen.[92] Die betreffenden Tribunen griffen hier unter radikaler Auslegung ihrer *sacrosanctitas* auf eine eigenständige Gewaltform zurück. Verhindern konnte eine solche Tat offenbar nur die Interzession eines Kollegen.[93]

Die Aktionen zeigen, dass einzelne Tribunen in der späten Republik ihre Möglichkeiten auch ausserhalb des *ius agendi cum plebe* radikaler ausnutzten. Sogar Livius Drusus als senatstreuer Volkstribun schritt in einem Fall zur Kapitaldrohung, da er nicht geneigt war, sich in seinem Rogationsrecht behindern zu lassen. – Solche Umstände dürften weiter dazu beigetragen haben, dass Sulla gegen die Tribunen Einschränkungen vornahm, wobei sich aber Anmassungen wie der Felssturz kaum durch Gesetze verhindern liessen. Vielmehr verhinderte die Ungeheuerlichkeit des Felssturzes selbst, dass dieser – ausser in dem einen Beispiel aus der Zeit des Bürgerkrieges – gebräuchlich werden konnte. In der Zeit nach Sulla begegnen keine Zeugnisse eines angedrohten oder durchgeführten Felssturzes mehr. Die kapitale Exekution war im Falle von politischen Verbrechen allgemein längst ausser Gebrauch gekommen und durch die Möglichkeit des Exils ersetzt.[94] Zudem wurde von den Popularen das Provokationsrecht verteidigt, das die berufungsfreie Tötung, wie sie beim Felssturz der Fall war, anprangerte. Exekutionsdrohungen konnten daher auch in den Auseinandersetzungen der späten Republik nicht zu einem verbreiteten Mittel der tribunizischen Politik werden.

Eine zweite Strafmassnahme, die ebenfalls auf die Zeit der Ständekämpfe zurückging, übten einige spätrepublikanische Volkstribunen in der *consecratio bonorum*, der Weihung der Besitztümer eines Kontrahenten an eine Gottheit.[95] Sie folgte zum einen jeweils im Anschluss an ein Todesurteil, konnte zum andern von den Tribunen aber auch als selbständiges Zwangsmittel vorgenommen werden; im Falle des Atinius Labeo fungierte sie dabei als Ersatz für den Felssturz.[96] Cicero griff im Hinblick auf die Rück-

91 Broughton 2, 47; vgl. Lange, Röm. Alterthümer 3, 129. 133f.

92 Mommsen, Strafr., 931f., vgl. 46f.; Lengle, Tribunus, 2476, vgl. 2462; Bleicken, Volkstribunat 1955, 108 (A. 3).

93 Vgl. die Bedrohung des Q. Caecilius Metellus Macedonicus (A. 90); ferner Dion. Hal. 10,31,4.

94 Vgl. oben S. 122.

95 Vgl. Mommsen, Strafr., 49f.; StR. 1, 147. 157f.; Niccolini, tribunato, 135f. Folgende Fälle der späten Republik sind bekannt: **C. Atinius Labeo Macerio** im J. 131 gegen den Censor Q. Caecilius Metellus Macedonicus, den er vergeblich vom Tarpeischen Felsen hatte stürzen wollen (Cic. dom. 123; Plin. NH. 7,144); **P. Furius** im J. 100 gegen die Güter des Saturninus und seiner Anhänger, die zuvor ermordet worden waren (Oros. 5,17,10); **C. Antonius** wohl im J. 68 (kaum im J. 72) gegen den Censor Cn. Cornelius Lentulus, der im J. 70 zusammen mit seinem Kollegen C. Antonius zum Senat ausgestossen hatte (Cic. dom. 124; Niccolini 249f.; Fabbrini 809); **P. Clodius Pulcher** im J. 58 gegen Cicero, von dessen Haus er im Anschluss an die Verbannung einen Teil der Libertas weihte (F. Fröhlich, RE 4, 1900, 85; vgl. aber Mommsen, StR. 1, 157 A. 3) und gegen den Konsul A. Gabinius, im Anschluss an die Befreiung des Tigranes aus dessen Haus (Cic. dom. 124; Dio 38,30,2; vgl. Fabbrini 809); **L. Ninnius Quadratus** im selben Jahr gegen den Kollegen Clodius, dessen Güter der Ceres geweiht wurden (Cic. dom. 125).

96 Mommsen, StR. 1, 157f.; Strafr., 49f.

erstattung seines Hauses die *consecratio* in seiner Rede De domo sua an und verwies darauf, dass sie auch im Falle des Caecilius Metellus (131), Cornelius Lentulus (68?) und Gabinius (58) ohne Gültigkeit und bindende Folgen geblieben sei.[97] Cicero vermisste offenbar einen Volksbeschluss, wie er für bestimmte Consecrationen und Dedicationen vorgeschrieben war.[98] Er überging aber, dass die *consecratio* zumindest im Falle des Caecilius Metellus auch ohne Volksbeschluss zum Verlust von dessen Gütern geführt hatte,[99] also durchaus langfristige Folgen haben konnte.

Weihungen seitens der Volkstribunen kamen nicht nur im Kampf um Gesetzesvorlagen vor (vgl. P. Furius, Clodius und L. Ninnius Quadratus), sondern auch als persönlich motivierte Racheakte, wie bei den beiden vom Censor übergangenen Tribunen C. Atinius Labeo und C. Antonius. Im Falle des P. Furius, der die Güter des Saturninus einzog, ging es um die Beseitigung eines Staatsfeindes (*hostis*), zu der auch die Tribunen beigezogen wurden.[100] Tribunizische *consecrationes* blieben jedoch stets Einzelfälle. Die Stellung der Tribunen erwies sich in der Regel wohl als zu schwach, um auf diese Weise im Alleingang jemandem dauerhaft schaden zu können. Die Anwendung von Gewaltmitteln brachte auch für die Tribunen gewisse Risiken mit sich.

Ein weiteres Mittel, um einen Gegner von seiner Opposition abzubringen, bot sich mit der Verhaftung (*prensio*). Abgesehen von möglichen Vorformen in der Frühzeit der Republik, bürgerte sich diese Massnahme, nach den ersten gesicherten Fällen (151 und 138) zu urteilen, im Verlaufe des 2. Jh.'s ein und mündete offenbar in ein offizielles *ius prensionis*.[101] Die Verhaftungen genossen damit im Gegensatz zu den Felsstürzen und den *consecrationes* grundsätzliche Legitimität. Sie resultierten nämlich aus dem Anklagerecht der Tribunen und bewirkten, dass nicht gleich ein Kapitalverfahren eingeleitet werden musste. J. Bleicken hat anhand von Livius für die beiden Fälle der mittleren Republik als Verhaftungsgrund die Einschränkung der tribunizischen Verhandlungsfreiheit (*in ordinem coactio*), hier auf Grund der Interzessionsmissachtung, geltend gemacht.[102] Der von Livius (43,16,10 u. passim) verwendete Ausdruck *in ordinem coactus* erscheint in der Überlieferung zu den Fällen der späten Republik nicht mehr.[103] In der späten Republik wurde das Verhaftungsrecht mehrmals in Fällen angewandt, in denen Tribunen in ihrem Rogationsrecht behindert wurden. Dieses Delikt war im Prinzip auch in der mittleren Republik verfolgt worden.[104] Zu jener Zeit stellten aber Auseinandersetzungen um tribunizische Gesetzesvorlagen wohl eher die Ausnahme dar. Sie traten erst in der späten Republik häufiger und zugleich verschärft auf. Damit kamen auch in vermehrtem Masse Verhaf-

97 Cic. dom. 123f.; zu Ciceros Haus: Gelzer, Cicero, 154ff.

98 Dazu oben S. 36.

99 Plin. NH. 7,144.

100 Dazu oben S. 37.

101 Vgl. Gell. 13,12,6; Mommsen, StR. 1, 154; Strafr., 48f. 325; Siber 189; Bleicken, Volkstribunat 1955, 102f.: „Das *ius prensionis* bedeutete also nichts anderes als den Aufschub der Anklage zu dem Versuch einer gütlichen Verständigung" (103); vgl. auch Taylor, Forerunners, 19f. A. 7; zu einem weiteren möglichen Fall in den *acta urbana*: A. Lintott, PBSR 54, 1986, 214. 217.

102 Bleicken, Volkstribunat 1955, 103.

103 Zur mittleren Republik vgl. Bleicken, Volkstribunat 1955, 120ff.

104 Vgl. Bleicken, Volkstribunat 1955, 121 (zum J. 169) und 122 (zum J. 212), wo es sich um die Störung des Volksgerichtes handelte.

tungen zustande. Sie richteten sich, wie die *consecrationes* und die Bedrohungen mit dem Felssturz, meist gegen Magistrate und Senatoren, die sich gegen einzelne Tribunen zur Wehr gesetzt hatten.[105] Die Massnahme wurde aber nicht nur von popularer Seite ergriffen, wie die von den Tribunen des Jahres 109 sowie die von Milo und Ateius Capito angedrohten *prensiones* zeigen. Allerdings diente die Verhaftung nur einmal zur Aufrechterhaltung der traditionellen Ordnung, nämlich als im Jahr 109 der Censor M. Aemilius Scaurus zur Beachtung der Amtsvorschriften angehalten wurde.

Es ist daher zu fragen, ob Sulla Grund hatte, das *ius prensionis* einzuschränken. Über eine Beschränkung des Verhaftungsrechts seitens des Sulla ist nichts Konkretes bekannt. Zu beachten ist, dass es in vorsullanischer Zeit sowohl Marius (tr. pl. 119) als auch Livius Drusus (tr. pl. 91) im Einzelfall gelungen war, opponierende Konsuln von ihrer Haltung abzubringen. Im Rahmen der Einschränkung des Volksgerichts und der tribunizischen Gesetzesinitiative schritt Sulla daher möglicherweise auch gegen solche Versuche der Machtdemonstration ein.

105 **C. Marius** drohte im J. 119 nacheinander beiden Konsuln mit der Verhaftung, da sie sich gegen seine *lex quae pontes fecit angustos* auflehnten; als er L. Caecilius Metellus abführen lassen wollte, richtete dieser einen vergeblichen Hilferuf an die andern Volkstribunen, so dass die Konsuln von ihrer Opposition absahen (Plut. Mar. 4,2f.). **Einige Volkstribunen** drohten im J. 109 dem Censor M. Aemilius Scaurus mit der Verhaftung, da er beim Tod seines Kollegen nicht, wie vorgeschrieben, das Amt niederlegen wollte (Plut. QR. 50; vgl. Mommsen, StR. 1, 262f. A. 6). **M. Livius Drusus** liess im J. 91 den Konsul L. Marcius Philippus gewaltsam verhaften, da dieser sich hartnäckig gegen die Gesetze des Drusus auflehnte und in der Volksversammlung des Drusus dazwischengetreten war (Val. Max. 9,5,2; Niccolini 219). **L. Flavius** liess im J. 60 den Konsul Q. Caecilius Metellus Celer verhaften, da dieser sich hartnäckig gegen sein Ackergesetz zur Wehr setzte; die andern Tribunen boten Metellus die Interzession an, was dieser jedoch ablehnte; Pompeius wies Flavius schliesslich an, die Angelegenheit zu beenden (Dio 37,50,1–4; Cic. Att. 2,1,8; vgl. Gelzer, Pompeius, 127f.). **P. Vatinius** liess im J. 59 den Konsul M. Calpurnius Bibulus verhaften und wollte ihn nach Cicero (Vat. 21f. 24) gar hinrichten lassen; die Kollegen legten jedoch das Veto ein, als Bibulus abgeführt wurde; Grund für die Verhaftung war, dass Bibulus nach der vergeblichen Opposition gegen Caesars Ackergesetz an allen Comitialtagen den Himmel beobachtet und mittels Edikte obnuntiiert hatte (Dio 38,6,5f.; vgl. Niccolini 284; F. Münzer, RE 3, 1897, 1368f.; Gelzer, Caesar, 71; H. Gundel, RE 8 A, 1955, 499f.). **T. Annius Milo** liess im J. 57 Gladiatoren des Praetors Ap. Claudius Pulcher (Bruder des Clodius) ins Gefängnis führen, nachdem sie im Senat ein Geständnis über ihre für Clodius begangenen Gewalttaten abgelegt hatten; sie wurden von Sex. Atilius Serranus Gavianus aber wieder entlassen (Cic. Sest. 85; dazu Nowak 120). **C. Trebonius** liess im J. 55 M. Porcius Cato verhaften, da dieser nach Ablauf der zugeteilten Redezeit trotz des Befehls zu schweigen in der Agitation gegen die Zuteilung der konsularischen Provinzen Syrien und Spanien weiterfuhr; Trebonius liess ihn jedoch angesichts der mitziehenden Menge aus Angst wieder laufen (Dio 39,34,3–4; Plut. Cat. min. 43,3; vgl. Gelzer, Pompeius, 156f.). **C. Ateius Capito** bedrohte im selben Jahr den Konsul M. Licinius Crassus beim Aufbruch zum Partherfeldzug mit der Verhaftung, nachdem seine Interzession gegen die Aushebungen nichts genützt hatte; sein Vorhaben wurde jedoch durch die Interzession anderer Tribunen verhindert (Dio 39,39; dazu Meyer, CM, 171f.; Gelzer, Pompeius, 161f.). **Q. Pompeius Rufus** verhaftete im J. 52 den Aedilen M. Favonius, möglicherweise als Racheakt am Senat für seine Inhaftierung als tr. pl. des. und zur Einschüchterung der Opposition gegen den Wunsch des Pompeius auf ein alleiniges Konsulat (Dio 40,45,4; vgl. F. Münzer, RE 6, 1909, 2075; zur Datierung: Broughton 2, 240 A. 2). **L. Caesetius Flavus** und **C. Epidius Marullus** verhafteten im J. 44 denjenigen, der das Diadem auf die Caesarstatue gesetzt hatte (App. BC. 2,108,449; Plut. Caes. 61,4; Suet. Iul. 79,1). Vgl. auch S. 155 zum J. 104 (Rückschaffung eines Sklaven).

In nachsullanischer Zeit erwies sich das tribunizische *ius prensionis* als untaugliches Mittel, da es in keinem Fall gelang, die Opposition auszuschalten. Die Aktionen wurden jeweils vorzeitig, etwa auf Interzession der Kollegen, abgebrochen.[106] Ein auf die Verhaftung folgendes Prozessverfahren ist auch in der späten Republik nicht bezeugt. Die *prensio* kann daher nicht als offizieller Teil des Strafprozesses betrachtet werden,[107] und Gefängnisaufenthalt wurde auch nie zu einer eigentlichen Strafmassnahme; das *ius prensionis* bestärkte aber die Rolle der Volkstribunen als Ankläger und insbesondere auch ihr Rogations- und Interzessionsrecht. Angesichts des Wandels vom Comitialprozess zum Quaestionenverfahren stellten die Verhaftungen jedoch eher eine Kompensation zu den tribunizischen Volksprozessen dar. Andererseits wurden allgemein die tribunizischen Verhandlungen mit dem Volk in der späten Republik des öftern gestört, so dass die Tribunen in kritischen Situationen zu neuen Mitteln greifen mussten. Zusätzliche Gewalt- und Strafmassnahmen waren daher auch ein Zeichen dafür, dass die tribunizische *sacrosanctitas* an selbstverständlicher Ausstrahlung und Wirkung verlor und damit allgemein die Autorität der Tribunen Einbussen erlitt. Die Volkstribunen mussten sich gegen stärkere Machtfaktoren behaupten, was aber auf diesem Wege nur selten gelang. Ziel war nicht die Kontrolle der Nobilität, sondern die Durchsetzung politischer Anliegen und insbesondere die Selbstbehauptung, die sich angesichts der verschärften Auseinandersetzungen sowohl für populare als auch für senatstreue Tribunen als schwierig erwies. In der Opposition gegen die mächtigen Einzelpersönlichkeiten konnten die tribunizischen Massnahmen nichts mehr fruchten, wie sich im Jahr 55 bei C. Ateius Capito und besonders unter Caesars Diktatur bei den Aktionen des Caesetius Flavus und Epidius Marullus zeigte.[108]

106 Vgl. den Fall des P. Vatinius und des T. Annius Milo sowie schon denjenigen des C. Ateius Capito (A. 105). Der von C. Norbanus angeklagte Q. Servilius Caepio wurde nach Val. Max. 4,7,3 von L. (Antistius?) Reginus aus dem Gefängnis befreit.

107 Vgl. Mommsen, Strafr., 325.

108 Vgl. A. 105.

III. DAS *IUS AGENDI CUM SENATU*.

Tribunizische Anträge und Äusserungen im Senat

Nach den Aktivitäten der Volkstribunen in der Volksversammlung sind im Folgenden deren Handlungen im Senat zu betrachten. Dabei sollen zuerst die einschlägigen formalen Rechte aufgeführt werden, um anschliessend die bekannten tribunizischen Anträge und Äusserungen zu untersuchen. Ziel ist, die Charakteristik und den Stellenwert der tribunizischen Politik im Senat sowie das Zusammenspiel zwischen Senat und Volkstribunat darzustellen.

Als ein Ergebnis des Ständekampfes stand den Volkstribunen seit der mittleren Republik das Recht zu, über beliebige Dinge im Senat zu referieren.[1] Bis zu diesem Zeitpunkt hatten nur die Obermagistrate das *ius referendi* besessen.[2] Da die Plebiszite seit der *lex Hortensia* des Jahres 287 für die Gesamtgemeinde verbindlich waren, musste den Tribunen gestattet werden, mit dem Senat über ihre Anträge zu verhandeln. Die Möglichkeit, Anliegen im Senat vorzubringen, war gleichzeitig Voraussetzung dafür, die Volkstribunen in die Politik des Senats zu integrieren und ihnen Handlungsanweisungen zu erteilen. Denn der Senat als zentrales Regierungsorgan fungierte ja als Berater der Magistrate, die seine Wünsche ausführen sollten.[3]

Die Tribunen brachten üblicherweise ihre Anträge in den von Konsuln (oder Praetoren) geleiteten Sitzungen vor.[4] Dabei galt offenbar ein gewohnheitsmässiger Vorrang der konsularischen Anträge; über ihn setzte sich der Volkstribun des Jahres 56, P. Rutilius Lupus, anlässlich der Diskussion um Aegypten hinweg.[5] Cicero bezeichnete dies als *iniqua et nova* und berichtet von dem heftigen Widerspruch, den die Aktion erregt habe.[6] Den Anliegen der Tribunen wurde demnach in den von den Obermagistraten geleiteten Sitzungen nie Vorrangigkeit zugebilligt. Zu fragen ist, ob sich die Volkstribunen mit diesen Gegebenheiten abfanden bzw. inwieweit sie versuchten, sich im Senat grösseren Einfluss zu verschaffen.

1 Mommsen, StR. 2, 313ff. 3, 954; Herzog 1, 284ff. 905f.; Stella Maranca 96ff.; Lengle, Tribunus, 2479ff.; Bleicken, Volkstribunat 1955, 23f. (A. 3).

2 Das *ius referendi* stand auch in der späten Republik nur den Obermagistraten und den Volkstribunen zu (Willems 2, 134. 142; vgl. Gell. 14,7,4f.).

3 Auct. ad Her. 4,47; dazu W. Kunkel, Magistratische Gewalt und Senatsherrschaft, ANRW I 2, 1972, 13ff.

4 Mommsen, StR. 2, 316 (A. 2). 3, 954; Willems 2, 141; Stella Maranca 100; Lengle, Tribunus, 2479f.; Bleicken, Volkstribunat 1955, 24 A. 1.

5 Cic. fam. 1,2,2; dazu Mommsen, StR. 2, 316 (A. 2), vgl. 3, 955 (A. 1). 986; Willems 2, 134 A. 1; Herzog 1, 917; Mispoulet 64ff. 79. 296f. 301f.; A. O'Brien Moore, RE Suppl. 6, 1935, 701. 716; Lengle, Tribunus, 2479f.; vgl. auch die Reihenfolge bei Gell. 14,7,4 und den Vorrang des konsularischen Antrages im J. 43 (Cic. Phil. 7,1). Im Dez. 50 bewirkte C. Scribonius Curio nach der Abstimmung über die konsularischen Vorlagen zum selben Traktandum einen neuen Senatsbeschluss (App. BC. 2,30,118f.; Plut. Pomp. 58).

6 Cic. fam. 1,2,2.

Die Volkstribunen waren im Prinzip selbst befugt, Senatssitzungen einzuberufen.[7] Sie scheinen aber von diesem Recht nur ausnahmsweise und abgesehen von dem Fall des Dez. 44 (Schutz der designierten Konsuln) entweder im Dienste eigener Politik (C. Gracchus, M. Livius Drusus) oder derjenigen ihrer Auftraggeber (P. Rutilius Lupus, M. Antonius, L. Caecilius Metellus) Gebrauch gemacht zu haben.[8] Ende Dezember 44 beriefen die Volkstribunen, wie schon am 1. April 49, den Senat an Stelle der abwesenden Konsuln ein, was bei anderen Gelegenheiten die Praetoren getan hatten.[9] Die Tribunen übten in diesen Fällen eine Ersatzfunktion für die Obermagistrate. Im Normalfall haben sie deren Leitung des Senats offenbar nicht angezweifelt.

Zweck eines Referates war, dem Senat politische Anliegen zu unterbreiten und über die vorgetragene Materie einen Senatsbeschluss zu bewirken. Gleichzeitig bot es Gelegenheit, die Meinung der Senatoren in dieser Sache zu beeinflussen und bestimmte Lösungen zu propagieren. Üblicherweise führte der Redner nach dem Referat eine Umfrage (*interrogatio*) unter den Senatoren durch,[10] die ihre Meinung zu dem Sachgeschäft abgeben und einen konkreten Antrag stellen konnten (*sententiam dicere*). Standen tribunizische Gesetzesvorlagen zur Debatte, so wurde wohl der entworfene Gesetzestext vorgelesen, um anschliessend die Meinung des Senats zu erfahren bzw. dessen Zustimmung zu erhalten.[11] Die Volkstribunen wurden wie alle anderen Magistrate bei der offiziellen Meinungsumfrage und Möglichkeit zur Antragstellung nicht aufgerufen.[12] Sie konnten aber zu jedem Zeitpunkt der Verhandlung von sich aus ihre Meinung abgeben, sofern sie keinen Senator in der Rede unterbrachen.[13]

Nach der *interrogatio* lag es in der Kompetenz des Referenten,[14] die von den Senatoren gestellten Anträge zur Abstimmung zu bringen (*pronuntiatio sententiarum*) bzw. zu übergehen. Ein Antrag konnte im Prinzip schon im Referat enthalten sein und von einem günstig gesinnten Senator übernommen und offiziell eingebracht werden.[15] Sofern keine Umfrage verlangt wurde, konnte der Referent seine Vorlage auch direkt zur Abstimmung bringen.[16] Mit diesen beiden Möglichkeiten, den Entscheid über eine Vorlage herbeizu-

7 Mommsen, StR. 2, 316f.; Willems 2, 141f.; Mispoulet 51f.; Bleicken (Volkstribunat 1955, 24 A. 1) weist darauf hin, dass die Senatsberufung stets Ausnahme blieb und bis zum J. 133 nur einmal bezeugt ist. In der späten Republik ist für folgende Tribunen je eine Senatsberufung bekannt (Quellennachweise sind in der Liste der tribunizischen Anträge und Äusserungen im Senat zu finden): **C. Gracchus** im J. 123, **M. Livius Drusus** am 13.9.91, **P. Rutilius Lupus** am Ende des J. 57, **M. Antonius** und **L. Caecilius Metellus** am 1.4.49, die den Senat für Caesar ausserhalb des Pomeriums einberiefen, damit der Feldherr Friedensangebote machen konnte (Dio 41,15,2), **M. Servilius** und **seine Kollegen** am 20.12.44.

8 Vgl. Mommsen, StR. 2, 316f.

9 Willems 2, 135; vgl. Mommsen, StR. 3, 910f.; Herzog 1, 905.

10 Willems 2, 134. 198. Eine Ausnahme machte P. Rutilius Lupus im Dez. 57.

11 Mommsen, StR. 3, 962.

12 Mommsen, StR. 1, 211. 3, 944f.; Meyer, Staatsgedanke, 205f. Ob ein Volkstribun dem Senatorenstand angehörte oder nicht, spielte daher für das tribunizische Antrags- und Rederecht keine Rolle.

13 Mommsen, StR. 1, 211. 3, 942f. (A. 4); Willems 2, 188ff.; A. O'Brien Moore, RE Suppl. 6, 1935, 707; vgl. unten die Sitzung im Dez. 57 (L. Racilius, C. Porcius Cato, Cassius und Antistius Vetus).

14 Willems 2, 134. 198.

15 Vgl. unten zum J. 56: P. Rutilius Lupus und der Antrag des Senators Volcacius; ferner Willems 2, 177.

16 Willems 2, 178f.; A. O'Brien Moore, RE Suppl. 6, 1935, 711.

führen, konnten die Volkstribunen zu eigentlichen Antragstellern im Senat werden. Gegen die *relationes* der Tribunen war zudem nur die kollegiale Interzession möglich, so dass die andern Magistrate einen tribunizischen Antrag nicht verhindern konnten.[17]

Über die Schliessung von Senatssitzungen durch Volkstribunen ist nur wenig zu erfahren. Eine Senatsaufhebung ist nur gerade für C. Scribonius Curio bezeugt, wobei es sich wohl um eine von Pompeius Anfang April des Jahres 50 einberufene Sitzung handelte, in der über die Abberufung Caesars debattiert wurde.[18] Von P. Rutilius Lupus wissen wir, dass er Ende 57 eine Senatssitzung, die er offenbar selbst einberufen hatte, im Anschluss an sein Referat gleich wieder schliessen wollte.[19] Es ist daher anzunehmen, dass ein Volkstribun nach Erledigung seiner Geschäfte eine Senatssitzung aufheben konnte, sofern von seiten der Kollegen oder der andern Magistrate keine weiteren *relationes* folgten.[20] Die Möglichkeit, Senatssitzungen zu schliessen, scheinen die Volkstribunen aber nicht oft angewandt und ausser vielleicht im Falle des Scribonius Curio auch nicht missbraucht zu haben.

Die meisten der überlieferten tribunizischen *relationes* und Äusserungen im Senat stammen aus den 60er und 50er Jahren, für die die Quellenlage dank den ciceronischen Zeugnissen besonders günstig ist. Für die Zeit davor haben wir dagegen nur wenige Angaben über tribunizische Aktivitäten im Senat, so dass wir über die Taktik der Tribunen in vorsullanischer Zeit ungenügend informiert sind. Nicht bekannt ist, ob Sulla den Volkstribunen das *ius referendi* genommen hat. Einige Forscher haben angenommen, dass den Volkstribunen das Antragsrecht im Senat und die Einberufung des Senats unter Sulla verwehrt war.[21] Dies geschieht auf Grund von Appian BC. 2,29,113, wo es Pompeius anlässlich der Senatsaufhebung durch C. Scribonius Curio im Jahr 50 reut, das Volkstribunat restituiert zu haben. Dies sagt jedoch nichts über ein Redeverbot im Senat aus. Allenfalls zu vermuten, nicht aber zu belegen, ist damit ein Verbot der Senatsaufhebung sowie möglicherweise auch der Senatsberufung. Soweit erkennbar, wurde das *ius relationis* in vorsullanischer Zeit nicht missbraucht. Sulla dürfte daher keinen Grund gehabt haben, das Rederecht der Tribunen zu untersagen. Falls das Rogationsrecht der Tribunen mit vorheriger Beratung im Senat bestehen blieb, muss die tribunizische *relatio ad senatum* auch nach dem Jahr 81 zulässig gewesen sein. Einen Hinweis auf ein uneingeschränktes *ius relationis* liefert möglicherweise Cicero Cluent. 136, wo als Antragsteller für eine Massnahme im Falle des *iudex quaestionis* C. Iunius der Tribun des Jahres 74, L. Quinctius, zu vermuten ist. Es ist daher wahrscheinlicher, dass Sulla auf ein Verbot des tribunizischen Rederechts verzichtete.

In der mittleren Republik hatten die Volkstribunen dem Senat nur ausnahmsweise aus eigener Initiative Gesetze vorgelegt.[22] Anlass für die tribunizische Gesetzgebung war vorwiegend der Auftrag des Senats, die *senatus/patrum auctoritas*.[23] Dasselbe gilt für die

17 Willems 2, 140. 200f.; Stella Maranca 88f.

18 App. BC. 2,29,113; vgl. Stein 59.

19 Cic. Q. fr. 2,1,1.

20 Dazu Mommsen, StR. 2, 316 A. 2. 3, 999 A. 1; Herzog 1, 906.

21 Mit einer Aufhebung rechnen: Lengle, Tribunus, 2485; Niccolini, tribunato, 149f.; Fabbrini 806; in seiner Dissertation hatte Lengle die Aufhebung des *ius referendi* noch bestritten (Sulla, 14).

22 Bleicken, Volkstribunat 1955, 68ff.

23 Bleicken, Volkstribunat 1955, 52f.

tribunizischen *relationes*, die in der mittleren Republik fast ausschliesslich auf Wunsch einer Mehrheit der Senatoren erfolgten, wobei Referate von Tribunen in jener Zeit allerdings stets eine Ausnahme blieben.[24] Demgegenüber hat das Volkstribunat der späten Republik einen deutlichen Wandel vollzogen. Des öftern handelten jetzt einzelne Tribunen selbständig, d. h. ohne Weisung des Senats. Im Folgenden werden wir dies sowohl für die dem Senat vorgelegten Gesetzesanträge als auch für die *relationes* zum Zwecke eines Senatsbeschlusses (ohne nachfolgenden Volksbeschluss) darzulegen versuchen.

Wir haben oben für die Zeit seit den Gracchen einen Rückgang der im Sinne der Senatsmehrheit eingebrachten tribunizischen Gesetzesinitiativen festgestellt. Die Gesetzgebung wurde in der späten Republik zu einem grossen Teil von den popularen Volkstribunen in Anspruch genommen. Verschiedene Tribunen liessen ihre Projekte nicht mehr durch den Senat sanktionieren, indem sie entweder die Ablehnung des Senats ignorierten oder die Rogationen gar nicht zur Diskussion stellten. Zur Zeit des Ti. Gracchus war es nach Meinung von Ch. Meier bereits nicht mehr „unbedingt gebräuchlich", für tribunizische Gesetzesvorlagen die Zustimmung des Senats einzuholen.[25] Ti. Gracchus hatte es in Anbetracht der Opposition des M. Octavius noch zugelassen, dass der Senat über sein Ackergesetz befinden sollte.[26] In der Folge sind nur wenige Beispiele bezeugt, in denen Tribunen den Senat gänzlich ausgelassen haben.[27] Jedoch sind auch Fälle, in denen die Verwerfung eines Antrags durch den Senat missachtet wurde, nicht besonders zahlreich.[28] Wir wissen allerdings von etlichen popularen Volkstribunen, dass sie ihre Gesetzesentwürfe dem Senat nicht vorenthielten.[29] Im weiteren sind auch die vielen Zeugnisse über die Behandlung popularer Gesetze im Senat zu beachten, bei denen keine tribunizische *relatio*

24 Bleicken, Volkstribunat 1955, 88ff.

25 Meier, loca intercessionis, 90.

26 S. unten S. 202.

27 Das Vorgehen des Ti. Gracchus anlässlich seines Ackergesetzes ist unten behandelt. Bei der Abrogation des Octavius trat Tiberius unmittelbar vor das Volk (App. BC. 1,12; Plut. T. G. 11f.). C. Marius wollte im J. 119 bei der Rogation seiner Gesetzesvorlage über die Verschmälerung der Wahlstege den Senat auslassen; daraufhin wurde er vor den Senat geladen, wo er sich jedoch zur Wehr setzen konnte, so dass der Senatsbeschluss, den Tribunen zu bekämpfen, fallengelassen wurde (Plut. Mar. 4). C. Manilius veröffentlichte seinen Gesetzesantrag über die Tribuseinteilung der Freigelassenen bereits am 10. Dez. 67, so dass der Senat offenbar nicht konsultiert worden war (s. oben S. 81). Umgehung des Senats ist auch bei weiteren Abrogationsversuchen zu vermuten, vgl. oben S. 95f. zu A. Gabinius und C. Cato. Zur mittleren Republik vgl. Bleicken, Volkstribunat 1955, 71.

28 Vgl. A. Gabinius anlässlich des Piratengesetzes im J. 67, Q. Caecilius Metellus Nepos bei der Berufung des Pompeius nach Italien im J. 62, L. Flavius anlässlich des Ackergesetzes im J. 60; zu Ti. Gracchus s. unten.

29 C. Gracchus bei der Regelung der Repetundengerichtsbarkeit im J. 122, L. Marcius Philippus bei seinem Ackergesetz im J. 104, Tribunen des J. 87 bei der Restitution des Marius und seiner Begleiter sowie wohl auch bei der Abrogation des Ap. Claudius, Plautius beim Ackergesetz des J. 70, C. Cornelius beim Anleiheverbot und beim *ambitus*-Gesetz im J. 67, A. Gabinius beim Piratengesetz im J. 67, Q. Caecilius Metellus Nepos bei der versuchten Berufung des Pompeius nach Italien im J. 62, L. Flavius bei dem Ackergesetz im J. 60, C. Messius bei der *cura annonae* des Pompeius im J. 57, P. Rutilius Lupus und L. Caninius Gallus bei der Verhandlung über Aegypten im J. 56, möglicherweise auch Ti. Gracchus bei dem Antrag über die Gelder der Attaliden.

überliefert ist.[30] Hier ist zu vermuten, dass die betreffenden Tribunen ihre Gesetze selbst in Vorschlag gebracht haben. Demnach bestand die Tendenz, dass auch die Popularen mit ihren Anliegen des öftern vor den Senat traten. Trotz der Politik mittels Volksversammlung war an der Curia nicht so leicht vorbeizukommen.

Die Ablehnung popularer Vorlagen im Senat brachte es mit sich, dass in einzelnen Fällen versucht wurde, die Senatoren durch einen im Plebiszit vorgeschriebenen Schwur auf dasselbe Gesetz zu verpflichten.[31] Eine andere Form der Absicherung praktizierte Clodius, indem er im Volksbeschluss über die Verbannung Ciceros ein Verbot verankerte, das ein Referat über die Rückführung des Vertriebenen verbot.[32] Dies zeigte allerdings keine lange Wirkung.[33] Die Möglichkeiten, Gesetze gegen Angriffe wirksam zu schützen, waren nur beschränkt. Der Schwur der Senatoren garantierte noch keine Befolgung bzw. Ausführung eines Gesetzes, wie sich im Falle von Saturninus' Ackergesetz zeigte.

Auch wenn verschiedene Tribunen dem Senat ihre Gesetzesvorlagen vorenthielten, so ist trotzdem anzunehmen, dass sich der Senat in jedem Fall mit den tribunizischen Rogationen auseinandersetzte.[34] Besonders am Anfang jedes Jahres, als jeweils die meisten Gesetze erlassen wurden, war der Senat mit tribunizischen Vorlagen beschäftigt.[35] Die Quellenlage bringt es aber mit sich, dass auch von senatstreuen Rogationen, für die eine Vorberatung im Senat vorausgesetzt werden darf, nur ausnahmsweise die Behandlung im Senat bezeugt ist.[36] Hier klafft eine grosse Lücke in der Überlieferung, die die senatstreuen

30 Verhandlungen über tribunizische Vorlagen, für die keine *relationes* seitens der Volkstribunen bezeugt sind (was allerdings solche nicht ausschliesst), und die der Senat ablehnte, betreffen neben der *rogatio Marcia agraria* des J. 104 (Cic. off. 2,73) die *lex Appuleia frumentaria* des J. 103 (Auct. ad Her. 1,21), die erste *lex Cornelia de legibus solvendo* im J. 67 (Rotondi 370f.), die *lex Gabinia de bello piratico* im J. 67 (Rotondi 371f.), den Gesetzesantrag des L. Caecilius Rufus im J. 64/63 (Cic. Sull. 65), die *rogatio Flavia agraria* im J. 60 (Stein 23), die Rogation des L. Caninius Gallus im J. 56 (Stein 40, vgl. aber die *altercatio* vom 13. Jan.), das Plebiszit im J. 52, das Caesars Konsulatsbewerbung *in absentia* erlaubte (Stein 54), das Schuldengesetz Dolabellas im J. 47 (Stein 68); zur *lex Servilia agraria* s. unten; daneben finden sich auch Verhandlungen über andere tribunizische Tätigkeiten, wie etwa den Tumult in einer Volksversammlung des Cn. Papirius Carbo im J. 92 (Cic. leg. 3,42), die Interzession des C. Ateius Capito und des P. Aquillius Gallus gegen die Aushebungen des Crassus im J. 55 (Stein 46), die Aktionen des C. Epidius Marullus und des L. Caesetius Flavus im J. 44 (dazu G. Dobesch, in: Antidosis, Festschrift W. Kraus, Wien/Köln/Graz 1972, 78–92). Der Senat befasste sich zudem mehrfach mit der Aufhebung von tribunizischen Gesetzen (vgl. die Absetzung der *lex Manilia* am 1. Jan. 66; Stein 7; allgemein zu der Abrogation von Gesetzen, die *per vim* durchgebracht worden waren: Lintott 134f.).

31 Vgl. das Ackergesetz des Saturninus im J. 100; Metellus Numidicus, der den Schwur auf das Gesetz verweigert hatte, musste in die Verbannung gehen. Vgl. zudem die *lex Latina tabulae Bantinae*, lin. 14ff. (dazu A. W. Lintott, Hermes 106, 1978, 129ff.) und das Piratengesetz des J. 101/100.

32 Cic. dom. 70; p. red. in sen. 4. Selbst Clodius hat, soweit bekannt, den Senat nur einmal unter physische Bedrohung gesetzt, nämlich als es in der Frage von Ciceros Verbannung um den Beschluss ging, Trauerkleider zu tragen (Plut. Cic. 31,1; vgl. Cic. dom. 5; p. red. in sen. 12; dazu Benner 90).

33 Vgl. M. Wlassak, RE 1, 1893, 114f.; Bleicken, Lex publica, 231f. 243. 345f.; L. Ninnius Quadratus missachtete die Vorschrift, während sich der Praetor des J. 58, L. Domitius Ahenobarbus, möglicherweise daran hielt (vgl. Cic. Att. 3,15,6).

34 Vgl. dazu die Beispiele in A. 30.

35 Stein 117.

36 Vgl. (unten im Anhang) den Antrag der acht Volkstribunen vom 29. Okt. 58; zu erwägen ist auch Catos Antrag des J. 62.

tribunizischen Aktionen in den Hintergrund treten lassen. Wir müssen sie vor allem durch diejenigen Zeugnisse füllen, in denen Volkstribunen im Auftrage der Optimaten oder allgemein im Sinne des Senats handelten [37] und für deren Gesetzesvorlagen die Zustimmung des Senats anzunehmen ist.[38]

In der späten Republik sind keine Senatsbeschlüsse mehr bekannt, die die Obermagistrate zur Verhandlung mit den Volkstribunen anwiesen, damit diese vor dem Volk ein Gesetz beantragten (*agere cum tribunis plebis, ut ad plebem ferrent*).[39] Für die späte Republik ist die Wendung *agere cum tribunis* nur noch ausnahmsweise bezeugt. Wir begegnen ihr nochmals bei Caesar, der über die Tribunen seine Konsulatsbewerbung *in absentia* ermöglichen wollte.[40] Caesar handelte allerdings ohne Senatsbeschluss und aus eigener Initiative mit den Volkstribunen. Bei der Senatsverhandlung über die Provinzen im Jahr 50 wurde das *agere cum tribunis* erwogen, um das Veto des C. Scribonius Curio auszuräumen, wobei dies auf Widerstand stiess.[41] Hier ging es also nicht um eine Gesetzesvorlage bzw. um das *ad plebem ferre*, wie dies bei den Verhandlungen der mittleren Republik der Fall gewesen war.

Die aufgeführten Zeugnisse bestätigen die Vermutung, dass sich der Senat zur Zeit der späten Republik mit dem aktiven Einsatz der Tribunen in der Gesetzgebung eher zurückhielt. Da die divergierenden Meinungen einen Konsens im Senat in vielen Fragen verhinderten, gingen senatstreue Rogationen vermehrt von einzelnen konservativen Adligen, einer Gruppe von Senatoren oder den Volkstribunen selbst aus. Dies zeigt sich auch in einem Senatsbeschluss des Jahres 51 während der Auseinandersetzung um die Abberufung Caesars, in dem die Initiative zu konkreten Beschlüssen den Magistraten und Volkstribunen überlassen wurde:[42] *si quid de ea re ad populum pl.ve lato opus esset, uti Ser. Sulpicius, M. Marcellus coss., praetores tr. q. pl., quibus eorum videretur, ad populum pl.ve ferrent.* Gesetzgebung in Zusammenarbeit mit dem Senat figurierte auch in Ciceros Verfassungsentwurf (leg. 3,10) immer noch als Ideal: *tribunisque quos sibi plebes creassit ius esto cum patribus agendi; idem ad plebem quod oesus erit ferunto.* Der Senat ist damit in der ausgehenden Republik zwar noch als Berater, kaum aber als direkter Auftraggeber der Volkstribunen fassbar.

Neben den Anträgen in Verbindung mit einem Gesetzesentwurf begegnen in der späten Republik in viel grösserem Masse tribunizische *relationes* anderer Art. Diese stellten meist konkrete Forderungen und wollten einen diesbezüglichen Senatsbeschluss erwirken.

37 Zu beachten ist Ciceros Lob für verschiedene Tribunen der späten 60er und der 50er Jahre (oben S. 135 A. 32); ferner Plut. C. G. 9 zu M. Livius Drusus, tr. pl. 122; App. BC. 1,24,105 zu Minucius Rufus, tr. pl. 121; Plut. T. G. 10 zu M. Octavius, tr. pl. 133, der freilich keinen Gesetzesantrag einbrachte.

38 Vgl. die Zusammenstellung S. 130ff.

39 Dazu Bleicken, Volkstribunat 1955, 52. Zu erwägen ist allenfalls die von Caesar im Senat beantragte Absetzung der beiden Tribunen des J. 44, Caesetius Flavus und Epidius Marullus, die aber wohl einfacher ablief (vgl. oben S. 96).

40 Suet. Iul. 26: *egit cum tribunis plebis collegam se Pompeio destinantibus, id potius ad populum ferrent, ut absenti sibi, quandoque imperii tempus expleri coepisset, petitio secundi consulatus daretur.*

41 Cic. fam. 8,13,2; Att. 7,7,5.

42 Cic. fam. 8,8,5; vgl. auch die Inschrift aus Ephesos, in : Die Inschriften von Ephesos VII, 2, 1981, nr. 4101, lin. 4–6 (K. Bringmann, EA 2, 1983, 47–75, gegen D. Knibbe, ZPE 44, 1981, 1–10), die auf einen Senatsbeschluss des J. 43 zurückgeht.

Im weiteren kennen wir einige Äusserungen, die eher spontaner Art waren, oder eine Antwort auf eine Frage gaben. Diese konnten auch zu einem Streitgespräch (*altercatio*) gehören, wie es insbesondere mit andern Magistraten geführt wurde.[43]

In der mittleren Republik hatten die Volkstribunen nur ausnahmsweise und hauptsächlich im Sinne des Senats von ihrem *ius referendi* Gebrauch gemacht.[44] Im Jahr 138 hatte C. Curiatius noch den Konsul gezwungen, über eine bestimmte Sache (Verbesserung der Getreideversorgung) zu referieren,[45] während C. Gracchus bereits selbst im Senat (über die Rückerstattung von spanischem Getreide) referierte, wie es sein Bruder in anderem Zusammenhang wohl auch schon getan hatte (s. unten). Das *ius referendi* allein garantierte keine erfolgreiche Politik im Senat, so dass sich C. Curiatius noch der Autorität des Konsuls unterstellen musste, was dann zu der Zurückweisung seiner Forderungen führte. Erst die Gracchen haben den Senat auf eigenmächtige Weise beansprucht und ihn schliesslich bei der Einbringung ihrer Gesetze umgangen, da sie auf Widerstand stiessen. Ein gehäufter und selbständiger Gebrauch des *ius referendi* ist aber in ihrer Nachfolge noch nicht fassbar, sondern erst in den 60er und 50er Jahren. Zuvor haben wir nur noch von Livius Drusus Kunde, wobei dieser im Kampf gegen den Konsul Philippus den angesehenen Redner Crassus vorschob. Die Zeugnisse der vorsullanischen Zeit lassen vermuten, dass Sulla nur wenig Grund hatte, das *ius referendi* einzuschränken, so dass er wohl ganz darauf verzichtete. Der Fall des Livius Drusus zeigt, dass die Möglichkeiten des tribunizischen Rederechts beschränkt waren. Dies erklärt zu einem Teil wohl auch, warum in der ausgehenden Republik einige Tribunen im Namen mehrerer oder gar aller Kollegen referierten. Sie versuchten, durch Gemeinschaft ihren Anliegen grösseres Gewicht zu geben.[46]

In der mittleren Republik war noch kein einziger Senatsbeschluss aus selbständiger tribunizischer Initiative zustande gekommen; dies war auch nur in einem Falle angestrebt worden.[47] Demgegenüber ist in der späten Republik bei den tribunizischen Anträgen auf einen Senatsbeschluss kein Fall bezeugt, in dem die Anregung ausdrücklich vom Senat kam, was eine solche natürlich nicht ausschliesst. Nur im Jahr 43 waren Tribunen wegen Weigerung des zuständigen Magistraten für den Senat eingesprungen, wie dies in der mittleren Republik einige Male der Fall gewesen war.[48]

Bei Referaten im Sinne der Mehrheit des Senats[49] können Anregungen aus dem Senat selbst durchaus vorgelegen haben. Dass verschiedene Volkstribunen für die Senatsmehrheit eintraten, wissen wir besonders von der Rückrufung Ciceros, der Anklage gegen Clodius sowie der Diskussion um Caesars Ackergesetz und der Anklage gegen A. Gabinius. Daraus ergibt sich aber nicht, dass der Senat in der ausgehenden Republik das *ius referendi* des Volkstribunats intensiver genutzt hat, als dies in der mittleren Republik der Fall

43 Mommsen, StR. 3, 947. 985; vgl. unten zum 13. Jan. 56 und zum 9. Feb. 56.
44 Bleicken, Volkstribunat 1955, 88ff.
45 Val. Max. 3,7,3.
46 Willems 2, 139f.; Stella Maranca 99; vgl. die Beispiele: 29. Okt. 58; 20. Dez. 44; Ende Mai 43.
47 Bleicken, Volkstribunat 1955, 90f., bes. 91 A. 1.
48 Bleicken, Volkstribunat 1955, 88ff.
49 Vgl. die Beispiele in A. 54.

gewesen war.[50] Auch die *relationes* im Sinne der Mehrheit des Senats kamen wohl vorwiegend aus eigener Initiative oder auf Weisung optimatischer Adliger zustande. Damit ist in der späten Republik sowohl für die populare als auch für die optimatische Seite eine Verselbständigung des *ius referendi* festzustellen. Der Einsatz des Volkstribunats gegen widerspenstige Magistrate wurde kaum mehr versucht. Die Konkurrenz innerhalb des Senats war zu gross geworden, als dass der Senat noch als geschlossene Einheit die Volkstribunen hätte öfters einsetzen können.

Ein Rückgang an direkter Zusammenarbeit zwischen Senat und Volkstribunat lässt sich auch anhand des in der mittleren Republik noch des öftern praktizierten *rem ad senatum reicere* feststellen, bei dem die Volkstribunen die Entscheidung in einer bestimmten Angelegenheit (insbesondere im Falle von Appellationen an das tribunizische *ius auxilii*) dem Senat überlassen hatten.[51] Diese Wendung ist bei den Tribunen der späten Republik nicht mehr bezeugt.[52] Ti. Gracchus hatte sich wegen der Opposition des M. Octavius noch bereit erklärt, den Senat über seine Gesetzesvorlage befinden zu lassen. Damit war er aber nicht geneigt, sich der Entscheidung des Senats zu fügen. Die Abhängigkeit der Volkstribunen vom Senat hat sich in dieser Beziehung in der späten Republik offenbar gelockert. Einige Tribunen der späten Republik beugten sich aber nachträglich der Autorität des Senats, indem sie bei der Annullierung ihrer Gesetze auf ein Veto verzichteten. Dies ist von M. Livius Drusus, tr. pl. 91, und C. Manilius, tr. pl. 66, bekannt.[53] Der Senat galt immer noch als zentrale Macht im Staat, die auch die Volkstribunen akzeptierten.

Bei den Anträgen und Meinungsäusserungen der Volkstribunen zeigt sich, dass sie in der späten Republik zu etwas mehr als die Hälfte auf Widerstand stiessen. Sie wurden in einer knappen Mehrheit von popularer Seite vorgebracht, wobei sie in den späten 60er und in den 50er Jahren vorwiegend im Interesse der führenden Einzelnen lagen. Reden, in denen Volkstribunen eigenständige populare Politik vertraten, fehlen nach C. Cornelius. Die Tribunen griffen meist bei innenpolitischen Machtfragen ein. Wichtige tribunizische Initiativen konzentrierten sich demzufolge auf die Rückberufung Ciceros, die Frage der Berufung des Pompeius nach Italien, die Rückführung des Ptolemaios, den Clodius-Prozess, die Frage einer Diktatur des Pompeius und die Abberufung Caesars aus der Provinz, wenn man von den Reformanträgen des Cornelius zur Gesetzesexemption und der Massnahmen des Cato in der Getreideverteilung absieht.

Mit den auf einen Senatsbeschluss zielenden *relationes* waren die Volkstribunen mehrheitlich erfolgreich.[54] Dies deutet aber nur bedingt auf einen Einsatz der Tribunen im Sinne des Senats. Denn es kamen nur gerade sieben Senatsbeschlüsse im Anschluss an ein tribunizisches Referat zustande. Die Tribunen erzielten abgesehen von Catos *frumentatio*-Beschluss aufs Ganze gesehen mit ihren *relationes* im Senat nur wenige direkte Erfolge von

50 Bleicken, Volkstribunat 1955, 88f.; zu den Beispielen der späten Republik s. unten zu den Jahren 58, 57 (P. Rutilius Lupus, L. Racilius und Antistius Vetus), 54, 44 und 43; jedoch nur im J. 43 folgte darauf ein Senatsbeschluss.

51 Bleicken, Volkstribunat 1955, 85f.

52 Sie begegnet beim Procos. Q. Cicero im J. 59 (Cic. Att. 2,16,4).

53 Lintott 134; vgl. auch Sex. Titius im J. 99 (Smith 154).

54 Vgl. dazu: C. Gracchus 123, M. Livius Drusus 91, M. Porcius Cato 62, C. Herennius 60, L. Ninnius Quadratus 58, C. Scribonius Curio 50, M. Servilius 44, fünf Tribunen 43; vgl. auch die Rückberufung Ciceros (Stein 29ff., bes. 30), bei der das SC allerdings auf eine konsularische *relatio* erfolgte.

grösserer Bedeutung.[55] Für Caesar konnte C. Scribonius Curio zwar den Entscheid bewirken, dass auch Pompeius sein Heer entlassen sollte, was aber nicht in die Tat umgesetzt wurde. Auch die Berufung des Pompeius nach Italien im Jahr 62 sowie dessen Entsendung nach Aegypten im Jahr 56 waren gescheitert. Dennoch war der Senat durch den Einsatz der Tribunen im Dienste der Feldherrn vermehrt für die Anliegen von Einzelpersönlichkeiten geöffnet worden. Die Volkstribunen haben in einzelnen Fragen dank ihrem *ius referendi* über den Senat bedeutend in die Politik eingegriffen und waren an wichtigen politischen Entscheidungen offenbar aktiver beteiligt als alle andern Beamten neben den Konsuln.[56] Dies steht in krassem Gegensatz zum Ansehen und Rang der gewesenen Volkstribunen im Senat, die bei den Umfragen, der politischen Hierarchie gemäss, im Prinzip erst nach den Aediliziern befragt wurden[57] und somit kein Gewicht hatten.

Die Volkstribunen kümmerten sich jedoch nicht allgemein um die Belange der Res publica, so dass sie nicht bei allen Geschäften des Senats in Erscheinung traten. Bei normalen Alltagsgeschäften wie etwa Bündnisfragen, Finanzangelegenheiten, kultischen Anordnungen[58] und Beschlüssen über die Provinzialverwaltung (sofern sie nicht mit ausserordentlichen Imperien verbunden waren) fehlen Zeugnisse für Parolen seitens der Tribunen. Auch bei Kriegsbeschlüssen traten sie nie in Erscheinung.[59] Wie bereits erwähnt, wurden die Volkstribunen aber im früheren 2. Jh. in einigen Schreiben des Senats an auswärtige Völker im Absender aufgeführt.[60] Inwieweit sie an der Beschlussfassung beteiligt waren, oder ob sie bloss als Vertreter des Volkes neben Magistraten und Senat aufgeführt wurden, um der Autorität der ganzen Res publica Ausdruck zu geben, ist fraglich. Diese Dokumente blieben jedoch die Ausnahme, so dass die Volkstribunen keine permanente Rolle in aussenpolitischen Entscheiden eingenommen haben können.

Trotz ihrer Sonderstellung und ihren vielfältigen Möglichkeiten haben die Volkstribunen die Senatssitzungen auch in der späten Republik nie grundsätzlich dominiert. Normalerweise haben sie sich offenbar an die üblichen Konventionen einer Senatssitzung gehalten, denn die Verletzung des *mos maiorum* konnte dem eigenen Ansehen und damit der späteren Karriere schaden. Eigenmächtigem Wirken der Tribunen im Senat waren durch die Machtverhältnisse Grenzen gesetzt, die seit den Gracchen erst wieder mit der Rückendeckung eines Feldherrn überschritten wurden. Die Volkstribunen vermieden es auch, regelmässig Senatssitzungen einzuberufen. Sie überliessen den Konsuln die Leitung der normalen Tagesgeschäfte. Nur selten griffen die Tribunen leitend in die Politik ein. Die Position der Obermagistrate im Senat haben sie nie grundsätzlich angegriffen.[61] Durch die tribunizische Relation konnte die Leitung des Senats durch die obersten Magistrate sowie

55 Trotz des Abstimmungserfolges scheiterte die Rückführung Ciceros im J. 58 infolge der tribunizischen Interzession.

56 Vgl. dazu Willems 2, 134ff. Zu beachten ist, dass die Aufgaben der Praetoren keine aktive Politik im Senat erforderlich machten.

57 Willems 2, 180f.

58 Als Einzelfall vgl. den Antrag des J. 43 *de Lupercis*.

59 Vgl. Bleicken, Lex publica, 109 A. 9.

60 Vgl. oben S. 37f.

61 Vgl. Mommsen, StR. 2, 316f.; Herzog 1, 906; Martin (105) zählt „Tribunizische Anträge und Intercessionen ... zum normalen Geschäftsgang im Senat"; ferner Mispoulet 51f. 64ff. 79. 296f. 301f.

deren Privileg, die Traktandenliste aufzustellen, umgangen werden,[62] ohne die Grundstrukturen einer Senatssitzung anzutasten.

Erst die Frage der Abberufung Caesars aus der Provinz brachte ein lange dauerndes Kräftemessen zwischen einzelnen Tribunen und dem Senat. Dabei zeigte sich im Jahr 49 nochmals der längere Arm des Senats: Die Tribunen konnten über Caesars Brief keine Diskussion mehr erwirken und die tribunizische Blockade wurde mittels SCU unwirksam gemacht. In der Folge fehlen für die Zeit der caesarischen Herrschaft Zeugnisse über tribunizische Anträge und Äusserungen völlig. Spektakuläre Auftritte der Tribunen im Senat waren kaum noch möglich. Die Tribunen waren in die Abhängigkeit des Diktators gelangt. Erst nach dem Tode Caesars tritt das tribunizische *ius referendi* nochmals in Erscheinung, wobei es jetzt im Sinne der konservativen Vertreter der Senatsherrschaft eingesetzt wurde.

Die Tribunen haben sich im spätrepublikanischen Senat des öftern als unbequeme Vertreter von Einzelinteressen erwiesen und Anlass zu verschärften Auseinandersetzungen gegeben. Inwieweit dazu auch das *ius intercedendi* diente, wird im Folgenden zu untersuchen sein. Abgesehen von Äusserungen im Zusammenhang mit der Androhung einer Interzession und der Aufschiebung von Senatssitzungen, die im nächsten Kapitel aufgeführt sind, kennen wir folgende *relationes* und Stellungnahmen der Volkstribunen:[63]

– 133 Ti. Sempronius Gracchus liess sich dazu bewegen, den Senat über die *lex agraria* entscheiden zu lassen, der jedoch nach Plutarch zu keinem Schluss kam (Plut. T. G. 11,1f.; vgl. Bernstein 173f.; Stockton 66); dass Gracchus selbst referierte, ist wahrscheinlich (vgl. App. BC. 1,12,50f.). Nach der Annahme des Ackergesetzes bat er den Senat um die Zuteilung eines staatlichen Zeltes, was dieser allerdings ablehnte und für die Ausgaben des Gracchus die lächerliche tägliche Entschädigung von neun Obolen festlegte (Plut. T. G. 13,2f.). Ti. Gracchus unterbreitete sein Gesetz, das die Attalos-Erbschaft herbeischaffen und an die Siedler auf dem neu verteilten *ager publicus* als Startkapital abgeben wollte, wohl auch dem Senat (vgl. Plut. T. G. 14, wo unmittelbar nach der Erwähnung der Pläne des Tiberius die Entgegnungen einiger Senatoren erwähnt werden). Tiberius sprach dem Senat das Recht ab, über den Status der pergamenischen Städte zu entscheiden, und wollte dem Volk einen eigenen Plan vorlegen (Plut. T. G. 14; vgl. Liv. per. 58)

62 Herzog 1, 931.

63 Neben Volkstribunen, die Gesetze im Sinne des Senats einbrachten, sind insbesondere für folgende Tribunen weitere *relationes* zu vermuten: **L. Quinctius** im J. 74, der eine *quaestio extraordinaria* gegen den *iudex quaestionis* C. Iunius forderte, deren Konstituierung durch ein SC den Konsuln übertragen wurde (Cic. Cluent. 137); **A. Gabinius** im J. 67, dem es in einer Senatssitzung wegen des von ihm geplanten Gesetzes für ein *imperium* gegen die Piraten beinahe ans Leben ging (Dio 36,24), wobei der Senat das Gesetz nach der Annahme in der Volksversammlung jedoch anerkannte (Stein 5); **C. Cornelius** im J. 67, dessen *ambitus*-Gesetz der Senat abgelehnt hatte (Stein 6; Dio 36,38,4f.); **P. Vatinius** im J. 59, als der Senat die Anordnungen des Pompeius im Osten bestätigte (H. Gundel, RE 8 A, 1955, 500); **P. Sestius**, der am 14. Nov. 57 erzürnte, da der Antrag des Marcellinus auf eine gerichtliche Untersuchung, die noch vor der Aedilenwahl gegen Clodius eingelegt werden sollte, verzögert wurde (Cic. Att. 4,3,3; Stein 36); **M. Antonius** und **L. Caecilius Metellus**, die den Senat am 1. April 49 ausserhalb des Pomeriums beriefen, damit Caesar Friedensangebote machen konnte (Dio 41,15,2). W. McDonald (CQ 23, 1929, 206) nimmt für die Senatssitzung vom 1. Jan. 66 ein Referat des Manilius an, als der Senat über die Aufhebung seines am Vortage rogierten Gesetzes verhandelte, das die Freigelassenen der Tribus ihres Patrons zuweisen und damit auf alle Tribus verteilen wollte; Dio 36,42,3 berichtet jedoch nur, dass Manilius die Idee für dieses Gesetz Crassus und andern zugeschoben habe. Äusserungen im Zusammenhang mit der Interzession vgl. S. 213ff., bes. zu den J. 66, 57, 51, 50, 43.

– 123 C. Sempronius Gracchus stellte unter anderem den Antrag, das von dem Propraetor Q. Fabius Maximus aus Spanien gesandte Getreide zu verkaufen und das Geld den geschädigten Städten zurückzuschicken. Er erreichte, dass Fabius, dessen Aktion möglicherweise in Konkurrenz zu der *lex frumentaria* des C. Gracchus gestanden hatte, vom Senat eine Rüge wegen Bedrängung der Untertanen erteilt wurde (Plut. C. G. 6,1f.)

– 91 M. Livius Drusus hatte vom Senat eine Vorladung erhalten, worauf er am 13. Sept. selbst den Senat berief, um den abschätzigen Äusserungen seines Gegners, des Konsuls L. Marcius Philippus, über den Senat entgegenzutreten (Philippus hatte gesagt, dass er mit diesem Senat keine Staatsgeschäfte mehr führen könne) (Cic. de or. 3,2(ff.); vgl. Val. Max. 9,5,2). Auf Antrag des L. Crassus wurde der Beschluss gefasst, dass der Senat stets seine Pflichten erfüllt habe (dazu Dio 28, frg. 96,4, Boissevain I, p. 340; vgl. Mispoulet 246ff.; Thomsen 44). Drusus konnte aber nicht verhindern, dass der Senat nach dem Tode des Crassus auf Betreiben des Philippus seine Gesetze für ungültig erklärte. Bei dieser Gelegenheit verteidigte er insbesondere seine Massnahmen bezüglich des Gerichtswesens, verzichtete aber auf ein Veto (Diod. 37,10,3; GCG 134f.; vgl. F. Münzer, RE 13, 1926, 874f.)

– 67 C. Cornelius beantragte im Senat vergeblich ein Anleiheverbot an Gesandte (Asc. p. 47 St.: *Cuius relationem repudiavit senatus*; vgl. Willems 2, 141 A. 3)

– 67 C. Cornelius gehörte wohl selbst zu denjenigen, die über die Abänderung seines ersten Exemptionsgesetzes referierten, das vom Senat abgelehnt und während der Volksabstimmung durch die Interzession des P. Servilius Globulus verhindert worden war. Cornelius' neue Fassung des Gesetzes wurde nun gebilligt (Cic. in Corn. I p. 57 St.: *At enim de corrigenda lege rettulerunt*; Dio 36,39, 2–40,1; Stein 6)

– 63 P. Servilius Rullus antwortete am 1. Jan. auf die Frage Ciceros, an wen und wie er den *ager Campanus* verteilen wolle, er wolle mit der (ländlichen) Tribus Romilia beginnen, und sagte wohl in der gleichen Sitzung, das Stadtvolk sei viel zu einflussreich im Staatsleben und bedürfe einer Ausschöpfung (Cic. leg. agr. 2,79. 70: *urbanam plebem nimium in re publica posse; exhauriendam esse*; vgl. Stein 10)

– 62 M. Porcius Cato erreichte eventuell noch Ende 63 die Zustimmung des Senats für eine Erhöhung der Zahl der Getreideempfänger (Plut. Cat. min. 26,1; Caes. 8,4)

– 62 Q. Caecilius Metellus Nepos griff am 1. Jan. Cicero wegen der Hinrichtung der Catilinarier an, worauf sich dieser verteidigte; noch vor Mitte Januar wurde die Vorlage des Metellus über die Berufung des Pompeius nach Italien vom Senat abgelehnt (Dio 37,43,1; Plut. Cat. min. 26; vgl. Lange, Röm. Alterthümer 3, 257; Meyer, CM, 39; Stein 17); Metellus sagte, er werde die Vorlage gegen den Willen des Senats durchsetzen; Cato antwortete darauf, Pompeius werde die Stadt nur über seine Leiche bewaffnet betreten; später verhinderte Cato im Senat die Abrogation des Nepos (Plut. Cat. min. 29)

– 60 L. Flavius beantragte offenbar im Senat, dass neben den Veteranen des Pompeius auch die übrige Bürgerschaft Land erhalten sollte, damit sie das Ackergesetz sowie die im Osten getroffenen Verwaltungsmassnahmen ratifiziere. Der Konsul Q. Caecilius Metellus Celer trat ihm heftig entgegen, so dass Flavius ihn verhaften liess (Dio 37,50,1; vgl. Gelzer, Pompeius, 127)

– 60 Als C. Herennius für die *transitio ad plebem* des Clodius agitierte, stellte er offenbar im Senat den Antrag, dass die entsprechende Sache vor den Centuriatcomitien verhandelt werden sollte; der Konsul Metellus promulgierte dann zum Schein den Antrag, der aber scheiterte (vgl. die Interzession S. 231); Clodius wurde schliesslich im J. 59 durch ein Curiatgesetz adrogiert (Cic. Att. 1,18,4. 19,5; vgl. B. Kübler, RE 6 A, 1937, 2154ff.; Weiteres oben S. 30 A. 62)

– 58 L. Ninnius Quadratus veranlasste den Senat im Hinblick auf Ciceros Verbannung Trauerkleider anzuziehen (Cic. Sest. 26; Dio 38, 16, 3f.) und beantragte bereits am 1. Juni die Rückberufung Ciceros, wogegen Aelius Ligus interzedierte; Ninnius sagte, er werde die Sache vor das Volk tragen und beschimpfte Clodius (Cic. p. red. in sen. 3; Sest. 68; Dio 38,30,3f.; Stein 28f.)

– 58 Mitte Juli referierten die Volkstribunen ergebnislos über die Rückrufung des Cicero, obwohl der Cos. des. P. Cornelius Lentulus Spinther, C. Scribonius Curio und der Pr. des. M. Calidius sich dafür einsetzten (Cic. dom. 70; Stein 29f.)

– 58 Ein am 29. Okt. von acht Volkstribunen promulgierter Antrag *de reditu Ciceronis* wurde durch tribunizisches Referat vor den Senat gebracht; P. Lentulus und andere sprachen dafür, die Konsuln dagegen, und Aelius Ligus interzedierte (Cic. Att. 3,23,1.4; Sest. 70; p. red. in sen. 8; Stein 30)

– 57 C. Messius forderte am 8. Sept., als über die *cura annonae* des Pompeius verhandelt wurde, für den

Feldherrn erweiterte Kompetenzen zur Getreideversorgung, was dieser schliesslich selbst ablehnte (Cic. Att. 4, 1, 7; Stein 34)

– 57 P. Rutilius Lupus referierte Ende 57 (zwischen dem 10. und 16. Dez., vgl. Stein 36) in einer wohl von ihm selbst einberufenen Sitzung über Caesars Ackergesetz bezüglich des *ager Campanus*; er stellte jedoch keinen Antrag, das Gesetz rückgängig zu machen, und wollte die Sitzung gleich wieder schliessen (Cic. Q. fr. 2,1,1; dazu Meyer, CM, 126; Brunt, IM, 316; Schneider, Wirtschaft, 356)

– 57 L. Racilius referierte in der gleichen Sitzung über die Konstituierung des Gerichtshofes gegen Clodius. C. Cato und Cassius sprachen gegen den Antrag des Marcellinus, der den Praetor beauftragen wollte, die Richter noch vor den Aedilenwahlen zu bestellen (Cic. Q. fr. 2,1,2f.; Stein 36)

– 57 Antistius Vetus sprach in der gleichen Sitzung nach der Denunziationsrede Ciceros gegen Clodius im Sinne des Redners und erklärte, er werde sich in der Sache des Gerichtshofes einsetzen (Cic. Q. fr. 2,1,3; Stein 37)

– 56 P. Rutilius Lupus propagierte Anfang 56 (wahrscheinlich am 11. Jan., vgl. Stein 38) die Entsendung des Pompeius nach Aegypten, um den Ptolemaios Auletes wieder in sein Amt einzusetzen. Diesen Auftrag hatte der Senat im Vorjahr an den Procos. P. Cornelius Lentulus Spinther vergeben. Da wegen eines schlechten Orakels religiöse Bedenken hinsichtlich einer militärischen Intervention aufkamen, referierte der Konsul Cn. Cornelius Lentulus Marcellinus über die Rückführung, worauf dann Lupus einen eigenen Antrag einbrachte. Der Senator Volcacius übernahm den Antrag des Lupus in seiner *sententia*, die auch L. Afranius unterstützte. Die Abstimmung verschob sich allerdings auf den 14. Jan. (s. unten; Cic. fam. 1,1,3; vgl. Stein 112f.)

– 56 Am 13. Jan. fand eine *altercatio* zwischen dem Konsul Marcellinus und dem Tribunen L. Caninius Gallus statt, der sich seit Ende 57 ebenfalls für die Entsendung des Pompeius nach Aegypten eingesetzt hatte (Cic. fam. 1, 2, 1; Stein 38). Nach dem 13. Feb. lehnte der Senat seine Rogation ab, die Pompeius für die Rückführung des Ptolemaios vorsah und zwei Liktoren zur Begleitung mitgeben wollte; der Senat verbot jegliche Intervention, wogegen eine tribunizische Interzession erfolgte (Plut. Pomp. 49,6; Cic. fam. 1,2,4; Stein 40)

– 56 Am 14. Jan. kam von den Anträgen des 11. Jan. zuerst die *sententia* des Bibulus zur Abstimmung, die sich auf das konsularische Referat bezog; dann war die Reihe an Hortensius' Vorschlag, der den Procos. P. Lentulus für den Rückführungsauftrag favorisierte; P. Rutilius Lupus verlangte jetzt aber, dass sein Vorschlag, der ja in der *sententia* des Volcacius übernommen war, zuerst zur Abstimmung gelangte; er stiess jedoch auf grossen Widerspruch, und es kam auch am nächsten Tag (15. Jan.) zu keiner Entscheidung (Cic. fam. 1,2,1–4. 4,1; Stein 38f.); gegen den Beschluss, der die Verhandlung der Sache vor dem Volk verbot, interzedierten C. Porcius Cato, der Crassus favorisierte, und L. Caninius Gallus (Niccolini 307)

– 56 C. Porcius Cato und L. Caninius Gallus leugneten am 15. Jan. in einer Erklärung die Absicht, ein Gesetz über die Rückführung einbringen zu wollen, was sie anscheinend auch einhielten (Cic. fam. 1,4,1; Q. fr. 2,2,3; Stein 39; vgl. Martin 104 A. 10)

– 56 Am 9. Feb. fand eine *altercatio* zwischen Pompeius und C. Porcius Cato, der eine Dauerrede hielt, statt, und es kam zum Beschluss, die Unruhen, die der Aedil Clodius am 7. Feb. während der Anklage gegen Milo gestiftet hatte, seien *contra rem publicam* (Cic. Q. fr. 2,3,3; Stein 39f.)

– 54 Als im Februar in der Curia gegen A. Gabinius Beschwerde geführt wurde, erklärten die Volkstribunen (wohl im Senat), dass sie an den kommenden Comitialtagen über ihn verhandeln würden (Cic. Q. fr. 2,12,3; dazu F. Münzer, RE 15, 1931, 616f.; vgl. F. Von der Mühll, RE 7, 1910, 429; Stein 47 (A. 258); ferner oben S. 154. 164f.)

– 54 C. Memmius stellte im September die Konsuln bloss, indem er auf Veranlassung des Pompeius in der Curia den Geheimvertrag bekanntmachte, den die Konsuln mit den Wahlkandidaten über die konsularischen Provinzen geschlossen hatten (Cic. Att. 4,17,2: *recitavit*)

– 53 Einige Volkstribunen stellten während des Interregnums den anachronistischen Antrag, Konsulartribunen zu wählen. Als dies scheiterte, schlugen sie eine Diktatur des Pompeius vor (Dio 40,45,4f.), was dieser schliesslich selbst ablehnte (Dio 40,46,1)

– 50 C. Scribonius Curio forderte am 1. März und in den darauffolgenden Sitzungen erfolglos, dass sowohl Caesar als auch Pompeius ihre Truppen entlassen sollten. Am 1. Dez. gelang es ihm schliesslich, diese

Forderung durchzusetzen (App. BC. 2,27ff.; Stein 59. 61; dazu Martin 112 (A. 3); Meier, RPA, 315; Raaflaub, Volkstribunen, 303, vgl. 301ff.; DC, 28ff.)

– 50 C. Scribonius Curio hatte in derselben Sitzung vom 1. Dez. anfänglich eine Verhandlung verboten, als ihn der Konsul C. Claudius Marcellus in der Curia angeklagt hatte. Als er merkte, dass die Mehrheit der Senatoren sich nicht getraute, gegen ihn zu stimmen, sagte er, er sei überzeugt, das Beste für den Staat zu tun, und erklärte sich bereit, sein Leben in die Hände des Senats zu legen (Dio 40,64)

– 49 M. Antonius, der im Senat verschiedentlich Briefe Caesars vorlas (Plut. Ant. 5,3), und Q. Cassius Longinus setzten am 1. Jan. durch, dass Caesars versöhnlicher Bericht verlesen wurde; eine Verhandlung darüber liessen die Konsuln jedoch nicht zu. Nach dem Ultimatum an Caesar, seine Truppen bis zu einem bestimmten Termin zu entlassen oder als Staatsfeind zu gelten (wogegen M. Antonius und Q. Cassius Longinus interzedierten), folgte möglicherweise eine getrennte Abstimmung über die Heeresentlassung des Pompeius und des Caesar (letzterem wäre zugestimmt worden, wobei aber wiederum die tribunizische Interzession erfolgte); M. Antonius könnte daraufhin nochmals die beidseitige Heeresentlassung beantragt haben, was dann Scipio und der Konsul L. Cornelius Lentulus allerdings verhindert hätten (Broughton 2, 258f.; vgl. Stein 62; Raaflaub, Volkstribunen, 306ff.; DC, 56ff.); am 7. Jan. verliessen die beiden Tribunen unter Protest den Senat (App. BC. 2,33,131; Plut. Ant. 5; Dio 41,3,2)

– 44 M. Servilius und seine Kollegen beantragten am 20. Dez. eine Schutzgarde für die Senatsversammlung vom 1. Jan. 43, um die designierten Konsuln C. Vibius Pansa und A. Hirtius abzusichern und auf den Senat zu verpflichten (Cic. Phil. 3,13. 37. 4,16; vgl. fam. 10,28,2. 11,6a,1). Am 2. Jan. erfuhr Octavian offizielle Anerkennung durch den Senat

– 43 Ein Volkstribun referierte kurz nach der Mitte des Januars *de Lupercis* (Cic. Phil. 7,1; Stein 83; Niccolini 358)

– 43 Fünf Volkstribunen griffen Ende Mai für die Senatsmehrheit ein, als der Praetor Urbanus M. Caecilius Cornutus das Schreiben des Plancus nicht zur Debatte stellen wollte; sie referierten darüber und veranstalteten eine *interrogatio*; P. Servilius Isauricus beantragte eine Vertagung, was Cicero jedoch verhinderte, so dass schliesslich auf Ciceros Votum ein einstimmig gefasster Ehrenbeschluss für Plancus zustande kam (Cic. fam. 10,16,1; Stein 93)

IV. DAS *IUS INTERCEDENDI*

1. Interzessionen gegen Senatsbeschlüsse und voraufgehende Handlungen

Neben den Anträgen und Äusserungen gehören auch die Interzessionen zu den entscheidenden tribunizischen Handlungen im Senat. Bei deren Betrachtung soll im Folgenden wiederum zuerst von den formalen Rechten ausgegangen werden, um anschliessend die konkreten Anwendungen zu untersuchen. Zu fragen ist nicht nur nach den politischen Zielen der Tribunen, sondern auch nach den Auswirkungen der tribunizischen Interzession auf die Geschäfte des Senats.

Die Volkstribunen hatten das Recht, gegen die Abfassung eines Senatsbeschlusses (*senatus consultum*) zu interzedieren. In der Forschung wurde in der Nachfolge Mommsens angenommen, dass das Veto erst bei bzw. nach der Abstimmung erfolgte und eine Interzession während der Senatssitzung bis zur Abstimmung „als künftige" erscheint, also nur angedroht werden konnte.[1] Dazu kommt, dass das Veto nicht die Abstimmung selbst, aber die Abfassung eines positiven Abstimmungsergebnisses als *senatus consultum* verhinderte. Andere Gelehrte vertraten die Meinung, dass die Tribunen bei mehreren Gelegenheiten mit ihrem Vetorecht in die Senatssitzung eingreifen konnten,[2] worauf besonders einige Zeugnisse der späten Republik hinweisen. So hatte ein Volkstribun offenbar die Möglichkeit, gegen ein magistratisches Referat (*relatio*), sowohl seines Kollegen als auch der Obermagistrate, einzuschreiten.[3] Opposition konnte sich möglicherweise auch gegen die dem Referat folgende Umfrage (*interrogatio*) richten[4] oder eine solche unterbrechen.[5] Diese Zeugnisse bleiben jedoch Einzelfälle, die ein offizielles Veto während der Senatssitzung nicht beweisen. Unwahrscheinlich ist, dass eine andere Art der Opposition, die nicht mit der Interzession verbunden war (*potestas impediendi*),[6] gemeint ist.

Entscheidend bleibt, dass die Volkstribunen in verschiedenen Phasen der Senatssitzung einschreiten und dadurch die Vorbereitungen zu einem Senatsbeschluss schon

1 Mommsen, StR. 1, 281 A. 1f. 2, 295; Mispoulet 81; Niccolini, tribunato, 117; Bleicken, Volkstribunat 1955, 8 (A. 1).

2 Lange, Röm. Alterthümer 1, 836f. 842; Eigenbrodt 34ff.; Willems 2, 133; Herzog 1, 928ff.; als Quelle vgl. Polyb. 6,16,4.

3 Als Beispiel vgl. unten zum J. 52 (Asc. p. 30f. St.) und zum J. 51 (Cic. fam. 8,8,6), wo Massnahmen gegen mögliche Obstruktionen im Senat geplant waren, damit so schnell wie möglich über die konsularischen Provinzen referiert und ein SC gefasst werden konnte.

4 Als Beleg dient Herzog (1, 928) der Fall vom 1. Dez. 50.

5 Dies schliesst Herzog (1, 928) aus Tac. hist. 4,9; vgl. dagegen Mommsen, StR. 1, 281 A. 2.

6 Vgl. Cic. fam. 8,8,6; dazu Mommsen, StR. 1, 281 A. 1; ein besonderer Eingriff im Senat lag im Falle des P. Rutilius Lupus vor, der am 14. Jan. 56 die Abstimmung über seinen Vorschlag derjenigen über den konsularischen Vorschlag vorziehen wollte (vgl. dazu oben S. 193); gegen Mommsen vgl. Eigenbrodt 121ff.

frühzeitig zum Erliegen bringen konnten, auch wenn im Normalfall die Interzession erst während oder nach der Abstimmung erfolgte.[7] Zeugnisse, bei denen eine Diskussion im Senat unterbrochen wurde, fehlen uns, denn einem Senator durfte nach begonnener Rede das Wort nicht mehr genommen werden.[8] An diese Regel scheinen sich auch die Tribunen gehalten zu haben. Ausdrücklich verboten war die Interzession seit dem Gesetz des C. Gracchus gegen die Zuteilung der konsularischen Provinzen.[9]

Aus Polybios (6,16,4) könnte man auf ein Recht der Volkstribunen schliessen, das die Interzession gegen die Einberufung des Senats ermöglichte.[10] Hierfür haben wir jedoch keinen konkreten Beleg. Als Ausnahmefall erscheint die Aktion des L. Flavius im Jahr 60, der dem von ihm verhafteten Konsul Q. Caecilius Metellus die Berufung des Senats ins Gefängnis verwehren wollte.[11] Flavius musste seine Opposition schliesslich abbrechen, so dass der Fall eher dafür spricht, dass die Interzession gegen die Senatsberufung unzulässig war.

Während die Volkstribunen gegen alle Magistrate interzedieren konnten, hatten die Obermagistrate das Vetorecht wohl gegen Kollegen und niedrigere Beamte.[12] Wir haben allerdings nur wenige Beispiele solcher Interzessionen seitens der Obermagistrate, wobei sie alle von Konsuln stammen und kollegial sind.[13] Die Tribunen hatten als einzige Senatsteilnehmer die Möglichkeit, die Aktionen aller ordentlichen Magistrate und damit einen grossen Teil der Handlungen im Senat zu behindern. Das Volkstribunat wies sich somit formal als das wichtigste Obstruktionsorgan im Senat aus. Falls sich ein Tribun zur

7 Vgl. die sicheren Beispiele in A. 14, wo nach dem Veto gegen das SC der Beschluss als *auctoritas* aufgezeichnet wurde; ferner das SC des J. 68 (?) über die Kreter (s. unten). Auch die Fälle der J. 64, 58, 57 (Sex. Atilius Serranus) und 56 sprechen für eine Interzession nach der Abstimmung.

8 Niccolini, tribunato, 117f.; A. O'Brien Moore, RE Suppl. 6, 1935, 707. 713; vgl. Mommsen, StR. 3, 939.

9 Cic. prov. cons. 17 (gegen die Zuteilung der praetorischen Provinzen war die Interzession zulässig); Willems 2, 204; Meyer, CM, 257. Die *lex Sempronia de provinciis* wurde im J. 52 durch ein Gesetz des Pompeius, das ein SC des J. 53 aufnahm und fünf Jahre Zwischenraum zwischen der Magistratur und der Promagistratur vorschrieb, aufgehoben (Dio 40,46,2.56; vgl. Raaflaub, DC, 128 mit A. 92). Cicero wollte eine Verlängerung seiner Statthalterschaft durch die Volkstribunen verhindern (Cic. Att. 5,2,1; fam. 2,7,4; vgl. Att. 5,18,3; fam. 7,32,3). Von der Interzession ausgeschlossen waren zudem Senatsbeschlüsse, die der Diktator beantragte (Willems 2, 133. 201; Siber 104; v. Lübtow 321, vgl. 283; Wittmann, Sulla, 565 (A. 5); vgl. allgemein Mommsen, StR. 2, 165f.), sowie die Wahl eines Interrex (vgl. aber unten zum J. 52; Lange, Röm. Alterthümer 1, 843; Herzog 1, 558) und dessen Anträge (Niccolini, tribunato, 70f.; Lengle, Tribunus, 2472), eventuell auch das SC, das die Wahl eines Diktators einleitete (Mommsen, StR. 1, 287; anders: Willems 2, 204. 241).

10 Τὸ δὲ συνέχον, ἐὰν εἷς ἐνίστηται τῶν δημάρχων, οὐχ οἷον ἐπὶ τέλος ἄγειν τι δύναται τῶν διαβουλίων ἡ σύγκλητος, ἀλλ' οὐδὲ συνεδρεύειν ἢ συμπορεύεσθαι τὸ παράπαν; in diesem Sinne: Willems 2, 132; Niccolini, tribunato, 117; Stella Maranca 88, der das fragliche *iustitium* des J. 133 aufführt (dazu unten S.227); anders: Herzog 1, 930f.

11 Dio 37,50.

12 Gell. 14,7,6; vgl. Cic. leg. 3,10; dazu Willems 2, 199f.

13 Herzog 1, 599 A. 1. 905. 928; Willems 2, 199f., bes. 200 A. 2. Neben den tribunizischen Interzessionen dürfte in den J. 51 bis 49 allerdings auch das konsularische Veto angewandt worden sein: in den J. 51 und 50 von Ser. Sulpicius Rufus und L. Aemilius Lepidus Paullus gegen die Abberufung Caesars (Suet. Iul. 28f.) und im J. 49 von C. Claudius Marcellus gegen die Ernennung des Iuba zum *socius et amicus* des römischen Volkes (Caes. BC. 1,6).

Interzession entschloss, so konnte dies im Prinzip nicht verhindert werden und es musste zu einem Kräftemessen kommen. Der Senat entwickelte jedoch Mittel, um unliebsamen Interzessionen zu begegnen, und erwies sich aufs Ganze gesehen als die stärkere Macht. Es galt, in einzelnen Fällen die Bedingungen der Interzession zu erschweren und mit Sanktionen zu belegen. Die tribunizischen Interzessionen im Senat wurden im Normalfall aber immer beachtet. Ausnahmen sind die Einsprüche des C. Porcius Cato im Jahr 56 sowie des M. Antonius und Q. Cassius Longinus im Jahr 49 gegen den Beschluss, Trauerkleider anzuziehen, die die Senatoren nicht befolgten. Die Senatoren konnten in diesem speziellen Fall auch aus eigener Initiative handeln, ohne sich auf einen Senatsbeschluss zu berufen.

Interzessionen gegen ein Abstimmungsergebnis im Senat hatten zur Folge, dass der Beschluss nicht als *senatus consultum*, sondern in der Form der *senatus auctoritas* aufgezeichnet wurde.[14] Damit wurde dem Willen des Senats weiterhin Ausdruck gegeben, auch wenn der Beschluss nicht rechtsgültig werden konnte. Das Veto konnte gleich zur Debatte gestellt werden, indem ein Referat die Sachlage erörterte und eine Diskussion die Zulässigkeit der Interzession sowie Möglichkeiten zu deren Ausräumung darlegte.[15] Dabei ging es in erster Linie um die Rücknahme des Vetos durch die betreffenden Tribunen. Ein Zeugnis Ciceros zeigt, dass es zumindest in der ausgehenden Republik in bestimmten Fällen in Betracht kam, einen interzedierenden Tribunen censorisch zu rügen, in seiner Amtsführung einzuschränken, des Amtes zu entheben oder zu vertreiben.[16] Der Druck des Senats konnte dazu führen, dass ein Tribun Bedenkzeit über Nacht verlangte bzw. sich nicht mehr zu interzedieren getraute.[17]

Bei einzelnen Verhandlungsthemen versuchte der Senat, die Interzession unter Strafe zu stellen. So sollte im Jahr 51 ein Senatsbeschluss festlegen, dass die Interzession in der Debatte über die konsularischen Provinzen *contra rem publicam* sei und somit Argumente für eine gerichtliche Verurteilung lieferte oder die *hostis*-Erklärung nach sich ziehen konnte.[18] Gegen diesen Antrag interzedierten jedoch vier Volkstribunen, womit sich hier

14 Lengle, Tribunus, 2467. 2471; Y. Thomas, RD 55, 1977, 202; vgl. unten zu den J. 56 (zwei Fälle), 51 (vier Fälle), 49 und 48 (je ein Fall). Im J. 51 wurde in drei Senatsvorlagen ausdrücklich festgehalten, dass bei einer Interzession der Senatsentscheid als *senatus auctoritas* aufgezeichnet werden sollte (Cic. fam. 8,8,6ff.).

15 Willems 2, 299; Herzog 1, 930; Mispoulet 82; vgl. unten zum 1. Okt. 57 und zum Juni 50, wo das Veto zurückgezogen wurde, und zum 1. und 7. Jan. 49, als die Tribunen ihren Widerstand schliesslich aufgaben. Im J. 51 wurde bei zwei Senatsvorlagen auch die Referierpflicht im Falle einer Interzession ausdrücklich festgehalten (Cic. fam. 8,8,6f.); vgl. zudem das Referat über die Interzession des C. Scribonius Curio *ex senatus consulto*, bei dem eine Verhandlung mit dem Tribunen über den Rückzug des Vetos erwogen wurde, jedoch nicht durchdrang (Cic. fam. 8,13,2; Att. 7,7,5). Eine Referierpflicht wurde auch im Falle des *tacitum iudicium* des J. 54 erlassen (Cic. Att. 4,17,3), wobei hier allerdings an Interzessionen in den Comitien gedacht war. Der Senatsbeschluss des J. 43, der in einer Inschrift von Ephesos bewahrt ist (vgl. S. 198 A. 42), schrieb vor (lin. 3–7), im Falle einer Interzession die Sache vor das Volk oder die Plebs zu bringen.

16 Cic. Att. 7,9,2 (Ende des J. 50): *notatus aut senatus consulto circumscriptus aut sublatus aut expulsus*.

17 Willems 2, 203; Mispoulet 82f.; A. O'Brien Moore, RE Suppl. 6, 1935, 717; s. dazu Sex. Atilius Serranus Gavianus im J. 57; Salvius im J. 43; vgl. Q. Fufius Calenus im J. 61.

18 Cic. fam. 8,8,6; dazu Bleicken, Lex publica, 452, bes. A. 248. Zur Sanktion *contra rem publicam* vgl. Lintott 116ff.; diese wurde auch für Interzessionen ausserhalb des Senats angewandt, so beim Wiederaufbau von Ciceros Haus, als ein SC festlegte, dass eine Beschädigung des Baus *contra rem publicam* sei (Cic. har. resp. 15f.), bzw. ein Referat der Konsuln nach der Interzession ankündete, dass

die Ohnmacht des Senats zeigte, im Rahmen der bestehenden Gesetze gegen die Opposition der Volkstribunen vorzugehen. Es boten sich daher nur noch rechtlich nicht fixierte Mittel gegen die tribunizische Interzession, wie es mit dem *senatus consultum ultimum* zustande kam und auch bei der *hostis*-Erklärung der Fall gewesen wäre. Der Senat setzte sich in der späten Republik in verschiedenen Fällen mittels SCU über jegliche Opposition hinweg. Interzessionen gegen die Verhängung des Notstandes und die darauffolgenden magistratischen Massnahmen wurden nicht mehr beachtet.[19] Gewalt als Mittel, um ein Veto zu umgehen, wandte auch Antonius anlässlich der Senatssitzung vom 28. Nov. 44 an. Er liess die Tribunen Ti. Cannutius, L. Cassius Longinus und (D.) Carfulenus unter Androhung des Todes gewaltsam von dem Besuch der Curia abhalten, da er die Kriegserklärung an Octavius durchsetzen wollte.[20] Abgesehen von den SCUa stammen alle diese Druckmittel gegen die Interzession aus den 50er und 40er Jahren und es ist zu fragen, inwiefern sie durch eine veränderte Praxis des tribunizischen Vetos veranlasst wurden.

Die überlieferten spätrepublikanischen Interzessionen im Senat setzen erst in den 60er Jahren ein. Aus der vorsullanischen Zeit haben wir kein einziges Zeugnis erhalten. Dies heisst jedoch nicht, dass in vorsullanischer Zeit auf die tribunizische Interzession verzichtet wurde, denn die Quellenlage ist hier ungleich schlechter. Trotzdem scheinen sich die popularen Volkstribunen in vorsullanischer Zeit noch nicht in dem Masse an den Geschäften des Senats beteiligt zu haben, wie es in den politischen Auseinandersetzungen nach dem Jahr 70 der Fall war, als die führenden Einzelnen versuchten, sich unter anderem auch mittels tribunizischer Interzessionen gegen den Senat durchzusetzen. Es ist daher zu vermuten, dass Sulla auf eine Einschränkung des Interzessionsrechts im Senat verzichtet hat.[21] Einen konkreten Beleg für ein tribunizisches Veto im sullanischen Senat gibt es jedoch nicht, da die Identität des in Frage kommenden Interzedenten Lentulus Spinther unsicher ist. Falls er mit Cn. Cornelius Spinther der *lex Antonia de Termessibus* gleichzusetzen ist, gehört der Vorfall eher ins Jahr 68, als die sullanischen Restriktionen wieder aufgehoben waren.

Die Interzessionen der Volkstribunen im Senat richteten sich naturgemäss gegen einen durch die Mehrheit zustande gekommenen Beschluss. Die Ankündigung eines Vetos konnte sich aber auch im Sinne der Senatsmehrheit gegen eine missliebige *relatio* wenden und für die Einhaltung des *mos maiorum* sorgen.[22] In wenigen Fällen erging die tribunizische Interzession im Sinne der Senatsmehrheit gegen Machtansprüche einzelner Adliger, wie es auch in der mittleren Republik geschehen war.[23] Den Forderungen der Triumvirn

sich der Senat an den Interzedenten halten werde, falls es bei der Ausführung des Senatsbeschlusses zu Tätlichkeiten komme, worauf Sex. Atilius eine Nacht Bedenkzeit einschaltete (Cic. Att. 4,2,4); ferner beim Gerichtsverfahren gegen Clodius (Cic. Q. fr. 2,1,2); im J. 57 erging ein Senatsbeschluss, der eine Interzession gegen Ciceros Rückberufung als *contra rem publicam* betrachtete (Cic. p. red. in sen. 27) und die *hostis*-Erklärung vorsah (Cic. Pis. 35) sowie die Himmelsbeobachtung unter Strafe verbot (Cic. Sest. 129; vgl. allg. Lengle, Tribunus, 2475).

19 G. Plaumann, Klio 13, 1913, 348; v. Lübtow 341f.

20 Cic. Phil. 3,23.

21 Dies nehmen Niccolini (tribunato, 150), Fabbrini (807) und Wittmann (Sulla, 576) an. Dafür sprechen würde auch Caes. BC. 1,5,1, vgl. 1,7,3; anders Lange, Röm. Alterthümer 1, 852.

22 Vgl. zur mittleren Republik: Bleicken, Volkstribunat 1955, 85f. 88.

23 Bleicken, Volkstribunat 1955, 91f.; zur späten Republik vgl. bes. die Fälle der J. 66, 54 und 49.

Caesar, Pompeius und Crassus war damit aber nicht mehr beizukommen. Auch wenn die Diktaturpläne im Jahr 53/52 verhindert wurden, erhielt Pompeius trotzdem die angestrebte Sonderstellung. Caesars Ansprüchen konnte kaum noch wirksamer Widerstand entgegengestellt werden. Den Zutritt zu den Geldern des *aerarium sanctius* verschaffte er sich gewaltsam. Der Senat erscheint in diesen Fällen jedoch nie als direkter Auftraggeber der Tribunen, so dass diese eher aus eigener Initiative bzw. in Absprache mit einer Gruppe konservativer Senatsvertreter interzedierten. Beauftragungen der Tribunen durch eine geschlossene Senatsmehrheit, wie zur Zeit der mittleren Republik, kamen nicht mehr zustande.

In der mittleren Republik hatten die Tribunen mit ihrem Interzessionsrecht im Senat nur vereinzelt gegen den Senatswillen verstossen und konnten, im Gegensatz zu der späten Republik, stets zum Rückzug des Vetos bewogen werden.[24] Dies ist in der späten Republik nur noch in drei Fällen (Sex. Atilius Serranus Gavianus im J. 57, Salvius und P. Titius im J. 43) bezeugt.[25] Auch von ihrem Interzessionsrecht machten die Volkstribunen jetzt vermehrt Gebrauch, ohne sich vom Senat einschüchtern zu lassen. Dies geschah in erster Linie, um die Politik eines Feldherrn zu unterstützen bzw. Anliegen einzelner Angehöriger der Oberschicht zu vertreten. Nachteilige Beschlüsse wurden verhindert für: Catilina im Jahr 65, M. Caelius Rufus im Jahr 48 und P. Servilius Isauricus im Jahr 43. Nach Caesars Tod setzte der Tribun Salvius die Interzession nochmals ein, um Ciceros radikale Politik gegen Antonius zu verhindern. Cicero hatte also in seiner letzten Lebensphase weiterhin nicht nur Helfer im Volkstribunat, sondern musste auch Widerstand in Kauf nehmen. Das Volkstribunat fand damit in der ausgehenden Republik eine neue Anwendungsmöglichkeit, die in der mittleren Republik nur in wenigen Fällen praktiziert worden war.[26] Das *ius intercedendi* gegen Senatsbeschlüsse zeigte sich jetzt als geeignetes Werkzeug, um Einzelinteressen im Senat zu vertreten.

Die Interzessionen der Tribunen im Senat betrafen ähnliche Angelegenheiten wie die tribunizischen *relationes*.[27] Sie richteten sich ebenfalls gegen wichtige innenpolitische Entscheide, bei denen es vorwiegend um die Stellung von Einzelpersonen ging, wie die Rückführung Ciceros und Ptolemaios', die Abberufung Caesars und wohl auch die Diktatur des Pompeius. Insgesamt waren jedoch nur wenige Gegenstände der Senatsberatung betroffen. Hauptnutzniesser der Interzessionen waren die Triumvirn, die über die Tribunen in die Senatspolitik eingreifen konnten. Pompeius hatte besonders in den Jahren 53/52 Helfer.[28] Er konnte durch sie zwar verhindern, dass die Rückführung des Ptolemaios

24 Vgl. A. 22.

25 Vgl. auch die Interzessionsdrohung des C. Scribonius Curio gegen Ciceros *supplicatio*, bei der jedoch andere Umstände den Verzicht auf das Veto bewirkten (unten S. 215).

26 Bleicken, Volkstribunat 1955, 94ff. Der Einsatz von Tribunen wurde auch bei Q. Cicero im Dez. 44 ins Auge gefasst, um gegen die von Caesar designierten Konsuln Hirtius und Pansa aufzutreten (Cic. fam. 16,27,2: *res est aut tribuniciis aut privatis consiliis munienda*; dazu F. Von der Mühll, RE 8, 1913, 1959).

27 Vgl. oben S. 200.

28 Ausschlaggebend für die Ernennung zum *consul sine collega* war nach den Wahlverhinderungen des J. 53/52 schliesslich der Antrag des M. Calpurnius Bibulus, dem auch Cato zustimmte (vgl. Stein 52; Gelzer, Pompeius, 174; F. Miltner, RE 22, 1953, 187f.); unbekannt bleibt, ob dies auf ein tribunizisches Referat hin geschah.

verboten wurde, erreichte aber nicht, dass ihm das Kommando übertragen wurde. Caesar machte sich Volkstribunen zunutze, um in der Frage der Abberufung aus Gallien ungünstige Senatsbeschlüsse zu verhindern. Vor den Interzessionen seit dem Jahr 51 hatte Caesar jedoch kaum von dem tribunizischen Veto im Senat profitiert. Die Opposition bei der Rückberufung Ciceros lag mehr im Interesse des Clodius. – Hier wurde die Interzession zum ersten Mal systematisch und über längere Zeit angewandt, zum Schluss dann aber angesichts der grossen Übermacht im Senat offenbar nicht mehr aufrechterhalten. Die Interzession der Tribunen geriet erst ab Frühjahr 51 aus den gewohnten Bahnen, um zu einer Dauerblockade gegen die senatorische Politik auszuarten.[29] Caesarfreundliche Tribunen blockierten jegliche nachteilige Entscheidung. Im Jahr 51 erging die Interzession zuerst gegen den Beschluss, eine Verlängerung von Caesars Provinzialkommando abzulehnen. Später wurde auch der Antrag behindert, der in dieser Sache ein Interzessionsverbot anordnen wollte. Im Jahr 50 interzedierte Curio jeweils gegen eine Neubesetzung von Caesars Provinzen und verhinderte am 2. Dez. die Entsendung von zwei Legionen gegen Caesar. In den ersten Senatssitzungen des Januar 49 interzedierten Antonius und Cassius Longinus gegen den Befehl zur Heeresentlassung, wichen dann aber den mit dem SCU drohenden Gewalttaten.

Auf die Dauer wurde mit den tribunizischen Interzessionen im Senat nur wenig erreicht, und die Senatsmehrheit konnte in wichtigen Fragen doch noch zu ihrem Ziel gelangen. Die Interzession erwies sich kaum als stärkere Waffe, um die Interessen der Feldherrn zu verteidigen, als das *ius relationis*. Gegen den Auswuchs der Interzession im Zusammenhang mit Caesars Abberufung brachte schliesslich die Androhung des SCU Abhilfe, mit dem der Widerstand der Volkstribunen ausgeschaltet werden konnte. Als der Konsul L. Cornelius Lentulus den Tribunen unter Hinweis auf einen möglichen Gewaltakt angeordnet hatte, den Senat vor dem Beschluss des SCU zu verlassen, wichen sie unter Protest aus der Curia. Und als daraufhin das SCU beschlossen wurde, reisten sie zu Caesar ab. Der Senat behielt auch in diesem Falle die Oberhand gegen die Tribunen. Im Jahr 48 wurde nach dem SCU die zuvor von Volkstribunen behinderte Suspension des Praetors M. Caelius Rufus durchgeführt. Ansonsten sind unter Caesars Diktatur keine tribunizischen Interzessionen mehr bekannt.

Dass sich die tribunizischen Aktivitäten im Senat nicht nur auf Obstruktion beschränkten, haben die zahlreichen Anträge im Senat gezeigt. Die tribunizische Interzession im Senat richtete sich aber nur bei der Rückberufung Ciceros und wohl bei der Vorlage für eine Diktatur des Pompeius gegen einen Antrag eines Kollegen.[30] Kollegiale Interzessionen senatstreuer Volkstribunen erübrigten sich im Senat ja, da unliebsame Vorlagen in der Abstimmung verworfen werden konnten. Die wenigen tribunizischen *relationes* im Sinne der Mehrheit des Senats machten andererseits auch nicht viele Interzessionen popularer Tribunen nötig. Die kollegiale Opposition wurde nur bei der Restituierung Ciceros und möglicherweise bei dem Antrag auf eine Diktatur für Pompeius angewandt. Insgesamt kam es im Senat nur zu wenigen Kollisionen zwischen den Tribunen. Dies hängt auch damit zusammen, dass sie die Senatssitzungen nie grundsätzlich domi-

29 Vgl. dazu Raaflaub, DC, 25ff.

30 Zu erwägen wäre sie nach B. Kübler (RE 6 A, 1937, 2156) auch bei der *transitio ad plebem* des Clodius, vgl. aber unten S. 231; zudem unten zu T. Munatius Plancus, Jan. 52.

nierten und sich bis zu den Jahren 51 bis 49 auch mit ihren Interzessionen an die Konventionen einer Senatssitzung hielten.

Aus Cicero leg. 3,10[31] wurde geschlossen, dass in dessen Reformvorschlag die Interzession einem Senatsbeschluss nichts anhaben konnte, letzterer also in jedem Fall rechtskräftig bleiben sollte.[32] Dies wäre der Annullierung eines alten tribunizischen Rechts gleichgekommen, auf die Cicero auch in der anschliessenden Diskussion hätte eingehen müssen. Der Text legt insgesamt eher die herkömmliche Praxis nahe, die auf eine Interzession die *senatus auctoritas* folgen lässt, ohne dass der Beschluss des Senats rechtsgültig wurde. Die Anwendung der tribunizischen Interzession bis zum Jahr 52 machte eine Beschränkung des Tribunats in dieser Hinsicht nicht notwendig.

Es begegnen folgende Zeugnisse über tribunizische Interzessionen im Senat:[33]

- 68 (?) Der aus der *lex Antonia de Termessibus* bekannte Cn. Cornelius ist wohl mit jenem Lentulus Spinther gleichzusetzen, der gegen den Senatsbeschluss interzedierte, der die Kreter zu *amici et socii* erhob. Das SC erfolgte auf Bitten einer Gesandtschaft, die von den Kretern im Anschluss an die wegen Unterstützung der Piraten verhängten Restriktionen der Römer bestellt worden war (Diod. 40,1,2; Wehrmann 22 A. 4; Niccolini 250; Broughton 3, 62)
- 67/66 Die Volkstribunen des J. 66 drohten mit dem Veto, falls der Senat über die Aufnahme des A. Gabinius unter die bereits bestimmten Legaten des Pompeius verhandeln sollte (Cic. imp. Pomp. 58). Eine Interzession kam offenbar nicht zum Zuge, da Gabinius Legat wurde (vgl. Dio 37,5,2; dazu F. Von der Mühll, RE 7, 1910, 425f.)
- 65 Ein Volkstribun interzedierte gegen Massnahmen, die gegen Catilina ins Auge gefasst wurden (Dio 36,44,5), so dass die erste catilinarische Verschwörung unbestraft blieb (vgl. Meyer, CM, 19)
- 64 Q. Mucius Orestinus interzedierte gegen das von Cicero im Sinne des Senats eingebrachte, verschärfte *ambitus*-Gesetz (Niccolini 265). Dies geschah offenbar im Auftrag Caesars und Crassus', die die Kandidatur Catilinas unterstützten (Meyer, CM, 23f.)
- 63 Ein Volkstribun interzedierte gegen den Gesetzesvorschlag Ciceros, die *libera legatio* (private Reisen von Senatoren unter Gesandtenrecht) abzuschaffen, worauf nur eine zeitliche Befristung auf ein Jahr eingeführt wurde (Cic. leg. 3,18; vgl. Mommsen, StR. 2, 690f.; Bleicken, Lex publica, 174 A. 135)
- 62 M. Porcius Cato widersetzte sich Ende Januar möglicherweise durch ein Veto erfolgreich der Absicht des Senats, den Volkstribunen Q. Caecilius Metellus Nepos, der besonders für die Berufung des Pompeius nach Italien eintrat, abzusetzen (Plut. Cat. min. 29, 2; Stein 18 A. 97; vgl. R. Fehrle, Cato Uticensis, Darmstadt 1983, 103f.)
- 61 Q. Fufius Calenus wagte Anfang Februar wegen der grossen Mehrheit unter den Senatoren nicht zu interzedieren, als der Senat die Konsuln beauftragte, das Volk für ein Spezialgericht gegen Clodius zu gewinnen, und bis dahin alle Geschäfte vertagte (Cic. Att. 1,14,5, vgl. 1,16,2; dazu zuletzt W. J. Tatum, CQ 36, 1986, 539ff.)

31 Cic. leg. 3,10: *eius decreta rata sunto. ast postestas par maiorve prohibessit, perscripta servanto.*

32 C. Nicolet, Rome et la conquête du monde méditerranéen, Bd. 1, Paris 1977, 412; Y. Thomas, RD 55, 1977, 189–210; ferner G. Mancuso, Labeo 27, 1981, 12–25; vgl. dagegen A. Heuss, Ciceros Theorie vom römischen Staat, NAWG 8, 1975, 58; G. A. Lehmann, Politische Reformvorschläge in der Krise der späten römischen Republik, Meisenheim a.G. 1980, 26f.

33 Der Proquaestor P. Sestius schrieb Q. Fufius und andere (Volkstribunen?) an, damit er Ende 62/Anfang 61 noch nicht aus seiner Provinz abgelöst werde; Cicero gewann die betreffenden Personen für dieses Vorhaben (Cic. fam. 5,6,1); von einer Intervention seitens der Volkstribunen ist konkret jedoch nichts bekannt. Die Tribunen C. Furnius und C. Scribonius Curio sollten eine Verlängerung von Ciceros Provinzialkommando verhindern (vgl. A. 9), was aber nicht nötig wurde. Zur Interzession gegen die *transitio ad plebem* des Clodius vgl. A. 30.

– 58 Aelius Ligus interzedierte am 1. Juni gegen L. Ninnius Quadratus' Vorschlag, Cicero zu restituieren (Cic. Sest. 68; p. red. in sen. 3; Dio 38,30,4) und Ende Oktober gegen einen gleichlautenden Antrag, wie ihn acht Volkstribunen im Senat vortrugen (Cic. Sest. 70; p. red. in sen. 8; Stein 29f.)

– 57 Sex. Atilius Serranus Gavianus opponierte am 1. Jan. gegen die durch ein Gesetz zu erfolgende Rückberufung Ciceros, getraute sich jedoch nicht, das Veto auszusprechen und bat um eine Nacht Bedenkzeit; er wich aber in der Folge – angeblich wegen der erhöhten Bestechung – wohl nicht von seiner Opposition ab (Cic. Sest. 74; p. red. ad Q. 12.; Stein 31; Broughton 2, 201f.)

– 57 Sex. Atilius Serranus Gavianus interzedierte am 1. Okt. gegen den Antrag im Senat, das Haus des Cicero zu restituieren und den Wiederaufbau der dazugehörenden Porticus des Catulus durch öffentliche Vergabe zu organisieren, worauf er durch ein Referat unter Druck gesetzt wurde und schliesslich auf Bitten seines Schwiegervaters, der ihn schon im Januar von seiner Opposition hatte abbringen wollen, eine Nacht Bedenkzeit verlangte und dann vom Veto absah (Cic. Att. 4,2,4f.; vgl. Stein 35; A. O'Brien Moore, RE Suppl. 6, 1935, 717)

– 56 C. Porcius Cato und L. Caninius Gallus interzedierten am 14. Jan. gegen den Senatsbeschluss, der jede Verhandlung über die aegyptische Frage vor dem Volke verbot; darauf wurde eine *senatus auctoritas* abgefasst (Cic. fam. 1,2,4; vgl. Q. fr. 2,2,3; Stein 38f.)

– 56 Die Interzession gegen den Senatsbeschluss (in einer Sitzung nach dem 13. Feb.), dass niemand zur Restitution des Ptolemaios nach Aegypten gesandt werden dürfe, stammte wahrscheinlich von L. Caninius Gallus; der Beschluss wurde als *senatus auctoritas* abgefasst (Cic. fam. 1,7,3f.; Stein 40)

– 56 C. Porcius Cato interzedierte etwa Anfang November (Stein 43) gegen den Senatsbeschluss, wegen der Behinderung der Konsulwahlen Trauerkleider zu tragen und nicht an den Spielen teilzunehmen, worauf sich die Senatoren gleichwohl umziehen gingen, was Cato aber nicht von seiner Haltung abbrachte, so dass sich die Senatoren an das Volk wandten (Dio 39,28,2ff.)

– 54 Gegen den Senatsbeschluss, der ein *tacitum iudicium* noch vor den Konsulwahlen einleiten sollte, erging Anfang August wohl eine tribunizische Interzession (auf Appellation) (Cic. Att. 4,17,3; vgl. Stein 48f.; zum Datum: G. V. Summer, HSPh 86, 1982, 137; ferner unten S. 237)

– 54 Cicero sprache Ende 54 im Zusammenhang mit der Frage einer Diktatur für Pompeius, wie sie die Volkstribunen M. Coelius Vinicianus und C. Lucilius Hirrus propagierten, von „vielen Interzedenten", womit wohl Volkstribunen gemeint sind (Cic. Q. fr. 3,7,3)

– 52 T. Munatius Plancus Byrsa interzedierte im Januar für Pompeius dagegen, dass an den Senat über die Einleitung eines Interregnums referiert wurde (Asc. p. 30f. St.; vgl. Stein 51; Malitz 36f.; Willems (2, 133 A. 2) betrachtet dies als kollegiales Veto)

– 52 T. Munatius Plancus Byrsa und C. Sallustius Crispus interzedierten am 27. Intercalaris dagegen, dass das ausserordentliche Gerichtsverfahren gegen Milo auf Grund der bestehenden Gesetze durchgeführt werden sollte, so dass der Vorschlag des Pompeius zum Zuge kam und der Gerichtshof auf Grund der *lex Pompeia de vi* konstituiert wurde (Asc. p. 38f. St.: *reliquae parti sententiae ego et Sallustius intercessimus*; Cic. Mil. 14; Stein 53; dazu Meyer, CM, 231; ferner Gruen, LG, 234ff.; Malitz 45f.)

– 51 Caesarfreundliche Volkstribunen wandten sich wohl unter Ankündigung der Interzession Anfang April zusammen mit Sulpicius erfolgreich gegen den Antrag des Konsuls Marcellus, Caesars Gesuch um eine Verlängerung seines Provinzkommandos bis zum J. 48 abzulehnen, so dass es zu keinem Beschluss kam (Dio 40,59,1; Suet. Iul. 29; vgl. Meyer, CM, 246ff.; Gelzer, Caesar, 157; Raaflaub, Volkstribunen, 295f.). Die Verhandlung wurde am 29. Sept. auf den 1. März 50 verschoben, wogegen keine Interzession erfolgte, da dies Caesars Interessen nicht entgegenstand (Raaflaub, DC, 27)

– 51 Caesarfreundliche Volkstribunen interzedierten um dieselbe Zeit gegen den Antrag des M. Claudius Marcellus, der die Aberkennung des Bürgerrechts der Kolonisten von Novum Comum forderte, worauf der Beschluss als *senatus auctoritas* aufgezeichnet wurde (Suet. Iul. 28,3–29,1; Cic. Att. 5,2,3; Plut. Caes. 29,2; dazu Gelzer, Caesar, 157f. A. 313; Stein 56, vgl. 100ff.)

– 51 Vier Volkstribunen: C. Caelius (bzw. Coelius, vgl. Broughton 3, 44. 59), P. Cornelius, C. Vibius Pansa und L. Vinicius interzedierten am 29. Sept. gegen den Beschluss, in der Verhandlung über die konsularischen Provinzen Interzessionen zu untersagen bzw. als *contra rem publicam* zu betrachten; der Beschluss wurde als *senatus auctoritas* verfasst (Cic. fam. 8,8,6; Stein 58; vgl. Raaflaub, Volkstribunen, 296ff.)

– 51 C. Caelius und C. Vibius Pansa interzedierten am gleichen Tage gegen den Antrag, dass die Magistrate über ausgediente und entlassene Soldaten Caesars berichten sollten, um sich ihrer annehmen zu können und sie so Caesar zu entziehen; der Beschluss wurde als *senatus auctoritas* aufgeschrieben (Cic. fam. 8,8,7; Stein 58)

– 51 C. Caelius und C. Vibius Pansa interzedierten am gleichen Tage gegen den vorgeschlagenen Modus für die Zuteilung der propraetorischen Provinzen, worauf ebenfalls eine *senatus auctoritas* verfasst wurde (Cic. fam. 8,8,8; Stein 58; vgl. Raaflaub, Volkstribunen, 296ff.)

– 50 C. Scribonius Curio interzedierte ab Frühjahr 50 (1. März) gegen alle Versuche, die Provinzen Caesars neu zu besetzen (Mispoulet 347ff.; Meyer, CM, 261ff.; Gelzer, Caesar, 163ff.; Pompeius, 188ff.; Raaflaub, Volkstribunen, 300); im Juni erging über die Interzession ein Referat, eine Verhandlung mit den Tribunen wurde jedoch abgelehnt (Cic. fam. 8,13,2; Att. 7,7,5; Stein 59f.)

– 50 C. Scribonius Curio kündigte im Mai die Interzession gegen die von Cicero beantragte *supplicatio* an, da er die Comitialtage durch sie gefährdet sah. Als die Konsuln die *supplicatio* für dieses Jahr ausschlugen, verzichtete er dann aber auf das Veto (Cic. fam. 8,11,1f. 2,14,1; vgl. Lange, Röm. Alterthümer 3, 393; Stein 60; Gelzer, Cicero, 235f.; er beharrte hingegen auf seiner Interzession gegen Caesars Abberufung aus Gallien)

– 50 C. Scribonius Curio interzedierte (im Juni) anfänglich gegen die Sonderbewilligung für die Legionen des Pompeius (Soldzahlungen an den Feldherrn), zog sein Veto im September aber zurück (Cic. fam. 8,14,4; Stein 60)

– 50 C. Scribonius Curio verbot anfänglich eine Verhandlung, als ihn der Konsul C. Claudius Marcellus am 1. Dez. im Senat anklagte. Als er merkte, dass die Mehrheit der Senatoren sich nicht getraute, gegen ihn zu stimmen, sagte er, er sei überzeugt, das Beste für den Senat zu tun, und erklärte sich bereit, sein Leben in die Hände des Senats zu legen (Dio 40,64; Stein 61; vgl. Raaflaub, DC, 29f.)

– 50 C. Scribonius Curio trat am 2. Dez. dem Konsul Marcellus entgegen, als dieser wegen des Gerüchtes vom Herannahen Caesars zwei Legionen gegen den Feldherrn aussenden wollte, worauf Marcellus zur Schwertübergabe an Pompeius schritt (App. BC. 2,31,120f.; Stein 61f.; Lange (Röm. Alterthümer 3, 402f.) nimmt eine Interzession an)

– 49 M. Antonius und Q. Cassius Longinus interzedierten am 1. Jan. gegen das SC, das festlegte, dass Caesar gegen den Staat handle, wenn er bis zu einem bestimmten Tage sein *imperium* nicht abtrete; die Interzession wurde noch in der gleichen Sitzung zur Debatte gestellt, es kam jedoch zu keinem Ergebnis (Caes. BC. 1,2,6ff.; Stein 62). Zuvor könnte die umstrittene Doppelabstimmung über die Heeresentlassung des Pompeius und des Caesar stattgefunden haben, wobei die beiden Tribunen gegen die Abberufung von Caesars Heer interzediert hätten; Antonius stellte darauf möglicherweise nochmals die beidseitige Heeresentlassung zur Debatte, was am Widerstand des Scipio und des Konsuls L. Cornelius Lentulus scheiterte (Plut. Ant. 5,4; Caes. 30,3; dazu Raaflaub, Volkstribunen, 306ff., bes. 311 A. 98; vgl. DC, 56ff.). Schliesslich zogen die Senatoren trotz erneuter Interzession der beiden Tribunen die Trauerkleidung an, nachdem dieser Beschluss als *senatus auctoritas* aufgezeichnet worden war (Dio 41,2,2–3,1). Auch am nächsten Tag (2. Jan.) kam kein Beschluss zustande

– 49 M. Antonius und Q. Cassius Longinus hielten ihre Interzession gegen die Caesar gestellte Forderung der Heeresentlassung vom 1. Jan. aufrecht, als am 7. Jan. das Veto erneut zur Diskussion stand, und wehrten sich gegen ein SCU; schliesslich verliessen sie aber wegen der drohenden Gewalt unter Protest den Saal (App. BC. 2,33,130ff.; Plut. Ant. 5; Dio 41,3,2; Meyer (CM, 287f.) nimmt in dieser Sitzung ein SC über die Abberufung Caesars an; vgl. Raaflaub, DC, 74f.)

– 49 L. Marcius Philippus interzedierte zwischen dem 8. und 12. Jan. für Caesar gegen die Entsendung des Propraetors Faustus Cornelius Sulla nach Mauretanien, um die Beiziehung der afrikanischen Dynasten zu den Truppen des Pompeius zu vermeiden (Caes. BC. 1,6,4; vgl. Meyer, CM, 291; Stein 64f.)

– 49 L. Caecilius Metellus verhinderte Anfang April im Senat die Anträge Caesars (darunter die Gesandtschaft an Pompeius zur Friedensvermittlung; Caes. BC. 1,33,3; vgl. Cic. fam. 8, 16, 1) und interzedierte insbesondere gegen die Öffnung des *aerarium sanctius* für Caesar (Stein 66f.; Niccolini 333; Raaflaub, DC, 177f.; J.-L. Ferrary, in: Mélanges J. Heurgon, Bd. 1, Rom 1976, 285–292). Caesar verliess daraufhin aufgebracht die Stadt (Cic. Att. 10,9,A. 1 = fam. 8,16,1)

– 48 Einige Volkstribunen verhinderten einen Suspensionsbeschluss, der im Anschluss an die Gesetze des Pr. M. Caelius Rufus über Schulden- und Hausmietennachlass gegen diesen gefasst werden sollte; der Entscheid wurde als *senatus auctoritas* aufgeschrieben (Dio 42,22,3–23,1; Stein 67). Im Anschluss daran wurde das SCU gefasst, so dass die Suspension doch noch durchgeführt werden konnte

– 43 Salvius wehrte sich am 2. Jan. gegen Ciceros Vorschlag, den Kriegszustand zu verhängen und Antonius zum *hostis* zu erklären, indem er die Sitzung durch seine Intervention auf den nächsten Tag aufschieben liess, an dem vorerst beschlossen wurde, eine Gesandtschaft zu Antonius zu schicken (Broughton 2, 340; vgl. F. Münzer, RE 1 A, 1920, 2022f.; Stein 81)

– 43 P. Titius interzedierte am 8. April für P. Servilius Isauricus gegen Ciceros Antrag, den Procos. L. Munatius Plancus zu ehren (und ihn so von Antonius fernzuhalten). Der Senat wurde auf den nächsten Tag verschoben, an dem Cicero den Tribunen denunzierte und der Vorschlag angenommen wurde (Cic. fam. 10,12,3f.13,1; vgl. F. Münzer, RE 2 A, 1923, 1801; Stein 88f.)

2. Interzessionen gegen tribunizische Rogationen

Das kollegiale Veto gehörte nicht zu den ursprünglichen Funktionen des Volkstribunats, das als plebejische Institution zum Schutz vor Übergriffen patrizischer Beamten kreiert worden war. Es gelangte erst zur Anwendung, als das Amt nach dem Ständekampf in den Dienst der gesamten Bürgerschaft gestellt und als Kampfmittel innerhalb der Oberschicht eingesetzt wurde. Die kollegiale tribunizische Interzession war zur Zeit der mittleren Republik aber nur in wenigen Fällen durchgeführt worden.[34] Demgegenüber ist in der späten Republik in diesem Bereich eine deutliche Zunahme festzustellen, wobei sich das Veto zur Hauptsache gegen Rogationen richtete. Die gehäuften popularen Anträge provozierten die Opposition senatstreuer Volkstribunen, die vom rechtlichen Standpunkt aus gesehen eine Rogation verhindern konnten. Es ist im Folgenden näher zu fragen, wie die kollegialen Interzessionen dieser Art gehandhabt wurden und welche Auswirkungen sie hatten.

Ausser im Falle der *lex Pompeia* zur Rückführung des durch Saturninus verbannten Caecilius Metellus Numidicus betraf die Interzession ausschliesslich populare Anträge. Die kollegiale Interzession stand somit, wie schon in den Fällen der mittleren Republik, weiterhin hauptsächlich im Interesse der Senatsmehrheit.[35] Die anfängliche Interzession des P. Sulpicius (Rufus) gegen die Rückkehr von Verbannten könnte ebenfalls von einer Mehrheit des Senats gestützt gewesen sein, da Sulpicius sich auch im Falle der illegalen Konsulatsbewerbung des C. Iulius Caesar Strabo für die Nobilität einsetzte und erst später im Verbande mit Marius für die Exilierten eintrat.[36] Die kollegiale Interzession wurde also in der späten Republik ein wichtiges, wenn auch nicht unbedingt wirksames Mittel, um

34 Bleicken, Volkstribunat 1955, 76. 99: Die kollegiale Interzession ist zum ersten Mal im J. 188 (vgl. 69) und im J. 177 zum ersten Mal erfolgreich durchgeführt worden; zu den tribunizischen Interzessionen gegen Gesetze (von Kollegen und andern Magistraten): 91 A.2 und 3; die Interzessionen blieben meist ohne Erfolg (76). Vgl. ferner Gutberlet 50ff.

35 Vgl. Bleicken, Volkstribunat 1955, 99 A. 3 (100). Zur späten Republik vgl. auch U. Laffi, Athenaeum 45, 1967, 205 und jetzt Burckhardt (vgl. S. 42 A. 3) 159ff.

36 Dazu oben S. 125 und unten S. 231.

popularen Rogationen zu begegnen. Mehrheitlich blieb die Interzession gegen Gesetzesanträge nämlich erfolglos.[37] Die Popularen haben es verstanden, unter Verletzung rechtlicher Vorschriften und Anwendung von Gewalt, Rogationen auch gegen die Opposition von Tribunatskollegen durchzusetzen. Es ist kein Fall bekannt, in dem bei popularen Anträgen die Interzession nachweislich ohne Gegenmassnahmen hingenommen wurde. Ch. Meier hat festgehalten, dass in der späten Republik gegen bedeutende populare Gesetze keine erfolgreiche Interzession mehr möglich war.[38] Bei wichtigen Anträgen konnten gegnerische Volkstribunen die Kraftprobe nicht unbedingt aufnehmen, so dass etliche populare Rogationen ohne Behinderung durch einen Kollegen durchgeführt werden konnten.[39] Dies galt besonders für die Gesetze des C. Gracchus, aber auch für sämtliche Tabellargesetze, die beiden Bestimmungen über die Priesterwahl von den Jahren 104 und 63 sowie die Imperien des Marius von den Jahren 107 und 88, des Pompeius vom Jahr 66 und Caesars vom Jahr 59. Die tribunizische Interzession wurde somit von der Senatsmehrheit nicht stur gegen alle popularen Rogationen eingesetzt.[40] Wie kam es zu diesem Sachverhalt?

Als M. Octavius auf seinem Veto gegen das Ackergesetz des Ti. Gracchus beharrte und Tiberius ihn schliesslich absetzen liess,[41] trat geradezu eine neue Phase in der Geschichte der tribunizischen Interzession ein. Das Veto des Octavius war ein Präzedenzfall, da es sich zum ersten Mal gegen einen Antrag richtete, der im Volk mehrheitlich befürwortet wurde. Octavius missachtete in offensichtlicher Weise den Willen des Volkes, den er als Volkstribun vertreten sollte.[42] Aus diesem Grunde gelang es Tiberius leicht, mit dem Argument des Volkswillens sein Rogationsrecht durchzusetzen und eine überwältigende Mehrheit für die Amtsentsetzung des Octavius zu gewinnen. Die ungeheuerlichen Folgen der Abrogation wurden aber offenbar schnell bewusst, und Tiberius wurde zu einer Rechtfertigung vor dem Volk herausgefordert.[43] Sein Vorgehen hatte die tribunizische *sacrosanctitas*, die ursprünglich einzige Absicherung der Tribunen verletzt. Die Abrogation eines Tribunen gefährdete aber auch das *ius auxilii*, als fundamentale Errungenschaft aus der Zeit des Ständekampfes, da sie die Absolutheit der Interzession missachtete. Die Plebs, die sich ihrerseits einst eidlich auf den Schutz der Volkstribunen verpflichtet hatte, war allerdings seit dem Ende des Ständekampfes nicht mehr als Verteidiger ihrer Vertreter aufgetreten. Es gab keine homogene plebejische Bevölkerung

37 Erfolglos war die Interzession bei M. Octavius, den Kollegen des Saturninus, des Sex. Titius, des Q. Varius, des Gabinius sowie bei P. Aquillius Gallus und C. Ateius Capito. Erfolgreich war die Interzession bei P. Furius sowie möglicherweise auch bei C. Marius und Sulpicius (Rufus), der sich in der Sache der Rückführung der Verbannten aber bald anders entschied. Cornelius zeigte sich angesichts des drohenden Tumultes in der Volksversammlung verhandlungswillig und war bereit, nachträglich die Wünsche des Senats mit einzubeziehen.

38 Meier, loca intercessionis, 99; vgl. Nippel, plebs urbana, 76.

39 Vgl. Meier, RPA, 134.

40 Meier, RPA, 158. Vgl. auch die Provinzzuteilungen der J. 67, 58.

41 Plut. T. G. 10–12; Niccolini 145; Broughton 1, 493; vgl. dazu Meier, loca intercessionis, 90. 98 (der als weiteres Novum hervorhebt, dass Octavius schon während der Verlesung des Textes interzedierte); J. Bleicken, Geschichte der Römischen Republik, 2. Aufl., München/Wien 1982, 163.

42 Polyb. 6,16,5.

43 Plut. T. G. 14,4–15; dazu zuletzt J. von Ungern-Sternberg, in: Sodalitas, Scritti in onore di A. Guarino, Bd. 1, Napoli 1984, 339–348; P. Cerami, ebenda, 349–356.

mehr, die sich hätte zur Rache an Tiberius bereit erklären können. Das Volkstribunat war längst in den Dienst der Nobilität getreten und bedurfte dieses Schutzes nicht mehr. Als sich im Jahr 133 wieder die Aufgabe stellte, die *sacrosanctitas* abzusichern, übernahmen folgerichtig Adlige (οἱ πλούσιοι) die Vergeltung.[44] Sie hegten gegen Tiberius Mordabsichten oder planten zumindest ein Kapitalverfahren nach Ablauf des Tribunats.[45] Mit der Ermordung des Ti. Gracchus wurde die tribunizische *sacrosanctitas* dann erneut in Frage gestellt.[46] Der Gültigkeitsbereich der *sacrosanctitas* hatte sich als unklar erwiesen. Dies bedeutete jedoch nicht, dass die Volkstribunen mit einem Schlag ihre *sacrosanctitas* eingebüsst hätten. Das Bewusstsein von der Unverletzlichkeit der Tribunen lebte weiter,[47] war aber stark relativiert worden. Die Volkstribunen waren jetzt nicht mehr prinzipiell vor körperlichen Übergriffen geschützt.

Das rechtliche Mittel, gegen tribunizische Anträge die Interzession eines Kollegen anzuwenden, war mit der Abrogation des Octavius in Frage gestellt worden. Trotzdem blieb das Veto gegen populare Gesetzesanträge ein wichtiges Instrument der optimatischen Seite, um der mittels Comitien betriebenen Politik entgegenzutreten. Die Abrogation von Volkstribunen war auch künftig zu brisant, als dass sie ein häufig angewandtes Mittel wurde, um die kollegiale Interzession auszuschalten. Die Amtsenthebung des Octavius hatte aber abschreckende Wirkung. Gegen C. Gracchus wurde die Interzession vorerst nicht mehr versucht. Die Abrogation gegen einen interzedierten Tribunen wurde nur noch von A. Gabinius im Jahr 67 angestrebt, worauf L. Trebellius sein Veto zurückzog. Hier gelang es also, durch Einleitung eines Abrogationsverfahrens, das an das Verhalten des Ti. Gracchus erinnerte, den Gegner von seiner Interzession abzubringen.

Andere Mittel als die Abrogation stellten die Verletzung der *sacrosanctitas* nicht so deutlich und folgenreich vor Augen. So wurde die Interzession von Saturninus und Sex. Titius wie auch von Cn. Papirius Carbo, Q. Varius und später von C. Trebonius missachtet, ohne einen Kollegen abzusetzen.[48] Um die Interzession zu umgehen, wurden dabei Volkstribunen verschiedentlich an der Einlegung bzw. Aufrechterhaltung des Vetos gehindert. Dies geschah durch gewaltsame Vertreibung[49] bzw. Fernhaltung vom Versammlungsplatz oder durch physische Bedrohung.

Auf das Verhalten Sullas gegenüber der tribunizischen Interzession soll erst im nächsten Abschnitt näher eingegangen werden. Hier ist vorerst nur festzuhalten, dass sich für Sulla angesichts der bekannten kollegialen Interzessionen kein Grund bot, das Interzessionsrecht der Volkstribunen grundsätzlich aufzuheben, denn es war fast ausschliesslich im Interesse der Senatsmehrheit angewandt worden. Es erübrigte sich andererseits auch,

44 Plut. T. G. 18,2; vgl. App. BC. 1,14.

45 Plut. T. G. 16,1.18,2; App. BC. 1,13,57.

46 Von den Gegnern drang als erster der Volkstribun P. Satureius auf Tiberius ein (Plut. T. G. 19,6).

47 Um den direkten Konflikt mit gegnerischen Volkstribunen zu vermeiden, wurde in einzelnen Fällen der Versammlungsplatz abgesperrt (s. unten; ferner auch schon Ti. Gracchus, oben S. 181). Cicero hielt in De legibus (3,9) für die Tribunen fest: *sancti(que) sunto*. Zur *sacrosanctitas* Caesars oben S. 103f.

48 Zudem vertrieb auch C. Norbanus im J. 103 die beiden interzedierenden Tribunen L. Aurelius Cotta und T. Didius vom Forum (Cic. de or. 2,197; vgl. unten S. 239); vgl. auch die Aufstellung von Bleicken, Lex publica, 449 A. 244.

49 Vgl. dazu das Verhalten des Saturninus und des C. Norbanus.

das Interzessionsrecht zusätzlich zu schützen, da die für obligatorisch erklärte Vorberatung der Gesetze im Senat unliebsame Initiativen a priori verhinderte. Zur Bekämpfung popularer Politik drängten sich daher in diesem Bereich keine neuen Bestimmungen auf.

Nach der Restitution des Volkstribunats mussten die Optimaten versuchen, sich mit dem tribunizischen Interzessionsrecht gegen erneute populare Rogationen durchzusetzen.[50] Als A. Gabinius angesichts der Interzession des L. Trebellius die Abrogation androhte, war dieser allerdings machtlos. Anders verhielt es sich bei C. Cornelius, der nicht bis zur Abrogation des Interzedenten P. Servilius Globulus schreiten wollte und einen neuen Weg suchte, um das Veto zu umgehen. Cornelius las in Anbetracht der Interzession seines Kollegen (anlässlich der Verkündung des Antrags durch den Amtsdiener) den Gesetzescodex bezüglich der Exemption selbst vor.[51] Nach dem Protest des Konsuls C. Calpurnius Piso brach ein Tumult aus, der Cornelius zur Aufhebung der Volksversammlung veranlasste. Er liess sich hier also nicht auf ein offenes Kräftemessen mit den Optimaten ein. Sein Antrag war auch nicht von der gleichen machtpolitischen Bedeutung wie die *lex Gabinia* über das Kommando gegen die Seeräuber. Q. Caecilius Metellus Nepos griff im Jahr 62 nach der Interzession des M. Porcius Cato zum selben Mittel wie C. Cornelius, worauf ihm aber der Gesetzescodex entrissen wurde. Als er jetzt frei weiterzitierte, wurde er durch seine beiden Kollegen Cato und Q. Minucius Thermus gewaltsam zum Schweigen gebracht.[52] In den beiden Fällen wurde die Interzession erstmals beharrlicher durchgeführt. Es waren zugleich die beiden einzigen Interzessionen, über die sich die Antragsteller nicht hinwegsetzen konnten.

Ab Mitte der 50er Jahre fehlen uns Nachrichten von kollegialen tribunizischen Interzessionen gegen Rogationen. Dies erklärt sich zu einem Teil aus dem Rückgang der popularen Vorlagen in jener Zeit. Andererseits hatte sich bei den Triumvirn gezeigt, dass sie sich bei wichtigen, von ihnen gestützten Anträgen nicht mehr durch die tribunizische Interzession behindern liessen. Da die Interzession aber weiterhin hauptsächlich im Sinne der Senatsmehrheit angewandt worden war, ergab sich auch für Cicero kein Grund, in seinem Staatsentwurf De legibus eine Einschränkung der tribunizischen Interzession zu verlangen.[53]

Die Betrachtung der kollegialen Interzession gegen Rogationen führt zum Schluss, dass die Wirksamkeit des Vetos in der späten Republik weitgehend von äusseren Machtfaktoren abhing.[54] Der Nutzen der Senatsmehrheit an der kollegialen Interzession wurde dadurch deutlich relativiert. Das Rogationsrecht erwies sich im allgemeinen stärker als das Interzessionsrecht.[55] Dies geht auch aus den Anklagefällen wegen Behinderung im Interzessionsrecht hervor, die zumeist mit dem Freispruch endeten. Wie J. Bleicken für die Fälle der mittleren Republik gezeigt hat, führten Interzessionsmissachtungen im Prinzip zu kapitalen Perduellionsklagen auf Grund des Deliktes *in ordinem coactio*,[56] während sie

50 Dazu Meier, loca intercessionis, 99f.; Raaflaub, DC, 175f.; Smith 160.
51 Asc. p. 48 St.; vgl. Meier, loca intercessionis, 87f.; K. Kumaniecki, Meded. Vlaamse Acad. 32, 1970, 4f.; Marshall 84.
52 Dio 37,43,2ff.; dazu Meier, loca intercessionis, 88f.
53 Vgl. Cic. leg. 3,9.19ff., bes. 24; dazu L. Thommen, Chiron 18, 1988, 349f. 360f..
54 Meier, RPA, 157f.; loca intercessionis, bes. 99; Kompromiss-Angebot, 202; Raaflaub, DC, 175f.
55 Meier, loca intercessionis, 98; ferner Bernstein 185ff.; v. Ungern-Sternberg (vgl. A. 43) 340.
56 Bleicken, Volkstribunat 1955, 103. 149.

nach der Einführung der *quaestio de maiestate* im Jahr 103 Majestätsklagen hervorriefen.[57] In den bekannten Fällen der mittleren Republik waren es allerdings ausschliesslich Obermagistrate, die sich über ein tribunizisches Veto hinweggesetzt hatten, und es wurde versucht, sie durch Verhaftung zur Beachtung der Interzession zu bewegen.[58] In der späten Republik wurden C. Norbanus,[59] Sex. Titius[60] und C. Cornelius[61] als Tribunen später wegen der Vorkommnisse im Zusammenhang mit der Behinderung der kollegialen Interzession *de maiestate* angeklagt. Dieses Delikt war wahrscheinlich auch bei der Anklage des Q. Varius ausschlaggebend[62] und spielte wohl ferner bei der Anklage gegen P. Vatinius eine Rolle, der bei der Vertreibung des Konsuls Bibulus und der drei Volkstribunen, anlässlich der Rogierung von Caesars Ackergesetz, beteiligt gewesen war.[63] Sie wurden jedoch alle freigesprochen, bis auf Sex. Titius und Q. Varius. Sex. Titius soll aber wegen des Besitzes eines Bildes des Saturninus verurteilt worden sein,[64] was freilich kaum der eigentliche Grund gewesen sein kann. Bei Q. Varius kam hinzu, dass ihm seine Gegner unrechtmässige Erwerbung des Bürgerrechts vorwarfen.[65] Die Behinderung des tribunizischen Vetos konnte also nicht unbedingt als *maiestas*-Vergehen geltend gemacht werden,[66] sondern eher die allgemeineren Umstände der *seditio*.[67]

Der Wert der kollegialen Interzession lag für die Senatsmehrheit somit darin, einzelne Rogatoren von popularen Gesetzen ins Unrecht zu versetzen und damit öffentlich anzuprangern, auch wenn die Vorlagen selbst kaum verhindert werden konnten. Das Handeln der Popularen wurde dadurch zumindest erschwert. Der Senat verzichtete jedoch darauf, die Interzession durch zusätzliche Massnahmen zu schützen. Zur Not konnte ein Tribun, wie Q. Metellus Nepos im Jahr 62, mit dem SCU überflügelt werden. Wären sämtliche populare Rogationen verhindert worden, so hätte dies zu einem Anstau oppositioneller Kräfte geführt und damit die Gefahr grösserer Unzufriedenheit mit sich gebracht. Die Ventilfunktion der popularen Politik sollte nicht zerstört werden.[68] Der Senat erscheint auch kaum als direkter Auftraggeber von interzedierenden Tribunen, wie es Appian im Falle des

57 Bleicken, Lex publica, 447.

58 Vgl. Bleicken, Volkstribunat 1955, 102f.; zu den spätrepublikanischen Fällen, in denen ein Obermagistrat oder ein *privatus* das Verbietungsrecht der Tribunen missachtete, vgl. oben S. 190 (A. 105) zu C. Trebonius und C. Ateius Capito im J. 55. Trebonius hatte Cato verhaftet, jedoch wieder freigelassen; Crassus wurde von Capito mit Flüchen beladen, womit hier also keine kapitalen Anklagen erfolgten (wie im J. 169), auch wenn die Interzession erfolglos blieb.

59 Cic. de or. 2,107; vgl. F. Münzer, RE 17, 1936, 928f.; Bauman, Crimen, 50ff.

60 Cic. Rab. perd. 24f.; Val. Max. 8,1 damn. 3; dazu Lengle, Sulla, 32; Bauman, Crimen, 47f.

61 Asc. p. 48–50 St.; vgl. F. Münzer, RE 4, 1900, 1253ff.; Bauman, Crimen, 71ff.: Die Anklage machte als Delikt geltend, dass Cornelius den Gesetzescodex in eigener Person verlesen hatte. Nach Cicero (Vat. 5) hatte Cornelius den Einspruch beachtet und die Volksversammlung aufgelöst.

62 Vgl. Bauman, Crimen, 64ff.

63 Cic. Vat. 5; vgl. H. Gundel, RE 8 A, 1955, 503f.; Bauman, Crimen, 94ff., bes. 98.

64 Vgl. A. 60.

65 Val. Max. 8,6,4; vgl. Bauman, Crimen, 65ff.

66 Smith 155f. (zu Norbanus). 161 (zu C. Cornelius).

67 Vgl. Bauman, Crimen, 47f. zum J. 99; Smith 160 zum J. 67; vgl. auch das SC des J. 92 oben S. 174.

68 Meier, RPA, 158. Zu beachten ist ferner, dass das Ackergesetz des Sex. Titius nicht wegen der Missachtung der Interzession, sondern weil es *contra auspicia* durchgebracht worden war, abgesetzt wurde (Smith 154).

Livius Drusus, tr. pl. 122, nahelegt.[69] Anregungen dürften vielmehr von einzelnen *nobiles* oder Senatoren, die die Meinung einer Mehrheit im Senat vertraten, ausgegangen sein, wie wir es vom Falle des M. Octavius wissen.[70]

Wie erwähnt, dürfte unter den kollegialen Interzessionen gegen Rogationen nur das Veto des P. Furius gegen die Rückführung des Metellus Numidicus dem Willen der Senatsmehrheit widersprochen haben. Dies war gleichzeitig der einzige Fall, in dem einer der bedeutenden Einzelpersönlichkeiten, nämlich Marius, von der kollegialen Interzession gegen tribunizische Rogationen profitierte. Die von optimatischen Kreisen angestrebte Restitution kam dann allerdings bereits im nächsten Jahr zustande, wobei keine Interzession mehr erfolgte. Hier, wie auch sonst, verzichteten populare Tribunen offenbar darauf, gegen tribunizische Anträge, die von der Senatsmehrheit gutgeheissen wurden, zu interzedieren. Dies trifft besonders auch für die Abrogation popularer Gesetze zu, die von den Popularen offenbar nicht langfristig verteidigt wurden. Damit zeigt sich deutlich, dass es kein populares Programm gab, das kontinuierlich vertreten wurde. Beim popularen Handeln standen jeweils auch persönliche Aspekte auf dem Spiel. Interzessionen gegen die Abrogation eines bestehenden Gesetzes brachten kaum das gleiche Ansehen wie die Präsentation eines neuen Antrages. Die kollegiale Interzession gegen Rogationen hatte damit in der popularen Politik keinen grossen Stellenwert. Sie diente in erster Linie den Interessen der Senatsmehrheit.

Folgende tribunizische Interzessionen wandten sich gegen Rogationen von Kollegen:[71]

- 133 M. Octavius interzedierte gegen das Ackergesetz des Ti. Gracchus (Broughton 1,493; vgl. Stockton 65f.); nach Plutarch (T. G. 10ff.) auch gegen eine verschärfte Form des Gesetzes, die jedoch nicht historisch sein muss (dazu oben S. 43 A. 9)
- 122 M. Livius Drusus wurde nach Appian vom Senat überredet, gegen Gesetzesvorschläge, wohl Bürgerrechtspläne, des C. Gracchus zu interzedieren (App. BC. 1,23,101; anders K. Meister, Chiron 6, 1976, 122f. A. 34, der die *rogatio, ut ex confusis quinque classibus sorte centuriae vocarentur* in Erwägung zieht); ein Veto gegen C. Gracchus ist nicht belegt und hat sich im Falle der Bürgerrechtsverleihung wahrscheinlich auch erübrigt (vgl. Meier, RPA, 134; loca intercessionis, 99; ferner oben. S. 74f. 77)
- 119 C. Marius widersetzte sich nach Plutarch dem Willen des Volkes, indem er gegen ein populäres, wohl tribunizisches Getreidegesetz interzedierte (Plut. Mar. 4,4; nach Stockton (203) handelt es sich dabei um ein Missverständnis Plutarchs und die Interzession richtete sich gegen die Kassation des

69 App. BC. 1,23,100.

70 Plut. T. G. 10,2: πολλῶν δὲ καὶ δυνατῶν δεομένων καὶ λιπαρούντων. Die Interzession gegen Clodius erfolgte auf Veranlassung Ciceros (s. unten). Vgl. auch Cic. fam. 7,27,1; ferner Bleicken, Volkstribunat 1955, 92.

71 Zu erwägen wäre allenfalls auch eine Interzession des C. Gracchus gegen einen Gesetzesvorschlag des Aufeius im J. 123 (dazu oben S. 108), wobei eine solche auch im Senat stattgefunden haben könnte (anders Niccolini 163f.). Nach Cicero (Vat. 5) verhinderte P. Vatinius im J. 59 gewaltsam eine Interzession, was Bleicken (Lex publica, 449 A. 244) auf das Kommandogesetz bezog, jedoch (mit Gelzer, Caesar, 66 A. 21) eher die Interzession gegen Caesars Ackergesetz betraf. Zur Interzession gegen die von C. Herennius betriebene *transitio ad plebem* des Clodius vgl. unten S. 231. Cicero verbürgte sich im J. 52 in Ravenna auf Bitten Caesars für den Tribunen Caelius, von dem eventuell eine Interzession gegen die Bewerbung Caesars *in absentia* zu erwarten war (Cic. Att. 7,1,4; vgl. Gelzer, Caesar, 137; Cicero, 207).

gracchischen Getreidegesetzes; beachtet man, dass ansonsten keine Interzessionen gegen die Abrogation popularer Gesetze bekannt sind, so ist dies eher unwahrscheinlich)

– 103 M.? Baebius (Tamphilus?) interzedierte gegen das Ackergesetz des L. Appuleius Saturninus, wurde jedoch vom Forum vertrieben (vir. ill. 73,1)

– 103/100 Kollegen des L. Appuleius Saturninus interzedierten gegen dessen Getreidegesetz, was dieser jedoch missachtete (Auct. ad Her. 1,21)

– 100 Wohl Kollegen des L. Appuleius Saturninus versuchten, dessen Ansiedlungsvorlagen zu verhindern, wurden aber von den Rostra vertrieben (App. BC. 1,30,133)

– 100/99 P. Furius, der im J. 102 von Q. Caecilius Metellus Numidicus aus dem Senat gestossen worden war, interzedierte mit Marius' Hilfe gegen Q. Pompeius Rufus, der Metellus aus dem Exil zurückrufen wollte (Niccolini 204; Broughton 2, 2; vgl. van Ooteghem, Marius, 251; E. S. Gruen (Historia 15, 1966, 32ff., bes. 33) und E. Badian (Chiron 14, 1984, 132f.) datieren P. Furius ins J. 100)

– 99 Kollegen des Sex. Titius, darunter möglicherweise Q. Pompeius Rufus und M.? Porcius Cato (vgl. Broughton 3, 170), wehrten sich wohl durch Interzession gegen dessen Ackergesetz, was dieser aber missachtete (Iul. Obs. 46; Broughton 2, 2; vgl. Smith 154)

– 92 Einer oder mehrere Kollegen des Cn. Papirius Carbo interzedierten in einer unbekannten Sache gegen diesen, was Carbo möglicherweise missachtete, so dass sich eine *seditio* entfaltete (Cic. leg. 3,42; Niccolini 215f.; vgl. Smith 156)

– 90 Kollegen des Q. Varius Severus Hibrida, darunter wohl Q. Caecilius Metellus Celer, C. Papirius Carbo Arvina und C. Scribonius Curio, interzedierten gegen die *lex Varia*, worauf Varius die Interzedenten bedrohen liess (App. BC. 1,37,166; Val. Max. 8,6,4; vgl. Gruen, RP, 216f.)

– 88 P. Sulpicius (Rufus) interzedierte anfänglich gegen die Rückführung von Verbannten (Auct. ad Her. 2,45), wie sie wahrscheinlich von einem Tribunatskollegen vorgeschlagen worden war (vgl. Rotondi 343)

– 67 L. Trebellius, L. Roscius Otho und P. Servilius Globulus interzedierten gegen A. Gabinius, der (für Pompeius) ein Imperium gegen die Piraten beschliessen liess (Broughton 2, 145; vgl. Gelzer, Pompeius, 71f.). L. Trebellius hatte dem Senat versprochen, dass er eher sterben würde als dass dieses Gesetz zustande käme. Er hielt dann das Veto bis zur Abrogationsabstimmung aufrecht (Asc. p. 57 St.; vgl. Meier, loca intercessionis, 99f.). Die Optimaten hatten nach Dio (36,24,3) versucht, die restlichen neun Tribunen für die Opposition zu gewinnen

– 67 P. Servilius Globulus interzedierte gegen die erste Rogation des C. Cornelius bezüglich der Gesetzesexemption (Asc. p. 48 und 50 St.; dazu oben S. 88)

– 67 Kollegen des C. Cornelius interzedierten gegen mehrere von ihm vorgeschlagene Rogationen (darunter vielleicht die *lex de ambitu*) (Asc. p. 48 St.; vgl. Marshall 85)

– 63 L. Caecilius Rufus versprach das Veto gegen das Ackergesetz des P. Servilius Rullus, das sich dann aber wegen dem Rückzug der Vorlage erübrigte (Cic. Sull. 65, der Caecilius' Verhalten während dessen Volkstribunat lobt)

– 62 M. Porcius Cato interzedierte gegen Q. Caecilius Metellus Nepos, der Pompeius nach Italien rufen und dessen Konsulatsbewerbung *in absentia* ermöglichen wollte. Es kam zu schweren Auseinandersetzungen, und die Situation endete mit einem SCU (Broughton 2, 174; vgl. R. Fehrle, Cato Uticensis, Darmstadt 1983, 102f.)

– 58 L. Ninnius Quadratus zog am 3. Jan. seine Interzession gegen die ersten vier Rogationen des Clodius auf Ciceros Veranlassung hin wieder zurück, nachdem Clodius versprochen hatte, ihn nicht zu belangen, wenn er die Gesetze nicht behindere; gegen das Verbannungsgesetz getraute sich Quadratus nicht zu interzedieren (Dio 38,14,1f.; vgl. Meyer, CM, 96f.)

– 55 P. Aquillius Gallus und C. Ateius Capito wollten gegen C. Trebonius interzedieren, der Crassus und Pompeius ein Imperium in Syrien bzw. Spanien übertrug; die Interzedenten wurden aber schliesslich von der Volksversammlung ferngehalten (Broughton 2, 216f.)

– 44 Der Konsul M. Antonius bestach die Volkstribunen, die der Senat zur Interzession gegen die *lex de permutatione provinciarum* (wohl ein Plebiszit) beordert hatte (App. BC. 3,30,119), wodurch ihm die gallischen Provinzen an Stelle Makedoniens zukamen

3. Sonstige Interzessionen ausserhalb des *ius auxilii*

Nach dem Veto gegen tribunizische Rogationen bleiben die übrigen Interzessionen ausserhalb des Senats zu betrachten, die die Volkstribunen nicht im ursprünglichen Sinne ihres Hilferechts (*ius auxilii*) und damit auch ohne Aufruf eines Bürgers (*appellatio*) vorgenommen haben. Im Vordergrund stehen hier nicht Interzessionen gegen Akte von Tribunen, sondern gegen diejenigen von andern Magistraten sowie gegen öffentliche Handlungen von Privatpersonen. Als kollegiale Interzession ist lediglich das Veto gegen Handlungen, die auf Geheiss eines Tribunen vorgenommen wurden, in Erwägung zu ziehen, da sich die Interzession hier im Prinzip gegen das tribunizische Dekret richtete. Dies betrifft das Veto des C. Baebius, der im Jahr 111 gegen die von C. Memmius angeordnete Rede Iugurthas interzedierte, und war auch im Jahr 56 der Fall, als Cato während der Verhandlung über die verzögerten Konsulatswahlen möglicherweise Aussenstehende in die Curia rufen wollte, um eine Beschlussfassung zu verhindern, andere Tribunen diesen jedoch den Zutritt verwehrten. Das Veto des C. Baebius, das die Anklage gegen optimatische Senatoren verhindern wollte, zeigt, dass die hier zu betrachtenden Interzessionen die Interessen von Einzelpersonen vertreten konnten, ohne in den eigentlichen Bereich des *ius auxilii* zu gehören. Die Hilfe der Tribunen ging in den betreffenden Fällen nicht aus einer unmittelbaren Situation der Bedrohung hervor, sondern kam in vorheriger Absprache mit den jeweiligen Interessenten zustande. Im Folgenden ist näher zu untersuchen, inwiefern die Interzession gegen Magistrate und Privatpersonen als politisches Kampfmittel eingesetzt werden konnte und welche Wirkung sie erreichte.

Wenden wir uns zuerst den Interzessionen gegen Gesetzesanträge der Obermagistrate zu. In der mittleren Republik war das Veto gegen konsularische oder praetorische Gesetze weitgehend unbekannt.[72] Diesbezüglich haben die Tribunen ihr Verhalten in der späten Republik geändert. Interzessionen betrafen jetzt die Rogationen Cinnas, die Abberufung des Pompeius aus Afrika (?), die *transitio ad plebem* des Clodius, das Ackergesetz Caesars und die Triumphbewilligung für Pomptinus.[73] Auch gegen die *lex Pompeia de vi* und die *lex Pompeia de ambitu* war die Interzession geplant, um Milo vor der Verurteilung zu schützen. Ansonsten haben die Volkstribunen weiterhin Gesetzesanträge der Konsuln und Praetoren, die ja durchaus auch von tribunizischer Seite verfolgte Materien regeln bzw. aufheben konnten, ohne formalen Widerspruch akzeptiert. Hier ist das gleiche Phänomen zu beobachten wie bei den kollegialen Interzessionen. Die Verteidigung popularer Gesetze stand nie im Vordergrund. Andererseits wurden konsularische Anträge offenbar auch nie als direkte Konkurrenz zu eigenen Projekten empfunden, die es zu verhindern gegolten hätte. Zudem zeigte sich bei den Gesetzen Cinnas und Caesars, in denen gewichtige Interessen auf dem Spiel standen, dass die Interzession wiederum gewaltsam ausgeschaltet wurde, während man bei der Dekretierung des Triumphes für Pomptinus die Präsenz der Volkstribunen gesetzwidrig vermied, indem die Volksversammlung auf die Nachtstunden

72 Vgl. Bleicken, Volkstribunat 1955, 91 (A. 2).

73 Nach Lange (Röm. Alterthümer 1, 845) war die Interzession gegen den Triumph gegen die Sitte. Auf Appell erfolgte die Interzession gegen das von den Konsuln eingebrachte *tacitum iudicium* des J. 54, s. unten S. 237.

verlegt wurde. Somit verbanden sich auch mit der Interzession gegen konsularische Anträge gewisse Risiken, die wohl abschreckende Wirkung zeigten.

Cicero berichtet im Jahr 63 von der häufigen Anwendung des tribunizischen Vetos bei Curiatgesetzen der Konsuln,[74] wofür wir allerdings keine konkreten Fälle kennen. Der einzige bekannte Fall der späten Republik stammt vom Mai des Jahres 44, als Octavian auf propagandistische Weise versuchte, seine Adoption zusätzlich durch eine *lex curiata* bestätigen zu lassen. Es ist daher unwahrscheinlich, dass sich Volkstribunen in bedeutenderem Masse gegen Curiatgesetze für die Zuteilung von Imperien zur Wehr gesetzt haben und uns hier eine besondere Art der Opposition verborgen geblieben ist.[75] Fraglich wäre auch, inwieweit sich die Feldherrn der späten Republik durch ein Veto gegen die *lex curiata* in den ihnen zugedachten Provinzialaufträgen und Imperien hätten behindern lassen.

Die tribunizischen Interzessionen ausserhalb des Senats konnten aber auch sonstige Amtshandlungen verbieten. In zwei Fällen richteten sie sich gegen Aushebungen bzw. die Mitnahme von Truppen in die Provinz.[76] Die Interzessionen erfolgten im Gegensatz zu einigen Fällen der mittleren Republik[77] offenbar ohne Appellation und waren auch nicht als persönliche Hilfeleistung an einzelne Bürger gemeint, sondern stellten in erster Linie machtpolitische Eingriffe dar. Zu Beginn des Jahres 109 verwehrten die Volkstribunen dem Konsul des Vorjahres, Sp. Postumius Albinus, die von ihm neu ausgehobenen Truppen mit nach Afrika zu nehmen. Das Veto hatte also nicht die Aushebungen selbst, sondern die Politik des Albinus getroffen. Dieser war zu den Wahlen aus Afrika zurückgekehrt, während sein Bruder Aulus, den er als Stellvertreter eingesetzt hatte, in der Zwischenzeit eine schimpfliche Niederlage erlitten sowie eine Kapitulation unterzeichnet hatte, die vom Senat verworfen wurde. Dass dem Spurius jetzt verweigert wurde, neue Truppen mitzunehmen, war aber kaum im Sinne des Senats.[78] Gleichzeitig war nämlich die von den Rittern gestützte *quaestio Mamilia* gegen Senatoren, die mit Iugurtha in Kontakt standen, im Gange.[79]

Die Aktionen des Jahres 109 standen in Zusammenhang mit Angriffen auf die Aussenpolitik der Nobilität. Schon im Jahr 111 hatte C. Memmius Iugurtha vorgeladen, um durch seine Aussagen die Grundlagen für die Anklage gegen bestochene Senatoren zu erhalten. Dies war jedoch durch die Interzession des Kollegen C. Baebius verhindert worden, so dass die Politik des Senats sich durchsetzte. Nach U. Hackl brachten die Tribunen mit diesen Aktionen den Senat von seiner anfänglich zurückhaltenden Position gegenüber Iugurtha ab, während sie in den spanischen Kriegen noch defensiv eingestellt ge-

74 Cic. leg. agr. 2,30: Rullus schloss die Interzession gegen das vom Praetor in Zusammenhang mit der Ackerkommission einzubringende Curiatgesetz aus. Lange (Röm. Alterthümer 3, 323f.) und Mommsen (StR. 1, 610 A. 4) vermuten anhand von Dio 39,19 eine tribunizische Interzession im Auftrage des Clodius gegen die *lex curiata de imperio* hinsichtlich der Amtsaufnahme der Praetoren des J. 56; vgl. dazu E. Hermon, Ktema 7, 1982, 297ff., bes. 302f.

75 Herzog 1, 679. 1061; W. Liebenam, RE 4, 1901, 1829; Grziwotz 76.

76 Also gegen „Executivmassregeln der Consuln in Betreff der consularischen Decrete über die Dienstpflicht" (Mommsen, StR. 1, 277); zur mittleren Republik vgl. Bleicken, Volkstribunat 1955, 79.

77 Zum J. 151 vgl. Liv. per. 48; App. Hisp. 49; zum J. 138 vgl. Cic. leg. 3,20; Liv. per. 55; dazu Bleicken, Volkstribunat 1955, 102f.

78 Vgl. K. v. Fritz, in: WdF 94, 1970, 189; Hackl, Senat, 140f.

79 Vgl. oben S. 161f.

wesen waren und gegen die Aushebungen interzediert hatten.[80] Der Senat habe sich nach der Niederlage von A. Albinus für ein härteres Vorgehen entschlossen, so dass die Agitation der Tribunen hinfällig geworden sei; die Stellung als „Gegenspieler des Senates" in der Aussenpolitik, die die Tribunen für kurze Zeit eingenommen hätten, sei damit beendet gewesen.[81] – Dem ist entgegenzuhalten, dass die Tribunen auch in den spanischen Kriegen nicht geschlossen gehandelt und durch die Interzession nicht generell die Aushebungen behindert hatten,[82] auch wenn mit den Aktionen gleichzeitig gegen die Kriegspolitik des Senats agiert worden war. Die Interzession gegen die Mitnahme neuer Truppen zeigt andererseits, dass die Tribunen bzw. einzelne unter ihnen in der Auseinandersetzung mit Iugurtha nicht den Krieg schlechthin forderten. Die tribunizische Agitation richtete sich eher gegen die Willkür in der Reichsverwaltung, die von persönlichen Rücksichten und Bestechungen unter den *nobiles* geprägt war; gefordert wurde, dass die Interessen des römischen Volkes besser vertreten wurden.[83] Zuzustimmen ist der Meinung, dass die von den Tribunen verfolgten Ziele gleichzeitig von persönlichen Motiven geprägt waren, da sich die betreffenden Akteure grösseren Einfluss verschaffen wollten.[84] Ein grundsätzlich neues Auftreten in Fragen der Kriegsentscheidung entwickelte sich im Tribunenkollegium aber nicht. Zu beachten ist dabei auch, dass die popularen Angriffe am Ende des 2. Jh.'s kein rein tribunizisches Unternehmen waren, sondern entscheidend von den Rittern mitgetragen wurden. – Im Jahr 55 wurde das Veto dann im Sinne des Senats gegen die Machtansprüche des Crassus eingelegt. Auch hier ging es nicht um persönliche Hilfeleistung für einzelne Stellungspflichtige, sondern um Anmassungen des Feldherrn. Gegen das Vorgehen des Crassus war die tribunizische Interzession jetzt allerdings fruchtlos.

In nachsullanischer Zeit wandten sich zwei tribunizische Interzessionen von popularer Seite gegen die übliche Schlussrede der Konsuln am Ende des Amtsjahres, mit der jeweils vor dem Volk über die Amtsführung Rechenschaft abgelegt wurde.[85] Sie betrafen Cicero als Konsul des Jahres 63 und M. Bibulus als Konsul des Jahres 59. Im Falle des Cicero richtete sich die Aktion gegen die Exekution der Catilinarier und das damit verbundene SCU, im Falle des Bibulus[86] verteidigte Clodius die konsularischen Massnahmen Caesars gegen dessen Widersacher. Die beiden Konsuln wurden nur zum Schwur zugelassen, dass sie die Gesetze eingehalten hätten. Dabei wusste Cicero allerdings die Angriffe gegen ihn zu parieren, indem er schwor, den Staat gerettet zu haben, was ihm vom Volk bestätigt worden sein soll.[87] Die Interzession gegen die Schlussrede hatte demnach beschränkte Wirkung und konnte nur in Verbindung mit anderen Massnahmen zu erfolgreicher Agitation führen.

In einem Fall wurde durch die Opposition eines Volkstribunen ein Privatprozess vertagt und der Beginn eines öffentlichen Mordprozesses hinausgezögert. L. Quinctius, tr.

80 Hackl, Senat, 144f. 259; vgl. 125–157.
81 Hackl, Senat, 145.
82 Vgl. A. 77.
83 Dazu D. Timpe, Herrschaftsidee und Klientelstaatenpolitik in Sallusts Bellum Jugurthinum, Hermes 90, 1962, 334–375, bes. 345 (mit A. 3) und 373.
84 Dazu Hackl, Senat, 144.
85 Vgl. Mommsen, StR. 1, 625.
86 Vgl. Martin 82.
87 Cic. fam. 5,2,7; Plut. Cic. 23,1f.; vgl. Dio 37,38.

pl. 74, wollte damit den an dem Privatprozess beteiligten Staienus freistellen, um ihn zu dem öffentlichen Gerichtsverfahren gegen Oppianicus zu führen, in dem dieser als Richter vorgesehen war. Ein formaler Akt der Interzession ist zwar nicht bezeugt, die Autorität des tribunizischen Interzessionsrechts muss aber auch hier ausschlaggebend gewesen sein.[88] Andererseits ging es in diesem Fall nicht wie bei allen andern, noch zu behandelnden Beispielen des Vetos im Privatprozess[89] um die Beantwortung einer Appellation, sondern um eine indirekte Hilfeleistung, bei der versucht wurde, unter den Richtern eine freisprechende Mehrheit zu erreichen.

Bei Wahlversammlungen war die Interzession gegen eine kollegiale Wahlleitung offenbar verboten,[90] gegen eine nichtkollegiale Wahlleitung nach gängiger Meinung jedoch erlaubt.[91] Zu ersterem ist allenfalls die Aktion des Jahres 133 in Betracht zu ziehen: Als Ti. Gracchus versuchte, die Wiederwahl ins Volkstribunat zu erreichen, wehrten sich gegnerische Kollegen dagegen, dass der Wahlleiter Rubrius ohne neuerliche Auslosung des Vorsitzes durch einen andern Volkstribunen, (der gleichzeitig ein Klient des Tiberius war), ersetzt werden sollte.[92] Eine Interzession ist dabei nicht bezeugt, und die Opposition war offenbar auch vergeblich.[93] Ein Veto wäre im vorliegenden Fall insofern denkbar, als es sich gegen einen Akt gewandt hätte, der gegen das herkömmliche Recht verstiess. Der normale Verlauf der Wahl wäre dadurch nicht betroffen worden.

Über eine allfällige Interzession gegen die konsularischen Wahlcomitien gibt in der späten Republik nur eine einzige Textstelle Auskunft. Anlässlich der Behinderung der Wahlen im Jahr 56 durch die Volkstribunen spricht Livius (per. 105) von *intercessionibus*. Die Opponenten wurden im Jahr 54 in dieser Sache vor Gericht gestellt.[94] Ich vermute daher, dass in der ausgehenden Republik die tribunizische Interzession gegen Wahlen nicht (mehr?) zu den Kompetenzen der Volkstribunen gehörte, zumal in unserem Zeitraum gegen Wahlen normalerweise auf die Obnuntiation zurückgegriffen wurde.[95] Ein Verbot der Interzession gegen Wahlen könnten die noch zu behandelnden *leges Aelia et Fufia* aus dem mittleren 2. Jh. enthalten haben, denn diese wurden möglicherweise in bezug auf die Interzessionsdrohung gegen die Wahl der Konsuln im Jahr 148 sowie auf die Provinzverteilung, die auf Initiative eines Volkstribunen durch das Volk vorgenommen worden

88 Cic. Cluent. 74; vgl. Eigenbrodt 101 f., gegen Mommsen, StR. 2, 308 A. 1 und Lefèvre 104ff.; ferner auch Lengle, Sulla, 15.

89 Vgl. unten S. 233f. und 237.

90 Mommsen, StR. 1, 286f. Einziges mögliches Beispiel für die Verhinderung tribunizischer Wahlen ist der Fall des J. 110, dessen Umstände aber nicht näher bekannt sind (s. oben S. 32 und unten S. 244).

91 Mommsen, StR. 1, 284 A.1; Niccolini, tribunato, 108; Siber 226; J. Jahn, Interregnum und Wahldiktatur, FAS 3, Kallmünz 1970, 167ff. 172ff.; zu den Fällen der mittleren Republik: Bleicken, Volkstribunat 1955, 83f. 95.

92 App. BC. 1,14,60f.

93 Vgl. Plut. T. G. 18.

94 Cic. Att. 4,15,4; Broughton 3, 148. 169f.

95 Dazu unten S. 244. J. Linderski (in: Studi in onore di Ed. Volterra, Bd. 2, Milano 1972, 299 mit A. 82) und Fabbrini (809) haben daher auch für das J. 55 eine Obnuntiation angenommen. Im März 56 bezeichnete Cicero (Vat. 18.23) Vatinius noch als den einzigen, der die *lex Aelia et Fufia* übertreten hatte.

war, erlassen.[96] Damit fände auch die von Cicero angegebene Absicht der Gesetze: *contra tribunicios furores* (falls keine Rückprojektion) eine Erklärung.[97] Einen Spezialfall bildet die Beiziehung der Volkstribunen durch Cato im Jahr 53, die die Annullierung der Aedilenwahl zur Folge hatte. Hier waren nicht die Wahlcomitien selbst betroffen. Vielmehr ging es darum, das vorliegende Wahlergebnis zu korrigieren.

Dem Bericht Plutarchs zufolge wäre anzunehmen, dass Ti. Gracchus nach der Interzession des Octavius als Kampfmethode für sein Ackergesetz bis zur neuerlichen Abstimmung die Stillegung aller Amtsgeschäfte mittels *iustitium* erlassen hat.[98] Dazu war er als Volkstribun jedoch kaum befugt, da in den bekannten Fällen des *iustitium* stets die Obermagistrate den Stillstand der Amtsgeschäfte anordneten.[99] R. Thomsen hat daher vermutet, dass im Jahr 133 der Konsul P. Mucius Scaevola das *iustitium* erlassen hat,[100] wofür wir allerdings keinen Hinweis haben. Denkbar wäre, dass Tiberius in dieser Situation exzessiven Gebrauch seines Interzessionsrechtes gemacht und gegen alle andern Amtshandlungen auf dem Forum das Veto eingelegt hat.[101] Dies hätte allerdings eine ständige Präsenz auf dem Forum und anderen Versammlungsplätzen bedingt und einen massiven Eingriff in den Geschäftsgang der Res publica dargestellt.

Die Tribunen konnten auch gegen Personen ohne magistratischen Auftrag bzw. Private interzedieren, sofern diese eine öffentliche Handlung vornahmen.[102] Dies geschah insbesondere, wenn ein Verbot überschritten wurde[103] oder es zu sonstigen Übergriffen und Anmassungen kam, wie z.B. das königliche Auftreten des Priesters Batakes aus Pessinus im Jahr 102, Caesars Aneignung des hinterbliebenen Staatsschatzes (*aerarium sanctius*) und Octavians Verwendung caesarischer Insignien im Mai 44, wobei sich Caesar durch diese Interzession freilich nicht mehr hatte behindern lassen. Zu erwähnen sind hier auch jene Fälle, in denen sich Volkstribunen bei Begräbnissen einschalteten, um die herkömmlichen Sitten zu bewahren.[104] Die Tribunen gingen aber auch dabei nicht einer ihnen

96 App. Pun. 112; vgl. A. E. Astin, Latomus 23, 1964, 440. Die Interzessionsdrohung gegen die Wahlen erfolgte, um den Senat zur Anerkennung der Wahl Scipios zu zwingen. Der Senat erlaubte daraufhin den Volkstribunen, die gesetzlichen Bestimmungen, die die Wahl Scipios wegen dessen ungenügenden Alters nicht zuliessen, für ein Jahr ausser Kraft zu setzen.

97 Cic. p. red. in sen. 11; vgl. Vat. 18.

98 Plut. T. G. 10,5: διαγράμματι τὰς ἄλλας ἀρχὰς ἁπάσας ἐκώλυσε χρηματίζειν; zudem legte er ein Siegel an das Aerarium und drohte gegen Zuwiderhandlungen Strafen an. Die Beamten stellten auf diese Massnahmen hin ihre Geschäfte ein. An ein *iustitium* glauben: Mommsen, StR. 1, 263f.; Niccolini, tribunato, 111f.; Lengle, Tribunus, 2473, und andere, vgl. R. Thomsen, C&M 6, 1943, 62; P. P. Bonenfant, in: Hommages à M. Renard, Bd. 2, Bruxelles 1969, 113–120.

99 J. Carcopino, Autour des Gracques, 2. Aufl., Paris 1967, 15ff.; R. Thomsen, C&M 6, 1943, 60–71, bes. 66; Carcopino erachtet den Bericht als Erfindung Plutarchs.

100 R. Thomsen, C&M 6, 1943, bes. 66ff.

101 Astin, Scipio, 346f. (mit weiterer Lit.); ferner Bernstein 171; Stockton 65 A. 19.

102 Vgl. Mommsen, StR. 2, 296f. Dies war, wie im Falle des Iugurtha, etwa bei Reden auf Geheiss eines Magistraten der Fall.

103 Vgl. die Konsulatsbewerbung des Iulius Caesar Strabo im J. 88, die Compitalien des J. 58, C. Catos Aktion im J. 56, M. Catos Übertretung der Redezeit im J. 55 und das Begräbnis der Iulia im J. 54.

104 Neben dem Einspruch gegen die rechtswidrige Beerdigung der Frau des Pompeius im J. 54 vgl. den Schutz der Leiche des Cn. Pompeius Strabo im J. 87 vor dem Zorn der Masse (Gran. Licin. p. 17f. Criniti) und das Eingreifen der Volkstribunen bei der Aufbahrung der Clodius (App. BC. 2,21,77; Asc. p. 31f. St.). In der Kaiserzeit ist ein Fall bekannt, in dem die Volkstribunen die Genehmigung für eine

allgemein zustehenden Tätigkeit nach, sondern griffen in Ausnahmesituationen nach eigenem Ermessen in das Geschehen ein. Sie fungierten nie als allgemeine Kontrollbehörde, sondern ergriffen nur Massnahmen gegen ihnen unliebsame politische Aktionen. Wenn sich Volkstribunen in manchen Fällen für die Einhaltung der staatlichen Regeln einsetzten, so geschah dies ohne übergeordnetes Prinzip, wie schon J. Bleicken gezeigt hat.[105] Auch in den Fällen der späten Republik lässt sich sowohl anhand der Interzessionen als auch anhand der Anklagen[106] zeigen, dass die Volkstribunen keine übergeordnete Strafinstanz darstellten. Die Theorie Mommsens von den Tribunen als ‚Verfassungswächter' ist daher auch für die letzte Phase der Republik abzulehnen.[107]

Aufs Ganze gesehen konnte die Senatsmehrheit in etwa der Hälfte der Fälle von den Interzessionen gegen Magistrate und Privatpersonen profitieren. Der Nutzen hielt sich allerdings in ähnlichen Grenzen wie bei der kollegialen Interzession gegen Rogationen. Gegen die bedeutenderen Vorlagen und Aktionen des Cinna, Caesar, Pompeius und Crassus war die Interzession erfolglos. Nur in wenigen Angelegenheiten führte sie zu längerfristigem Erfolg. Verhindert werden konnte die Konsulatsbewerbung des C. Iulius Caesar Strabo. Die geplanten Anklagen des C. Memmius kamen im Jahr 111 nicht zustande, wurden aber im Jahr 109 wieder aufgenommen. Die *transitio ad plebem* des Clodius wurde im Anschluss an das Veto gegen das Volksgesetz auf andere Weise durchgeführt.[108] Auch die von Octavian angestrebte Verherrlichung Caesars konnte nicht lange verhindert werden. – Dieser Sachverhalt zeigt, dass das Volkstribunat mit seinem Interzessionsrecht nur bedingt ein Korrektiv gegen Anmassung einzelner *nobiles* bildete.[109]

In vorsullanischer Zeit wurde der Politik der Senatsmehrheit durch die Interzessionen von popularer Seite – ausser vielleicht im Jahr 109 – kein grösserer Schaden zugefügt. Sulla selbst konnte im Gegenteil aus dem Veto des P. Sulpicius und P. Antistius (88), eventuell auch des C. Herennius (88/80?), Nutzen ziehen. Er sah sich daher bei seinem Programm zur Festigung der Republik wohl nicht gezwungen, die tribunizische Interzession gegen Obermagistrate einzuschränken. Die einzige Nachricht über eine Beschränkung der Interzession durch Sulla liefert Cicero (Verr. 2,1,155), der von der Verurteilung des Tribunen Q. Opimius berichtet: Dieser wurde bestraft, weil er *contra legem Corneliam* interzediert hatte;[110] das Veto war dabei aber nicht der eigentliche Bestrafungsgrund, sondern

Leichenüberführung erteilten (CIL VI 3, 20863), woraus jedoch keine allgemeine Kompetenz abgeleitet werden kann (Mommsen, StR. 2, 329 (A. 3); Niccolini, tribunato, 138 (A. 3); Villers 667; Fabbrini 815).

105 Bleicken, Volkstribunat 1981, 90 A. 4: Die Aktionen der Tribunen waren in diesem Bereich gleichen Sinnes wie diejenigen der andern Magistrate; im Vordergrund standen tagespolitische Ziele; vgl. auch Bleicken, Volkstribunat 1955, 98.

106 Dazu oben S. 154. 160. 165.

107 Bleicken, Volkstribunat 1955, 97f.

108 Dazu oben S. 30 A. 62.

109 Zur mittleren Republik vgl. Bleicken, Volkstribunat 1955, 86. 97f.

110 Da sich Q. Opimius für die *lex Aurelia de tribunicia potestate* einsetzte, kann das Veto kaum dieses Gesetz betroffen haben; das Ziel der Interzession bleibt unbekannt; unwahrscheinlich ist, dass Opimius' Eintreten (im Senat?) für die *lex Aurelia* des J. 75, die den Volkstribunen wieder weitere Ämter ermöglichte, als Interzession gegen die *lex Cornelia* ausgelegt wurde (vgl. Ps.-Asc. p. 255 St.; dazu V. Vedaldi Iasbez, MEFR 95, 1983, 139–161, bes. 140 A. 5. 147, vgl. 142f.). A. W. Lintott (Hermes 106, 1978, 127) meint, dass das Veto gegen ein Interzessionsverbot verstiess, das in einem der sullanischen Gesetze über die *quaestiones* verankert war.

diente nur als Vorwand, um sich wegen der Äusserungen, die er gegen den Willen eines *nobilis* – Pseudo-Asconius nennt Q. Lutatius Catulus[111] – getan hatte, an ihm zu rächen. Um weitere Aufschlüsse über Sullas Verhalten in bezug auf die Interzession zu erhalten, ist es nötig, nach eventuellen Fällen des Vetos im Zeitraum zwischen den Jahren 81 und 70 zu fragen. Unsicher ist, ob im Jahr 80 der Tribun C. Herennius gegen Sullas Gesetz, das die Rückkehr des Pompeius aus Afrika regelte, interzedierte. E. Badian bezieht das Veto auf eine Abberufung des Cn. Pompeius Strabo im Jahr 88 (s. unten), womit die Angelegenheit noch vor die sullanischen Restriktionen zu liegen käme. Im Jahr 74 liess L. Quinctius den Oppianicus-Prozess aufschieben sowie einen Privatprozess vertagen. Auch wenn dies nicht unbedingt mit dem Veto gegen das magistratische Dekret auf gleiche Stufe zu stellen ist, so ist hier, wie schon erwähnt, trotzdem mit dem Interzessionsrecht zu rechnen.[112] Deshalb kann nicht unbedingt ein allgemeines Interzessionsverbot ausserhalb des *ius auxilii* angenommen werden, wie dies einige Forscher getan haben.[113] Nahegelegt wird dies auch durch eine Notiz in Caesars Bellum civile.[114] Möglich ist, dass Sulla ein Verbot der tribunizischen Interzession mit (einzelnen?) seiner Gesetzesanträge verband, womit das Veto gegen spätere konkrete Anwendungsfälle des betreffenden Gesetzes ausgeschlossen werden sollte.[115] Diese Methode war zuvor schon von anderer Seite praktiziert worden. Die Gracchen hatten sie offenbar bei je einem ihrer Gesetze angewandt, womit die Interzession gegen die Gerichtsbarkeit der *tresviri a. d. a.* sowie gegen die Zuteilung der konsularischen Provinzen verhindert werden sollte.[116]

Verbote von Interzessionen gegen Handlungen, die auf Grund eines bestimmten Gesetzes erfolgten, wurden auch noch in nachsullanischer Zeit festgehalten.[117] Sie kamen vorwiegend bei popularen Rogationen zur Anwendung. Soweit wir beobachten können, verfehlten diese Verbote ihre Wirkung nicht.[118] Die Rogationen selbst konnten damit freilich nicht vor einer Interzession geschützt werden. Die Senatsmehrheit traf ihrerseits in nachsullanischer Zeit in folgenden zwei Fällen Vorkehrungen gegen die tribunizischen Interzessionen in den Centuriatcomitien: Bei der Rückberufung Ciceros sollte eine Interzession als *contra rem publicam* gelten, und bei dem *tacitum iudicium* des Jahres 54 sollte die Sache im Falle einer Interzession erneut vor den Senat gebracht werden.[119] Dies waren jedoch nur punktuelle Massnahmen. Die Interzession wurde auch in diesem Bereich nie generell geschützt. Allerdings kam es hier auch nie zu gewaltsamen Übergriffen wie im Falle der kollegialen Interzession gegen Rogationen. Als C. Baebius im Jahr 111 Iugurtha verbot, Aussagen zu machen, kam es in der Volksversammlung zwar zu einem Aufruhr, um

111 Ps.-Asc. p. 255 St.

112 Vgl. A. 88.

113 Drumann-Groebe 2, 411; Meyer, Staatsgedanke, 319; Siber 230; E. Badian, Hermes 83, 1955, 110; De Martino 3, 81.

114 Caes. BC. 1,5,1: *neque etiam extremi iuris intercessione retinendi, quod L. Sulla reliquerat, facultas tribuitur*; vgl. 1,7,3; Wittmann (Sulla, 576 A. 76) hält die Interzession gegen praetorische und konsularische Gesetze für erlaubt.

115 Dazu Mommsen, StR. 2, 308 A. 1; Lengle, Sulla, 14f.; Wittman, Sulla, 576 A. 76; vgl. ferner Niccolini, tribunato, 147. 150; Lengle, Tribunus, 2485f.; W. Schur, Klio Beih. 46, 1942, 196; Meier, RPA, 255.

116 Vgl. Bleicken, Lex publica, 450 A. 247.

117 Ebenda.

118 Ein Veto gegen die Provinzzuteilung ist erst nach der Aufhebung der *lex Sempronia* im J. 52 bekannt, s. oben S. 214f.

119 Vgl. oben S. 209 A. 18.

den Interzedenten einzuschüchtern;[120] C. Memmius sah sich aber gezwungen, die *contio* ergebnislos aufzulösen. Er liess, wie vor ihm schon Ti. Gracchus,[121] keine Brachialgewalt zu, um das Veto auszuschalten.

Andererseits waren die Anwendungsmöglichkeiten der Interzession gegen magistratische Akte und öffentliche Handlungen von Privaten beschränkt. Von popularer Seite wurde diese Art des Vetos auch nach dem Jahr 70 eher wenig angewandt. Dies war neben den Angriffen gegen die Konsuln Cicero und Bibulus in bedeutender Weise nur bei den Konsulatswahlen des Jahres 56 der Fall, bei denen die Triumvirn ihre Ansprüche durchsetzen wollten. Ansonsten wurde das tribunizische Veto in diesem Bereiche von den bedeutenden Einzelpersönlichkeiten der späten Republik nur sporadisch genutzt. Immerhin zeigte sich aber bei dem Angriff auf den Triumph des Metellus Creticus und der Interzession gegen den Triumph des Pomptinus, dass die Volkstribunen, wie schon bei dem Triumph des L. Postumius im Jahr 294, als *mancipia nobilium* verwendet werden konnten.[122]

Die konservative Senatsmehrheit hatte im Ganzen nur beschränkten Nutzen von den Interzessionen gegen Magistrate und Private. Den mächtigen Feldherrn und Politikern war durch das tribunizische Veto nicht mehr beizukommen. Trotzdem hatten die Interzessionen senatstreuer Tribunen auch in diesem Bereich eine wichtige Funktion. Dies zeigte sich auch noch nach dem Einzug Caesars in Italien, als L. Caecilius Metellus Caesar den Zugriff zu den Geldern des Saturntempels (sowie einen Senatsbeschluss für eine Friedensgesandtschaft an Pompeius) verhindern wollte. Gegen Caesar war aber bald nur noch harmloser Protest möglich: L. Pontius Aquila blieb bei dem Triumph über Spanien im Oktober 45 sitzen.[123] Bezeichnend war aber schon die Situation des Jahres 59, als sich die mit dem Konsul Bibulus verbundenen Volkstribunen nach der vergeblichen Opposition gegen Caesars Ackergesetz von den öffentlichen Geschäften zurückgezogen hatten[124] und Cicero zum Schluss kommt:[125] *etiamsi nihil agere potuissent, tamen voluntate ipsa gratum fuisse*. Gemeint ist, dass sie trotz ihrer Wirkungslosigkeit dank der richtigen Einstellung später Praetoren wurden. Daraus geht gleichzeitig hervor, dass Cicero auch im Konkreten für einzelne Volkstribunen durchaus Hochschätzung aufbrachte. Das Volkstribunat hatte für ihn seinen festen Platz in der römischen Verfassung. An eine Einschränkung des Volkstribunats war für Cicero daher nicht zu denken.

Folgende Fälle durchgeführter oder versuchter Interzessionen gegen magistratische Anordnungen und Handlungen Privater sind überliefert:[126]

120 Sall. Iug. 34.

121 App. BC. 1,12,49ff.

122 Liv. 10,37,11.

123 Suet. Iul. 78,2; Broughton 2, 308; vgl. Gelzer, Caesar, 286; zu L. Caesetius Flavus und C. Epidius Marullus oben S. 157. 171. C. (Servilius) Casca galt im J. 44 als Verschwörer gegen Caesar, was er jedoch dementierte (Broughton 2, 325; F. Münzer, RE 2 A, 1923, 1788f.).

124 Dio 38,6,6.

125 Cic. Sest. 113; vgl. Vat. 16f.

126 Da das im J. 61 im Senat vorgeschlagene und von Cato unterstützte Repetundengesetz gegen Geschworene nie als *lex* verabschiedet wurde (vgl. Cic. Att. 1,18,3, vgl. 2,1,8) rechnet Rotondi (385f.) mit einer tribunizischen Interzession in den betreffenden Comitien. Zur Behinderung der Wahlen durch Kollegen des P. Licinius Lucullus und L. Annius im J. 110 vgl. unten S. 244; zur Opposition gegen die Ersetzung des Leiters der Tribunenwahlen des J. 133 oben S. 226; zu den Eingriffen bei Leichenfeiern A. 104; zum *tacitum iudicium* des J. 54 unten S. 234. 237.

- 111 C. Baebius verbot Iugurtha bei der Vorladung durch C. Memmius Aussagen zu machen, um den geplanten Prozess gegen einige Senatoren zu vereiteln (Sall. Iug. 34,1f.)

- 109 Die Volkstribunen hinderten zu Beginn des Jahres den noch amtierenden Konsul des J. 110, Sp. Postumius Albinus, neue Truppen mit nach Afrika zu nehmen (Sall. Iug. 39,4), so dass er ohne Verstärkung zurückkehren musste. Albinus war zur Abhaltung der Wahlen, die wegen des Kontinuationsversuches zweier Volkstribunen in Verzug geraten waren (vgl. unten S. 244), nach Rom gefahren

- 102 A. Pompeius hinderte nach Plutarch (Mar. 17,5) den Priester Batakes aus Pessinus, der (zur Freude des Senats) den Sieg des Marius über die Kimbern und Teutonen prophezeien wollte, am Sprechen vor der Volksversammlung und stiess ihn von der Rednerbühne. Nach Diodor (36,13,2) verlangte Batakes vor dem Volke Reinigungsopfer; als ihm Zeichen der Gastfreundschaft zugestanden wurden, hinderte ihn A. Pompeius jedoch am Tragen seiner goldenen Krone, und als ein anderer Volkstribun Batakes auf die Rostra zurückführen wollte, wandte sich Pompeius erneut gegen ihn (vgl. van Ooteghem, Marius, 201f.)

- 88 P. Sulpicius (Rufus) und P. Antistius schritten gegen die Konsulatsbewerbung *contra leges* des C. Iulius Caesar Strabo ein, der ohne vorherige Praetur ins Konsulat gelangen wollte (Cic. Brut. 226; har. resp. 43; eine Interzession ist hier nicht direkt bezeugt)

- 87 Die Mehrzahl der Tribunen, darunter wohl Sex. Lucilius, interzedierte gegen den Gesetzesantrag Cinnas, der die Neubürger auf alle 35 Tribus verteilen wollte (App. BC. 1,64,290), möglicherweise auch gegen denjenigen, der Marius und die andern mit ihm als *hostes* Verbannten zurückführen wollte (Lange, Röm. Alterthümer 3, 129; Rotondi 346f.; Niccolini 234)

- 80 (?) C. Herennius interzedierte nach Sallust (hist. 2,21; apud Gell. 10,20,10) *ex conposito* gegen ein Gesetz Sullas, das die Abberufung des Pompeius aus Afrika regeln sollte (F. Miltner, RE 21, 1912, 2073; Maurenbrecher, Comm., 66f.). F. Münzer (RE 8, 1912, 663f.) bezweifelt, dass die Absprache mit Sulla zutrifft, da Herennius auch ein Gegner Sullas gewesen sein könnte. E. Badian (Hermes 83, 1955, 109–112; Hermes 89, 1961, 254–256) bezieht das Veto auf die Abberufung des dem Senat zu mächtig gewordenen Heerführers im Bundesgenossenkrieg, Cn. Pompeius Strabo, Procos. 88 (vgl. Broughton 3, 101; B. Marshall/J. L. Beness, Athenaeum 65, 1987, 364)

- 74 L. Quinctius setzte durch, dass der Mordprozess gegen Oppianicus nicht ohne den Richter Staienus eröffnet wurde, da er von ihm erwartete, dass sein Einfluss den Freispruch herbeiführen würde (was dann allerdings nicht eintraf). Daher liess er einen gleichzeitigen Privatprozess, in den Staienus verwickelt war, vertagen, um diesen zu dem öffentlichen Gerichtsverfahren gegen Oppianicus zurückzuführen (Cic. Cluent. 74; dazu Eigenbrodt 101f., gegen Lefèvre 104ff.)

- 63 Q. Caecilius Metellus Nepos legte zusammen mit L. Calpurnius Bestia gegen Ciceros Rede am Ende des Amtsjahres das Veto ein und liess ihn nur den Eid ablegen, dass er die Gesetze eingehalten habe (Niccolini 274; Broughton 2, 174)

- 62 Pompeius entzog Q. Caecilius Metellus Creticus bei dessen Triumph mit Hilfe eines Volkstribunen die beiden besiegten kretischen Anführer (Panares und Lasthenes) (Dio 36,19,3; vgl. Gelzer, Pompeius, 79)

- 60 Der von C. Herennius geforderte und vom Konsul Q. Caecilius Metellus Celer promulgierte Antrag an die Centurien auf eine *transitio ad plebem* des Clodius kam nicht zustande, da Kollegen des Herennius interzedierten. Da es keine Anzeichen für eine Interzession im Senat gibt (mit der B. Kübler, RE 6 A, 1937, 2156 rechnet), hat sich die Interzession wohl gegen den vom Konsul eingebrachten Antrag gerichtet (vgl. Lange, Röm. Alterthümer 3, 275; V. Groh, in: Studi in onore di P. Bonfante, Bd. 3, Milano 1930, 391)

- 59 Q. Ancharius, Cn. Domitius Calvinus und C. Fannius wehrten sich durch Interzession (und Obnuntiation) gegen Caesars Ackergesetz, wurden jedoch gewaltsam vom Forum vertrieben (Broughton 2, 189). Schliesslich leisteten aber alle Volkstribunen den Eid auf das Gesetz (App. BC. 2,12,42; Plut. Cat. min. 32; Dio 38,7,1f.). M. Iuventius Laterensis verzichtete wegen der Verpflichtung zum Schwur auf ein Volkstribunat für das J. 58 (Cic. Att. 2,18,2)

- 59 P. Clodius Pulcher hinderte den Konsul M. Calpurnius Bibulus an der Schlussrede vor dem Volk (Dio 38,12,3)

– 58 L. Ninnius Quadratus versuchte am 1. Jan. vergeblich, Sex. Clodius, den Gehilfen des Tribunen Clodius, an der Durchführung der Compitalien zu hindern (Asc. p. 15 St.)

– 56 C. Porcius Cato, wohl zusammen mit M. Nonius Sufenas (fraglich jedoch ob mit L. Procilius, dessen Stellung als Volkstribun nicht gesichert ist; vgl. Zumpt 509 A. 3; L. R. Taylor, Athenaeum 42, 1964, 19 A. 19; J. Linderski, in: Studi in onore di Ed. Volterra, Bd. 2, Milano 1971, 281–302; Broughton 3, 148. 175), behinderten gemäss den Abmachungen von Luca die Konsulwahlen, damit ein Interrex gewählt sowie Pompeius und Crassus für das Konsulat gefördert würden; Caesar hatte versprochen, im Winter eine Reihe von Urlaubern für die Wahlen zu schicken (Broughton 2, 209)

– 56 C. Porcius Cato rief nach seinem vergeblichen Votum gegen die Absicht des Senats, Trauerkleider zu tragen, möglicherweise Leute vom Forum in die Curia, damit kein Beschluss gefasst werden konnte; die andern Tribunen hinderten sie jedoch am Eintreten (Dio 39,28; vgl. Mommsen, StR. 3, 978 A. 4; Meyer (CM, 150) denkt bei den Herbeigeholten an ferngebliebene Senatoren, die sich den Triumvirn gefügt hatten; Senatoren hätte der Zutritt zum Senat jedoch nur schwerlich verwehrt werden können); gegen die daraufhin getroffenen Beschlüsse erhob Cato erfolglos das Veto (s. oben S. 209. 214)

– 55 C. Trebonius befahl M. Porcius Cato nach Ablauf der im Zusammenhang mit der Zuteilung der konsularischen Provinzen Syrien und Spanien für zwei Stunden gewährten Redezeit, die Cato allerdings mit Schmähungen über die diesbezügliche Beschränkung sowie die gegenwärtige Lage der Res publica zugebracht hatte, zu schweigen und liess ihn fortführen (Dio 39,34,3–4; Plut. Cat. min. 43,3; vgl. Meyer, CM, 157; Gelzer, Pompeius, 156)

– 55 Volkstribunen, wohl C. Ateius Capito und P. Aquillius Gallus, interzedierten gegen die Aushebungen der Konsuln Pompeius und Crassus und wollten die *lex Trebonia de provinciis consularibus* aufheben; Pompeius liess daraufhin die Aushebungen durch seine Legaten ausführen und Crassus drohte mit Waffengewalt, worauf sich die Tribunen zurückhielten und schliesslich zur Verkündigung schlechter Omen übergingen (Dio 39,39; vgl. Meyer, CM, 171; Gelzer, Pompeius, 161f.)

– 54 Die Volkstribunen im Verbunde mit dem Konsul L. Domitius Ahenobarbus erhoben vergeblich Einspruch, als die Menge Iulia, die Frau des Pompeius, bei den Ehrengräbern auf dem Marsfeld begrub, ohne vorher die gesetzliche Erlaubnis dazu eingeholt zu haben (Dio 39,64; Plut. Caes. 23,4; Pomp. 53,4f.; Niccolini 312f., vgl. 421; dazu Gelzer, Pompeius, 167)

– 54 Q. Mucius Scaevola und einige seiner Kollegen kündigten neben zwei Praetoren die Interzession gegen den Triumph für C. Pomptinus an; ein Veto konnte schliesslich aber verhindert werden, indem der Praetor Ser. Galba die Volksversammlung unrechtmässig vor Tagesanbruch abhielt. Als einige Tribunen versuchten, den Triumphzug zu stören, kam es zu Blutvergiessen (Cic. Att. 4,18,4; Q. fr. 3,4,6; Dio 39,65; Cicero (Q. fr.) hatte erwartet, dass Pomptinus die Volkstribunen hinter sich haben werde)

– 53 Cato wandte sich an die Volkstribunen, als er nach der Wahl der Aedilen Abstimmungsbetrug feststellte, und erreichte, dass die Wahl für ungültig erklärt und darauf sein Anhänger M. Favonius gewählt wurde (Plut. Cat. min. 46; vgl. Meyer, CM, 219f.); ein Eingreifen der Volkstribunen ist nicht direkt bezeugt

– 52 M. Caelius Rufus, der die Interessen des Milo vertrat, erklärte die zwei von Pompeius am 26. Intercalaris im Senat beantragten Gesetzesvorschläge (*de vi* und *de ambitu*) für ein *privilegium* gegenüber Milo und wollte wohl interzedieren, was Pompeius zu Drohungen bewog; die Gesetze wurden daraufhin von der Volksversammlung angenommen (Asc. p. 34 St.; vgl. Lange, Röm. Alterthümer 3, 371f.; Meyer, CM, 230f.; Stein 53f. A. 291)

– 49 L. Caecilius Metellus versuchte vergeblich, Caesar an der Übernahme des hinterbliebenen staatlichen Reserveschatzes im Saturntempel zu hindern (Broughton 2, 259; J.-L. Ferrary, in: Mélanges J. Heurgon, Bd. 1, Rom 1976, 285–292)

– 44 Die Volkstribunen verhinderten eine *lex curiata*, die die bereits rechtskräftige Adoption Octavians durch Caesar öffentlich bestätigen sollte, und verboten Octavian zwischen dem 18. und dem 21. Mai auf Veranlassung des Antonius, die Caesar zugestandenen Insignien des Goldenen Sessels und des Goldkranzes ins Theater zu führen (Niccolini 351; Cic. Att. 15,3,2 billigt die Interzession in bezug auf den Amtssessel; zu Caesars Ehrenabzeichen vgl. auch Gelzer, Caesar, 293)

4. Das *ius auxilii*

Der Schutz vor koerzitiven magistratischen Übergriffen bildete die eigentliche, ursprüngliche Aufgabe des Volkstribunats. Die Volkstribunen konnten bedrohten Bürgern in jeder Situation beistehen, indem sie Anordnungen von Magistraten mittels Interzession unterbanden. Das Veto gegen das magistratische Dekret erfolgte im Prinzip erst nach einem Appell des Hilfesuchenden.[127] Es ist aber anzunehmen, dass das *auxilium* im Verlaufe der Republik zum Teil auch ohne Aufruf, also aus eigener Initiative eines Volkstribunen angeboten bzw. durchgeführt wurde, wie sich insbesondere anhand einiger Fälle der späten Republik erschliessen lässt. Bevor wir uns den betreffenden Beispielen zuwenden, sollen aber jene Interzessionen betrachtet werden, die auf Appellation erfolgten. Zu fragen ist allgemein nach dem Inhalt und Stellenwert des *ius auxilii* in der späten Republik. Haben die Volkstribunen auf diesem Gebiet noch eine Schutzfunktion für die Plebejer wahrgenommen?

Ein Hilferuf hatte im Normalfall eine gemeinsame Beratung im Tribunenkollegium zur Folge, in der über die Beantwortung des Appells entschieden wurde.[128] Dies galt insbesondere, wenn sich der Aufruf an alle Tribunen wandte, was üblich war. Der Appell konnte sich jedoch auch an einen einzelnen Tribunen richten und von diesem in alleiniger Kompetenz entschieden werden, wie der Fall des Vatinius vom Jahr 58 zeigt. Ein Mehrheitsbeschluss bei der Beratung im gesamten Tribunenkollegium war nicht unbedingt bindend, da ein einzelner Tribun auch gegen den Willen der andern Kollegen zur Interzession schreiten konnte. Es wird daher im Folgenden auch darauf zu achten sein, inwieweit es auf dem Gebiet des *ius auxilii* zu Konkurrenz im Tribunenkollegium kam.

J. Bleicken hat gezeigt, dass das *ius auxilii* in der mittleren Republik „von einer hochpolitischen Waffe zu dem Rechte einer mehr schematischen und sachlichen Beurteilung von Exekutivmassregeln“ herabgesunken war.[129] Die Fälle, in denen die Volkstribunen nach einem Aufruf interzedierten, waren nicht von einem übergeordneten politischen Konzept geleitet und richteten sich damit auch nie gegen die Interessen der Res publica. Nach Bleicken wurde das *auxilium* gegen das magistratische Imperium hauptsächlich bei Administrativverfahren hinsichtlich vermögensrechtlicher und militärischer Verpflichtungen gegenüber der Gemeinde sowie im Straf- und Privatprozess angefordert.[130] W. Kunkel hat zudem darauf aufmerksam gemacht, dass dem *ius auxilii* im Zivilprozess eine herausragende Rolle zuzuschreiben ist und es für die Bürger eine wichtige Schutzfunktion hatte.[131] Dies gilt auch für die Fälle der späten Republik. Hier gehörten die

127 Mommsen (StR. 1, 278f.) erachtet dies als zwingende Voraussetzung; anders Meyer (Staatsgedanke, 46. 173), nach dem Hilfe von den Tribunen frei gewährbar war; s. allg. Zon. 7,15.

128 Hier und im Folgenden: Rubino 25; Mommsen, StR. 1, 279f.; Lange, Röm. Alterthümer 1, 847; Eigenbrodt 88f.; als Beispiel vgl. unten den Fall des Damio vom J. 58.

129 Bleicken, Volkstribunat 1955, 83 (78ff.), vgl. 27 A. 2 zu den Fällen der J. 275–241. Nach Bleicken (7. 93f.) hat sich die Interzession ohne Aufruf um die Mitte des 3. Jh.'s eingebürgert.

130 Dazu auch Mommsen, StR. 1, 277f.; Eigenbrodt 67f.

131 Kunkel, Kl. Schr., 582f.; vgl. auch Eigenbrodt 71.

bekannten Appellationen bei vier Fällen in den Zusammenhang mit Zivilprozessen,[132] womit uns aber wohl nur der kleinste Teil tatsächlicher Hilferufe überliefert ist. Um sich gegen gerichtliche Schritte zur Wehr zu setzen, dürften die Tribunen für angeklagte Bürger stets eine entscheidende Instanz gebildet haben.

Hilfe von den Tribunen wurde in zwei Fällen auch im Strafprozess angefordert.[133] Zumindest im Falle des P. Vatinius, eventuell aber auch bei der Anklage gegen Caesar, kam der Aufruf im Zusammenhang mit einem Quaestionenverfahren zustande. Cicero bezeichnete dies als *inauditum* und sprach den Volkstribunen die Kompetenz, Gerichte zu verhindern, ab.[134] Die Interzession anlässlich einer *quaestio* war jedoch durchaus möglich, wie schon die Verschiebung des Oppianicus-Prozesses im Jahr 74 gezeigt hat.[135] Hilferufe im Zusammenhang mit Zivil- und Strafprozessen zielten entweder darauf ab, das Gericht ganz zu verhindern,[136] oder aber eine bestimmte formale Abänderung (im Verfahren) zu erreichen. In den Verfahren der Jahre 83 und 72/71 ging es dabei um die vom Praetor erteilte Prozessformel, im Falle des Vatinius im Jahr 58 um die Auswahl der Richter. Gegen das Urteil der *iudices* war die Interzession dann allerdings nicht mehr möglich.[137] Im Falle des Jahres 54 wurde die tribunizische Hilfe von den für das vom Senat beschlossene *tacitum iudicium* bestimmten Richtern angefordert, da diese nicht ohne Volksbeschluss richten wollten. Die Interzession wandte sich hier wohl gegen die Konstituierung des Gerichtes und später auch gegen die dem Volk vorgelegte, beauftragende Rogation. Im Jahr 119 hatte der Konsul L. Caecilius Metellus Hilfe gegen die drohende Verhaftung erhofft.

Bei den bekannten Appellationen der späten Republik fehlen damit im Unterschied zu denjenigen der mittleren Republik Beispiele aus dem Bereich des Administrativverfahrens. Interzessionen auf Appellation gegen die Dienstpflicht oder die Abgabe gewisser Steuern sind keine mehr bekannt. Inwieweit hier ein Zusammenhang mit den veränderten Rekrutierungsverhältnissen und Abgabesystemen besteht, muss fraglich bleiben. Wie oben gezeigt wurde, ging es in der späten Republik bei den Interzessionen gegen Aushebungen nicht mehr um Hilfe für Einzelpersonen, sondern ausschliesslich um übergeordnete politische Auseinandersetzungen. Bei den bekannten Appellen aus dem Strafprozess ist ferner in der späten Republik keine Zunahme festzustellen. Dies führt dazu, dass nur in

132 Vgl. unten zu den J. 83, 76, 72/71 und 58 (Damio); vgl. zudem die Vertagung eines Privatprozesses anlässlich des Oppianicusprozesses im J. 74 (oben S. 231) sowie die Hilfestellung des M. Terentius Varro (unten S. 239); allgemein dazu Eigenbrodt 70ff.; Lefèvre 60ff.

133 Vgl. die Fälle der mittleren Republik bei Bleicken, Volkstribunat 1955, 80; zudem Eigenbrodt 94ff.

134 Cic. Vat. 33.

135 Dazu oben S. 231; Eigenbrodt 97ff.; Herzog 1, 1156f.; Mommsen (StR. 1, 275 mit A. 3) nimmt das Interzessionsrecht der Volkstribunen bei Centumviral- und Quaestionengerichten nur beim Eingriff des Civilpraetors in die Prozessleitung (im Falle des Vatinius also gegen den Pr. C. Memmius, der die *quaestio* konstituierte) an; Zumpt (434ff.) hält die tribunizische Interzession bei einer *quaestio* im Falle von Formfehlern für möglich. Zu beachten ist auch der von Marcellinus geäusserte Vorschlag zur Konstituierung des Gerichtshofes gegen Clodius, der eine allfällige Verhinderung der *quaestio* als *contra rem publicam* erklären wollte (Cic. Q. fr. 2,1,2); vgl. zudem Saturninus im J. 100, der die *sella curulis* des Pr. Glaucia zerbrach, um ihn an der Abhaltung des Gerichtes zu hindern (vir. ill. 73,2).

136 Vgl. unten zum J. 58 (Caesar und Damio) und zum J. 76 (C. Antonius); vgl. auch zum J. 54; anlässlich des Verfahrens gegen Oppianicus im J. 74 kam es zu einer Prozessvertagung bzw. -verschiebung (vgl. oben S. 231).

137 Mommsen, StR. 1, 272 (A. 2); Herzog 1, 1156; Eigenbrodt 71.

einem Falle (L. Caecilius Metellus im Jahr 119; eventuell auch bei Caesar) die Tribunen gegen einen ihrer Kollegen zu Hilfe gerufen wurden. Ansonsten waren andere Magistrate bzw. Gerichtsvorsteher von dem tribunizischen Veto betroffen. In bezug auf das Veto im Strafprozess sind unten noch diejenigen Fälle zu betrachten, für die keine Appellation bezeugt ist, bevor weitergehende Aussagen gemacht werden können.

Mehrheitlich, aber nicht durchweg, beantworteten die Tribunen die Appellationen mit der Interzession. Erfolglos waren L. Caecilius Metellus (119) und P. Fabius (72/71). Dies trifft auch für die beiden undatierten Fälle des P. Munatius Ebria und des C. Cornelius zu,[138] die wegen gemeinen Straftaten inhaftiert wurden. Aus diesem Grund ist anzunehmen, dass das *ius auxilii* nie allgemein zur Deckung von Verbrechen unpolitischer Natur diente.[139] In keinem der bekannten Beispiele überliess ein Volkstribun die Entscheidung über die Appellation dem Senat (*rem ad senatum reicere*), wie dies in der mittleren Republik des öftern praktiziert worden war.[140] Dies weist darauf hin, dass die Tribunen in der letzten Phase der Republik vermehrt ohne Rücksicht auf die Senatsmehrheit handelten. Auch wenn die Hilferufe nicht mehr wegen grundsätzlicher Verpflichtungen gegenüber dem Staate, über die der Senat wachte, zustandekamen, ist auch auf dem Gebiet des *ius auxilii* ein Rückgang direkter Zusammenarbeit zwischen Volkstribunat und Senat festzustellen.

Das *ius auxilii* wurde in den uns überlieferten Fällen, ausser vielleicht bei Damio (58), der aber immerhin Schreiber des Clodius war, nicht von einfachen Plebejern, sondern von Magistraten, Richtern und einflussreichen Angeklagten[141] in Anspruch genommen. Wie in der mittleren Republik befanden sich darunter auch Patrizier.[142] Das Hilferecht der Volkstribunen, als Errungenschaft des Ständekampfes, wurde auch in der aus Plebejern und Patriziern formierten Oberschicht der Nobilität hochgeschätzt. Inwieweit dieser Schutz noch von einfachen Bürgern angefordert wurde, ist uns nicht bekannt. Doch ist anzunehmen, dass die hohe Wertschätzung des *ius auxilii* konkrete Verwurzelung in breiteren Schichten hatte. Die Volkstribunen haben daher vermutlich mit ihrem Hilferecht auch in der ausgehenden Republik eine wichtige Funktion für die Plebejer ausgeübt. Zu beachten ist, dass ein Volkstribun nach dem Zeugnis Plutarchs seine Haustür auch nachts offenlassen musste,[143] um so stets erreichbar zu sein. Zudem durfte er höchstens einen Tag von Rom wegbleiben.[144] Den Volkstribunen war also eine dauernde Präsenz auferlegt, mit der den

138 Vgl. A. 148.

139 Vgl. Mommsen, Strafr., 328: Gemeinen Verbrechern wurde die Befreiung aus der Untersuchungshaft versagt.

140 Vgl. Bleicken, Volkstribunat 1955, 83ff.

141 Lefèvre (129f.) meint, dass Interzessionen bei Zivilgerichten nur zugunsten des Angeklagten möglich waren. Appelle von Angeklagten sind zwar näherliegend, sie sind grundsätzlich aber auch von Anklägern denkbar.

142 Vgl. Bleicken, Volkstribunat 1955, 81 A. 4; ferner Lange, Röm. Alterthümer 1, 839f.; Niccolini, tribunato, 99; als Beispiel zur späten Republik ist Caesar anzuführen.

143 Plut. QR. 81. Ob sie Ti. Gracchus geschlossen hielt, ist nicht auszumachen: Er fürchtete jedenfalls ein nächtliches Eindringen seiner Gegner (Plut. T. G. 16,3: δεδοικέναι φήσας μὴ νυκτὸς ἐκκόψωσι τὴν οἰκίαν). Die offene Tür ist wohl nicht wörtlich zu nehmen und schliesst eine Bewachung des Hauses nicht aus. C. Gracchus verlegte seine Wohnung aufs Forum (Plut. C. G. 12,1), um seine Präsenz und Verbundenheit mit der Plebs zu verdeutlichen.

144 Gell. 3,2,11. 13,12,9; Dion. Hal. 8,87,6: ausser an den *feriae Latinae*; vgl. Lange, Röm. Alterthümer 1, 826f.; Niccolini, tribunato, 85. 123.

Bürgern jederzeit ein Organ zur Verfügung stehen sollte, bei dem sie Schutz suchen konnten.

Das *ius auxilii* hatte seine Bedeutung nicht nur in der konkreten Hilfe, sondern besonders auch als propagandistischer Idealbegriff, der einen Bestandteil der römischen *libertas* darstellte.[145] Das Volkstribunat bezog aus ihm den Hauptteil seiner Legitimation.[146] Damit wurde es auch zu einem der Grundelemente der republikanischen Verfassung. Der Wert des *ius auxilii* wurde von niemandem in Frage gestellt. Selbst Q. Cicero, der im Dialog De legibus (3,22) Einschränkungen des Volkstribunats befürwortete, hielt an diesem Aspekt des Tribunats fest.

Auch Sulla hatte das *ius auxilii* bei seinen Beschränkungen ausgenommen.[147] Für die Anwendung des Hilferechts zur Zeit der sullanischen Restriktionen sind uns konkrete Fälle überliefert (C. Antonius Hibrida im Jahr 76; P. Fabius im Jahr 72/71). In vorsullanischer Zeit ist nur eine einzige Appellation bezeugt, so dass das *ius auxilii* im politischen Tageskampf möglicherweise nicht zuungunsten des Senats missbraucht worden war und für die Res publica keine Gefahr darstellte. Andererseits hatte Sulla aber den Tribunen die Möglichkeit des Volksprozesses genommen, durch den früher Missachtungen der tribunizischen Interzession geahndet und somit die Absolutheit des *ius auxilii* garantiert werden konnte. Auch wenn solche Vergehen seit der *lex Appuleia de maiestate* vor einer *quaestio* abgeurteilt werden konnten, so erwies sich die Einschränkung des Tribunats für das römische Wertesystem als untragbar. Durch die Beschränkung des Volkstribunats war möglicherweise auch der Provokationsprozess und damit das Provokationsrecht im allgemeinen gefährdet. Cicero sah daher auch, dass auf Restriktionen des Volkstribunats gänzlich verzichtet werden musste und war dabei bereit, über Nachteile, die im Einzelfall durch den Eingriff eines Tribunen entstehen konnten, hinwegzusehen. Das *ius auxilii* erachtete er als obersten Grundsatz des Tribunats und forderte, dass das Interzessionsrecht absolute Gültigkeit haben sowie die Tribunen Unverletzlichkeit geniessen sollten (leg. 3,9).

In der späten Republik sind folgende Hilferufe an die Volkstribunen bekannt:[148]

– 119 L. Caecilius Metellus appellierte an die Volkstribunen, als ihn der Amtsdiener des Marius verhaften wollte, doch keiner schritt ein, worauf die Konsuln ihre Opposition gegen Marius' Gesetz über die Verschmälerung der Wahlstege einstellten (Plut. Mar. 4)

145 Liv. 3,45,8, vgl. 53,4; zuletzt K. Raaflaub, HZ 238, 1984, 529ff., bes. 543 und 547ff.; ferner Stylow 10; Bleicken, Staatliche Ordnung, 31ff.

146 Wirszubski 64; Bleicken, Staatliche Ordnung, 33.

147 Cic. leg. 3,22.

148 Undatiert sind die folgenden zwei Appellationen republikanischer Zeit, die beide Hilfe gegen Tresviri Capitales anforderten, jedoch unbeantwortet blieben (vgl. Niccolini 449):
– P. Munatius Ebria wurde von den Triumviri Nocturni ins Gefängnis geworfen, da er eines nachts der Marsyasstatue auf dem Forum den Kranz genommen und sich selbst aufgesetzt hatte. Sein Aufruf an die Volkstribunen war vergeblich (Plin. NH. 21,8; F. Münzer (RE 16, 1933, 537) datiert das Ereignis in die zweite Hälfte des 2. Jh.'s v. Chr.).
– C. Cornelius, ein verdienter Primipilar, wurde von dem Triumvir Capitalis C. Pescennius wegen Knabenschändung (*stuprum*) verhaftet und gab sich nach dem erfolglosen Appell den Tod (Val. Max. 6,1,10; F. Münzer (RE 4, 1900, 1252) erwägt als Datum die Zeit des ersten oder (wahrscheinlicher) des dritten punischen Krieges; vgl. auch S. Lilja, Homosexuality in Republican and Augustan Rome, Ekenäs, 1983, 108. 110f. 122 A. 151. 129).

– 83 Sex. Alfenus, der Bevollmächtigte des abwesenden P. Quinctius, rief im Privatprozess gegen Sex. Naevius die Volkstribunen an, da er im Falle der Verurteilung für Naevius' Forderungen Sicherheit leisten sollte; nach Cicero, dem Vertreter des Quinctius, erfolgte die Appellation zu Recht (Cic. Quinct. 63ff., vgl. 29. 87). Der Tribun M. Iunius Brutus bewirkte einen Aufschub des Prozesses (Cic. Quinct. 65), der erst im J. 81 wieder aufgenommen wurde (Eigenbrodt 73ff.; Lefèvre 66ff.)

– 76 C. Antonius Hibrida rief die Volkstribunen an, als er von den durch Caesar vertretenen Griechen in einem Zivilprozess vor dem Pr. Peregrinus M. Terentius Varro Lucullus wegen seiner Plünderungen in Griechenland angeklagt wurde. Antonius erkannte nicht an, dass der Pr. Peregrinus auch über römische Bürger entscheiden konnte. Die Tribunen müssen interzediert haben, da Antonius im J. 70 wegen Umgehung des Gerichts von der Senatsliste gestrichen wurde (Broughton 2, 93; vgl. Mommsen, StR. 1, 274 (A. 5); Eigenbrodt 84f.; Lengle, Sulla, 14f.; Lefèvre 61ff.; Gelzer, Caesar, 21; J. Malitz, Hermes 100, 1972, 370)

–72/71 P. Fabius rief beim *in iure*-Verfahren vor dem Praetor die Tribunen an, als er von M. Tullius, der von Cicero vertreten wurde, angeklagt war. Er wollte erreichen, dass untersucht werde, ob die Tat widerrechtlich (*iniuria*), also nicht in Notwehr, begangen wurde, was Cicero allerdings ablehnte, da er dies wegen des Deliktbestandes (Waffengewalt und Einsatz von Banden) voraussetzte; Fabius drang mit seiner Forderung jedoch nicht durch (Cic. Tull. 38ff.; vgl. Eigenbrodt 81ff.; Lefèvre 89ff.; Cocchia di Enrico 473ff.)

–58/56 C. Iulius Caesar rief als Prokonsul alle Tribunen an, um der Anklage des L. Antistius zu entgehen. Der Prozess kam nicht zustande (Suet. Iul. 23; zur Datierung sowie der Frage, ob vor dem Volksgericht oder einer *quaestio* – wofür Eigenbrodt (98) und E. S. Gruen (Athenaeum 49, 1971, 64) eintreten – verhandelt werden sollte, vgl. oben S. 158)

– 58 P. Vatinius, Volkstribun des J. 59 und jetziger Legat Caesars, rief speziell Clodius an, um sich anlässlich des ihm drohenden Gerichtsverfahrens wegen Verletzung der Promulgationsvorschriften gegen die vom Pr. C. Memmius vorgesehene *quaesitor*-Bestellung zur Wehr zu setzen. Als der Prozess trotzdem durchgeführt werden sollte, griff Clodius mit Mitteln der Gewalt ein, so dass das Verfahren zum Erliegen kam (Cic. Vat. 33f., vgl. Sest. 135; Schol. Bob. p. 140. 150 St.; dazu Eigenbrodt 99f.; vgl. auch E. Badian, in: Polis and Imperium, Studies in Honour of E. T. Salmon, Toronto 1974, 154ff., gegen E. S. Gruen, Athenaeum 49, 1971, 65ff.)

– 58 Damio, Freigelassener und Schreiber des Clodius, rief in einem Zivilprozess die Volkstribunen gegen den Praetor L. Flavius zu Hilfe. Damio hatte den Tribunen L. Novius verwundet und war an der Belagerung von Pompeius' Haus beteiligt gewesen. Als die Volkstribunen über die Appellation berieten, beschloss Novius gleichwohl, das *iudicium* aufzuheben (Asc. p. 40 St.; vgl. Mommsen, StR. 1, 275 A. 3; Eigenbrodt 101; Lefèvre 65f.; J. L. Strachan-Davidson, Problems of the Roman Criminal Law, Bd. 1, Oxford 1912, 168; Vitzthum 11f.)

– 54 Einige Richter, die auf Senatsbeschluss für ein *ambitus*-Verfahren (*tacitum iudicium*) gegen die Konsulkandidaten bestimmt worden waren, das noch vor den Wahlen stattfinden sollte, riefen die Tribunen an, da sie nicht ohne Volksbeschluss richten wollten. Die Sache kam zu Fall, die Wahlen wurden verschoben, und der Antrag für ein Gerichtsverfahren wurde jetzt den Comitien vorgelegt, wobei Terentius interzedierte. Der Senat beschloss darauf, dass die Wahlen so schnell wie möglich stattfinden sollten (Cic. Att. 4,17,3; vgl. E. S. Gruen, in: Hommages à M. Renard, Bd. 2, Bruxelles 1969, 311–321, bes. 318)

In weiteren Fällen, in denen die Tribunen im Sinne des *auxilium* interzedierten oder eine Interzession anstrebten, haben wir keine direkten Anzeichen für eine Appellation. Besonders in denjenigen Fällen, in denen Tribunen gegen die Verhaftung eines oder mehrerer Bürger durch einen andern Tribunen interzedierten bzw. die betreffenden Leute nach erfolgter Einsperrung aus der Haft befreiten, fehlen uns Erwähnungen vorhergehender Appelle.[149] Dies schliesst allerdings nicht aus, dass trotzdem Hilferufe vorgelegen haben.

149 Bekannt ist ein Appell bei L. Caecilius Metellus im J. 119 sowie bei den in A. 148 erwähnten P. Munatius Ebria und C. Cornelius, bei denen der Aufruf allerdings jeweils vergeblich war.

Nur im Falle der Verhaftung des Konsuls Q. Caecilius Metellus Celer durch den Volkstribunen L. Flavius im Jahr 60 wissen wir sicher, dass andere Tribunen von sich aus die Interzession anboten, die der Konsul dann allerdings ausschlug.[150] Eine weitere Hilfeleistung aus eigener Initiative nahm möglicherweise D. Laelius im Jahr 54 vor, der den von C. Memmius vorgeladenen A. Gabinius auf einer *contio*, die der geplanten Anklage vor dem Geschworenengericht voraufging, zu entlassen befahl und dabei die Zustimmung des Volkes fand.

Bei allen Interzessionen im Sinne des *auxilium*, für die wir kein Zeugnis einer Appellation haben, boten die Volkstribunen ihre Hilfe Leuten an, die von einem oder mehreren andern Tribunen bedroht wurden. Das *ius auxilii* ausserhalb des Privatprozesses wurde jetzt nicht mehr vorwiegend gegen magistratische Akte, sondern gegen tribunizische Gewaltmassnahmen eingesetzt. Im Falle des Caecilius Metellus Macedonicus (131) handelte es sich dabei um eine Bedrohung mit dem Felssturz, im Falle des Caepio (103) und des Caecilius Metellus Numidicus (100) um einen Volksprozess und im Falle des A. Gabinius (54) um die Denunziation vor der Volksversammlung. Akte im Zusammenhang mit einem Volksprozess betraf die tribunizische Interzession auch im Falle der Vorladung des Iugurtha (sowie möglicherweise im Falle des Caesar).[151]

Gegen die Aussage des Iugurtha im Jahr 111 blieb die Interzession erfolgreich. C. Memmius liess trotz der Empörung in der Volksversammlung keine Gewalt gegen den Interzedenten zu. Es kam hier nicht zu einem Härtetest wie bei Ti. Gracchus und einigen weiteren Interzessionen gegen populare Rogationen. Allgemein erschien die Interzession senatstreuer Tribunen gegen Anklagen von popularer Seite wohl zu riskant und aussichtslos. Im Falle der Anklage des C. Norbanus gegen Caepio wurden die Interzedenten vom Forum vertrieben.[152] Die tribunizische Interzession war daher nur bedingt als Abwehrmassnahme gegen Anklagen von popularer Seite verwendbar. Caepio und Caecilius Numidicus waren als Opfer popularer Angriffe durch die tribunizische Interzession nicht mehr vor Strafe zu bewahren. Die beiden Fälle zeigen jedoch, dass das *ius auxilii* jetzt auch für Ereignisse von grösserer politischer Bedeutung eingesetzt wurde und nicht nur dem Privatprozess galt. In der Folge kam der Volksprozess aber immer mehr ausser Gebrauch, so dass sich hier auch kaum noch Interzessionen aufdrängten und im Zweifelsfalle Methoden der Gewalt den Ausschlag über die Durchführung einer Verhandlung gaben. Unter den als Volksprozess in Frage kommenden Verfahren ist jedenfalls nach dem Jahr 70 keines mehr bekannt, das ungehindert ablief bzw. mit der Verurteilung endete. – Caesar bediente sich nochmals der tribunizischen Interzession, um der Anklage von optimatischer Seite zu entgehen. Er war jedoch wegen seiner Abwesenheit von Rom nicht mehr zu belangen.

Insgesamt ist festzuhalten, dass das *ius auxilii* in der späten Republik häufiger für politische Prozesse ausgenutzt wurde. Die Fälle tribunizischen Beistandes in der Jurisdiktion vermehrten sich offenbar gegenüber der mittleren Republik, denn jetzt ergaben sich wegen der verschärften politischen Konkurrenz auch mehr Anklagen unter den Senatoren.

150 Dieser Fall spricht gegen Mommsens Annahme (StR. 1,278f.), dass ein Appell bei Hilfeleistungen der Tribunen zwingend vorausgesetzt werden muss.

151 Vgl. oben S. 231.

152 Cic. de or. 2,197.

Dies zeichnet sich auch bei den Interzessionen gegen die Verhaftung ab, die anschliessend noch zu behandeln sind. Abgesehen von den Interzessionen gegen *prensiones* und Befreiungen aus der Haft, kennen wir somit folgende Hilfeleistungen gegen tribunizische Massnahmen, für die keine Appellationen bezeugt sind, die aber in die Situation des *ius auxilii* passen:[153]

– 131 Q. Caecilius Metellus Macedonicus, Censor, wurde vom tr. pl. C. Atinius Labeo Macerio mit dem Sturz vom Tarpeischen Felsen bedroht. Die andern Tribunen leisteten Hilfe (Liv. per. 59: *auxilio fuerunt*); nach Plinius (NH. 7, 143) interzedierte ein Tribun

– 103 L. Aurelius Cotta und T. Didius wollten gegen C. Norbanus, der Q. Servilius Caepio anklagte, interzedieren, wurden jedoch gewaltsam vom Forum vertrieben (Cic. de or. 2,197)

– 100 Q. Caecilius Metellus Numidicus wurde von den übrigen Volkstribunen in Schutz genommen, als Saturninus einen Amtsdiener gegen ihn aussandte (App. BC. 1,31,138f.)

– ? M. Terentius Varro sorgte zu einem unbekannten Zeitpunkt (noch unter der Herrschaft Sullas oder in der Zeit danach) dafür, dass niemand, der von einem seiner Kollegen (vor Gericht) geladen wurde, ungewollt Folge zu leisten brauchte (Gell. 13,12,6; vgl. Niccolini 432 f.; H. Dahlmann, RE Suppl. 6, 1935, 1176)

– 54 D. Laelius befahl C. Memmius auf einer *contio*, den von ihm angeklagten A. Gabinius zu entlassen (Val. Max. 8,1 abs. 3); das Gericht selbst wurde dadurch nicht verhindert

In weiteren Fällen interzedierten Volkstribunen gegen Verhaftungen (*prensiones*), die zum Zwecke der gerichtlichen Verfolgung bzw. als Zwangsmittel, um jemanden von seiner Opposition abzubringen, vorgenommen wurden,[154] oder befreiten bereits Inhaftierte aus dem Gefängnis.[155] Eine Appellation ist uns in keinem der Fälle bezeugt. Es handelte sich meist um kollegiale Interzessionen, da politisch motivierte Verhaftungen offenbar hauptsächlich von Volkstribunen durchgeführt wurden.[156] Im Falle des Caepio (103), des Caecilius Metellus Celer (60) und des Bibulus (59) wurden Opfer von popularen Angriffen in Schutz genommen. Einzelne *nobiles* hatten hier Helfer im Volkstribunat. Von optimatischer Seite motiviert war zudem die Befreiung eines Sklaven des Milo im Anschluss an die Ermordung des Clodius. Sie bezweckte, dass dieser nicht zur Aussage gegen seinen Herrn beigezogen werden konnte. Als populare Aktionen wurden die Befreiungen des Tigranes (58) und der Gladiatoren des Appius Claudius (57) vorgenommen. Crassus fand im Tribunenkollegium Helfer, die ihn gegen die Angriffe anderer Volkstribunen bezüglich seines Abgangs in den Partherkrieg in Schutz nahmen.

Die Volkstribunen zeigten somit auch im Bereich des *ius auxilii* unterschiedliche Verhaltensweisen. Das *ius auxilii* diente jetzt vermehrt zur Abwehr politischer Angriffe und erhielt zusätzlichen Wert als Instrument in den Auseinandersetzungen der Nobilität. Im

153 Als Hilfeleistung zu erwähnen sind ferner C. Baebius' Interzession gegen Iugurtha (vgl. oben S.231), die Interzession gegen die Aushebung (oben S. 224f.), das Veto gegen die *leges Pompeia de vi* und *de ambitu* (oben S. 232) sowie das Veto gegen die *lex Varia* (oben S. 222); vgl. auch Pompeius' Beiziehung der Tribunen anlässlich des Triumphes des Metellus Creticus, S. 231. Cicero ging im J. 56 mit Milo und einigen Volkstribunen aufs Capitol und wollte die von Clodius in Erinnerung an Ciceros Exil aufgestellten Stelen entfernen, was vorerst verhindert werden konnte (Dio 39,21,1f.).

154 Vgl. oben S. 189ff.

155 Befreiungen aus dem Gefängnis konnten in einzelnen Fällen offenbar unter Strafe gestellt werden: So wurde im Falle des Vettius gegen die Haftbefreiung die *hostis*-Erklärung angedroht (Cic. Att. 2,24,3).

156 Zu den Verhaftungen Caesars: Mommsen, StR. 1, 153 A. 4ff.

Falle der Verhaftung des Konsuls Q. Caecilius Metellus Celer sowie des Cato zeigte sich aber, dass bedeutende Leute der Oberschicht tribunizische Hilfe auch bewusst ausschlagen konnten. Das Wirken der Tribunen war damit wiederum von den Machtumständen abhängig.

Insgesamt war die Hälfte aller Interzessionen im Sinne des *auxilium* kollegial. Dies deutet darauf hin, dass auch auf dem Gebiet des *ius auxilii* gesteigerte Konkurrenz unter den Volkstribunen auftrat. Die Tribunen entbehrten, wie alle an der Regierung Beteiligten, in politischen Fragen jetzt des öftern des Konsenses. Zudem traten sie im Zuge der verschärften politischen Auseinandersetzungen vermehrt im strafrechtlichen Bereich auf, während sie gleichzeitig bei den Gerichtsverfahren verstärkt als Schutzbehörde für Angeklagte fungierten.

Interzessionen gegen Inhaftierungen sind folgende bekannt:

– 103 L. (Antistius?) Reginus befreite den bereits verurteilten Q. Servilius Caepio aus dem Gefängnis und floh mit ihm ins Exil (Val. Max. 4,7,3)

– 60 Als L. Flavius den Konsul Q. Caecilius Metellus Celer verhaftete, boten die andern Volkstribunen dem Festgenommenen ihre Hilfe an, was dieser jedoch ausschlug (Dio 37,50)

– 59 Caesar soll heimlich einen Volkstribunen gegen die Verhaftung Catos Einspruch erheben lassen haben, nachdem er Cato wegen seines Widerstandes im Senat gegen das Ackergesetz durch einen Liktor verhaften lassen hatte und sich dieser nicht wie erwartet gegen die *prensio* zur Wehr setzte (Plut. Caes. 14,7; Cat. min. 33,1f.)

– 59 Kollegen des P. Vatinius interzedierten, als dieser den Konsul M. Calpurnius Bibulus wegen dessen Opposition gegen Caesar ins Gefängnis abführen lassen wollte (Cic. Vat. 21f.; Schol. Bob. p. 147 St.; Dio 38,6,6; vgl. Eigenbrodt 59f.; Gelzer, Caesar, 71)

– 58 P. Clodius Pulcher befreite Tigranes d. J. von Armenien, den Pompeius als Gefangenen nach Rom gebracht hatte, aus der Haft im Hause des L. Flavius, so dass ihm die Flucht ermöglicht wurde (Dio 38,30,1f.; Niccolini 296; vgl. F. Geyer, RE 6 A, 1936, 979; Gelzer, Pompeius, 142)

– 57 Sex. Atilius Serranus Gavianus befreite Gladiatoren des Praetors Ap. Claudius Pulcher, die im Dienste des Clodius standen und nach einem Geständnis (ihrer Gewalttaten) im Senat von Milo ins Gefängnis geführt worden waren (Cic. Sest. 85). Der Zeitpunkt der Interzession ist nicht genauer bestimmbar

– 55 Kollegen des C. Ateius Capito interzedierten, als dieser den Konsul M. Licinius Crassus wegen seiner vergeblichen Interzession gegen die Aushebungen verhaften liess (Dio 39,39,6f.; dazu Eigenbrodt 59)

– 52 M. Caelius Rufus und Manilius Cumanus befreiten einen Sklaven des Milo, der unter Mordverdacht an Clodius stand, aus der Haft, um ihn zu Milo zurückzubringen und damit einem Verhör zu entziehen (Asc. p. 34 St.)

Das Volkstribunat erfuhr jedoch auch in seinem *ius auxilii* eine Aushöhlung. Als Caesar die Kompetenzen der Res publica zu monopolisieren begann, kamen keine politisch motivierten Interzessionen innerhalb des *ius auxilii* mehr zustande. Jedenfalls sind uns keine solchen überliefert. Die Gebundenheit der Volkstribunen an Rom sowie ihre personelle Beschränkung auf zehn Vertreter hatten zur Folge, dass die Vorteile der tribunizischen Hilfe auf die Bevölkerung der Hauptstadt beschränkt blieben. Da die Tribunen ihren Wirkungskreis nicht über die Stadt Rom hinaus ausweiten konnten, musste sich das Tribunat angesichts des wachsenden Bürgerverbandes längerfristig als ungenügende Institution erweisen. Das *ius auxilii* wurde unter Octavian von der Person des Tribunen losgelöst und auf den Herrscher übertragen, der diese Kompetenz an Consulare delegieren und damit die Appellation im ganzen Reich garantieren konnte.[157] Gleichzeitig profitierte der Kaiser von der tribunizischen Schutzfunktion, um seine eigene Stellung zu legitimieren. Das Volkstribunat hatte damit seine grundlegendste Bedeutung verloren.

5. Das *ius obnuntiandi*

Abschliessend ist nach den Handlungen der Tribunen im religiösen Bereich zu fragen. Dabei sollen zuerst die formalen Rechte betrachtet werden, um danach deren konkrete Anwendungen zu untersuchen. Es stellt sich die Frage, ob die religiöse Obstruktion einen Ersatz für die Interzession, deren Gültigkeit seit Ti. Gracchus angeschlagen war, bildete und welche Interessen sich mit den Obnuntiationen der Tribunen verbanden. Da uns für die Tribunen der mittleren Republik nichts über Obnuntiationen in politischer Verwendung bekannt ist,[1] gilt es in der späten Republik der religiösen Obstruktion als Mittel in den verschärften Auseinandersetzungen innerhalb der römischen Führungsschicht besondere Aufmerksamkeit zu schenken.

Das römische Sakralrecht verlangte bei jedem magistratischen Akt die Beachtung göttlicher Vorzeichen (*auspicia*).[2] Bevor eine öffentliche Handlung vollzogen werden konnte, mussten bestimmte Beobachtungen, etwa das Verhalten gewisser Tiere (besonders des Hühnerfrasses und des Vogelfluges) oder des Himmels (auf Blitzzeichen) vorgenommen werden (*auspicia impetrativa*),[3] die bei ungünstigem Ergebnis den beabsichtigten Akt verboten bzw. aufschoben. Wurden vor oder während einer Beamtenhandlung ohne direkte Befragung dieser Vorzeichen ungünstige Götterzeichen wahrgenommen (*auspicia oblativa*) und dem leitenden Magistraten gemeldet (*obnuntiatio*), so hatte dies dieselbe Wirkung.

Solche Meldungen konnten von jedem römischen Bürger eingebracht werden, hatten für die Volkstribunen wohl aber nur verbindlichen Charakter, wenn sie von den Augurn, Kollegen oder den Obermagistraten gemeldet wurden.[4] Die Augurn konnten den Volksversammlungen und *concilia plebis* beiwohnen und nach Cicero jederzeit durch die Beobachtung ungünstiger Vorzeichen den Abbruch der Versammlungen veranlassen.[5] Für die Volkstribunen der späten Republik haben wir allerdings keinen solchen Fall überliefert. Daraus ergibt sich die Vermutung, dass von seiten der Augurn auf diesem Gebiet keine missbräuchliche Verwendung der Obnuntiation erfolgte. Möglicherweise hätten sich einzelne Tribunen dadurch auch nicht behindern lassen. Zu fragen ist daher, inwiefern die Obnuntiation von anderer Seite als Obstruktionsmittel gegen die Politik von Volkstribunen eingesetzt wurde.

157 Dio 51,19,6; vgl. Tac. ann. 1,2,1; dazu F. De Visscher, SDHI 5, 1939, 113ff.; Z. Yavetz, Plebs and Princeps, Oxford 1969, 93; R. A. Bauman, RhM 124, 1981, 173; D. Kienast, Augustus. Prinzeps und Monarch, Darmstadt 1982, 68 A. 6. 142.

1 Vgl. dazu auch Mommsen, StR. 1, 112.

2 Mommsen, StR. 1, 76ff.; G. Wissowa, RE 2, 1896, 2580ff.; St. Weinstock, RE 17, 1937, 1726; G. Wissowa, Religion und Kultus der Römer, ND München 1971, 386f.

3 Mommsen, StR. 1, 78ff.

4 Mommsen, StR. 1, 109f. 113f.; Herzog 1, 627ff.

5 Cic. leg. 2,31. 3,11, vgl. 2,21; Mommsen, StR. 1, 110 A. 1. 2, 285; G. Wissowa (vgl. A. 2) 531f.

Das Recht, impetrative Auspizien einzuholen, stand neben den Auguren ursprünglich nur den curulischen Magistraten zu. Ob die Volkstribunen je das Recht auf eigenständige Befragung der Götterzeichen erhielten, bleibt fraglich.[6] Für Gerichtsverhandlungen vor den Centuriatcomitien hatten die Tribunen in der mittleren Republik jedenfalls noch die Praetoren um die Zuteilung eines Termins angegangen und sich damit wohl auch über den Praetor die Auspizien verschafft.[7] Für dieses Verfahren haben wir in der späten Republik kein sicheres Zeugnis mehr, so dass keine Rückschlüsse auf die Auspikation im Bereich der von Volkstribunen geleiteten Volksversammlungen möglich sind. Gesichert bleibt daher nur, dass den Volkstribunen die verbindliche Meldung ungünstiger Vorzeichen in Form der oblativen Auspizien zustand.[8]

Die Anwendung der Obnuntiation wurde allgemein durch die *leges Aelia et Fufia* geregelt, die im mittleren 2. Jh. erlassen worden waren.[9] Es handelt sich dabei um zwei verschiedene – unsicher ob tribunizische[10] – Gesetze, deren Inhalte uns nicht genau bekannt sind. Sie müssen jedenfalls Anordnungen über die Abhaltung von Volksversammlungen enthalten haben.[11] Zu vermuten ist, dass sie das Obnuntiationsrecht der Tribunen sicherten und zwar nicht nur gegenseitig im Tribunenkollegium, sondern auch im Bereiche der patrizisch-plebejischen Comitien.[12] Unklar bleibt, ob die beiden Gesetze den Obermagistraten das Recht der Obnuntiation gegen die Volkstribunen verschafften. E. J. Weinrib hat dies abgelehnt, da wir keinen einzigen sicheren Beleg einer rechtmässigen Obnuntiation eines curulischen Magistraten gegen einen Volkstribunen haben.[13] Jedenfalls richteten sich

6 Dafür sprechen könnte Zon. 7,15: μαντείᾳ χρῆσθαι und 7,19: οἰωνοσκοπία χρῆσθαι, dem St. Weinstock (RE 17, 1937, 1730ff.) und Lange (Röm. Alterthümer 1, 829) folgen; ablehnend sind: Mommsen, StR. 2, 282ff.; Herzog 1, 1161ff.; Bleicken, Volkstribunat 1955, 26 A.1; vgl. dazu auch Dion. Hal. 9,49,5.

7 Vgl. oben S. 149. Mommsen (Strafr., 168 A. 5) nimmt auf Grund von Cic. har. resp. 7 im Falle des von Clodius geplanten Prozesses gegen Cicero in der späten Republik nochmals ein solches Verfahren an (vgl. auch Bleicken, Volkstribunat 1955, 112 A.3).

8 Mommsen, StR. 2, 282ff.; Herzog 1, 1161ff.; G. Wissowa, RE 2, 1896, 2584f.; St. Weinstock, RE 17, 1937, 1730ff.; J. Linderski (JUD 1969/70, 321) erachtet die tribunizische Obnuntiation als unverbindlich.

9 Cic. Pis. 10 bezeichnet ihr Alter im J. 58 als *centum prope annos*. Vgl. Rotondi 288f.; Herzog 1, 1162f.; Bernstein 247ff.

10 Mit tribunizischen Gesetzen rechnen Mommsen (StR. 1, 111 A. 4), Niccolini (408) und Broughton (1, 452f.). Taylor (Forerunners, 23) vermutet den Pr. Urbanus als Rogator; vgl. auch L. Lange, Kleine Schriften, Bd. 1, Göttingen 1887, 283f.; Röm. Alterthümer 1, 830.

11 A. E. Astin, Latomus 23, 1964, 428f.; E. J. Weinrib, ZRG 87, 1970, 417. Cicero (Sest. 56) zählt die beiden Gesetze zur Kategorie *de iure et de tempore legum rogandarum*. Konkret kennen wir nur die Vorschrift, dass zwischen der Ankündigung und der Abhaltung einer Wahlversammlung keine Gesetzescomitien abgehalten werden durften (Schol. Bob. p. 148 St.). Dies sollte davor schützen, dass kurz vor den Wahlen Gesetze vorgelegt wurden, die nur im Sinne der eigenen Wahlpropaganda verfasst wurden (A. E. Astin, Latomus 23, 1964, 440, der die Gesetze als konkrete Reaktion auf die Ereignisse des J. 148 sieht, als der Senat die Volkstribunen anwies, die Wahlvorschriften für ein Jahr aufzuheben, damit Scipio Konsul werden konnte; App. Pun. 112; vgl. Liv. per. 50).

12 So Taylor, Forerunners, 23 und E. J. Weinrib, ZRG 87, 1970, 401.

13 E. J. Weinrib, ZRG 87, 1970, 398ff., der darauf hinweist, dass Vatinius' Missachtung von Bibulus' Edikt, er werde täglich den Himmel beobachten, ihm bei Cicero nicht zum Vorwurf gemacht wurde, also nicht gesetzwidrig war (401f.). J. Linderski (Historia 14, 1965, 425) meint, dass Bibulus'

die Gesetze nach Cicero gegen das Wirken der Volkstribunen.[14] Obwohl um die Mitte des 2. Jh.'s noch keine sicheren Zeugnisse für Gesetzesvorlagen, die gegen den Willen der Senatsmehrheit eingereicht wurden, vorliegen und auch die Wirksamkeit der tribunizischen Interzession, als Mittel gegen eventuelle eigenwillige politische Handlungen einzelner Tribunen, noch nicht in Frage gestellt war,[15] so gibt es im Zusammenhang mit den spanischen Kriegen doch erste Anzeichen, dass sich Volkstribunen gegen die Haltung des Senats aufzulehnen begannen. Die *leges Aelia et Fufia* sorgten damit schon frühzeitig für Möglichkeiten, eigenwillige Tribunen einzuschränken.

In der Zeit vor Sulla haben wir allerdings keinen einzigen sicheren Fall einer tribunizischen Obnuntiation bezeugt. Die Obnuntiation war somit in vorsullanischer Zeit möglicherweise politisch noch nicht so brisant, wie sie es in der Zeit nach dem Jahr 70 und besonders während des Konsulats des Caesar wurde. Sulla hat daher die Obnuntiation eventuell nicht eingeschränkt. Näheres lässt sich dazu allerdings nicht sagen.

Fraglich bleibt auch der Inhalt des von Clodius in bezug auf die Obnuntiation erlassenen Gesetzes.[16] Dieses verstärkte einerseits die Rogationsmöglichkeiten der Volkstribunen, indem es nun auch an den für die Gerichtsbarkeit vorbehaltenen Tagen (*dies fasti*) Volksversammlungen erlaubte.[17] Andererseits hob es eventuell auch die kollegiale tribunizische Obnuntiation auf, um die populare Gesetzgebung zu sichern. Ein Recht der Obermagistrate, gegen die Volkstribunen zu obnuntiieren, dürfte, falls es je bestanden hat, jetzt ausser Kraft gesetzt worden sein.[18] Denn Clodius wollte sich mit seinem Gesetz offenbar gegen Obstruktionen absichern, wie sie im Jahr zuvor der Konsul M. Calpurnius Bibulus betrieben hatte.[19] Dieser hatte nach der vergeblichen Opposition gegen Caesars Ackergesetz mittels Edikte gegen alle weiteren staatspolitischen Handlungen seines Gegners obnuntiiert, wovon auch die Anträge des P. Vatinius betroffen wurden.[20] Allgemein wurde die Obnuntiation durch die *lex Clodia* wohl genauer definiert und möglicherweise *in absentia*, wie sie Bibulus praktiziert hatte, verboten.[21] Das Gesetz konnte die Obnuntiation jedenfalls nicht gänzlich ausschalten, denn sie kam auch noch nach dem Jahr 58 zur Anwendung. Die *lex Clodia* wurde ferner zumindest von Cicero in Frage gestellt, da bei der *transitio ad plebem* des Clodius die Obnuntiation des Bibulus nicht beachtet worden

Vorgehen ungültig war. Dass die Obnuntiation der Konsuln und Praetoren gegen einen Volkstribunen rechtmässig war, kann auch Cic. Sest. 78 nicht sicher belegen (vgl. G. V. Sumner, AJPh 84, 1963, 353f.; E. J. Weinrib, ZRG 87, 1970, 402 A. 32).

14 Cic. p. red. in sen. 11; har. resp. 58; Vat. 18. 23; Att. 2,9,1.

15 Dazu G. V. Sumner, AJPh 84, 1963, 345; vgl. dagegen die Rekonstruktion von Taylor (Forerunners, 22), die mit unbekannten, vom Senat nicht gestützten, tribunizischen Gesetzen rechnet.

16 Rotondi 397; Niccolini 287; W. F. McDonald, JRS 19, 1929, 164ff.; St. Weinstock, JRS 27, 1937, 215ff.; J. P. V. D. Balsdon, JRS 47, 1957, 15f.; G. V. Sumner, AJPh 84, 1963, 351ff.; A. E. Astin, Latomus 23, 1964, 441f.

17 Cic. Sest. 33; vgl. prov. cons. 46; dazu Taylor, Forerunners, 23.

18 W. F. McDonald, JRS 19, 1929, 173f., vgl. 177. 179.

19 E. J. Weinrib, ZRG 87, 1970, 405.

20 Broughton 2, 187f.; vgl. Smith 164.

21 Meier, RPA, 142 A. 487; T. N. Mitchell, CQ 36, 1986, 172–176; Taylor (Party Politics, 82) meint, dass die Obnuntiation und Himmelsbeobachtung während der Volksversammlungen verboten wurden.

war und damit seine Amtsführung insgesamt als ungültig angesehen werden konnte.[22] Die Obnuntiation wurde nach dem Jahr 58 sowohl gegen (nichtkollegiale) Wahlen als auch – wie im Falle des C. Ateius Capito im Jahr 55 – gegen kollegiale Rogationen weiterbenutzt. Und zumindest die *lex Fufia* blieb weiterhin in Kraft, da C. Porcius Cato im Jahr 54 nach diesem Gesetz angeklagt wurde.[23]

Die tribunizische Obnuntiation richtete sich zum einen gegen Wahlen,[24] besonders der Konsuln (und Praetoren), wie im Jahr 54 und 53 (ferner möglicherweise im J. 56), aber auch der Aedilen (im J. 57) und wurde im Jahr 44 gar gegen die Censorenwahl angewandt. Im Jahr 110 wurden die Wahlen das ganze Jahr lahmgelegt, als die zwei Volkstribunen P. Licinius Lucullus und L. Annius angeblich ihr Tribunat kontinuieren wollten und dabei auf den Widerstand der Kollegen stiessen.[25] Diese haben möglicherweise auf die Obnuntiation zurückgegriffen, da die Interzession insbesondere gegen die Wahlen der Volkstribunen nicht erlaubt war.[26] Einige Forscher nehmen trotz des von Livius (per. 105) überlieferten *intercessionibus* auch für die Wahlbehinderung des Jahres 56 die tribunizische Obnuntiation an,[27] wie sie sonst bei allen andern spätrepublikanischen Fällen der Wahlbehinderung aufgetreten war. C. Porcius Cato wurde nach seinem Amtsjahr wohl wegen der Opposition gegen die Wahlen auf Grund der *lex Fufia* angeklagt.[28] Anklagen wegen Obnuntiation gegen Wahlen sind uns ansonsten keine überliefert, so dass für das Jahr 56 möglicherweise doch mit der sonst nicht üblichen und eventuell verbotenen[29] Interzession gegen Wahlen gerechnet werden kann.[30]

Neben den Wahlen konnte die Obnuntiation auch die Verabschiedung von Gesetzen verhindern. Jedoch nur in einem bekannten Fall (*lex Trebonia* vom J. 55) richtete sich die tribunizische Obnuntiation direkt gegen die Rogation eines Kollegen. Die Tribunen hielten sich demnach offenbar mit dem Einsatz der religiösen Obstruktion gegen kollegiale Gesetzesvorlagen zurück. Sie bot für die Tribunen keinen Ersatz für das entwertete kollegiale Veto bei Rogationen. Gegen die *lex Trebonia* des Jahres 55, die im Interesse der Triumvirn stand, war auch die Obnuntiation erfolglos. Schon im Jahr 59 hatten drei Volkstribunen vergeblich den Himmel beobachtet, um die Gesetzgebung des Vatinius und

22 Zur *lex Clodia*: Cic. dom. 40ff.; har. resp. 48; vgl. St. Weinstock, RE 17, 1937, 1733; zum Volkstribunat des Clodius: Cic. dom. 34.38; vgl. Dio 39,11,2. 21,4.

23 Cic. Att. 4,16,5; auch die *lex Aelia* wurde wohl nicht aufgehoben, vgl. Cic. prov. cons. 46; dazu G. V. Sumner, AJPh 84, 1963, 351; s. allgemein W. F. McDonald, JRS 19, 1929, 171ff.; J. Bleicken, Hermes 85, 1957, 471ff.

24 Nach Cic. Phil. 2,81 war es im Prinzip gesetzlich verboten, während der Abhaltung der Comitien den Himmel zu beobachten. L. Lange (Kleine Schriften, Bd. 1, Göttingen 1887, 328ff.), I. M. J. Valeton (Mnemosyne 19, 1891, 94. 261) und J. Linderski (Historia 14, 1965, 426) rechnen mit einem Verbot der Obnuntiation gegen Wahlen, Valeton (262ff.) wie auch Linderski (in: Studi in onore di Ed. Volterra, Bd. 2, Milano 1972, 300f.) jedoch nur bis zum J. 58.

25 Sall. Iug. 37,1f.; dazu J. Jahn, Interregnum und Wahldiktatur, FAS 3, Kallmünz 1970, 158f.

26 Dazu Mommsen, StR. 1, 286f.; Herzog 1, 1158.

27 Lintott 147; J. Linderski, in: Studi in onore di Ed. Volterra, Bd. 2, Milano 1972, 299 (A. 82); Fabbrini 809.

28 Cic. Att. 4,16,5.

29 Ein solches Verbot könnte demnach die *lex Fufia* enthalten haben.

30 J. Linderski (in: Studi in onore di Ed. Volterra, Bd. 2, Milano 1972, 301f.) vermutet als Anklagegrund die falsche Anwendung der Obnuntiation. L. R. Taylor (Athenaeum 42, 1964, 19 A. 19) denkt an ein während des Volkstribunats begangenes Vergehen bei der Rogierung seiner Gesetze.

Caesar zu behindern.[31] Dies ist zugleich der einzige Fall, in dem sich die tribunizische Obnuntiation gegen die Rogation eines Obermagistraten richtete. Unsicher ist der Zusammenhang der von Appian (BC. 3,7,25) im Anschluss an Caesars Tod erwähnten Auspizien des Nonius Asprenas, die sich gegen die möglicherweise konstruierte *lex Cornelia de provincia Syria* gewandt haben sollen. Die Obnuntiation stellte für die Tribunen jedenfalls auch keine Ergänzung für die Interzession gegen konsularische Gesetzesanträge dar.

Die Tribunen konnten zudem gegen Amtshandlungen sonstiger Art obnuntiieren:[32] Im Jahr 55 meldete C. Ateius Capito nach vergeblicher Interzession gegen die Aushebungen bei Crassus' sakralen Vorbereitungen (Auszugsauspizien) vor dem Partherfeldzug schlechte Vorzeichen, wofür er später jedoch eine censorische Rüge erhielt.[33] Im weiteren konnte die tribunizische Obnuntiation die Erstellung der Senats- und Censuslisten behindern,[34] wobei im ersten belegten Fall (vom Jahr 64) offenbar die Senatszugehörigkeit der betreffenden Tribunen auf dem Spiel stand.[35] In diesem Fall wurde durch die Obnuntiation gleichzeitig ein Aufschub der Diskussion über die Bürgerrechtsverleihung an die Transpadaner erreicht.[36] Im Jahr 55 wurde die Obnuntiation gegen den Census möglicherweise wegen der Aushebungen des Crassus, gegen die vergeblich interzediert worden war, erwogen. Nach dem Tode Caesars hat Antonius im Jahr 44 offenbar Anstalten gemacht, wieder Censoren zu wählen, das Unternehmen dann aber nach tribunizischer Obnuntiation sogleich wieder abgebrochen. Da die Interzession gegen Census und Lustrum nicht erlaubt war,[37] erhielt die Obnuntiation in diesem Bereich besondere Bedeutung. Auch wenn nur in wenigen Fällen benutzt, so bot die Obnuntiation für die Volkstribunen bei Census und *senatus lectio* sowie bei den Wahlen einen Ersatz für die Interzession. Damit deckte sie zwei wichtige Bereiche ab, die von der tribunizischen Interzession ausgeschlossen waren. Um ihren Stellenwert in der römischen Politik beurteilen zu können, bleibt jedoch noch nach der Wirksamkeit der tribunizischen Obnuntiation zu fragen.

Die tribunizische Obnuntiationen waren mehrheitlich erfolgreich.[38] Dabei handelte es sich jeweils um Obstruktionen von popularer Seite. Die betreffenden Aktionen richteten sich entweder gegen Wahlen oder gegen Handlungen im Zusammenhang mit der Censur.

31 E. J. Weinrib (ZRG 87, 1970, 401f.) bezieht die Obnuntiation der drei Volkstribunen auf die Gesetze des Vatinius (Cic. Vat. 16).

32 Vgl. Mommsen, StR. 1, 108f.

33 Broughton 2, 216; vgl. Lange, Röm. Alterthümer 1, 845.

34 Auf die Censuslisten konnten die Volkstribunen auch indirekt Einfluss nehmen, indem sie gegen die Wahl der Censoren obnuntiierten oder bei einzelnen Gesetzen eine Schwurklausel anfügten, deren Missachtung den Senatsausschluss zur Folge hatte (vgl. dazu oben S. 197). Zu den Angriffen gegen Censoren in der mittleren Republik vgl. Bleicken, Volkstribunat 1955, 99. 139; ferner Niccolini, tribunato, 103ff.

35 Dio 37,9,4; Mommsen, StR. 1, 113 A. 4. 2, 357; Fabbrini 808. 811; Lange (Kl. Schr. 1, 1887, 333 mit A. 1) spricht den Volkstribunen dieses Recht ab. Nach Varro l.l. 6,87 wohnten die Volkstribunen dem Census offiziell bei.

36 Dio 37,9,3f.

37 Mommsen, StR. 2, 357; Herzog 1, 885; Meyer (Staatsgedanke, 166) bezeichnet die Obnuntiation gegen Census und Lustrum als „nicht statthaft"; vgl. auch Mommsen, StR. 1, 287. 2, 401 A. 3, mit dem Hinweis, dass auch gegen die Tribuseinteilung die Interzession verboten war.

38 Vgl. die Obnuntiation der J. 64, 57, 56 (?), 54 und 53 sowie möglicherweise der J. 55 (Census) und 44 (Wahl der Censoren).

Erfolglos blieb die tribunizische Obnuntiation gegen bedeutende populare Vorhaben, wobei es sich hier um die Gesetzesanträge des Vatinius (59), des Trebonius (55) und möglicherweise auch um ein Gesetz im Zusammenhang mit der Zuteilung der konsularischen Provinzen vom Jahr 44 sowie den Partherfeldzug des Crassus handelte. Die Obnuntiation erwies sich wie die Interzession von den äusseren Machtverhältnissen abhängig. Sie degenerierte in der späten Republik endgültig zu einem politischen Instrument.[39] Ihre Anwendung zeugt zudem dafür, dass sich auch im Tribunenkollegium verstärkte Auseinandersetzungen abspielten. Die Grenzen der tribunizischen Obnuntiation dürften sich dann besonders unter Caesars Herrschaft gezeigt haben. Beispiele, in denen Tribunen obnuntiierten, sind uns in jener Zeit jedenfalls keine mehr bekannt.

Die Obnuntiation bot in der späten Republik aber auch ein von Personen ausserhalb des Tribunenkollegiums und insbesondere von Magistraten gerne benutztes Obstruktionsmittel gegen tribunizische Politik.[40] Sie wurde auf diesem Weg in erster Linie von der Senatsmehrheit eingesetzt und kam vor allem gegen tribunizische Rogationen zur Anwendung.[41] Allerdings wurde sie in den überlieferten Fällen offenbar stets missachtet und konnte die populare Gesetzgebung nicht frühzeitig unterbinden. Als nach den Verhinderungen des Vetos in den Jahren 103/100 auf die Obnuntiation zurückgegriffen wurde,[42] bot diese nur bedingt eine Ausweichmöglichkeit für die Interzession. Nachdem sie dann besonders im Jahr 59 gegen Caesar praktiziert worden war, büsste sie gleich darauf mit den Verordnungen des Clodius ihre Bedeutung ein.[43] Schon Vatinius hatte für sein Tribunat des Jah-

39 J. Bleicken, Hermes 85, 1957, 470. 474; dazu jetzt auch Burckhardt (vgl. S. 42 A. 3) 178ff.

40 Vgl. Taylor, Party Politics, 80, die die Auspizien als das am häufigsten angewandte Obstruktionsmittel bezeichnet.

41 Schlechte Vorzeichen waren bei der letzten Versammlung des Ti. Gracchus (Plut. T. G. 17; Val. Max. 1,4,2; vir. ill. 64,6), bei der Koloniegründung in Karthago durch C. Gracchus (App. BC. 1,24,105f.; Pun. 136) und bei Saturninus (Landgesetz?) im J. 100 (vir. ill. 73,7; vgl. App. BC. 1,30,133; dazu J. Linderski, RFIC 111, 1983, 458f.) im Spiel. Die Obnuntiation gegen Sex. Titius (Cic. leg. 2,31; Iul. Obs. 46) und M. Livius Drusus (Asc. p. 55 St.) führte zur Annullierung ihrer Gesetze. Im J. 59 beobachteten Kollegen des P. Vatinius und der Cos. Bibulus vergeblich den Himmel, da Vatinius seine Gesetze trotzdem durchbrachte und beibehalten konnte. Im J. 57 hatte der Pr. Ap. Claudius Pulcher den Himmel beobachtet, erstattete jedoch keine förmliche Obnuntiation gegen das Gesetz des Fabricius über die Rückberufung Ciceros, die Clodius durch Gewalt verhinderte (Cic. Sest. 78; die Himmelsbeobachtung war anlässlich der Rückberufung Ciceros durch SC unter Strafe verboten: Cic. Sest. 129). Die Obnuntiation des Cato (als *privatus*), zusammen mit dem Tribunen C. Ateius Capito, gegen die *lex Trebonia* war erfolglos. Ein weiteres Mittel gegen die tribunizische Gesetzgebung war die Festlegung eines Festtages auf einen Comitialtag durch die Konsuln, wie sie im J. 56 Lentulus gegen Cato vornahm (Cic. Q. fr. 2,5,2f.; vgl. Mommsen, StR. 2, 135 mit A. 7), oder die Einschaltung einer *supplicatio*, wie sie zum Zeitpunkt von Curios Gesetzesanträgen für Cicero geplant war (vgl. oben S. 215). Im J. 88 verfügten die Konsuln über einen mehrtägigen Aufschub wohl aller Amtsgeschäfte, um die *rogatio Sulpicia* über die Neubürger zu verschieben (App. BC. 1,55,244, vgl. 59,268), so dass hier an ein *iustitium* zu denken ist (vgl. Plut. Sull. 8,3f.; dazu Mommsen, StR. 3, 1058 A. 2; allgemein Taylor, Party Politics, 78ff.; Meier, RPA, 145 A. 499).

42 Vgl. Smith 153. 156.

43 Vgl. Cic. Vat. 16; Schol. Bob. p. 146 St.; s. dazu Meier, RPA, 145; Kompromiss-Angebot, 197 A. 2; zu den Interzessionen des J. 59: Bleicken, Lex publica, 449 A. 244; zudem Hermes 85, 1957, 471ff.

res 59 erklärt, dass er sich nicht durch die Meldung schlechter Vorzeichen von seinen Handlungen abbringen lassen werde.[44] Auch auf dem Gebiet der Obnuntiation wurde damit für Anliegen, die sich gegen die Senatsmehrheit wandten, ein Ventil offengelassen.[45]

Die Obnuntiation wurde jedoch zweimal im Nachhinein wirksam, indem sie für die Aufhebung der Gesetze des Sex. Titius, tr. pl. 99, und des M. Livius Drusus, tr. pl. 91, geltend gemacht werden konnte.[46] Im Gegensatz zur Anwendung von Gewalt bot die Verletzung der Auspizien und Promulgationsvorschriften jeweils einen möglichen Annullierungsgrund.[47] Auch wenn die Obnuntiationen gegen die Volkstribunen im ersten Moment erfolglos blieben, so boten sie dennoch ein nützliches Obstruktionsmittel, um die angenommenen Gesetze wegen Missachtung der Auspizien im Nachhinein zu kassieren. Die Ansprüche einzelner Aristokraten legten es jedoch nahe, auch die Obnuntiation nicht zur radikalen Ausschaltung popularer Anliegen zu benutzen. Die Obnuntiation konnte damit nicht grundsätzlich für das entwertete kollegiale Veto einspringen.

Für die späte Republik haben wir folgende Zeugnisse zur Praxis der tribunizischen Obnuntiation:[48]

– 64 Die Volkstribunen verhinderten wohl durch die Obnuntiation die Erstellung der Senatsliste, worauf die Census abgebrochen wurde (Dio 37,9,4, der die Art der Opposition jedoch nicht näher beschreibt; eine Obnuntiation kann in Analogie zu dem Fall des J. 55 angenommen werden, bei dem es allerdings um die Censusliste ging; vgl. Mommsen, StR. 1, 113 A. 4. 2, 357; Meyer, CM, 13)

– 59 Q. Ancharius, Cn. Domitius Calvinus und C. Fannius sowie der Konsul M. Calpurnius Bibulus beobachteten nach ihrer vergeblichen Intervention gegen die *lex Iulia agraria* an allen Comitialtagen den Himmel, um der Gesetzgebung Caesars und Vatinius' (insbesondere der *lex Vatinia de provinicia Caesaris*, vgl. Schol. Bob. p. 146 St.) entgegenzuwirken; Bibulus obnuntiierte in der Folge durch Edikte (Cic. Vat. 16; Sest. 113; Broughton 2, 189; vgl. J. Bleicken, Hermes 85, 1957, 473 A. 2; E. J. Weinrib, ZRG 87, 1970, 401f.)

– 57 P. Sestius obnuntiierte wahrscheinlich gegen die Aedilenwahl, um die Wahl des Clodius zu verhindern und wurde daraufhin von dessen Anhängern verwundet (Cic. Sest. 79f.83; vgl. F. Münzer, RE 2 A, 1923, 1887; G. V. Sumner AJPh 84, 1963, 354ff.; unwahrscheinlich ist die Ansicht von W. F. McDonald (JRS 19, 1929, 172f.), der die Obnuntiation auf Vorkehrungen gegen die von Sestius unterstützten Bemühungen um die Rückberufung Ciceros bezieht)

– 57 T. Annius Milo beobachtete gemäss seiner Ankündigung, die er in einem öffentlichen Anschlag festgehalten hatte, anlässlich der Aedilenwahl vom 20. Nov. den Himmel, um ebenfalls einer Wahl des Clodius entgegenzuwirken (Cic. Att. 4,3,3ff.); diese kam dann erst im Jan. 56 zustande (Q. fr. 2,2,2)

44 Cic. Vat. 14: *initioque tribunatus tui senatui denuntiaris tuis actionibus augurum responsa atque eius collegii adrogantiam impedimento non futura.*

45 Ein Obnuntiationsverbot ist nur bei der Rückrufung Ciceros bekannt (Cic. Sest. 129).

46 Vgl. A. 41.

47 S. oben S. 186.

48 Die tribunizische Obnuntiation könnte auch im J. 110 (gegen die Wahlen) und im J. 99 (gegen das Ackergesetz des Sex. Titius; vgl. E. J. Weinrib, ZRG 87, 1970, 398f.) in Erwägung gezogen werden. Da Iul. Obs. 46 von *repugnantibus collegis* spricht, dürften die Tribunen im Falle des Titius eher interzediert als obnuntiiert haben, und es bleibt unbekannt, wer für die Obnuntiation verantwortlich war; jedenfalls waren seine Gesetze *contra auspicia latae* und wurden auf Grund eines auguralen Gutachtens aufgehoben (Cic. leg. 2,14. 31; Iul. Obs. 46; dazu Lintott 134).

– 56 C. Porcius Cato, wohl zusammen mit M. Nonius Sufenas (fraglich jedoch ob mit L.? Procilius, vgl. oben. S. 232), behinderte durch Interzession oder Obnuntiation die Wahlen, weswegen er wahrscheinlich im J. 54 *lege Fufia* angeklagt wurde (Broughton 2, 209; vgl. zudem A. 30)

– 55 Cicero erwog, ob die Volkstribunen gegen die Errichtung der Censusliste ungünstige Vorzeichen melden könnten (Cic. Att. 4,9,1, vgl. 11,2; D. R. Shackleton Bailey (CLA 2, 196) vermutet als Anlass die Aushebungen des Crassus); jedenfalls konnten weder Census noch Lustrum stattfinden, da die *lectio* offenbar durch Prozesse, die auf Grund der *lex Clodia de censoria notione* durchgeführt wurden, hingehalten wurde (Cic. Att. 4,16,8; vgl. A. E. Astin, Historia 34, 1985, 187f.)

– 55 C. Ateius Capito, der auf dem abgeschirmten Forumsplatz nicht bis zu den Rostra vordringen und somit auch nicht interzedieren konnte, verkündete zusammen mit Cato (*privatus*) bei der Abstimmung über die *lex Trebonia*, die für Crassus und Pompeius fünfjährige Provinzkommandos vorsah, schlechte Vorzeichen, wurde aber vom Forum vertrieben (Dio 39,35,5)

– 55 C. Ateius Capito meldete wohl zusammen mit P. Aquillius Gallus (Dio 39,39,5 spricht von δήμαρχοι) ungünstige Vorzeichen, als Crassus vor Antritt seines Partherfeldzuges die vorbereitende sakrale Handlung auf dem Kapitol vornehmen wollte, wodurch sich dieser aber nicht einschüchtern liess; als Capito Crassus verhaften wollte, wurde dies von anderen Tribunen verhindert; darauf weihte Capito beim Aufbruch des Crassus den Feldherrn den unterirdischen Göttern, wofür er später von Ap. Claudius Pulcher mit einer censorischen Rüge bestraft wurde (Broughton 2, 216; Eigenbrodt 130 ff.; Meyer, CM, 171f. (A. 4); Taylor, Party Politics, 85; anders: Ch. Schäublin, WS 20, 1986, 169ff.)

– 54 Q. Mucius Scaevola obnuntiierte täglich gegen die von Bestechung überschatteten Konsulwahlen, so dass es im J. 53 anfänglich zu einem *interregnum* kam (Cic. Att. 4,17,4, vgl. Q. fr. 3,3,2; dazu Meyer, CM, 193ff.; E. S. Gruen, in : Hommages à M. Renard, Bd. 2, Bruxelles 1969, 311–321)

– 53 Die Volkstribunen behinderten im Interesse des Pompeius weiterhin durch Obnuntiation die Wahlen der noch ausstehenden Kandidaten für das J. 53; nur die Konsuln wurden nach dem SCU im Juli gewählt (Dio 40,45,3f., vgl. 40,17,1f.; Iul. Obs. 63; dazu Meyer, CM, 208ff.; Gelzer, Pompeius, 169f.). Dio (40,45,3) berichtet, dass auch gegen einige *interreges*-Wahlen obnuntiiert wurde

– 44 Gegen die Wahl von Censoren erging offenbar eine tribunizische Obnuntiation, was Antonius zum Anlass nahm, die Bewerbung seines Onkels Gaius, die er selbst veranlasst hatte, vorläufig zu vereiteln (Cic. Phil. 2, 98f.; vgl. Mommsen, StR. 1, 113 A. 3; Fabbrini 809)

– 44 Nonius Asprenas verkündete, einer zweifelhaften Nachricht bei Appian zufolge, im Anschluss an Caesars Tod ungünstige Himmelszeichen gegen einen Gesetzesantrag des Konsuls P. Cornelius Dolabella, der diesem die Provinz Syrien zuteilen sollte (App. BC. 3,7,25; vgl. J. Bleicken, Hermes 85, 1957, 472f.; ferner dazu W. Sternkopf, Hermes 47, 1912, 341. 353f.)

ZUSAMMENFASSUNG

Ergänzend zu den bisherigen Forschungen, die sich auf die populare Seite des Volkstribunats konzentriert haben, waren in dieser Arbeit sämtliche tribunizischen Aktivitäten und, im Anschluss an die mittlere Republik, insbesondere auch die senatstreuen Handlungen der spätrepublikanischen Zeit zu untersuchen. Im Folgenden sollen die Ergebnisse in der Reihenfolge der – nach den Hauptkompetenzen der Tribunen gegliederten – Disposition zusammengefasst werden.

Vorangestellte Überlegungen zu den sozialen und politischen Bedingungen des tribunizischen Handelns haben auf die vielfältigen Verpflichtungen der Tribunen gegenüber dem Senat und der gesamten Res publica aufmerksam gemacht. Die Betrachtung der sozialen Herkunft der Volkstribunen hat gezeigt, dass das Amt nie von nichtsenatorischen, ritterlichen Familien dominiert wurde, auch wenn der Anteil der *homines novi* in der ausgehenden Republik zunahm und diese am Tribunat grössere Anteile als an den nachfolgenden Magistraturen hatten. In zwei Dritteln der Fälle stammten die Tribunen aus senatorischen Familien, wobei etliche davon sogar konsularisch waren. Das Tribunat war damit schon von seiner personellen Besetzung her auf die Verhaltensweisen der Aristokratie ausgerichtet. Der Anteil der Popularen unter den Tribunen war relativ gering (im Durchschnitt handelte nur ungefähr jeder fünfte der bekannten Amtsträger bezeugtermassen je gegen den Willen der Senatsmehrheit). Ihre Abkehr vom Senat erfolgte nur in einzelnen Punkten und war nicht grundsätzlicher Art.

Das Volkstribunat erwies sich für eine spätere Laufbahn als geeignet, bildete aber nie eine Voraussetzung dazu. Die Aufstiegsmöglichkeiten hatten sich für die Tribunen im Vergleich zur mittleren Republik kaum geändert. Das anhaltende, breite Interesse, das in den Kreisen der Ritter und Senatoren am Tribunat bestand, machte das Verbot Sullas, nach dem Tribunat weitere Ämter zu bekleiden, untragbar. Zudem dürfte es zu Engpässen bei den andern Magistraturen geführt haben. Die Stellung des Volkstribunats liess es andererseits kaum zu, das Amt zu kontinuieren oder zu iterieren. Langfristige Politik war auf diese Weise ausgeschlossen. Spätestens nach ihrem Amtsjahr waren die Tribunen in der späten Republik im Normalfall Senatoren und somit in den Senat integriert. Die Rolle einer unabhängigen Kontrollbehörde war auf Grund dieser Einbindung vom Tribunat nicht zu erwarten. Vielmehr konnte das Tribunenkollegium mancherlei Aufgaben im Gemeinwesen übernehmen, denn es entbehrte eines genau definierten Tätigkeitsbereiches, wie er den eigentlichen Magistraten zukam. Im Endeffekt darf daher nicht mit einem Mangel an Amtstätigkeit gerechnet werden. Die von den Tribunen übernommenen gesamtstaatlichen Funktionen verbanden sich zum Teil mit ihrer ursprünglichsten Aufgabe, dem *ius auxilii*, das gleichzeitig eine kontinuierliche Präsenz in der Öffentlichkeit erforderte. Die Tribunen arbeiteten bei manchen Tätigkeiten mit den Praetoren zusammen und fungierten in der ausgehenden Republik oft als Stellvertreter, wenn die regulären Beamten fehlten. Sie waren damit in die Verwaltung der Res publica und die Staatsleitung einbezogen.

Die Betrachtung der tribunizischen Gesetzgebung hat ergeben, dass die Rogationen im Vergleich zu den Vorlagen der anderen Magistrate kaum in der Überzahl waren. Die

Tribunen dürfen aus diesem Grund nicht als *das* Gesetzgebungsorgan der späten Republik schlechthin bezeichnet werden. Zudem ist im Bereich der Gesetzesanträge keine ausschliesslich tribunizische Materie festzustellen. Die von den Tribunen aufgegriffenen Themen konnten stets auch von anderen Magistraten vorgebracht werden. Ein einheitliches tribunizisches Verhalten kam nie zustande. Die Tribunen konnten sich nur in wenigen Fällen zu gemeinsamer Politik entschliessen. Die tribunizischen Rogationen blieben meist Einzelmassnahmen ohne grösseres Konzept zur Reformierung der Res publica. Sie waren daher nicht geeignet, die grundsätzlichen Probleme der späten Republik zu lösen. Die Gesetzesvorlagen wurden in den Auseinandersetzungen jener Zeit zu einem politischen Kampfmittel. Die Möglichkeit, dass Tribunen eine umstrittene Sache zum Gesetz erheben liessen (Bleicken, Volkstribunat 1981, 105f.), wurde also weiterhin vielfältig genutzt, führte aber kaum noch zur Beilegung der Konflikte.

Die tribunizischen Rogationen stammten zu einem Grossteil von popularer Seite und kamen damit im Unterschied zur mittleren Republik vielfach ohne Zustimmung des Senats zustande. Tribunizische Aktionen gegen die Senatsmehrheit hatten sich schon um die Mitte des 2. Jh.'s angebahnt. Erst seit den Gracchen zeigte sich aber deutlich, dass der Senat seine Dominanz über die tribunizische Gesetzgebung einbüsste. Das Versagen der Senatspolitik in bezug auf die tiefgreifenden Probleme spaltete die Führungsschicht im Senat auf und konnte der popularen Minderheit immer wieder Einfluss verschaffen. Die Gracchen hatten die Möglichkeiten des Volkstribunats deutlich vor Augen gestellt, zugleich aber auch deren Grenzen aufgezeigt. Ihr Handeln gegen die Senatsmehrheit begründete ein folgenreiches Beispiel, das in der Zeit danach jedoch nicht als Regel gelten darf. Eine programmatische Politik über längere Zeit wurde auch von den popularen Tribunen nie verfolgt. Obwohl sich in der Agrarfrage einzelne Tribunen mit einer gewissen Regelmässigkeit bemüht zeigten, Anträge zu stellen, wurden Massnahmen zur Versorgung der Bevölkerung nicht konsequent propagiert. Eine Verbesserung der politischen Stellung des Volkes wurde nicht angestrebt. Einschränkungen für Senatoren und Magistrate kamen nur punktuell zustande und brachten geringe Neuerungen. Das Tribunat wurde damit auch in den Händen der Popularen nicht zu einem permanenten staatlichen Regelorgan. Veränderungen der Grundstrukturen waren weder im innen- noch im aussenpolitischen Bereich beabsichtigt. Die Tribunen verfolgten keine grundsätzlich anderen sozialen Interessen als die Senatsaristokratie. Auch wenn sich mit den popularen Anträgen die Hoffnung auf persönlichen Machtgewinn verband, so hörten die Bemühungen um einzelne Reformen während der spätrepublikanischen Epoche nie gänzlich auf. Allerdings fehlte dem Volkstribunat die Basis, um Reformen dauerhaft durchzusetzen. Nur wenige Massnahmen erreichten eine längerfristige Wirkung. Es zeigte sich, dass die von den Tribunen aufgegriffenen Themen oft erst durch Rogationen der Konsuln durchgesetzt bzw. von Caesar als Diktator gelöst werden konnten.

Der Senat zog die tribunizische Gesetzgebung anfänglich fast nur noch bei, um den gracchischen Bestimmungen zu begegnen. Er wusste die „positiven" Möglichkeiten des Amtes wenig zu nutzen. Der Senat erscheint kaum noch als direkter Auftraggeber der Tribunen. Die politischen Verhältnisse liessen Einsätze der Tribunen in dem Masse, wie sie in der mittleren Republik zustande gekommen waren, nicht mehr zu. Grundsätzlich neue Gesetze liess der Senat nur noch sporadisch über die Tribunen vortragen. Er war auch nicht unbedingt auf die tribunizische Gesetzgebung angewiesen, wie verschiedene Gesetze der

Obermagistrate zeigen. Die Zusammenarbeit mit den Volkstribunen war offenbar zu unsicher geworden, so dass man sich des öftern lieber auf die Konsuln (oder Praetoren) verliess. Der Anteil der tribunizischen Gesetze an der gesamten Gesetzgebung ist somit in der späten Republik möglicherweise sogar leicht zurückgegangen. Trotzdem ist mit einer ganzen Reihe senatstreuer Gesetze zu rechnen, für die die Zustimmung einer Mehrheit im Senat angenommen werden kann. Der Anstoss dazu ging nicht mehr unbedingt von dem Senatsplenum selbst, sondern von einzelnen Senatsmitgliedern, Adelsgruppen oder eigener Initiative aus. Diese Aktionen hatten weiterhin eine wichtige Stellung in der spätrepublikanischen Gesetzgebung und dürfen nicht als bedeutungslos bezeichnet werden. Auch nach dem Jahr 70 kamen noch einzelne tribunizische Gesetze im Auftrag bzw. im Sinne des Senats zustande. Populare Massnahmen wurden jetzt aber kaum noch konkurrenziert. Der Senat hatte vielmehr Kompromisse einzugehen und einzelnen Anträgen widerwillig zuzustimmen.

Die grosse Zahl der gegen den Willen der Senatsmehrheit eingebrachten Gesetze und die damit verbundenen Eingriffe in die Kompetenzen des Senats hatten Sulla veranlasst, gegen die tribunizische Gesetzgebung einzuschreiten. Die Möglichkeit, senatstreue Gesetze über das Volkstribunat zustandezubringen, liess es ihn wohl als angemessen erscheinen, die tribunizische Gesetzgebung nicht gänzlich auszuschalten, sondern nur an die obligatorische Vorberatung des Senats zu binden. Seine Massnahmen bewirkten jedenfalls, dass die Gesetzgebung unter die Kontrolle des Senats kam und in den 70er Jahren keine tribunizischen Rogationen nachgewiesen werden können. Verschiedene gesellschaftliche Interessen, die von den Gesetzesanträgen der Tribunen profitiert hatten, mussten aber an der Wiederherstellung der uneingeschränkten Rogationsmöglichkeiten interessiert sein, so dass sich die Restriktionen nicht lange aufrechterhalten liessen.

Die Ritter waren besonders in vorsullanischer Zeit zu Nutzniessern des Volkstribunats geworden. Sie verschafften sich über die Tribunen Einfluss in den Gerichtshöfen. Zudem richteten sie durch die Volkstribunen am Ende des 2. Jh.'s Angriffe gegen die Nobilität. Die *equites* sind aber genauso wenig als Initiatoren tribunizischer Gesetze bezeugt wie der Senat. Sie unterstützten die Tribunen hauptsächlich, wenn es um Handels- und Pachtgeschäfte ging. Sie versuchten über sie die Feldherrn in einzelnen Punkten, die in ihrem Interesse lagen, zu fördern. Dauernde Bindungen gingen die Tribunen mit den Rittern jedoch nie ein.

Die grossen Einzelnen verstanden es seit Marius am besten, sich des Volkstribunats zu bedienen und sich auf diese Weise Machtzuwachs zu verschaffen. Besonders wichtig wurde das Tribunat für sie, um Imperien zugeteilt zu erhalten. Aber auch um sonstige Sonderrechte zu erwerben, bedienten sich die Feldherrn der tribunizischen Gesetzgebung. Zudem war es ihnen möglich, einzelne Rivalitäten über das Tribunat auszutragen. Eine grosse Zahl der tribunizischen Gesetze der 50er Jahre stand im Dienste der Triumvirn. Diese stellten zum Teil aber nur noch Ergänzungen zu deren eigenen Gesetzen dar. Die Bevollmächtigungen von Einzelpersönlichkeiten hatten Machtverlagerungen zur Folge, die die Stellung des Tribunats allmählich in den Hintergrund treten lassen mussten. Allgemein versprach die Verbindung mit einem Feldherrn denjenigen Amtsträgern, die gegen die Senatsmehrheit agierten, bessere Aussichten auf Erfolg. Andererseits war es verschiedenen Volkstribunen der späten Republik auch in der Anlehnung an die grossen Einzelnen noch möglich, eigene Politik zu betreiben. Ihre Massnahmen dürfen daher nicht in allen Punkten als fremdbestimmt gewertet werden. Die *principes* haben die Tribunen nur bedingt unterstützt. Politik im Alleingang war für die Volkstribunen freilich kaum möglich, so dass sich auch den selbständig agierenden Amtsträgern jeweils eine Zusammenarbeit mit andern Senatoren aufdrängte. Erst unter der Diktatur Caesars reduzierten sich die Handlungsmöglichkeiten in der Weise, dass eigenständige Aktionen keine Aussicht auf Erfolg mehr hatten.

Auf dem Gebiet der Strafverfolgung erfuhr die tribunizische Politik in der späten Republik einen deutlichen Wandel. Die Anklagen der Volkstribunen erfolgten jetzt, im Gegensatz zur mittleren Republik, mehrheitlich ohne Senatszustimmung. Am Ende des 2. Jh.'s waren die Comitialprozesse noch durchweg von popularer Seite eingeleitet und hauptsächlich von den Rittern gestützt worden. Nachdem der Volksprozess unter Cinna nochmals in grösserem Umfang zur Anwendung gekommen war, schritt Sulla zu einem Verbot der tribunizischen Gerichtsverfahren. Neben ihrer Prozesstätigkeit waren die Tribunen in vorsullanischer Zeit gleichzeitig wesentlich an der Einrichtung der *quaestiones perpetuae* beteiligt und hatten deshalb grossen Anteil an der Gestaltung des Gerichtswesens. Der Volksprozess hatte sich als umständlich und auch anfällig erwiesen, so dass die festen Geschworenenhöfe im allgemeinen das sicherere und einfachere Verfahren darstellten. Seit dem Ende des 2. Jh.'s war die *quaestio maiestatis* für die Durchführung von Rechenschaftsprozessen gegen ehemalige Amtsträger zuständig. Das Volksgericht büsste damit seine Hauptfunktion ein. Die Bedeutung der Volksversammlung und der Inhalt der *tribunicia potestas* erlitten Einbussen. Der Senat war nicht mehr auf die tribunizischen Comitialverfahren als Rechenschaftsprozesse angewiesen. Prozesse im Sinne des Senats kamen in der späten Republik kaum noch zustande.

Da der Volksprozess das Provokationsrecht garantierte, konnte das sullanische Verbot des Comitialverfahrens auf die Dauer nicht aufrechterhalten werden. Die Möglichkeit, ein tribunizisches Volksgericht zu veranstalten, war in der ausgehenden Republik weiterhin von Bedeutung. Auch nach der sullanischen Gerichtsreform ist noch mit einzelnen Versuchen zu rechnen, ein Urteil vor den Comitien herbeizuführen, insbesondere wenn es sich um die Verfolgung von Taten, die unter einem SCU vollzogen worden waren, handelte.

Die *quaestiones extraordinariae* waren mit C. Gracchus in der späten Republik in die Hände der Volkstribunen gekommen. Abgesehen von den Verfahren wegen Anmassung des Bürgerrechts wurden sie ebenfalls vorwiegend von popularer Seite genutzt. Die sullanischen Beschränkungen sorgten daher dafür, dass sie vorübergehend unter die Kontrolle des Senats kamen. *Quaestiones extraordinariae* wurden trotz der festen Geschworenenhöfe vereinzelt auch in nachsullanischer Zeit noch beantragt. Sie kamen insbesondere in Betracht, um Verfahren, die sich gegen mehrere Personen richteten, einzuleiten. Sowohl die *quaestiones extraordinariae* als auch die Volksprozesse blieben nach dem Jahr 70 aber mehrheitlich erfolglos. Gerichtliche Verfolgungen wickelten sich jetzt im Normalfall vor den festen Geschworenenhöfen ab.

Vor den *quaestiones perpetuae* traten die Volkstribunen nur vereinzelt als Kläger auf. Sie spielten hier keine bedeutendere Rolle als andere Magistrate und Senatoren. Konsequente Verfolgungen von bestimmten Verbrechen kamen damit im Tribunenkollegium nie zustande. Senatstreue Anklagen wurden nur sporadisch angestrebt. Auch in der Verfolgung von Beamtenvergehen nahmen die Tribunen keine regelmässige Funktion ein. Die tribunizischen Anklagen stellten für die Nobilität kaum mehr eine Kontrolle über die Standesgenossen, die nicht nach ihrem Willen handelten, dar. Die gerichtliche Verfolgung von illoyalen Standesvertretern wurde mit der Zeit wirkungslos.

Tribunizische Politik im Zusammenhang mit Gesetzesrogationen und Volksgerichten manifestierte sich nicht nur in den Abstimmungscomitien. Ein verbreitetes Mittel, um mit der Öffentlichkeit in Kontakt zu treten, bildeten die Edikte. Durch sie konnten die Tribunen beabsichtigte Handlungen sowie auch bindende Anordnungen ankündigen. Jene Edikte, die nicht routinemässige Geschäfte betrafen, zeigen, dass sie zum Teil zwar ähnliche Ziele wie die Gesetze verfolgten, wegen ihrer beschränkten Wirkung aber keinen Ersatz für diese bieten konnten. Vielmehr dienten sie als Mittel zum Protest, der auf die schwindende Autorität der Tribunen hinweist. Ein wichtiges Forum der tribunizischen Politik waren die Contionen, die als informelle Veranstaltungen für den direkten Kontakt zur Bevölkerung sorgten. Vorladungen einzelner Persönlichkeiten vor die Volksversammlung wurden mehrheitlich von popularer Seite vorgenommen, die es auch hier verstand, die propagandistischen Möglichkeiten des Volkstribunats am effektivsten einzusetzen. Die Feldherrn nutzten das *ius contionandi* der Volkstribunen, um vor der Gemeinde ihre Anliegen publik zu machen und besonders, um sich für das Konsulat zu bewerben. Die Bedeutung der Contionen erlaubte es Sulla offenbar nicht, das Versammlungsrecht der Tribunen zu unterbinden. In den 70er Jahren, als verschiedene tribunizische Rechte eingeschränkt waren, dienten die Contionen als wichtige Institution, um für die Aufhebung der Restriktionen zu agieren. Das tribunizische Vorladungsrecht wurde in der späten Republik in einzelnen Fällen aber auch für senatstreue Politik eingesetzt. Politische Erfolge von grösserer Bedeutung konnten dabei allerdings nicht erzielt werden. Unter Caesar sind in der Folge keine Vorladungen mehr bekannt, jedoch konnte das *ius contionandi* nach dem Tod des Diktators nochmals im Kampf der gegnerischen Parteiungen eingesetzt werden. Ein einheitliches Verhalten unter den Volkstribunen kam auch hier nicht zustande.

Wo die legalen Mittel zur Durchsetzung von popularer Politik nicht ausreichten, wurde auch zu bewaffneten Banden gegriffen und damit die ungenügenden Mobilisierungschancen in der römischen Bevölkerung wettgemacht. Die Volkstribunen entbehrten nämlich einer geschlossenen und dauerhaften Anhängerschaft. Um sich gegen den Senat behaupten zu können, setzten sich Tribunen mit Hilfe von persönlichen Gefolgschaften zunehmend über staatliche Rechtsnormen hinweg. Interzessionen von Kollegen wurden übergangen, Obnuntiationen missachtet und Gewalt angewandt. In den 60er und 50er Jahren prägten die bezahlten Knüppelbanden die Öffentlichkeit. Diese stellten jedoch keineswegs ein ausschliesslich tribunizisches Phänomen dar, sondern wurden zu einem allgemeinen Mittel der Politik. Der Senat versuchte durch verschiedene Gegenmassnahmen, die popularen Volkstribunen zu entkräften. Er griff zu Notstandsmassnahmen oder hob tribunizische Gesetze nachträglich wieder auf. Etliche Volkstribunen wurden nach ihrem Amtsjahr zur Rechenschaft gezogen. *Maiestas*-Anklagen wegen Missachtung der kollegialen Interzession waren allerdings nie erfolgreich. Ein wunder Punkt des Amtes zeigte sich andererseits darin deutlich, dass Tribunen übergangen, abgesetzt oder sogar getötet wurden. Eine Anhängerschaft, die solche Taten vergelten wollte, fehlte den Tribunen. Die *sacrosanctitas* bestand zwar grundsätzlich weiter, war jedoch entscheidend von äusseren Machtfaktoren abhängig.

Um ihr Rogationsrecht zu verteidigen oder Angriffe gegen die eigene Person abzuwehren, griffen einzelne Tribunen in radikaler Auslegung ihrer *sacrosanctitas* auf Praktiken des Ständekampfes zurück (Sturz vom Tarpeischen Felsen, *consecratio bonorum*). Diese Ereignisse blieben jedoch Einzelfälle. An eine *secessio plebis* war nicht zu denken. Um Rogationen ungehindert vortragen zu können, wurden jetzt auch des öftern Verhaftungen vorgenommen. In nachsullanischer Zeit erwies sich diese Methode angesichts stärkerer Machtfaktoren allerdings als untauglich. Die Gewaltmassnahmen waren insgesamt ein Zeichen für den Verlust an selbstverständlicher Wirkung der Aura der Tribunen, die für ihre Selbstbehauptung sorgen mussten. Gegen die mächtigen Einzelnen waren solche Arten der Opposition nicht mehr möglich.

Die Anträge und Äusserungen im Senat wurden im Unterschied zur mittleren Republik mehrheitlich ohne Weisung des Senats vorgebracht. Für die Gesetzesanträge von popularer Seite ist festzustellen, dass sie nicht unbedingt dem Senat vorenthalten, sondern erst nach der Ablehnung in der Curia vor die Volksversammlung gebracht wurden. Mit der Beauftragung von Tribunen hielt sich der Senat jetzt zurück. Das in der mittleren Republik praktizierte *agere cum tribunis, ut ad plebem ferrent* ist in der späten Republik nicht mehr bezeugt. Tribunizischer Einsatz gegen ausscherende Magistrate kam kaum noch zustande. *Relationes* im Sinne der Senatsmehrheit wurden von den Tribunen nicht mehr unbedingt auf Aufforderung des Senatsplenums selbst vorgenommen. Das Rederecht erfuhr damit eine gewisse Verselbständigung. In der Zeit nach den Gracchen ist ein verbreiteter Gebrauch des tribunizischen *ius relationis* vorerst allerdings nicht festzustellen. Sulla dürfte das Rederecht der Tribunen nicht eingeschränkt haben, insbesondere falls die tribunizische Gesetzgebung unter der Auflage der Vorberatung im Senat bestehen gelassen wurde.

Sofern es sich nicht um populare Gesetzesprojekte handelte, waren die Anträge der Volkstribunen im Senat mehrheitlich erfolgreich, führten aber nur zu einer geringen Zahl von *senatus consulta*. Bei Alltagsgeschäften traten die Tribunen nicht in Erscheinung. Üblicherweise überliessen sie die Leitung des Senats den Konsuln und hielten sich an die hergebrachten Konventionen einer Senatssitzung. Tribunizische Eingriffe erfolgten vorwiegend bei innenpolitischen Machtfragen. Den mächtigen Einzelpersönlichkeiten war es möglich, über einzelne Volkstribunen massgeblich in die Senatspolitik einzugreifen. Sie wussten damit von den tribunizischen Aktionen im Senat am meisten zu profitieren. Im Einsatz für die Triumvirn kam es auch zu gehäufteren und hartnäckigeren Auftritten der Tribunen. Unter der Herrschaft Caesars sind dann allerdings keine tribunizischen Anträge und Äusserungen im Senat mehr bekannt. Die Politik hatte sich jetzt nach dem Diktator zu richten.

Aufdringlicher wurden die Tribunen mit ihren Interzessionen im Senat, die ebenfalls zu grossen Teilen im Dienste der Feldherrn vorgenommen wurden. Beispiele des Vetos sind jedoch erst in nachsullanischer Zeit bekannt, so dass auf diesem Gebiet zuvor möglicherweise noch kaum Missbrauch vorgekommen war und Sulla nicht zu intervenieren veranlasst war. In der ausgehenden Republik machten dann verschiedene Tribunen auch von der Interzession eigenmächtigen Gebrauch. Im Gegensatz zur mittleren Republik liessen sie sich nur noch selten zum Rückzug ihres Vetos bewegen. Interzessionen im Sinne der Senatsmehrheit kamen nur vereinzelt zustande und wirkten nicht mehr als Korrektiv gegen die Ansprüche der grossen Einzelnen. Bei allgemeinen Verwaltungsgeschäften sind die Tribunen nie dazwischengetreten. Auch bei den Interzessionen hielten sie sich bis in die 50er Jahre an den normalen Ablauf der Senatssitzungen. Erst im Zusammenhang mit der

Rückrufung Ciceros und der Abberufung Caesars aus Gallien kam es zu Dauerblockaden, gegen die schliesslich das SCU eingesetzt wurde. Auch die tribunizischen Interzessionen hatten im Endeffekt nur beschränkte Wirkung und konnten die Politik der Einzelpersönlichkeiten nicht *mehr* fördern als die entsprechenden tribunizischen Anträge.

Eine deutliche Veränderung im Vergleich zur mittleren Republik spielte sich im Bereich der kollegialen Interzession ab. Diese wurde jetzt häufig angewandt und richtete sich in erster Linie gegen populare Rogationen. Der Senat wurde somit zum Hauptnutzniesser der kollegialen tribunizischen Interzession. Diese stellte zwar ein wichtiges, aber nicht unbedingt erfolgreiches Mittel gegen populare Vorlagen dar. Mehrheitlich blieben sie nämlich erfolglos, so dass der Nutzen für den Senat nur beschränkt war. Auch die konsequentere Verteidigung der tribunizischen Interzession durch die Optimaten nach dem Jahr 70 war nicht unbedingt wirksam. Die tribunizische Interzession verhalf immerhin dazu, die Popularen ins Unrecht zu setzen. Eine radikale Unterbindung der popularen Politik wurde damit aber nie geübt.

Die nichtkollegiale Interzession ausserhalb des Senats konnte in einigen Fällen im Sinne der Senatsmehrheit gegen unangenehme Obermagistrate und Nobilitätsvertreter eingesetzt werden. Die senatstreue Seite des Tribunats war somit in der späten Republik insgesamt zu einem guten Teil auch von der Negation geprägt. Im Unterschied zur mittleren Republik wurde die tribunizische Interzession jetzt vermehrt gegen konsularische Rogationen eingesetzt. Bei wichtigen konsularischen Gesetzen blieb sie jedoch erfolglos. Die Feldherrn liessen sich auch ausserhalb des Rogationsverfahrens durch die Interzession nicht mehr behindern. Die Tribunen fungierten daher nie als allgemeine Aufsichtsbehörde. Sulla hatte aber in Anbetracht der senatstreuen Interzessionen keinen Grund gehabt, das *ius intercedendi* der Tribunen gänzlich einzuschränken. Vielmehr verbot er die Interzession gegen die Anwendung einzelner Gesetze.

Dem tribunizischen *ius auxilii* ist auch in der späten Republik eine wichtige Stellung zuzumessen. Obwohl die wenigen bekannten Fälle der Interzession auf Appellation jeweils auf Aufrufe von Vertretern aus der Oberschicht erfolgten, ist insbesondere bei Privatprozessen anzunehmen, dass das Volkstribunat zum Teil auch für einfache Plebejer als Rechtsschutzbehörde eingriff. Die Bedeutung des *ius auxilii* wurde auch von Sulla nicht in Frage gestellt, der diesen Bereich bei seinen Beschränkungen des Volkstribunats ausgenommen hat. In den zur späten Republik überlieferten Fällen schritten die Tribunen ausschliesslich bei Gerichtsverhandlungen ein. Appelle anlässlich von Administrativverfahren hinsichtlich Steuererhebungen oder Militäraufgeboten sind nicht bekannt. Auch gewöhnliche Kriminalität (Strassenverbrechen) wurde von den Tribunen nie gedeckt. Ein weiterer Rückgang an direkter Zusammenarbeit zwischen Volkstribunat und Senat manifestierte sich darin, dass die Entscheidungen über die Appellation im Gegensatz zur mittleren Republik nicht mehr dem Senat überlassen wurden (*rem ad senatum reicere*). Es ergab sich jetzt, dass verschiedene Tribunen auch ohne Aufruf bei politischen Prozessen interzedierten, so dass das *ius auxilii* zu einem politischen Instrument wurde. In Schutz genommen wurden in erster Linie Leute, die von andern Tribunen bedroht wurden. Damit bestand im Tribunenkollegium angesichts der gesteigerten politischen Auseinandersetzungen eine gewisse Intraorgankontrolle. Die Tribunen erwiesen sich infolge des wachsenden Bürgerverbandes aber als ungenügende Schutzbehörde. Ihre Funktion musste unter dem Prinzipat auf andere Gremien übertragen werden.

Die religiöse Obstruktion mittels Obnuntiation, von der wir in nachsullanischer Zeit verschiedene Beispiele haben, bildete für die Tribunen kaum einen Ersatz für die Interzession gegen Rogationen, da sie in diesem Bereich genauso erfolglos war. In einzelnen Fällen kam sie allerdings bei Wahlen, *senatus lectio* und Census zur Anwendung, gegen die die Interzession verboten war. Hier stellte sie für populare Tribunen ein politisches Mittel im Tageskampf dar. Obnuntiationen von Personen ausserhalb des Tribunenkollegiums wurden von den Volkstribunen meist missachtet. Sie konnten aber im Nachhinein wirksam werden, indem sie zur Annullierung von rogierten Gesetzen führten.

Im Vergleich zur mittleren Republik agierten die Volkstribunen der späten Republik viel öfter gegen den Willen der Senatsmehrheit. Von den Popularen gingen auch die markantesten tribunizischen Aktionen aus. In dieser Rolle trug das Tribunat weiter zur Desintegration der Senatsherrschaft bei. Direkte Gefahr für das System drohte allerdings nie von seiten der Volkstribunen, sondern von den mächtigen Feldherrn. Die grosse Mehrheit der Tribunen handelte nach wie vor nicht ohne die Zustimmung des Senats. Das Volkstribunat stand auch in nachsullanischer Zeit nicht „fast kontinuierlich im Gegensatz zur Senatsmehrheit", wir J. Martin (56) angenommen hat. Auch wenn sich die direkte Zusammenarbeit zwischen Senat und Volkstribunat reduzierte, so hatten die senatstreuen Aktionen weiterhin grosse Bedeutung. Zugleich symbolisierten die Volkstribunen immer noch den Anteil des Volkes am öffentlichen Leben, obwohl die Bezeichnung *tribuni plebis* für ihre politischen Handlungen längst nicht mehr zutraf. Das Amt hatte somit eine wichtige Legitimationsfunktion für die bestehende Ordnung. Einschränkungen, wie sie Sulla vorgenommen hatte, waren daher auf die Dauer nicht aufrechtzuerhalten. Verschiedene Teile der Bevölkerung sowie die Ritter und auch etliche Vertreter des Senatorenstandes, die von tribunizischen Aktionen profitiert hatten, mussten an der Aufhebung der Restriktionen interessiert sein. Auch Cicero forderte selbst nach den Wirren der 60er und 50er Jahre ein uneingeschränktes Volkstribunat. Caesar war seinerseits nicht mehr auf eine Einschränkung des Tribunats angewiesen. Zudem profitierte er auch als Diktator noch von einzelnen tribunizischen Aktionen. Die neuen Machtverhältnisse erlaubten es, Teile der *tribunicia potestas* sowie die *sacrosanctitas* von der Person des Tribunen loszulösen und auf den Herrscher zu übertragen. Gleichzeitig wurde das Volkstribunat in der ausgehenden Republik in seinen öffentlichen Funktionen allmählich entwertet. Das Tribunenamt unterlag damit denselben Zerfallserscheinungen wie das übrige aristokratische Gefüge.

LISTE DER VOLKSTRIBUNEN ZWISCHEN 133 UND 43 V. CHR.

Die nachfolgende Liste baut auf den Fasten von Niccolini und der Prosopographie von Broughton auf. Die nicht eindeutig gesicherten Volkstribunen sind mit einem Fragezeichen versehen (vgl. einige weitere Vermutungen bei Pais 215ff. 381f.).

Die Bestimmung der Volkstribunen unbekannter (nichtsenatorischer?) Familien stützt sich auf Wiseman (209ff., vgl. dazu oben S. 23). Von dieser Aufstellung abweichend rechnet Gruen (LG, 514ff.) C. Visellius Varro (tr. pl. 69?) einer konsularischen Familie, Rubrius (tr. pl. 49?) einer praetorischen Familie und Q. Fufius Calenus (tr. pl. 61), C. Herennius (tr. pl. 60), T. Munatius Plancus (tr. pl. 52), Plautius (tr. pl. 70) und A. Plautius (tr. pl. 56) senatorischen Familien zu. Dafür reiht er C. Antius (tr. pl. 68), M. Aufidius Lurco (tr. pl. 61), L. Fabricius (tr. pl. 62?), Q. Fabricius (tr. pl. 57), L. Flavius (tr. pl. 60) und M. Valerius (tr. pl. 68) unter die *novi homines* ein.

Für die Bestimmung der Popularen wurde die Aufstellung von Meier (Populares, 573ff.) zugrunde gelegt (vgl. dazu oben S. 24).

Als Ausgangspunkt für die Angabe der späteren Ämterlaufbahnen diente das Werk von Broughton.

Legende: o = in der Überlieferung als *popularis* bezeichnet
z = konsularischer *homo novus*

		nichtsenatorisch	*popularis*	später Pr.	später Cos.
133	Q.? Mucius od. Minucius od. Mummius	x			
	M. Octavius				
	Rubrius	x			
	P. Satureius	x			
	Ti. Sempronius Gracchus		o		
131 od. 130	C. Atinius Labeo Macerio			x	
	C. Papirius Carbo		o	x	x
126	M. Iunius Pennus				
124 od. 123	M. Iunius (Silanus)			x	x
123	? Aufeius	x			
	C. Sempronius Gracchus		o		
123 od. 122	? Cn. Marcius Censorinus				
122	M'. Acilius Glabrio				
	M. Fulvius Flaccus		x		
	M. Livius Drusus			x	x
	C.? Rubrius				
	C. Sempronius Gracchus		o		

121	? Maevius (od. Mevius)				
	M.? Minucius Rufus			x	x
120	L. Calpurnius Bestia			x	x
	P. Decius (Subulo)		x	x	
ca. 120	C. Licinius Nerva				
119 od. 118	Sp. Thorius	x			
119	C. Marius	x	x	x	z
113	Sex. Peducaeus	x			
111	C. Baebius				
	C. Memmius		x	x	
110	L. Annius				
	P. Licinius Lucullus				
109	C. Mamilius Limetanus		x		
107	C. Coelius Caldus	x	x	x	z
	L. Licinius Crassus			x	x
	T. Manlius Mancinus		x		
106	Q. Mucius Scaevola			x	x
104	L. Cassius Longinus		x		
	Cn. Domitius Ahenobarbus		x	x	x
ca. 104	? Clodius				
	L. Marcius Philippus		x	x	x
103	L. (Antistius?) Reginus				
	L. Appuleius Saturninus		o		
	L. (Aurelius) Cotta			x	
	M.? Baebius (Tamphilus?)				
	T. Didius	x		x	z
	C. Norbanus	x	x	x	z
102	A. Pompeius				
101	C. Servilius Glaucia		x	x	
100	L. Appuleius Saturninus		o		
100 od. 99	P. Furius	x	x		
	Q. Pompeius Rufus			x	x
	M.? Porcius Cato				
99	(L. Appuleius Saturninus, tr. pl. des.)		o		
	(L. Equitius, tr. pl. des.)	x	x		
	Sex. Titius	x	x		
99 od. 98	C. Appuleius Decianus				
	Q. Calidius	x		x	
	C. Canuleius	x			
ca. 98	P. Servilius Vatia (Isauricus)			x	x
97	M. Duronius				
92	Cn. Papirius Carbo		x	x	x
91	M. Livius Drusus				
	Saufeius	x			
91 od. 90	? L. Fufius				

90	? Q. Caecilius Metellus Celer				
	C. Papirius Carbo Arvina				
	? Cn. Pomponius				
	C. Scribonius Curio			x	x
	Q. Varius Severus Hibrida	x	x		
89	? L. Calpurnius Piso			x	
	L. Cassius				
	? L. Memmius				
	C. Papirius Carbo			x	
	M. Plautius Silvanus	x			
88	P. Antistius				
	P. Sulpicius (Rufus)		o		
87	Sex. Lucilius				
	P. Magius	x			
	M. Marius Gratidianus	x		x	
	? C. Milonius	x			
	M. Vergilius	x			
87 od. 86	Caelius				
86	P. Popillius Laenas				
83	M. Iunius Brutus				
(ca.) 82	Q. Valerius Soranus	x			
80 (od. 88)	C. Herennius				
78	? M'. Acilius Glabrio			x	x
77	M. Terpolius	x			
76	Cn. Sicinius		x		
75	Q. Opimius				
74	L. Quinctius	x	o	x	
73	C. Licinius Macer		x	x	
71	M. Lollius Palicanus	x	x	x	
70	Plautius	x			
69	Q. Cornificius			x	
	Q. Manlius				
	? C. Visellius Varro	x			
68	C. Antius (Restio)				
	C. Antonius (Hibrida)			x	x
	Q. Caecilius (Metellus Celer?)			x	x
	Cn. Cornelius (Lentulus)			x	x
	C. Fundanius				
	L. Hostilius (Dasianus?)				
	Q. Marcius				
	C. Popilius				
	M. Valerius				
	L. Volcacius			x	x
ca. 67	C. Papirius Carbo			x	
67	C. Cornelius		x		

	A. Gabinius		x	x	x
	L. Roscius Otho	x		x	
	P. Servilius Globulus			x	
	L. Trebellius	x			
66	C. Manilius (Crispus?)		x		
	C. Memmius		x	x	
65	C. Papius				
64	? Fabius				
	Q. Mucius Orestinus				
63	T. Ampius Balbus	x	x	x	
	L. Caecilius Rufus			x	
	T. Labienus	x	o	x	
	P. Servilius Rullus		o		
62	Q. Caecilius Metellus Nepos		x	x	x
	L. Calpurnius Bestia				
	? L. Fabricius				
	L. Marius				
	Q. Minucius Thermus			x	
	M. Porcius Cato (Uticensis)			x	
61	M. Aufidius Lurco				
	C. Caecilius Cornutus			x	
	Q. Fufius Calenus	x	o	x	z
60	L. Flavius		x	x	
	C. Herennius	x			
59	C. Alfius Flavus	x	o		
	Q. Ancharius			x	
	? Q. Caecilius Metellus Pius Scipio Nasica			x	x
	C. Cosconius			x	
	Cn. Domitius Calvinus			x	x
	C. Fannius			x	
	? P. Nigidius Figulus			x	
	P. Vatinius	x	o	x	z
58	Aelius Ligus				
	(L. Antistius, evtl. tr. pl. 56)				
	P. Clodius Pulcher		o		
	L. Ninnius Quadratus	x			
	L. Novius (Niger?)	x			
	Q. Terentius Culleo				
57	T. Annius Milo (Papianus)	x		x	
	Sex. Atilius Serranus Gavianus				
	C. Cestilius	x			
	M. Cispius	x		x	
	M. Curtius Peducaeanus			x	
	Q. Fabricius				
	T. Fadius	x			

	C. Messius	x	x		
	Q. Numerius Rufus (Gracchus)	x			
	P. Sestius			x	
56	(L.) Antistius (Vetus) (vgl. 58)				
	L. Caninius Gallus				
	Cassius				
	? M. Nonius Sufenas			x	
	Cn. Plancius	x			
	A. Plautius	x		x	
	C. Porcius Cato		x		
	? L. Procilius	x			
	L. Racilius	x			
	P. Rutilius Lupus			x	
55	A. Allienus	x		x	
	P. Aquillius Gallus				
	C. Ateius Capito	x		x	
	C. Fabius				
	Mamilius				
	Sex. Peducaeus				
	L. Roscius Fabatus	x		x	
	C. Trebonius	x	x	x	z
54	D. Laelius				
	C. Memmius				
	Q. Mucius Scaevola				
	Terentius				
53	M. Coelius Vinicianus	x	x	x	
	P. Licinius Crassus Iunianus				
	C. Lucilius Hirrus		x		
52	M. Caelius Rufus	x		x	
	Manilius Cumanus	x			
	T. Munatius Plancus Byrsa	x	x		
	Q. Pompeius Rufus		x		
	C. Sallustius Crispus	x	x	x	
51	C. Caelius (Rufus)	x			
	P. Cornelius				
	C. Vibius Pansa (Caetronianus)			x	x
	L. Vinicius	x		x	z
50	C. Furnius	x		x	(z) (Cos. des.)
	C. Scribonius Curio		x		
49	M. Antonius			x	x
	? (Aurelius) Cotta				
	L. Caecilius Metellus				
	C. Cassius Longinus			x	
	Q. Cassius Longinus				
	L. Marcius Philippus			x	x

	? (L.?) Rubrius	x		
48	? A. Hirtius	x	x	z
47	C. Asinius Pollio	x	x	z
	P. Cornelius Dolabella		x	x
	L. Trebellius (Fides)			
46	? C. Antonius		x	
45	? Caecilius (od. Pomponius)	x		
	L. Pontius Aquila	x		
ca. 45	P. Ventidius Bassus	x	x	z
44	L. Antonius		x	x
	L. Caesetius Flavus	x		
	Ti. Cannutius	x		
	(D.) Carfulenus	x		
	L. Cassius Longinus			
	L. Decidius Saxa	x		
	C. Epidius Marullus	x		
	? (L.) Flaminius (Chilo?)			
	C. Helvius Cinna	x		
	C. od. P. Hostilius Saserna	x		
	(Nonius) Asprenas	x		
	C. (Servilius) Casca			
43	P. Appuleius			
	? L. Cornificius		x	x
	Salvius	x		
	M. Servilius			
	P. Servilius Casca Longus			
	M. Terentius Varro Gibba			
	P. Titius			
	? M. Vipsanius Agrippa	x	x	z

Tribunen unsicheren Datums:

133–88

vor 129 (ca. 132?)	? Q. Aelius Tubero	
um 90	T. Iunius	
vor 114	Memmius	
vor 90	? Minicius	
90er Jahre	M. Octavius	
um 90	(P.?) Porcius (Laeca?)	
vor 81?	? Publicius	
vor 80	? Remmius	
zw. 100 u. 90	L. Sestius	x
zw. 91 u. 81	? C. Velleius	

87–71	M. Terentius Varro		x
70–43			
vor 66	Q. Coelius Latiniensis	x	
zw. 52 u. 44	P. Decius		
vor 63	? Fabius		
vor 66	C. Falcidius	x	
vor 58 (ca. 64?)	M. Lucilius		

LITERATUR- UND ABKÜRZUNGSVERZEICHNIS

Alföldi, A., Caesar in 44 v. Chr., Bd. 1: Studien zu Caesars Monarchie und ihren Wurzeln, Bonn 1985. (= Alföldi, Caesar in 44 v. Chr.)

Alföldy, G., Römische Sozialgeschichte, 3. Aufl., Wiesbaden 1984. (= Alföldy, Sozialgeschichte)

Astin, A. E., Scipio Aemilianus, Oxford 1967. (= Astin, Scipio)

Badian, E., Foreign Clientelae (264–70 B. C.), Oxford 1958. (= Badian, FC)

Ders., Lucius Sulla. The Deadly Reformer, in: The Seventh Todd Memorial Lecture, Sydney 1970, 3–32.

Ders., P. Decius P. f. Subulo. An Orator of the Time of the Gracchi, JRS 46, 1956, 91–96.

Ders., Publicans and Sinners. Private Enterprise in the Service of the Roman Republic, Oxford 1972. (= Badian, Publicans)

Ders., Roman Imperialism in the Late Republic, Oxford 1968. (= Badian, Imperialism)

Bauman, R. A., The Abrogation of Imperium: Some Cases and a Principle, RhM 111, 1968, 37–50.

Ders., The Crimen Maiestatis in the Roman Republic and Augustan Principate, Johannesburg 1967. (= Bauman, Crimen)

Ders., Tribunician Sacrosanctity in 44, 36 and 35 B. C., RhM 124, 1981, 166–183.

Bengtson, H., Grundriss der römischen Geschichte, mit Quellenkunde, Bd. 1, HdAW III. 5, 1, 3. Aufl., München 1982. (= Bengtson, RG)

Benner, H., Die Politik des P. Clodius Pulcher. Untersuchungen zur Denaturierung des Clientelwesens in der ausgehenden römischen Republik, Historia Einzelschriften H. 50, Stuttgart 1987. (= Benner)

Béranger, J., La date de la Lex Antonia de Termessibus et le tribunat syllanien, in: Mélanges A. Piganiol, hrsg. v. R. Chevallier, Bd. 2, Paris 1966, 723–737.

Bernstein, A. H., Tiberius Sempronius Gracchus. Tradition and Apostasy, London 1978. (= Bernstein)

Betti, E., La rivoluzione dei tribuni in Roma dal 132 all'88, Labeo 9, 1963, 57–88 und 211–236.

Blänsdorf, J., Populare Opposition und historische Deutung in der Rede des Volkstribunen Licinius Macer in Sallusts ‚Historien', AU 21, H. 3, 1978, 54–69.

Bleicken, J., Kollisionen zwischen Sacrum und Publicum, Hermes 85, 1957, 446–480. (= Bleicken, Kollisionen)

Ders., Lex publica. Gesetz und Recht in der römischen Republik, Berlin/New York 1975. (= Bleicken, Lex publica)

Ders., Das römische Volkstribunat. Versuch einer Analyse seiner politischen Funktion in republikanischer Zeit, Chiron 11, 1981, 87–108. (= Bleicken, Volkstribunat 1981)

Ders., Staatliche Ordnung und Freiheit in der römischen Republik, FAS 6, Kallmünz 1972. (= Bleicken, Staatliche Ordnung)

Ders., Ursprung und Bedeutung der Provocation, ZRG 76, 1959, 324–377. (= Bleicken, Provocation)

Ders., Das Volkstribunat der klassischen Republik. Studien zu seiner Entwicklung zwischen 287 und 133 v. Chr., Zetemata 13, München 1955 (2. Aufl. 1968). (= Bleicken, Volkstribunat 1955)

Boren, H. C., Livius Drusus, t. p. 122, and his Anti-Gracchan Program, CJ 52, 1956, 27–36. (= Boren)

Botsford, G. W., The Roman Assemblies. From their Origin to the End of the Republic, New York 1909 (ND 1968). (= Botsford)

Brecht, Ch. H., Perduellio. Eine Studie zu ihrer begrifflichen Abgrenzung im römischen Strafrecht bis zum Ausgang der Republik, MBP 29, München 1938. (= Brecht)

Broughton, T. R. S., Comment (zu P. A. Brunt, The Equites in the Late Republic, Deuxième conférence d'histoire économique 1962, Bd. 1, Aix-en-Provence 1965, 117–149), ebenda 150–162.

Ders., The Magistrates of the Roman Republic, Bd. 1 (1951), Bd. 2 (1952), Suppl. (1960), Bd. 3 (1986), New York 1951–86. (= Broughton 1/2/Suppl./3)

Bruhns, H., Caesar und die römische Oberschicht in den Jahren 49–44 v. Chr. Untersuchungen zur Herrschaftsetablierung im Bürgerkrieg, Hypomnemata 53, Göttingen 1978. (= Bruhns)

Brunt, P. A., The Equites in the Late Republic, Deuxième conférence d'histoire économique 1962, Bd. 1, Aix-en-Provence 1965, 117–149. (= Brunt, Equites); deutsch: WdF 413, 1976, 175–213.

Ders., Italian Manpower 225 B. C. – A. D. 14, Oxford 1971. (= Brunt, IM)

Ders., The Roman Mob, in: Studies in Ancient Society, hrsg. v. M. I. Finley, London 1974, 74–102. (= Brunt, Mob); deutsch: WdF 413, 1976, 271–310.

Catalano, P., Tribunato e resistenza, Historica Politica Philosophica 4, Torino 1971.

Cocchia di Enrico, E., Il tribunato della plebe e la sua autorità giudiziaria studiata in rapporto colla procedura civile. Contributo illustrativo alle legis actiones e alle origini storiche dell'editto pretorio, Napoli 1917. (= Cocchia di Enrico)

Dahlheim, W., Gewalt und Herrschaft. Das provinziale Herrschaftssystem der römischen Republik, Berlin/New York 1977. (= Dahlheim)

Develin, R., The Atinian Plebiscite, Tribunes and the Senate, CQ 28, 1978, 141–144.

Drumann, W., Geschichte Roms in seinem Übergange von der republikanischen zur monarchischen Verfassung, Bd. 1–6, 2. Aufl., hrsg. v. P. Groebe, Leipzig 1899–1929. (= Drumann-Groebe 1–6)

Earl, D. C., M. Octavius, trib. pleb. 133 B. C., and his successor, Latomus 19, 1960, 657–669.

Eder, W., Das vorsullanische Repetundenverfahren, Diss. München 1969. (= Eder)

Eigenbrodt, A., De magistratuum romanorum juribus quibus pro pari et pro majore potestate inter se utebantur; imprimis de tribunorum plebis potestate, Diss. Leipzig 1875. (= Eigenbrodt)

Fabbrini, F., „Tribuni plebis", NNDI 19, Torino 1973, 778–822. (= Fabbrini)

Flach, D., Die Ackergesetzgebung im Zeitalter der römischen Revolution, HZ 217, 1974, 265–295. (= Flach)

Frei-Stolba, R., Untersuchungen zu den Wahlen in der römischen Kaiserzeit, Diss. Zürich 1967. (= Frei-Stolba)

Gabba, E., (Hrsg.) Appiani bellorum civilium liber primus, 2. Aufl., Firenze 1967. (= Gabba, Comm.)

Ders., Esercito e società nella tarda Repubblica Romana, Firenze 1973. (= Gabba, Esercito)

Ders., M. Livio Druso e le riforme di Silla, ASNP 33, 1964, 1–15; englisch in: Republican Rome, 131–141. 250–255.

Ders., Republican Rome, the Army and the Allies, Oxford 1976. (= Gabba, Republican Rome)

Galsterer, H., Herrschaft und Verwaltung im republikanischen Italien. Die Beziehungen Roms zu den italischen Gemeinden vom Latinerfrieden 338 v. Chr. bis zum Bundesgenossenkrieg 91 v. Chr., MBP 68, München 1976. (= Galsterer)

Gelzer, M., Caesar. Der Politiker und Staatsmann, 6. Aufl., Wiesbaden 1960. (= Gelzer, Caesar)

Ders., Cicero. Ein biographischer Versuch, Wiesbaden 1969. (= Gelzer, Cicero)

Ders., Das erste Consulat des Pompeius und die Übertragung der grossen Imperien, in: Kleine Schriften, Bd. 2, Wiesbaden 1963, 146–189.

Ders., Pompeius, 2. Aufl., München 1959. (= Gelzer, Pompeius)

Giovannini, A., Volkstribunat und Volksgericht, Chiron 13, 1983, 545–566.

Girardet, K. M., Ciceros Urteil über die Entstehung des Tribunates als Institution der römischen Verfassung (rep. 2, 57–59), in: Bonner Festgabe J. Straub, Beih. BJb 39, 1977, 179–200.

Grasmück, E. L., Exilium. Untersuchungen zur Verbannung in der Antike, Paderborn 1978. (= Grasmück)

Greenidge, A. H. J./Clay, A. M., Sources for Roman History 133–70 B. C., 2. Aufl. (Revised by E. W. Gray), Oxford 1966. (= GCG)

Griffin, M., The Tribune C. Cornelius, JRS, 63, 1973, 196–213.

Grosso, G., Appunti sulla valutazione del tribunato della plebe nella tradizione storiografica conservatrice, Index 7, 1977, 157–161.

Ders., Riflessioni su Tacito, Ann. 3, 27, su Livio Druso padre e figlio e sul tribunato della plebe, Index 3, 1972, 263–267.

Ders., Sul tribunato della plebe, Labeo 20, 1974, 7–11.

Gruen, E. S., The Last Generation of the Roman Republic, Berkeley/Los Angeles/London 1974. (= Gruen, LG)

Ders., M. Antonius and the Trial of the Vestal Virgins, RhM 111, 1968, 59–63.

Ders., P. Clodius: Instrument or Independent Agent?, Phoenix 20, 1966, 120–130.

Ders., Roman Politics and the Criminal Courts. 149–78 B. C., Cambridge (Mass.)/London 1968. (= Gruen, RP)

Grziwotz, H., Das Verfassungsverständnis der römischen Republik. Ein methodischer Versuch, Frankfurt a. M./Bern/New York 1985. (= Grziwotz)

Gutberlet, D., Die erste Dekade des Livius als Quelle zur gracchischen und sullanischen Zeit, Hildesheim/Zürich/New York 1985. (= Gutberlet)

Hackl, U., Die Bedeutung der popularen Methode von den Gracchen bis Sulla im Spiegel der Gesetzgebung des jüngeren Livius Drusus, Volkstribun 91 v. Chr., Gymnasium 94, 1987, 109–127.

Dies., Senat und Magistratur in Rom von der Mitte des 2. Jahrhunderts v. Chr. bis zur Diktatur Sullas, Regensburger Historische Forschungen 9, Kallmünz 1982. (=Hackl, Senat)

Hall, U., Notes on M. Fulvius Flaccus, Athenaeum 55, 1977, 280–288.

Hermon, E., Le programme agraire de Caius Gracchus, Athenaeum 60, 1982, 258–272.

von Herzog, E., Geschichte und System der römischen Staatsverfassung, Bd. 1, Leipzig 1884 (ND Aalen 1965). (= Herzog 1)

Heuss, A., Römische Geschichte, 4. Aufl., Braunschweig 1976. (= Heuss, RG)

Hinard, F., Les proscriptions de la Rome républicaine, Rom 1985 (= Hinard, proscriptions)

Hinrichs, F. T., Die Ansiedlungsgesetze und Landanweisungen im letzten Jahrhundert der römischen Republik, Diss. Heidelberg 1957. (= Hinrichs, Diss.)

Hofmann, F., Der römische Senat zur Zeit der Republik nach seiner Zusammensetzung und innern Verfassung betrachtet, Berlin 1847. (= Hofmann)

Hohl, E., Besass Cäsar Tribunengewalt?, Klio 32, 1939, 61–75.

Johannsen, K., Die lex agraria des Jahres 111 v. Chr., Text und Kommentar, Diss. München 1971. (= Johannsen)

Jones, A. H. M., The Criminal Courts of the Roman Republic and Principate, Oxford 1972. (= Jones)

Ders., De Tribunis Plebis Reficiendis, PCPhS 186, 1960, 35–39.

Katz, B. R., Studies on the Period of Cinna and Sulla, AC 45, 1976, 497–549. (= Katz)

Keaveney, A., Sulla, Sulpicius and Caesar Strabo, Latomus 38, 1979, 451–460. (= Keaveney)

Kienast, D., Rez. J. Bleicken, Das Volkstribunat der klassischen Republik (München 1955), Gnomon 29, 1957, 103–108.

Kloft, H., Bemerkungen zum Amtsentzug in der römischen Republik, ZAGV 84/85, 1977/78, 161–180. (= Kloft, Amtsentzug)

Ders., Caesar und die Amtsentsetzung der Volkstribunen im Jahre 44 v. Chr., Historia 29, 1980, 315–334. (= Kloft, Caesar)

Ders., Prorogation und ausserordentliche Imperien 326–81 v. Chr., Untersuchungen zur Verfassung der römischen Republik, Beiträge zur Klassischen Philologie 84, Meisenheim a. G. 1977. (= Kloft, Prorogation)

Kunkel, W., Kleine Schriften, Weimar 1974, (579–586 Rez. J. Bleicken, Das Volkstribunat der klassischen Republik, München 1955). (= Kunkel, Kl. Schr.)

Ders., Untersuchungen zur Entwicklung des römischen Kriminalverfahrens in vorsullanischer Zeit, ABAW 56, München 1962. (= Kunkel)

Laffi, U., Il mito di Silla, Athenaeum 45, 1967, 177–213 und 255–277.

Lange, L., Römische Alterthümer, Bd. 1/2 (3. Aufl., 1876/79), Bd. 3 (2. Aufl., 1876), Berlin 1876/79. (= Lange, Röm. Alterthümer 1–3)

Last, H., & a. The Cambridge Ancient History, Bd. 9: The Roman Republic 133–44 B. C., hrsg. v. S. A. Cook & a., 2. Aufl., Cambridge 1951. (= Last, CAH 9)

Lefèvre, E., Du Rôle des Tribuns de la Plèbe en Procédure Civile, Diss. Paris 1910. (= Lefèvre)

Lengle, J., Römisches Strafrecht bei Cicero und den Historikern, Stuttgart 1971 (zuerst: Neue Wege zur Antike 1, 11, Leipzig/Berlin 1934). (= Lengle, Strafr.)

Ders., Tribunus plebis, RE 6 A, 1937, 2454–2490. (= Lengle, Tribunus)

Ders., Untersuchungen über die sullanische Verfassung, Diss. Freiburg i. Br. 1899. (= Lengle, Sulla)

Ders., Die Verurteilung der römischen Feldherrn von Arausio, Hermes 66, 1931, 302–316. (= Lengle, Verurteilung)

Levi, M. A., Il valore strumentale del Tribunato della plebe sino alla Tribunicia potestas imperiale, in: Il Tribunato della plebe e altri scritti su istituzioni pubbliche romane, Milano 1978, 3–28.

Ders., La ‚Tribunicia potestas‘ di C. Giulio Cesare, in: Il Tribunato della plebe e altri scritti su istituzioni pubbliche romane, Milano 1978, 41–44.

Linderski, J., Three Trials in 54 B. C.: Sufenas, Cato, Procilius and Cicero, ‚ad Atticum‘, 4. 15. 4, in: Studi in onore di Ed. Volterra, Bd. 2, Milano 1972, 281–302. (= Linderski, Three Trials)

Lintott, A. W., The Tribunate of P. Sulpicius Rufus, CQ 21, 1971, 442–453.

Ders., Violence in Republican Rome, Oxford 1968. (= Lintott)

Lobrano, G., Fondamento e natura del potere tribunizio nella storiografia giuridica contemporanea, Index 3, 1972, 235–262.

Ders., Plebei magistratus, patricii magistratus, magistratus populi romani, SDHI 41, 1975, 245–277.

Ders., Il potere dei tribuni della plebe, Milano 1982.

von Lübtow, U., Das römische Volk. Sein Staat und sein Recht, Frankfurt a. M. 1955 (= v. Lübtow)

Malitz, J., Ambitio mala: Studien zur politischen Biographie des Sallust, Saarbrücker Beiträge zur Altertumskunde 14, Bonn 1975, bes. 30–62. (= Malitz)

Ders., C. Aurelius Cotta Cos. 75 und seine Rede in Sallusts Historien, Hermes 100, 1972, 359–386.

Margadant, G. F., El tribunado de la plebe: un gigante sin descendencia, Index 7, 1977, 169–200.

Marshall, B., The Tribunate of C. Cornelius, in: Vindex Humanitatis, Essays in Honour of J. H. Bishop, hrsg. v. B. Marshall, Armidale 1980, 84–92. (= Marshall)

Marshall, B./Beness, J. L., Tribunician Agitation and Aristocratic Reaction 80–71 B. C., Athenaeum 65, 1987, 361–378.

Martin, J., Die Popularen in der Geschichte der Späten Republik, Diss. Freiburg i. Br. 1965. (= Martin)

Ders., Die Provokation in der klassischen und späten Republik, Hermes 98, 1970, 72–96. (= Martin, Provokation)

De Martino, F., Storia della costituzione romana, Bd. 1–6, Napoli 1958–1972. (= De Martino 1–6)

Mazzarino, S., Sul tribunato della plebe nella storiografia romana, Helikon 11/12, 1971/72, 99–119 (= Index 3, 1972, 175–191).

McDonald, W., The Tribunate of Cornelius, CQ 23, 1929, 196–208.

Meier, Ch., Caesar, Berlin 1982. (= Meier, Caesar)

Ders., Das Kompromiss-Angebot an Caesar i. J. 59 v. Chr., ein Beispiel senatorischer ‚Verfassungspolitik‘, MH 32, 1975, 197–208. (= Meier, Kompromiss-Angebot)

Ders., Die loca intercessionis bei Rogationen. Zugleich ein Beitrag zum Problem der Bedingungen der tribunicischen Intercession, MH 25, 1968, 86–100. (= Meier, loca intercessionis)

Ders., Nochmals zu den Unterschichten in Rom, Journal für Geschichte 1979, H. 4, 44–46.

Ders., Populares, RE Suppl. 10, 1965, 549–615. (= Meier, Populares)

Ders., Res publica amissa. Eine Studie zu Verfassung und Geschichte der späten römischen Republik, 1980 (zuerst: Wiesbaden 1966). (= Meier, RPA)

Meyer, Ed., Caesars Monarchie und das Principat des Pompejus. Innere Geschichte Roms von 66 bis 44 v. Chr., 3. Aufl., Stuttgart/Berlin 1922. (= Meyer, CM)

Meyer, E., Römischer Staat und Staatsgedanke, 4. Aufl., Zürich/München 1975. (= Meyer, Staatsgedanke)

Mispoulet, J.-B., La Vie Parlementaire à Rome sous la République. Essai de Reconstitution des Séances Historiques du Sénat Romain, Paris 1899. (= Mispoulet)

Mitchell, Th. N., The Volte-Face of P. Sulpicius Rufus in 88 B. C., CPh 70, 1975, 197–204.

Molthagen, J., Die Durchführung der gracchischen Agrarreform, Historia 22, 1973, 423–458. (= Molthagen)

Mommsen, Th., Römische Geschichte, Bd. 1–3 u. 5, 7. Aufl., Berlin 1881–85. (= Mommsen, RG 1/2/3/5)

Ders., Römisches Staatsrecht, Bd. 1–3, 3. Aufl., Leipzig 1887. (= Mommsen, StR. 1/2/3)

Ders., Römisches Strafrecht, Leipzig 1899. (= Mommsen, Strafr.)

Niccolini, G., I fasti dei tribuni della plebe, Milano 1934. (= Niccolini)

Ders., Questioni sul tribunato della plebe, NRS 22, 1938, 169–182.

Ders., Il tribunato della plebe, Milano 1932. (= Niccolini, tribunato)

Ders., I tribuni della plebe e il processo capitale, ASLG 3, 1924, 1–20. (= Niccolini, processo capitale)

Nicolet, C., Les classes dirigeantes romaines sous la République: ordre sénatorial et ordre équestre, Annales 32, 1977, 726–755.

Ders., L'ordre équestre à l'époque républicaine (312–43 av. J.-C.), Bd. 1 (1966), Bd. 2 (1974), Paris 1966/74. (= Nicolet 1/2)

Ders., Rome et la conquête du monde méditerranéen 264–27 avant J.-C., Bd. 1: Les structures de l'Italie romaine, Paris 1977.

Nippel, W., Die Banden des Clodius. Gewalt und Ritual in der späten römischen Republik, Journal für Geschichte 1981, H. 5, 9–13. (= Nippel, Clodius)

Ders., Die plebs urbana und die Rolle der Gewalt in der späten römischen Republik, in: Vom Elend der Handarbeit, hrsg. v. H. Mommsen/W. Schulze, Geschichte und Gesellschaft 24, Stuttgart 1981, 70–92. (= Nippel, plebs urbana)

Nowak, K.-J., Der Einsatz privater Garden in der späten römischen Republik, Diss. München 1973. (= Nowak)

van Ooteghem, J., Caius Marius, Bruxelles 1964. (= van Ooteghem, Marius)

Ders., Lucius Marcius Philippus et sa famille, Bruxelles 1961.

Pais, E., I Fasti dei Tribuni della plebe e lo svolgersi della tribunicia podestà sino all'età dei Gracchi, Ricerche sulla storia e sul diritto pubblico di Roma 3, Rom 1918. (= Pais)

Perelli, L., Il movimento popolare nell'ultimo secolo della repubblica, Historica Politica Philosophica 11, Torino 1982. (= Perelli)

Ders., Note sul tribunato della plebe nella riflessione ciceroniana, QS 5, 1979, 285–303. (= Perelli, Note)

Raaflaub, K., Dignitatis contentio. Studien zur Motivation und politischen Taktik im Bürgerkrieg zwischen Caesar und Pompeius, Vestigia 20, München 1974. (= Raaflaub, DC)

Ders., Zum politischen Wirken der caesarfreundlichen Volsktribunen am Vorabend des Bürgerkrieges, Chiron 4, 1974, 293–326. (= Raaflaub, Volkstribunen)

Reiter, W. L., M. Fulvius Flaccus and the Gracchan Coalition, Athenaeum 56, 1978, 125–144.

Rickman, G., The Corn Supply of Ancient Rome, Oxford 1980. (= Rickman)

Ridley, R. T., The Extraordinary Commands of the Late Republic. A Matter of Definition, Historia 30, 1981, 280–297. (= Ridley)

Rotondi, G., Leges publicae populi romani, Milano 1912 (ND Hildesheim 1962). (= Rotondi)

Rubino, J., De tribunicia potestate qualis fuerit inde a Sullae dictatura usque ad primum consulatum Pompeji, Diss. Kassel 1825. (= Rubino)

Rübeling, K., Untersuchungen zu den Popularen, Diss. Marburg 1951. (= Rübeling)

Schneider, H., Die Entstehung der römischen Militärdiktatur. Krise und Niedergang einer antiken Republik, Köln 1977. (= Schneider, Militärdiktatur)

Ders., Die politische Rolle der plebs urbana während der Tribunate des L. Appuleius Saturninus, AS 13/14, 1982/83, 193–221.

Ders., Protestbewegungen stadtrömischer Unterschichten, Journal für Geschichte 1979, H. 3, 16–20. (= Schneider, Protestbewegungen)

Ders., Sozialer Konflikt in der Antike: Die späte römische Republik, GWU 27, 1976, 579–613. (= Schneider, Sozialer Konflikt)

Ders., Wirtschaft und Politik. Untersuchungen zur Geschichte der späten römischen Republik, Erlanger Studien Bd. 3, Erlangen 1974. (= Schneider, Wirtschaft)

Schneider, H.-Ch., Das Problem der Veteranenversorgung in der späten römischen Republik, Bonn 1977. (= H. Ch. Schneider)

Sherwin-White, A. N., The lex repetundarum and the political ideas of Gaius Gracchus, JRS 72, 1982, 18–31.

Ders., The Roman Citizenship, 2. Aufl., Oxford 1973. (= Sherwin-White, Citizenship)

Siber, H., Römisches Verfassungsrecht in geschichtlicher Entwicklung, Lahr 1952. (= Siber)

Smith, R. E., The Use of Force in Passing Legislation in the Late Republic, Athenaeum 55, 1977, 150–174. (= Smith)

Sordi, M., La sacrosanctitas tribunizia e la sovranità popolare in un discorso di Tiberio Gracco, in: Religione e politica nel mondo antico, hrsg. v. M. Sordi, Milano 1981, 124–130.

Stein, P., Die Senatssitzungen der Ciceronischen Zeit (68–43), Diss. Münster i. W. 1930. (= Stein)

Stella Maranca, F., Il tribunato della plebe dalla „lex Hortensia“ alla „lex Cornelia“, Antiqua 20, Napoli 1982 (zuerst: Lanciano 1901). (= Stella Maranca)

Stockton, D., The Gracchi, Oxford 1979. (= Stockton)

Stylow, A. U., Libertas und Liberalitas. Untersuchungen zur innenpolitischen Propaganda der Römer, Diss. München 1972. (= Stylow)

Syme, R., Ten Tribunes, JRS 53, 1963, 55–60.

Taylor, L. R., Forerunners of the Gracchi, JRS 52, 1962, 19–27. (= Taylor, Forerunners)

Dies., Party Politics in the Age of Caesar, Berkeley/Los Angeles 1949. (= Taylor, Party Politics)

Dies., Roman Voting Assemblies from the Hannibalic War to the Dictatorship of Caesar, Ann Arbor 1966. (= Taylor, Assemblies)

Thomsen, R., Das Jahr 91 v. Chr. und seine Voraussetzungen, C & M 5, 1942, 13–47. (= Thomsen)

Treggiari, S., Roman Freedman during the Late Republic, Oxford 1969. (= Treggiari)

Triebel, Ch. A. M., Ackergesetze und politische Reformen. Eine Studie zur römischen Innenpolitik, Diss. Bonn 1980. (= Triebel)

von Ungern-Sternberg, J., Die beiden Fragen des Titus Annius Luscus, in: Sodalitas, Scritti in onore di A. Guarino, Bd. 1, Napoli 1984, 339–348.

Ders., Die popularen Beispiele in der Schrift des Auctors ad Herennium, Chiron 3, 1973, 143–162.

Ders., Untersuchungen zum spätrepublikanischen Notstandsrecht. Senatusconsultum ultimum und hostis-Erklärung, Vestigia 11, München 1970. (= v. Ungern-Sternberg, Notstandsrecht)

Vanderbroeck, P. J. J., Popular Leadership and Collective Behavior in the Late Roman Republic (ca. 80–50 B. C.), Amsterdam 1987. (= Vanderbroeck)

Villers, R., Le dernier siècle de la République Romaine: Réflexions sur la dualité des pouvoirs, in: Droits de l'antiquité et sociologie juridique, Mélanges H. Lévy-Bruhl, Paris 1959, 307–316. (= Villers)

Virlouvet, C., Famines et émeutes à Rome des origines de la République à la mort de Néron, Rom 1985. (= Virlouvet)

Vitzthum, W., Untersuchungen zum materiellen Inhalt der ‚lex Plautia' und ‚lex Julia de vi', Diss. München 1966. (= Vitzthum)

Volkmann, H., Tribunus plebis, Der Kleine Pauly 5, 1975, 948–950.

Von der Mühll, F., De L. Appuleio Saturnino tribuno plebis, Diss. Basel 1906. (= Von der Mühll)

Wehrmann, P., Zur Geschichte des römischen Volkstribunats, Programm des König-Wilhelms-Gymnasiums zu Stettin, Nr. 132, 1887. (= Wehrmann)

Weinrib, E. J., The Prosecution of Roman Magistrates, Phoenix 22, 1968, 32–56. (= Weinrib)

Willems, P., Le Sénat de la République Romaine, 2 Bde., Paris 1878–85 (ND Amsterdam 1968). (= Willems 1/2)

Wirszubski, Ch., Libertas als politische Idee im Rom der späten Republik und des frühen Prinzipats, Darmstadt 1967. (= Wirszubski)

Wiseman, T. P., New Men in the Roman Senate, 139 B. C. – A. D. 14, Oxford 1971. (= Wiseman)

Wittmann, R., Res publica recuperata. Grundlagen und Zielsetzung der Alleinherrschaft des L. Cornelius Sulla, in: Gedächtnisschrift für W. Kunkel, hrsg. v. D. Nörr/D. Simon, Frankfurt a. M. 1984, 563–582. (= Wittmann, Sulla)

Wolf, G., Historische Untersuchungen zu den Gesetzen des C. Gracchus: „Leges de iudiciis" und „Leges de sociis", Diss. München 1972. (= Wolf)

Yavetz, Z., Caesar in der öffentlichen Meinung, Düsseldorf 1979. (= Yavetz)

Ziegler, M., Fasti tribunorum plebis 133–70, Programm des Kgl. Gymnasiums in Ulm Nr. 682, 1903. (= Ziegler)

Zumpt, A. W., Der Criminalprozess der Römischen Republik, Leipzig 1871. (= Zumpt)

REGISTER

1. Personen- und Gesetzesregister

2. Sachregister

3. Quellenregister